1981

OTHER WORKS BY ANGEL FLORES

Lope de Vega, Monster of Nature, New York, Brentano's, 1930 (translated into Spanish by Guillermo de Torre, Madrid, Editorial La Nave, 1935; Buenos Aires, Losada, 1949).

Fiesta in November, Boston, Houghton, Mifflin, 1942.

The Kafka Problem, New York, New Directions, 1946; London, Grey Walls, 1947; New York, Octagon Books, 1963.

Cervantes Across the Centuries, New York, Dryden Press, 1948.

Great Spanish Stories, New York, Random House, 1956, (Modern Library).

Masterpieces of the Spanish Golden Age, New York, Rinehart, 1957.

Franz Kafka Today, University of Wisconsin Press, 1958.

An Anthology of French Poetry from Nerval to Valéry, New York, Doubleday, 1958 (Anchor Books).

Nineteenth Century German Tales, New York, Doubleday, 1959 (Anchor Books); New York, Ungar, 1966.

Historia y antología del cuento y la novela en Hispanoamérica, New York, Las Américas Publishing Company, 1959.

An Anthology of German Poetry from Hölderlin to Rilke, New York, Doubleday, 1960 (Anchor Books).

Nineteenth Century French Tales, New York, Doubleday, 1960 (Anchor Books).

Spanish Stories, New York, Bantam, 1960 (Dual-Language).

An Anthology of Spanish Poetry from Garcilaso to García Lorca, New York, Doubleday, 1961 (Anchor Books).

Spanish Drama, New York, Bantam, 1962.

An Anthology of Medieval Lyrics, New York, Random House, 1962 (Modern Library).

Great Spanish Short Stories, New York, Dell, 1962.

Medieval Age, New York, Dell, 1963; London, Dent, 1965.

First Spanish Reader, New York, Bantam, 1964 (Dual-Language).

The Literature of Spanish America, Vol. I, The Colonial Period, New York, Las Américas Publishing Company, 1966.

Leopardi: Poems and Prose, Indiana University Press, 1966.

THE LITERATURE OF
SPANISH AMERICA

VOLUME 2

(1825-1885)

A Critical Anthology

edited and annotated

by

ANGEL FLORES

1967
Las Américas Publishing Company
New York

Manufactured in the United States of America
by
HISPANIC PRINTING CORP.
152 East 23rd Street
New York City

for

Wayne Dederick Jr.

*who might have liked to help Bolívar
in the liberation of the Americas*

CONTENTS

PREFATORY NOTE

This second volume surveys Spanish American writing from 1825 to 1885, when, free at last from the Spanish yoke, the newly constituted nations sought their own authentic expression. At first this expression followed perforce either eighteenth century Spanish neo-classicism (writ large in Olmedo, Bello, Irisarri) or a belated Romanticism echoing Byron and Chateaubriand (Mármol, Echeverría, Jorge Isaacs). Gradually, however, autochthonous American problems made their presence felt: the violent tempo in the political and economic development of Argentina, for example, is dramatically mirrored in Echeverría's *El matadero*, Sarmiento's *Facundo*, and Hernández' *Martín Fierro*. The American landscape and customs appear in a sort of *costumbrismo* reflecting life in the rural areas and forcing the emergence of truly American characters: gauchos, Indians, mestizos.

During these six decades, it may be claimed, America did find its own expression, a clumsy expression perhaps, but its very own. The artistic refinement, for better or worse, followed when the Americans discovered Europe, or more specifically, France, which contributed to the foreign wave, so genuinely American, called Modernismo.

With Volume I and II of *The Literature of Spanish America* now available, students and teachers will have rich and varied material for the first half of the Survey course.

In my labors with the intricacies of the six decades 1825-1885, I have had the assistance of many persons. For procuring rare and out-of-print books I wish to thank my sons Ralph of Princeton University and John of Yale University, as well as members of the Paul Klapper Library, especially Mr. Kenneth Freyer and Mrs. Mimi Penchansky; for the Xeroxing of textual materials, Mr. Virgil Regalbuto and Mrs. Selma Levine; and for proofreading Mrs. Joan Gibbons, Mrs. Nora Glickman, and Mrs. Barbara Schulster.

Angel Flores
Queens College
Flushing, New York 11367
February 1967

JOSE JOAQUIN OLMEDO

b. Guayaquil, Ecuador March 19, 1780
d. Guayaquil, February 19, 1847

The ode "La victoria de Junín" is the first eloquent effusion in verse celebrating the independence of Spanish-speaking America from the yoke of Spain. The author, José Joaquín Olmedo, friend and admirer of Simón Bolívar, was born in Guayaquil when that city still formed part of vice-royal Peru, and later studied at San Marcos University in Lima. His education followed rigidly classical lines: he was particularly fond of Horace and Vergil, and of the "moderns," the English classicist Alexander Pope (1688-1744), whose poem *Essay on Man* he translated into Spanish, and of Manuel José Quintana (1777-1857), whose grandiloquent odes inspired some of the sound and color in "La victoria de Junín."

Olmedo also played a prominent role in contemporary politics. In 1811 he represented Guayaquil in the Cortes of Cadiz, and on his return to America became active in the revolutionary movement. When independence had been achieved, Bolívar sent him on a special mission to Europe and in London he met and befriended Andrés Bello. Thereafter Olmedo occupied high political offices: for years he was Secretary of the Interior and Vice-President, and in 1845 he ran for President of Ecuador.

Olmedo's literary reputation rests primarily on "La victoria de Junín," which he began writing as soon as the news reached Ecuador (September 1824) of the accomplishment of the troops under Bolívar at the battlefield of Junín, high above the clouds in the Peruvian Andes on August 6, 1824. And when the Americans scored another

1

memorable and decisive victory a few months later (at Ayacucho, on December 9, 1824), Olmedo wanted to incorporate this too. But Bolívar had not been present at Ayacucho and in order to link it with the battle of Junín, Olmedo had to resort to conjuring up the ghost of the Inca Huaina Capac to predict future events... a tour de force that mars the structure of the poem as Bolívar was quick to point out.

Olmedo sent the first draft of his poem to Bolívar in April 1825; later he revised and enlarged it, so that the three hundred lines originally planned grew to eight hundred and twenty-four in the first revision and finally to nine hundred in its final form of 1826.

To illustrate Olmedo's afflatus the overture to the poem suffices.

BEST EDITION: *Obras completas: poesías*, edited by Aurelio Espinosa Pólit, Quito, Casa de la Cultura Ecuatoriana, 1945; same, under the title *Poesías completas*, Mexico, Fondo de Cultura Económica, 1947.

ABOUT OLMEDO: Isaac J. Barrera: *Historia de la literatura ecuatoriana*, Quito, Casa de la Cultura Ecuatoriana, 1954, Vol. III, pp. 33-73; Remigio Crespo Toral: "Olmedo," in *Selección de ensayos*, Quito, Editorial Ecuatoriana, 1936, pp. 170-214; Angel Duarte Valverde: *Olmedo*, Guayaquil, Colegio Nacional Vicente Rocafuerte, 1953; Aurelio Espinosa Pólit, prologue to *Obras completas* [listed above], pp. VII-LXXV; Darío Guevara: *Olmedo, actor y cantor de la gran epopeya libertadora de América*, Quito, Casa de la Cultura Ecuatoriana, 1958; Francisco Vascones: *Olmedo y sus obras*, Guayaquil, Imprenta Gutemberg, 1920.

LA VICTORIA DE JUNIN

Canto a Bolívar

El trueno horrendo que en fragor revienta
y sordo retumbando se dilata
por la inflamada esfera,
al Dios anuncia que en el cielo impera.[1]

Y el rayo que en Junín rompe y ahuyenta
la hispana muchedumbre
que, más feroz que nunca, amenazaba
a sangre y fuego, eterna servidumbre,
y el canto de victoria
que en ecos mil discurre, ensordeciendo
el hondo valle y enriscada cumbre,
proclaman a Bolívar en la tierra
árbitro de la paz y de la guerra.[2]

Las soberbias pirámides que al cielo
el arte humano osado levantaba
para hablar a los siglos y naciones;
templos do esclavas manos

1. [Just as] the fearsome thunder that bursts crashingly and [then],
   muffled, reverberates through the inflamed firmament, announces
   that God rules in Heaven, [so] the thunderbolt etc.
   Olmedo introduces the battle of Junín [line 5] by comparing its noise
   and alarum to the thunder in lines 1 to 4, onomatopoetically conveyed
   by means of several rolling r's. All this is really a poetical conceit,
   for, as Bolívar pointed out to Olmedo, no shots were fired at Junín: only
   swords, bayonets and lances were used. The poetical allusion to
   thunder, and the rest, derives of course from Ode V Book 3 of
   Horace, Olmedo's master.
2. [So] the thunderbolt which upon Junín [the battlefield up on the
   Andes] shatters and scatters the Spanish hosts who, fiercer than ever,
   threatened endless slavery with fire and sword [lit. blood and fire]:
   [so that thunderbolt] and the song of victory that rolls on with
   myriad echoes, resounding from deep valleys to craggy peaks, proclaim
   Bolívar on earth, Master of Peace and War.

3

deificaban en pompa a sus tiranos
ludibrio son del tiempo, que con su ala
débil, las toca y las derriba al suelo,
después que en fácil juego el fugaz viento
borró sus mentirosas inscripciones;
y bajo los escombros, confundido
entre la sombra del eterno olvido,
—¡oh de ambición y de miseria ejemplo!—
el sacerdote yace, el Dios y el templo.³

Mas los sublimes montes, cuya frente
a la región etérea se levanta,
que ven las tempestades a su planta
brillar, rugir, romperse, disiparse,
los Andes, las enormes, estupendas
moles sentadas sobre bases de oro,
la tierra con su peso equilibrando,
jamás se moverán. Ellos, burlando
de ajena envidia y del protervo tiempo
la furia y el poder, serán eternos
de libertad y de victoria heraldos,
que con eco profundo,
a la postrema edad dirán del mundo:⁴

"Nosotros vimos de Junín el campo,
vimos que al desplegarse
del Perú y de Colombia las banderas,
se turban las legiones altaneras,
huye el fiero español despavorido,
o pide paz rendido.

3. The haughty pyramids man's skill audaciously raised heavenwards to speak to centuries and nations—temples whence slavish hands pompously deified their tyrants—are but playthings of Time, which grazes them gently with her wing and knocks them to the ground, after fleeting winds in their facile game erased their lying inscriptions; and mingled in the rubble, in the shade of eternal oblivion—Oh human pride, oh human wretchedness!—lie priest, god and temple.
4. But [Nature stands]: the sublime peaks, whose brow rises to ethereal spheres, see storms break, then flash, then roar and scatter at their feet. The Andes, the huge, stupendous masses seated on a gold

Vencío Bolívar, el Perú fué libre,
y en triunfal pompa Libertad sagrada
en el templo del Sol fué colocada."⁵

foundation [a reference to the rich Andean goldmines], balancing
the wide world with their weight, will never move. They scorn other
nations' envy and the fury and power of insistent Time, and will be
forever messengers of Liberty and Victory, and with resonant voice
[lit. deep echo] will tell future generations:
5. We saw Junín's battlefield, we saw how, when the flags of Peru and
Colombia [at the time Colombia included Ecuador, Venezuela and
Colombia] were unfurled, the arrogant [Spanish] legions panicked,
and the fierce Spaniards had either to flee in terror or, defeated, beg
for peace. Bolívar has triumphed; Peru was freed and [thus] in
triumphal pomp Holy Freedom was placed within the Temple of
the Sun [the god of the Incas].

ANDRES BELLO

b. Caracas, Venezuela, November 29, 1781
d. Santiago de Chile, October 15, 1865

During his long and fruitful life, Andrés Bello cultivated many different literary genres, expanded the frontiers of scholarship and learning, and established once and for all the image of the "American" man, for his activities were not circumscribed to the country of his birth but spread far and wide over several nations, helping them all.

Educated in Caracas, Bello was well trained in the classics and philosophy, and through his friendship with the German naturalist Alexander von Humboldt, who visited Caracas in 1799, he became interested also in the sciences. In literary circles Bello was recognized, quite early, as a neoclassic poet of merit, a gifted disciple of Horace whom he had translated and admired. Among the verse productions of this period belongs the "scientific" ode "A la vacuna," celebrating the introduction of vaccination in Venezuela. But he had also begun teaching and one of his pupils was Simón Bolívar. No wonder then that at the dawn of the revolutionary movement inspired by Miranda and preluding the Wars of Independence Bello was chosen to form part, with Bolívar and López Méndez, of the mission sent to London in 1810 to win support from the British. The efforts were futile, but Bello remained in London for the next nineteen years, and waged a hard struggle to keep alive: he became a tutor, a translator, engaged in journalism and later worked for the Legations of Chile (1822) and Colombia (1824). Economic considerations notwithstanding, Bello was able to accomplish a great deal: his research in the British Museum brought about his re-

7

vealing studies of the medieval French epic and the *Poema de Mío Cid,* and, in addition, he studied Bentham's economic theories with James Mills, and kept in intimate touch with the Spanish writers in exile, harbingers of the Romantic movement in Spain. With their cooperation he edited such outstanding periodicals as *El Censor Americano* (1820), *La Biblioteca Americana* (1823) and *El Repertorio Americano* (1826-1827), which brightened the intellectual horizons of the Spanish-speaking world. These journals published his most memorable poems: "Alocución a la poesía" [Allocution to Poetry] (1823) and "La agricultura de la zona tórrida" [Agriculture of the Torrid Zone] (1826). Bello's literary outlook centered on America's intellectual autonomy. He envisioned an authentic American culture, not subservient to the European. In "Alocución a la poesía" he calls on the muse for a return to Nature, inviting her to leave over-sophisticated Europe and come to "the great scene of the world of Columbus" where "earth still wears primitive dress." This emphasis on Americanism had been voiced long before by Noah Webster: "America must be as independent in literature as in politics," [1783], and by the Central American José Cecilio del Valle, who claimed that "the proper study of the men of America is America" [1821]. In *Literary Currents in Hispanic America,* Pedro Henríquez-Ureña reminds us of Emerson, who in his lecture "The American Scholar" [1837] thought that "we have listened too long to the courtly muses of Europe." Bello wanted the American poets to chose the beauty and potential wealth of the New World as their great literary theme.

In 1829 the Chilean government invited Bello to come to Santiago and take charge of its official organ, *El Araucano,* with an appointment as Subsecretary in the Ministry of Foreign Affairs. And so it was that Bello became a Chilean citizen and spent the remaining thirty-six years of his life in Santiago. Accepted as intellectual leader, he founded the University of Chile and became its first Rector, wrote the Chilean civil code, as well as numerous works on international law, philosophy, literature and linguistics: *Principios*

8

de Derecho de gentes, Principios de Derecho internacional, La teoría del entendimiento, and a grammar of the Spanish language which is used in our schools to this day. In this *Gramática de la lengua castellana,* the dean of Spanish critics, Don Marcelino Menéndez y Pelayo saw an effort to re-establish linguistic unity in America and at the same time to check the invasion of new words, without denying the rights of regional and provincial vocabularies. Even the arch-conservative Spanish Royal Academy acknowledged Bello's contribution and in 1851 made him Corresponding Member.

Bello's last important poem, "La oración por todos" [Prayer for All] (1843), more a re-phrasing or adaptation than a literal translation of Victor Hugo's "La Prière pour tous" (1830), turns out to be a mellow, reflective utterance intimating death, often reminiscent of the English "Graveyard School," especially of Thomas Gray's "Elegy Written in a Country Church Yard" (1751). Another way of saying that the neo-classic Bello who in the 1820's was expressing Romantic concepts, by the 1840's, at the age of sixty-two, had arrived at a judiciously controlled Romanticism.

BEST EDITIONS: *Obras completas,* Santiago de Chile, P. G. Ramírez, 1881-1893, 15 Vols.; *Obras completas,* Caracas, Ediciones del Ministerio de Educación, 1951- [in course of publication: already published, Vol. I-VI, VIII-XIV, XVII, and XIX-XX], Vol. I edited by Fernando Paz Castillo is devoted to *Poesías; Bello,* edited by Gabriel Méndez Plancarte, Mexico, Ediciones de la Secretaría de Educación Pública, 1943; *El pensamiento vivo de Andrés Bello,* edited by Germán Arciniegas, Buenos Aires, Imp. Losada, 1945; *Antología poética,* edited by Eugenio Orrego Vicuña, Buenos Aires, Estrada, 1945; *Antología,* edited by Pedro Grases, Caracas, J. Villegas, 1953.

ABOUT BELLO: Raúl Agudo Freytes: *Andrés Bello, maestro de América,* Caracas, Impresores Unidos, 1945; Miguel Luis Amunátegui: *Vida de Don Andrés Bello,* Santiago de Chile, P. G. Ramírez, 1882; Rafael Caldera Rodríguez: *Andrés Bello, su vida, su obra y su pensamiento,* Buenos Aires, Ed. Atalaya, 1946; Edoardo Crema: *Andrés Bello a través del romanticismo,* Caracas, Sitges, 1956; René L. F. Durand: *La Poésie d'Andrés Bello,* Université de Dakar, Section de Langues et Littératures, Publications #7, 1960; Pedro Grases: *Doce estudios sobre Andrés Bello,* Buenos Aires, Ed. Nova, 1950; Pedro Grases: *En torno a la obra de Bello, Caracas,* Tip. Vargas, 1953; Pedro Lira Urquieta: *Andrés Bello,* Mexico, Fondo de Cultura Económica, 1948; Eugenio Orrego Vicuña: *Don Andrés Bello,* Santiago de Chile, Zig-Zag, 1953 [4th ed.]; Lucy Pérez Luciani: *Andrés Bello,* Caracas, Ediciones de la "Fundación Eugenio Mendoza," 1952.

LA AGRICULTURA DE LA ZONA TORRIDA

Part I

¡Salve, fecunda zona,
que al sol enamorado circunscribes
el vago curso, y cuanto ser se anima
en cada vario clima,
acariciada de su luz, concibes!,[1]
tú tejes al verano su guirnalda
de granadas espigas, tú la uva
das a la hirviente cuba:
no de purpúrea flor, o roja, o gualda
a tus florestas bellas
falta matiz alguno;[2] y bebe en ellas
aromas mil el viento;
y greyes van sin cuento
paciendo tu verdura,[3] desde el llano
que tiene por lindero el horizonte,[4]
hasta el erguido monte,
de inaccesible nieve siempre cano.[5]

Parte II

Tú das la caña hermosa,
de do la miel se acendra,

1. Hail to you, fertile zone, that circumscribe the vagrant course of the enamored sun, and caressed by its light bring forth [from the ground] all that each of your various climates grows. Bello reters here to the vertical zones. Because of the tremendous altitudes in Mexico, Ecuador, etc., where cultivated mountainsides may extend from sea-level to ten, fifteen and more thousand feet above, the agricultural production is extremely varied. Within a few miles apart, coconuts and oranges can be seen, and higher up, coffee plantations, and way above these, wheatfields and vineyards.
2. you weave for summer its garland of richest corn [lit. of magnificent stalks]; you give the grape to the sopping cask; your beautiful forests lack no shade of purple, red or yellow fruit
3. countless flocks graze your greenness
4. from the plain, whose only boundary is the horizon, to the steep mountain, always white with inaccessible snow, i.e. snow-capped forever

por quien desdeña el mundo los panales:[1]
Tú en urnas de coral cuajas la almendra
que en la espumante jícara rebosa;[2]
bulle carmín viviente en tus nopales,
que afrenta fuera al múrice de Tiro;[3]
y de tu añil la tinte generosa
émula es de la lumbre del zafiro;[4]
el vino es tuyo, que la herida agave
para los hijos vierte
del Anahuac feliz;[5] y la hoja es tuya,
que cuando de süave
humo en espiras vagorosas huya,
solazará el fastidio al ocio inerte.[6]

Tú vistes de jazmines
el arbusto sabeo,[7]
y el perfume le das que en los festines

1. you produce beautiful sugar cane, wherefrom [de do = de donde]
   honey is extracted i.e. molasses, which the world prefers to [that
   which issue from] honeycombs
2. in coral urns you curdle the almonds that [will] overflow the foaming cup [lit. calabash cup], i.e. the tropics produce the cocoa
   bean from which chocolate is gritted. [The bean is enclosed in a
   shell resembling an urn covered with red velvet] Mixed with water,
   milk and/or **atol**, the beverage is made which, beaten up with a
   wooden beater, is served with a head of foam, so huge that often
   "overflows the cup."
3. on your cactuses teems a bright carmine that put to shame the murex
   from Tyre. i.e. the bright red dye (**carmín viviente**) extracted from
   the cochineal, an insect adhering to the bark of the cactus, is more
   glamorous than the red dye obtained in ancient times from a shell
   fish (**murex**)
4. the rich hue from your indigo competes with the sapphire's brilliant
   blue [lit. light]
5 yours is the wine that the wounded maguey plant pours forth into
   the cups of Anahuac's joyous sons, i.e. the fermented juice from
   the maguey becomes **pulque**, a mildly alcoholic beverage drunk all
   over Mexico.
6. and yours is the leaf which, when converted into delicate spirals
   of smoke, will relieve from boredom the jaded hours, i.e. the tobacco
   leaf will bring solace to the weary as they relax smoking
7. you dress with jasmine flowers the Sabean bush, i.e. you deck out
   with white flowers the shrub from Sheba [the coffee plant, native
   of Arabia, the finest coffee coming from the Yemen region, Moka,
   once ruled by the Queen of Sheba]

la fiebre insana templara a Lieo.[8]
Para tus hijos la prócera palma
su vario feudo cría,[9]
y el ananás sazona su ambrosía:[10]
su blanco pan la yuca,[11]
sus rubias pomas la patata educa,[12]
y el algodón despliega al aura leve
las rosas de oro y el vellón de nieve.[13]
Tendida para ti la fresca parcha
en enramadas de verdor lozano,
cuelga de sus sarmientos trepadores
nectáreos globos y franjadas flores;[14]
y para ti el maíz, jefe altanero
de la espigada tribu, hinche su grano;[15]
y para ti el banano
desmaya al peso de su dulce carga;[16]
el banano, primero
de cuantos concedió bellos presentes
providencia a las gentes
del Ecuador feliz con mano larga.[17]
No ya de humanas artes obligado
el premio rinde opimo;
no es a la podadera, no al arado

8. and endow it with the aroma which will cool off the hectic fever of
    orgies, lit. Lieus' feasts or Bacchanalians since Lieus is another name
    for Bacchus, the god of wine—i.e. black coffee will sober up the
    drunkards
9. for your children [the children of the torrid zone] the stately palm-
    tree brings forth a [great] variety of products (milk, wax, oil, rope)
10. and the pineapple ripens its ambrosia
11. the cassava plant produces [flour with which to make] white bread
12. the potato plants grow their ruddy apples, i.e. tubers
13. the cotton bush opens up in the soft breeze its golden roses [i.e. its
    first blossoms which are yellow, later turn white] and its snowy fleece
14. stretched out for you is the fresh passion plant [called in Venezuela
    parcha, this is the pasionaria or passiflower] embowered in exuberant
    greenness; nectarian globes [i.e. delicious juicy fruit] and striped
    flowers hang from its climbing runners
15. and for you corn, haughty chieftain of the spiked tribe, swells its
    grain
16. for you the banana droops with the weight of its sweet burden
17. the banana, claiming first place among the beautiful gifts bestowed
    with gracious [lit. open] hand by Providence on her children of
    the happy equator

13

deudor de su racimo;[18]
escasa industria bástate, cual puede
hurtar a sus fatigas mano esclava:
crece veloz, y cuando exhausto acaba,
adulta prole en torno le sucede.[19]

Part III

Mas ¡oh!, si cual no cede
el tuyo, fértil zona, a suelo alguno,
y como de natura esmero ha sido,
de tu indolente habitador lo fuera:[1]
¡Oh! ¡Si al falaz ruido
la dicha al fin supiese verdadera
anteponer, que del umbral le llama
del labrador sencillo
lejos del necio y vano
fausto, el mentido brillo,
el ocio pestilente ciudadano![2]
¿por qué ilusión funesta[3]
aquellos que fortuna hizo señores,
de tan dichosa tierra y pingüe y varia,[4]
al cuidado abandonan
y a la fe mercenaria
las patrias heredades,[5]

18. it asks no human culture [artes humanas] for its aid to render a
bountiful crop [lit. rich reward], its bunch [of fruit] is not indebted
to either the pruning fork or the plough
19. slight effort is enough to steal fatigue even from the hands of slaves,
it grows speedily and, when exhausted, it is finished [hardly it is
harvested] a grown-up offspring takes over [i.e. a new crop is
ripened]

1. even if your soil yields more than any soil on earth, would that, as
it has been Nature's favorite, it were the favorite too of your indolent
dwellers there
2. would that the inhabitants might at last prefer truth to the deceitful
hustle-bustle [falaz rüido = fallacious noise] that calls them from
the simple peasant's threshold to lying lustre, to the lazy pestilent
city
3. dismal
4. masters of such fortunate and abundant and varied lands
5. native farms

14

y en el ciego tumulto se aprisionan
de míseras ciudades,
do la ambición proterva
sopla la llama de civiles bandos,
o al patriotismo la desidia enerva;
do el lujo las costumbres atosiga,
y combaten los vicios
la incauta edad en poderosa liga?[6]
No allí con varoniles ejercicios
se endurece el mancebo a la fatiga;[7]
mas la salud estraga en el abrazo
de pérfida hermosura,
que pone en almoneda los favores;[8]
mas pasatiempo estima
prender aleve en casto seno el fuego.
de ilícitos amores;[9]
o embebecido le hallará la aurora
en mesa infame de ruinoso juego.[10]
En tanto a la lisonja seductora
del asiduo amador fácil oído
da la consorte:[11] crece
en la materna escuela
de la disipación y el galanteo
la tierna virgen, y al delito espuela
es antes el ejemplo que el deseo.[12]

6. imprison themselves in the blind tumult of wretched cities where
   [do = donde] peevish ambition fans the blaze of civil strife or
   patriotism is weakened by laziness; where luxury poisons manners,
   and vices in powerful coalition [with luxury] struggle against a
   heedless era
7. there [in the cities] manly exercises will not toughen the young men
   to hardship
8. their health is impaired in love-making [lit. embraces] with perfidious
   beauties, who put their favors on the auction block
9. pasttime will have guilefully kindled illicit loves in their hearts
10. or dawn will find him entranced in vile gambling [lit. pouring over
    a vile table of ruinous gambling]
11. married women lend an easy ear, i.e. listen with pleasure, to the
    seductive flatteries of their eager lovers
12. the tender virgin grows up in the matronly school of dissolute living
    and intrigue, and [bad] example, rather than her own desire, spurs
    her on to sin

15

¿Y será que se formen de este modo
los ánimos heroicos denodados
que fundan y sustentan los Estados?[13]
¿De la algazara del festín beodo,
o de los coros de liviana danza,
la dura juventud saldrá, modesta,
orgullo de la patria y esperanza?[14]
¿Sabrá con firme pulso
de la severa ley regir el freno;[15]
brillar en torno aceros homicidas
en la dudosa lid verá sereno:[16]
o animoso hará frente al genio altivo
del engreído mando en la tribuna,[17]
aquel que ya en la cuna
durmió al arrullo del cantar lascivo,
que riza el pelo, y se unge y se atavía
con femenil esmero,
y en indolente ociosidad el día
o en criminal lujuria pasa entero?[18]
No así trató la triunfadora Roma
las artes de la paz y de la guerra;
antes fió las riendas del Estado
a la mano robusta
que tostó el sol y encalleció el arado:[19]
y bajo el techo humoso campesino
los hijos educó, que el conjurado
mundo allanaron al valor latino.[20]

13. the heroic intrepid spirits that found and sustain the state
14. will hardy youth, pride and hope of the Fatherland, develop decorously
in the midst of orgies or lewd dances?
15. will this young man know to handle the bridle of harsh laws [i.e.
how to govern] with steady pulse?
16. will he, watch serenely murderous swords shining around him in
dubious battle?
17. or courageously challenge the haughty spirits of petulant rulers?
18. [is this to be expected] from one who in his cradle went to sleep to
the lullabies of lewd songs; from one who curls his hair, perfumes
himself, dresses up with effeminate nicety, and spends his entire day
in lazy indolence or criminal lubricity?
19. entrusted the reins of state to a strong hand tanned by the sun and
made callous by the plough

16

Part IV

¡Oh! ¡Los que afortunados poseedores
habéis nacido de la tierra hermosa
en que reseña hacer de sus favores,
como para ganaros y atraeros,
quiso naturaleza bondadosa!
Romped el duro encanto
que os tiene entre murallas prisioneros.[2]
El vulgo de las artes laborioso,
el mercader, que necesario al lujo,
al lujo necesita,
los que anhelando van tras el señuelo
del alto cargo y del honor ruidoso,
la grey de aduladores parasita,
gustosos pueblen ese infecto caos;
el campo es vuestra' herencia: en él gozaos.[3]
¿Amáis la libertad? El campo habita:
no allá donde el magnate
entre armados satélites se mueve,
y de la moda, universal señora,
va la razón al triunfal carro atada,
y a la fortuna la insensata plebe,
y el noble al aura popular adora.[4]
¿O la virtud amáis? ¡Ah! ¡Que el retiro,
la solitaria calma

20. taught his children under smoky rural roof and to whom a conspiring world awakened to Latin valor

1. in which kind [i.e. bountiful] Nature wished to make a show of her generosity in order to win you over, to attract you
2. break the oppressive spell which hold you prisoner behind walls
3. the toiling masses devoted to trades; the merchant necessary to luxury and to whom luxury is necessary; those who anxiously aspire to big jobs and noisy fame; the parasitic flock of flatterers—let them be the inhabitants of that polluted chaos
4. Do you love freedom? It dwells in the farmlands and, not there [i.e. not in the cities] where the big shot moves among armed henchmen, nor where reason goes chained to the triunmphal chariot of fashion, first lady of the world, nor where the stupid crowd adores wealth, and the high-born grovels before popular acclaim [lit. glamor of popularity]

17

en que, juez de sí misma, pasa el alma
a las acciones muestra[5]
es de la vida la mejor maestra!
¿Buscáis durables goces,[6]
felicidad, cuanta es al hombre dada
y a su terreno asiento, en que vecina[7]
está la risa al llanto, y siempre, ¡ah!, siempre,
donde halaga la flor, punza la espina?
Id a gozar la suerte campesina;
la regalada paz, que ni rencores
al labrador, ni envidias acibaran;[9]
la cama que mullida[10] le preparan
el contento, el trabajo, el aire puro;
y el sabor de los fáciles manjares,
que dispendiosa gula no le aceda;
y el asilo seguro
de sus patrios hogares
que a la salud y al regocijo hospeda.[11]
El aura respirad de la montaña,
que vuelve al cuerpo laso
el perdido vigor, que a la enojosa
vejez retarda el paso,
y el rostro a la beldad tiñe de rosa.[12]

5. where the soul, self-critic, passes in review its own actions
6. pleasure that lasts [i.e. permanence in your joys]
7. permitted to man and to the world he lives in
8. always when enjoying a flower expect to be pricked by its thorns
9. go and enjoy the farmer's lot—for neither rancor nor envy can embitter his delightful peace of mind
10. soft, comfortable
11. go relish his tasty food which is not spoiled for him by pampered appetite: enjoy the safe home in your native region that lodges also health and rejoicing
12. Go breathe the mountain air that returns to the weary body its lost vigor, delays the arrival of vexatious old age, and colors girls' cheecks. [For a few more lines the poet goes on praising rural life: how "crafty cosmetics" are not needed, how people are sincere (they do not have to rehearse smiles and gestures in front of a mirror, how marriages are the result of love and affection, free from economic and social considerations. The poet advices the citizens to forget their enemies during the recent Wars of Independence (1810-1826), to be generous, to get back to work and attain prosperity and happiness]

Part V

Allí tambien deberes
hay que llenar: cerrad, cerrad las hondas
heridas de la guerra: el fértil suelo,
áspero ahora y bravo,
al desacostumbrado yugo torne
del arte humano y le tribute esclavo.[1]
Del obstruído estanque y del molino
recuerdan ya las aguas el camino:[2]
el intrincado bosque el hacha rompa,
consuma el fuego: abrid en luengas calles
la oscuridad de su infructuosa pompa.[3]
Abrigo den los valles
a la sediente caña;
la manzana y la pera
en la fresca montaña
el cielo olviden de su madre España:
adorne la ladera
el cafetal: ampare
a la tierna teobroma en la ribera
la sombra maternal de su bucare:
aquí el vergel, allá la huerta ría...[4]
¿Es ciego error de ilusa fantasía?
Ya dócil a tu voz, agricultura,
nodriza de las gentes, la caterva

1. there are duties in the farmland too that must be performed: close, close the deep wounds of war; put the fertile soil, now rough and wild, back under the unaccustomed yoke of human skill, and let it [the soil] pay tribute as a slave
2. clean up ponds and watermills [lit. from the clogged-up dams and through the mill let the water finally remember its appointed course]
3. let the axe cut down the tangled forest and let the fire consume it: open up long avenues in the darkness of the unfruitful pomp
4. let the valleys give shelter to the thirsty sugar-cane; let the apple and the pear forget the sky of their mother Spain; let the coffee plantation adorn the slope; let the maternal cover of its bucare shade the tender cacao in the bank [in Venezuela cacao is planted in the shade of big trees called bucares]; let the flower beds here and the vegetable gardens there flourish [lit. laugh with joy]

servil armada va de corvas hoces;[5]
mírola ya que invade la espesura
de la floresta opaca;[6] oigo las voces;
siento el rumor confuso, el hierro suena
los golpes el lejano
eco redobla; gime el ceibo anciano,
que a numerosa tropa
largo tiempo fatiga:
batido de cien hachas se estremece,
estalla al fin, y rinde el ancha copa.[7]
Huyó la fiera; deja el caro nido,
deja la prole implume
el ave, y otro bosque no sabido
de los humanos va a buscar doliente . . . [8]
¿Qué miro? Alto torrente
de sonorosa llama
corre, y sobre las áridas ruinas
de la postrada selva se derrama.[9]
El raudo incendio a gran distancia brama,
y el humo en negro remolino sube,
aglomerando nube sobre nube.[10]
Ya de lo que antes era
verdor hermoso y fresca lozanía,
sólo difuntos troncos,
sólo cenizas quedan, monumento

5. what is this—am I dreaming? [lit. is this the blind error of deluded fantasy]: gangs of laborers, obedient to your voice, Oh Agriculture, purveyor to the people, go armed with their curved sickles
6. the thicket of the gloomy forest
7. the ancient **ceibo** [a tropical tree], which for a long time had wearied numerous choppers, now hacked by a hundred axes, trembles, finally cracks and surrenders its broad crown
8. the wild beast flees; the bird leaves its beloved nest, forsakes its unfeathered fledgelings, and, aggrieved, seeks another forest, [yet] unknown to man
9. What am I seeing? A high torrent of sonorous flame flowing and spreading over the arid ruins of the prostrate forest [i.e. workers have set the selva on fire in order to clear the ground for planting]
10. The quick fire roars over great distances and the smoke rises in black whirlwinds, heaping up cloud on cloud

de la dicha mortal, burla del viento.[11]
Mas el vulgo bravío
de las tupidas plantas montaraces
sucede ya el fructífero plantío
en muestra ufana de ordenadas haces.[12]
Ya ramo a ramo alcanza,
y a los rollizos tallos hurta el día:[13]
ya la primera flor desvuelve el seno,
bello a la vista, alegre a la esperanza;
a la esperanza, que riendo enjuga
del fatigado agricultor la frente,
y allá a lo lejos el opimo fruto,
y la cosecha apiñadora pinta,[14]
que lleva de los campos el tributo,
colmado el cesto, y con la falda en cinta:
y bajo el peso de los largos bienes
con que al colono acude,
hace crujir los vastos almacenes.[15]

Part VI

¡Buen Dios!, no en vano sude,
más a merced y a compasión te mueva
la gente agricultora
del Ecuador, que del desmayo triste
con renovado aliento vuelve ahora,
y tras tanta zozobra, ansia, tumulto,
tantos años de fiera
devastación y militar insulto,

11. Only dead trunks, only ashes remain of what before used to be lovely greenness and cool luxuriance—a monument of human happiness [has become] a plaything of the wind
12. But in place of the savage tangle of dense wild growth, there succeeds now the fruitful plantation, proudly exhibiting orderly sheafs
13. Branch grows upon branch and the plum stalks hide the [day] sun
14. The first fruit now swells the womb, beautiful to the sight, cheering to the hope; hope that laughing, mops the forehead of the weary farmer, and paints in bright colors from afar the best fruits, the fullest harvests
15. The vast warehouses creak under the weight of the copious richness which attends the settler

21

aún mas que tu clemencia antigua implore.[1]
Su rústica piedad, pero sincera,
halle a tus ojos gracia: no el risueño
porvenir que las penas le aligera,
cual de dorado sueño
visión falaz, desvanecido llore:
intempestiva lluvia no maltrate
el delicado embrión:[2] el diente impío
del insecto roedor no lo devore:[3]
sañudo vendaval no lo arrebate,
ni agote al árbol el materno jugo
la calurosa sed de largo estío.[4]
Y pues al fin te plugo,
árbitro de la suerte soberano,
que suelto el cuello de extranjero yugo
irguiese al cielo el hombre americano;
bendecida de ti se arraigue y medre
su libertad;[5] en el más hondo encierra
de los abismos la malvada guerra,
y el miedo de la espada asoladora
al suspicaz cultivador no arredre
del arte bienhechora,
que las familias nutre y los Estados;[6]

1. Dear God! Let not this sweat be in vain—be moved with compassion for these toilers of the soil of the equatorial region who from sad dismay return now with reenwed vigor. After so much travail, anxiety, tumult, after so many years of cruel devastation and military outrage they expect from Thee even more than Thy clemency of former years
2. May their rustic but sincere devotion find grace in Thine eyes: let them not mourn the vanishing of a smiling dream which may ease their suffering—the happy vision of a golden dream: do not allow unseasonable rain destroy the delicate seedling
3. [do not allow] the ravenous tooth of gnawing bug devour [the seedling]
4. [do not allow] the furious south wind to snatch [the seedling]; [do not allow] the hot thirst of a long summer [a drought] parch from the tree its maternal sap
5. and since it pleased Thee, supreme master of fate, to allow the Americans to free their necks from the foreign yoke—let them now settle down, with Thy blessing, and enjoy their liberty
6. lock up fiendish war in the deepest pit of hell, and do not allow the destructive sword to intimidate the distrustful farmer, preventing him from tilling the soil and nourishing his family and the state

la azorada inquietud deje las almas,
deje la triste herrumbre los arados.[7]
Asaz de nuestros padres malhadados
expiamos la bárbara conquista.[8]
¿Cuántos doquier la vista
no asombran erizadas soledades,
do cultos campos fueron, do ciudades.[9]
De muertes, proscripciones,
suplicios, orfandades.
¿Quién contará la pavorosa suma?[10]
Saciadas duermen ya de sangre ibera
las sombras de Atahualpa y Moctezuma.[11]
Ciudadano el soldado,
deponga de la guerra la librea:
el ramo de victoria
colgado al ara de la patria sea,[12]
y sola adorne al mérito la gloria.
De su triunfo entonces, patria mía,
verá la paz el suspirado[13] día;
la paz, a cuya vista el mundo llena
alma, serenidad y regocijo,
vuelve alentado el hombre a la faena,
alza el ancla la nave, a las amigas
auras encomendándose animosa,
enjambrase el taller, hierve el cortijo,

7. let the restless uneasiness leave their souls; let the sad rust of iron drop from their ploughs
8. Enough have we atoned already for the abuses committed by our unfortunate forefathers during their vicious conquest of America
9. Wherever you look, don't you see bristling solitudes which formerly were cultivated fields or locations where cities stood
10. Who will compute the staggering number of deaths, banishments, tortures, children left homeless?
11. the ghosts of Atahualpa and Montezuma sleep now gorged with Spanish blood [Atahualpa, the Inca Prince, was strangled by Pizarro's order in 1533; Montezuma, the Aztec ruler, was Hernán Cortes's prisoner and was killed accidentally in 1520] [The poet asks God to send down to us the Angel of Peace, that "we may forget the ancient tyranny of cruel Spain"]
12. Soldier [now] citizen, put away your soldier's uniform: hang up the garland of victory at the altar of the Fatherland
13. longed-for

y no basta la hoz a las espigas.[14]

Part VII

¡Oh jóvenes naciones, que ceñida
alzáis sobre el atónito Occidente
de tempranos laureles la cabeza!
Honrad al campo, honrad la simple vida
del labrador y su frugal llaneza.[1]
Así tendrán en vos perpetuamente
la libertad morada
y freno la ambición, y la ley templo.[2]
Las gentes a la senda
de la inmortalidad, ardua y fragosa,
se animarán, citando vuestro ejemplo.[3]
Lo emulará celosa
vuestra posteridad, y nuevos nombres
añadiendo a la fama
a los que ahora aclama,[4]
"Hijos son éstos, hijos
(pregonará a los hombres)
de los que vencedores superaron
de los Andes la cima:

14. peace at the sight of which life-giving [alma, adj. nourishing] tranquil-
    lity and joy fills the world [at the sight of peace], man, comforted,
    returns to his chores, the ship raises anchor, spirited confiding itself
    to friendly winds, the shop becomes a beehive, the plantation buzzes,
    and the sickle proves unequal to the spikes [i.e. the harvest is so
    bountiful that no sickle suffice to cut down so much wheat]

1. Oh you young nation who lift up before the marvelling Western
   World a head crowned with fresh laurels! Give honor to the fields,
   respect the simple life of the farmer and his frugal plainness.
2. So that among you forever liberty will exist, and will [always] curb
   ambition, and law will have a temple
3. Citing your example, nations will take heart on the steep, uneven
   path to immortality
4. [your example] will be jealously emulated by posterity, fame will
   add new names to those that it now acclaims

de los que en Boyacá, los que en la arena
de Maipo y en Junín, y en la campaña
gloriosa de Apurima,
postrar supieron al león de España.[5]

5. [Fame will broadcast]: "These are the sons of the victors, those who
surpassed in stature the Andean, peaks, those who in Boyaca, on the
sands of Maipú and at Junin and in the glorious campaign of Apurima
humbled the Spanish lion. [Bolívar's forces won decisive battles at
Boyaca (1819), Junin (1824) and Apurima (1824) while General San
Martín won at Maipú (1818) Chile's independence

ANTONIO JOSE DE IRISARRI

b. Guatemala City, February 7, 1786
d. Brooklyn, New York City, June 10, 1868

Irisarri's biography reads like a picaresque novel, and to a very large extent his adventurous, peripathetic existence is reflected in his own picaresque novel *El Cristiano errante* (1847).

At the very beginning of his university studies—he was then nineteen—his father died and Antonio José began his odyssey: first to Mexico, where he remained a year and sent his contributions to the *Diario de México;* then to Lima, after a sojourn in Quito; then to Santiago de Chile... In Santiago he met a kindred spirit, Friar Camilo Henríquez, a recalcitrant Republican, and together they were responsible for the radical *La Aurora* (1812), Chile's first newspaper. Later Irisarri joined the staff of the *Semanario Republicano* and published in it his provocative "Reflexiones sobre la política de los gobiernos de América" and "Sobre la justicia de la Revolución de América." As the forces of reaction gained strength, Irisarri was forced to sail for Europe where he stayed until the victories of Chacabuco and Maipú. In 1818, back in Chile, he founded *El Duende de Santiago* in order to champion the policies of O'Higgins, who, to reward him, appointed him Minister of Foreign Affairs. In 1820 Irisarri was sent to London to negotiate a loan of a million pounds sterling, and started a scandal, for our pícaro was accused of pocketing a number of huge commisions as well as bribes. From these troubled waters Irisarri jumped right into the storm brewing in Central America, where he was sent for more loans, and accused again just as the Salvadoreans invaded Guatemala (1827). Back in Chile, in the hope that

27

everything connected with his old loan had been forgotten, he found, to his dismay, that this was not so, and had to move on to Bolivia. From Chuquisaca he sought revenge by writing *La pajarotada,* a scathing satire against some of Chile's tycoons: the Carreras, the Larraínes, et al. They of course replied by recirculating the old story about his graft. But in 1835, when Diego Portales became dictator of Chile, he appointed Irisarri Governor of the Province of Curicó.

Soon thereafter, however, he was under fire again. As Chilean Chargé d'Affaires to Perú he had betrayed the Chileans, they claimed, by having signed the unfavorable Treaty of Paucarpata (1837). And so Irisarri's political adventures or misadventures extended all over America—to Venezuela, then to Curaçao, then to Central America. Finally—by the time he was seventy—and representing both Guatemala and El Salvador. in Washington, he saw the outbreak of the War between the States and much of its turmoil.

In short, there was not a dull moment in his long, colorful life, and yet, most amazingly, he found time to write numerous historical studies and political pamphlets, the sound treatise *Cuestiones filológicas* (1861), two long novels [the early *El Cristiano errante* (1847) and the satirical *Historia del Perínclito Epaminondas del Cauca* (1863)] and, finally, *Poesías satíricas y burlescas,* which he collected the year before his death and published in New York. As a writer Irisarri was a past master of style—pure, chaste, graceful. Caillet-Bois went as far as calling him "el más vigoroso y elegante prosista del período de la Independencia." Yet his novels, though well written, have lost most of their interest, for they were, first and foremost, *romans à clef,* dramatizing his contemporaries and the specific problems of the period. Fernando Alegría is quite justified in saying that "ambas obras son hoy materia exclusiva de críticos e investigadores literarios." Only in his satiric verse can Irisarri speak for us today: a conceited aristocrat at heart, extremely refined in taste, lampooning the vulgarity and pretentiousness around him.

EDITION: *Poesías satíricas y burlescas,* New York, Imprenta de Hallet & Breen, 1867.

ABOUT IRISARRI: Antonio Batres Montúfar: *Landívar e Irisarri, literatos guatemaltecos,* Guatemala, Ministerio de Educación Pública, 1957; Ricardo Donoso: *Antonio José de Irisarri, escritor y diplomático,* Santiago de Chile, Prensas de la Universidad de Chile, 1934; Guillermo Feliú Cruz, introduction to *El Cristiano errante,* Santiago de Chile, Imprenta Universitaria, 1929; José Milla y Vidaurre: "Don Antonio José de Irisarri," *Anales de la Sociedad de Geografía e Historia de Guatemala,* Guatemala, XII (1935), 85-96; R. Montaner Bello: "Don Antonio José de Irisarri, filósofo," *Atenea,* June 1933, pp. 38-61; Luis Alberto Sánchez: *Escritores Representativos de América* [Segunda Serie], Madrid Editorial Gredos, 1963, pp. 39-52.

SATIRA

¿En qué consiste, mi señora Musa,
que todos pueden hoy ser escritores?
¿Será este siglo el de la ciencia infusa?[1]
¿Será que los talentos son mejores?
¿O será que el orgullo y la ignorancia
nos dan la presunción y petulancia?[2]

En los tiempos oscuros de mi abuelo
eran pocos los hombres que escribían,
y aquéllos estudiaban con desvelo
las cosas que tratar se proponían:[3]
hoy escribe cualquiera su folleto[4]
cuando apenas conoce el alfabeto.

¡Cuánto costaba hacerse literato
en aquella maldita edad de cobre![5]
A serlo no llegaba un mentecato
por más tinteros que agotase el pobre![6]
pero hoy es literato y erudito,
el que pasa su vida en un garito.[7]

¡Malditos tiempos fueron los pasados!
¡Bendito diez mil veces el presente!
Sólo pudo nacer por sus pecados
en los primeros la cuitada gente
que estudiando las noches se pasaba,[8]
y el libro de la mano no dejaba.

---

1. infused, inspired, i.e. given by God
2. make us arrogant and petulant
3. and these [men] zealously studied the subject they wished to handle
4. pamphlet, monograph
5. copper age [in contrast to **edad de oro,** golden age]
6. [in that age] a fool could not become a writer, no matter how many inkwells the poor devil exhausted
7. gambling den
8. [in that accursed age] (**malditos tiempos**) the poor suffering souls succeeded only by doing it the hard way:—by studying all night long

En nuestros días, que envidiara Numa,[9]
cualquiera perillán, cualquier zoquete,[10]
en teniendo papel y tinta y pluma,
una mesa, una silla o taburete,[11]
escribe sin pensar en lo que escribe,
y el nombre de escritor toma y recibe.

Pensaron los antiguos como Homero,[12]
que antes de entrar al gremio de escritores[13]
debían ser gramáticos primero,
y estudiaban los tontos, ¡qué de errores!,[14]
como si fuesen niños de la escuela,
la lengua que heredaron de su abuela.

¿Qué importa conocer analogía,[15]
esa sintaxis, la ortología[16] vana,
esa prosodia,[17] ni esa ortografía?
¡Invenciones de aquel que tuvo gana
de sujetar a regla los talentos,
pretendiendo igualar entendimientos![18]

Mira a Juan, a Martín, a Bernardillo,
a Manuel y José, Pedro y Mariano,
que hicieron de su lengua un baturrillo,[19]
y hablaron jerigonza[20] en castellano,
sin haber dedicado una sola hora
a estudiar la gramática española.

9. which Numa would envy. Numa Pompilius, c. VIIth century B.C.,
   Roman king noted for his belief in equality and justice
10. any smart alick, any blockhead
11. stool
12. Homer, the Greek epic poet, c. IXth century B.C.
13. literary guild, i.e. win the status of a writer
14. and those fools actually studied—how funny!
15. analogy, a part of grammar or logic
16. orthopedy, art of pronunciation
17. prosody, science of metrical forms
18. these are but inventions of one who desired to subject talent to rules,
    endeavoring to put all minds on the same level!
19. hodgepodge
20. gibberish

Estos y otros que todos conocemos,
escriben y publican sus papeles,
que corren por las calles todos vemos
en cubiertas de dulces y pasteles,[21]
o yacen en los sucios bodegones[22]
sirviendo de escondrijo[23] a los ratones.

Escritores han sido los citados
que nos dieron políticos consejos
de sus vanas cabezas escapados,
como huyen de sus cuevas los conejos
sin temer al lebrel que les atrape,[24]
por más que se les grite: "¡Zape! ¡zape!"[25]

¡Todos estos Tostados fritos fueran![26]
De su siglo encomiando[27] la excelencia
las grandes luces sin cesar ponderan;
pero en Dios, en verdad, y en mi conciencia,
que si son nuestros días tan brillantes,
brillan en ellos grandes ignorantes.

De Juan de Gutenberg[28] cantan la gloria
por haber inventado nuestra imprenta,
el trasto que conserva la memoria
de nuestra merecida y dura afrenta.[29]

21. [printed] on the lid of candy- and cake-boxes
22. lie on [the floor of] filthy chophouses
23. hiding place
24. like rabbits running from their holes without fearing the greyhound
    that overtakes them
25. ¡Zape! exclamation to scare away animals
26. ¡May all the toasted [guys] be fried [in Hell]! This is a pun
    involving **Tostado** [past participle of **tostar**, toasted, and a famous
    Spanish writer Alfonso de Madrigal (1400-1455),who was extremely
    erudite and prolific—he wrote over twenty-four volumes in Latin
    and Spanish—and was persecuted by Torquemada and the Holy
    Inquisition who wanted to **toast** him, i.e. burn him. Of any prolific
    author one can say "escribió más que El Tostado."]
27. praising
28. Johannes Gutenberg (1397-1468), inventor of the printing press
29. the machine [printing press] preserving the memory of our well-
    deserved but frightening affront

Sin estos trastos en edad tan culta
mucha ignorancia quedaría oculta.[30]

La imprenta ha sido tentación impía[31]
de muchos ignorantes infelices,
que de autores tuvieron la manía
sin saber donde tienen las narices,[32]
y nos sacaron a lucir su pata[33]
porque era el imprimir cosa barata.

¡Cuánto mejor el Gutenberg hiciera
en haber inventado un armatoste
de que el tonto hacer uso no pudiera,[34]
o que fuera el usarlo de gran coste!
Así a lo menos, pagarían caro
los necios escritores su descaro.[35]

Pero el maldito Gutenberg, aunado
con sus dos hugonotes compañeros,[36]
todo el mundo nos trae trastornado,
por ellos ya no hay sastres, zapateros,
ni gañanes, siquier, ni zurradores,
pues todos se hicieron escritores.[37]

¿Qué ventajas nos trajo aquel invento?
Las artes han perdido muchas manos,
las costumbres sufrieron detrimento,
ni artistas ya se encuentran, ni artesanos:

30. hidden
31. wicked
32. who madly wanted to become writers without knowing what the devil it was all about
33. and they were permitted to display their ignorance [to show off their four legs]
34. a hulking [unwieldy] machine that fools could not use
35. This way, at least, ignorant writers would pay dearly for their effrontery
36. in cahoots with his two Huguenot comrades
37. have all of us going in circles—[today] thanks to them [Gutenberg and cohorts] we have no tailors, shoemakers, day laborers—yea, not even tanners—for they all have become writers

están sin oficiales los oficios,
y entregados los hombres a los vicios.

Pues tantos males nos trajiste, imprenta,
al demonio te doy de buena gana,
y al ente sin razón que te fomenta.[38]
Acábese contigo la jarana[39]
que a los hombres nos trae tan revueltos
desde que andan por ti los diablos sueltos.

Lluvia de rayos sobre el suelo venga,
que los tipos destruya y fundidores,
y cuanto al arte de imprimir convenga;[40]
así tendrán los campos labradores,
volverá el zapatero a su zapato,
el sastre a su tijera, el pillo al hato.[41]

---

38. printing press, I'd gladly send you to the devil, and to that senseless idiot who patronizes you
39. revelry
40. May a shower of thunderbolts fall [from Heaven] and destroy [printing] types, smelters, and all that has to do with the printing trade
41. the tailor to his scissors, the gangster to his gang

EL BOCHINCHE[1]

¿Qué cosa es el bochinche? "Un alboroto",[2]
el buen Salvá[3] responde. Mas no es esto:
es cosa muy distinta. ¿Salvá acaso
voto pudo tener en la materia,
sin ser autoridad? ¿En dónde ha visto
el filólogo aquel que lo define?

¡Alboroto! ¡Asonada![4] ¡Qué locura!
El bochinche en tal caso no sería
digno de nombre nuevo. ¿Qué motivo
hubiera habido entonces para darnos
una palabra más sin nueva idea?

Alboroto es tumulto pasajero,[5]
pasajera es también la asonada;
mas el bochinche es cosa permanente;
es el orden constante del desorden;[6]
el estado normal en que se vive
en confusión y en inquietud eternas.
Es un cierto sistema de política;
es una forma de gobierno raro,
que mejor se llamara desgobierno,
a pesar de que en él hay despotismo,
y la fuerza a la ley se sobrepone.[7]

Invención de Colombia es el bochinche,
y el nombre es colombiano: estos son hechos.[8]

1. The poem proposes to define **bochinche**, an Americanism equivalent
to whoopee but which also means mess, uproar, confusion, and is
frequently applied to a disorderly party
2. uproar
3. i.e. Salvat, the Spanish dictionary and encyclopedia
4. riot, upheaval
5. a slight disturbance
6. a permanent state [order] of disorder
7. that could be better called "non-government" (even though there
exists in it despotism) with brute force ruling out law and order
8. these are the facts

Más pasemos a ver cuál es su esencia
y cómo se embochinchan los estados,
y cómo se hace bochinchero el hombre.

Nace el bochinche de la absurda idea
de haber dispuesto Dios que la ignorancia
los negocios del mundo desarregle.[9]
Enseñóse a los hombres que en cien necios[10]
debe haber más razón que en un sensato,[11]
y que habiendo más necios en el mundo
deben aquestos ser los gobernantes.[12]
Bastaba ya con esto para vernos
en perpetuo bochinche.[13] Mas prosigo
los principios sentando del sistema
del eterno desorden.[14] Enseñóse.
que cualquiera facción poder tenía
para urdir la diablura más horrible,[15]
haciéndose llamar la soberana;
y no hubo ya gobierno; no hubo jueces,
ni congresos tampoco, que no fueran
juguete y burla de facciosos pillos.[16]
Sin política alguna los mandones
jamás consultan la razón de Estado
ni saben que en el mundo haya tal cosa;[17]
ni los jueces se arreglan a las leyes,
porque las leyes nadie las respeta;
ni en los congresos reinan los principios,
si no son los principios bochincheros.

9. the **bochinche** is born from the absurd notion that god pre-arranged
   to have ignorance upset world affairs
10. fools
11. sane, sensible man
12. and there being more fools in the world [than wise men], the former
    should rule
13. this was sufficient to subject us to perpetual **bochinche.**
14. but I shall go on setting down the principles of the system of
    perpetual disorder
15. any faction was powerful enough to contrive the most diabolical
    stratagems
16. toy and mockery of irresponsible scoundrels
17. having no policy of any kind, the bosses never consult public opinion
    [raison d'etat], nor do they even realize that such things exist

Este bochinche, como bien se alcanza,
no sólo perjudica a los que moran
en el suelo que se haya embochinchado,
sino a todos los pueblos y naciones
que tienen con aqueste sus negocios;
porque es preciso que el desorden dañe,
doquier que alcance su perverso influjo.[18]

¿Qué alboroto, por Dios, ni qué asonada
se puede equivocar con el bochinche?
Aquél y aquélla vienen de una parte
del pueblo amotinado que resiste
al poder,[19] a la ley o al magistrado,
y pasa cual chubasco:[20] dura un día,
o más o menos; pero pronto acaba.
En el bochinche, no; nadie está exento
de ser actor de un modo o de otro modo,[21]
y dura como el aire, una vez recio,[22]
otra vez moderado, y otras veces
en huracán terrible convertido.[23]
Como el aire también, se extiende y lleva
el miasma pestilente a las regiones
más apartadas del maligno foco.[24]
¿No vemos cómo cruzan nuestros mares
las gálicas escuadras y españolas,
britanas y holandesas,[25] atraídas
por las mil injusticias que se han hecho

---

18. this **bochinche**, as one can readily see, harms not only those who live in a land contaminated with **bochinche** but every city and nation which have dealings with it: the former; because perforce disorder harms everything within its perverse sphere of influence
19. [**Alboroto** and **asonada**] derive from that rebellious section of the population opposing the powers that be
20. squall
21. no one is exempt from participating somehow or other
22. violent, impetuous
23. at other times changed into a fearsome hurricane
24. also like the wind it extends far and wide and carries along the pestilent miasma, even to areas quite removed from the malignant source
25. French, Spanish, British and Dutch battleships

a todas las naciones en el año
del bochinche mayor que ha visto el mundo?
¿Y no vemos en esto que el bochinche,
no sólo es causa de interior desorden,
sino de muchos exteriores males
que los estados extranjeros sienten?
Sirva, pues, a Salvá de norte y guía
aqueste aviso para hacer la enmienda
que tanto ha menester su diccionario;[26]
y dé al bochinche poderoso imperio;
el poder colosal y permanente
que nunca tuvo efímero alboroto,
ni ridícula y mísera asonada.[27]

Haga justicia el español al grande
continental bochinche americano,
que sólo un necio confundir pudiera
con los tristes tumultos españoles,
que la pena no valen de escribirse,
ni puras bagatelas[28] me parecen.
Cese mi indignación, pues he cumplido
con vindicar el nombre de bochinche,[29]
el nombre dado al hijo de Bolívar,[30]
o sea, al nieto, si se quiere. Dejo,
¡colombiano bochinche!, vindicado
tu ilustre excelso[31] nombre, por desgracia
de chinche y de berrinche consonante,[32]
una cosa que apesta, otra que hostiga.[33]

26. therefore let this fact serve Salvat [the compiler and publisher of
the encyclopedia] for the much-needed corrections to his dictionary
27. the colossal and permanent power that the ephemeral **alboroto** and
the silly and paltry **asonada** never had
28. trifles
29. I have just vindicated the word **bochinche**
30. i.e. the Colombians
31. lofty
32. **bochinche**, which unfortunately rhymes with **chinche** [bedbug] and
berrinche [tantrum]
33. a thing [i.e. bedbug] that stinks, another [i.e. tantrum] that
harasses

38

¡Soberano bochinche omnipotente,
regulador supremo de Colombia!
Ya sabes que yo soy tu muy adicto
y grande admirador de tus portentos.[34]
Vive tú lo que puedas, y yo viva
para escribir tu funeral elogio.[35]

34. wonders
35. live as long as you can, and I will live to write your epitaph

JOSE JOAQUIN PESADO

b. San Agustín del Palmar, Mexico, February 9, 1801

d. Mexico City, March 3, 1861.

Left fatherless when hardly eight, José Joaquín Pesado's mother brought him to wealthy relatives in Orizaba, where he received an excellent education; by the age of twenty he was conversant with Latin, Greek and several modern languages; he made memorable translations of Horace and Tasso, and delved into theology and the sciences. In 1822 he married the "Elisa" of his verses and spent the next decade managing his estates and writing. At first he sympathized with the liberal ideas then current and held several important government positions, but by 1851 when he established himself in Mexico City he had become a militant Catholic and recalcitrant Conservative. In 1854 he was given a doctor's degree at the University of Mexico and the chair of literature.

Although a purist and past master in the handling of the Spanish language, and although his name has been associated with Classicism—his models were Fray Luis de León, Herrera, Dante and Tasso—, to today's readers Pesado's quest for Mexico's indigenous past and pre-Hispanic lore may tend to associate him more with Romantic preoccupations. He described rural customs, re-created myths and expressed a deep love for Nature, especially in a series of poems dealing with the landscape of his native region.

EDITIONS: *Poesías originales y traducidas*, Mexico, Ignacio Cumplido, 1839 [the 3rd ed. (1886) is the most complete], prologue by Ignacio Montes de Oca; *Sitios y escenas de Orizaba y Córdoba*, Mexico, V. Segura, 1860.

ABOUT: Carlos González Peña: *History of Mexican Literature*, University Press in Dallas, 1943, pp. 197-200; José M. Roa Bárcena: "Biografía de Don José Joaquín Pesado," in Vol. IV, pp. 3-205 of Roa Bárcena's *Obras*, Mexico, Imprenta de V. Agüeros, 1902; José Guadalupe Romero: "Noticias biográficas del Sr. Don José Joaquín Pesado," *Boletín de la Sociedad Mexicana de Geografía y Estadística* (Mexico) XI (1865) 145-149.

SITIOS Y ESCENAS DE ORIZABA Y CORDOBA

I. LAS CUMBRES DE ACULCINGO

Desciende de la excelsa cordillera[1]
al valle profundísimo el camino,
trozando[2] bosques de laurel y pino
que revisten sus cumbres y ladera.[3]

Baña de luces la inflamada esfera
el uno y otro monte convecino,[4]
y el arroyo[5] que baja cristalino
y el pintoresco pueblo y la pradera.[6]

Y prosigue la senda dilatada[7]
entre las aguas y arboleda umbría,[8]
que llenan de frescura la cañada;[9]

y al fin de la calzada[10] y la alquería[11]
descúbrese la villa celebrada,
mansión feliz de la adorada mía.

II. LA FUENTE DE OJOZARCO[1]

Sonora, limpia, trasparente, ondosa,[2]
naces de antiguo bosque ¡oh sacra Fuente!
En tus orillas[3] canta dulcemente
el ave enamorada y querellosa.[4]

1. lofty mountains
2. cutting across
3. that cover its peaks and slopes
4. neighboring
5. brook
6. meadow
7. and the widening path continues
8. shadowy grove
9. glen
10. road
11. farmhouse

1. Blue Eye Spring
2. undulating
3. banks
4. plaintive

Ora en el lirio azul,[5] ora en la rosa
que ciñen el raudal de tu corriente,[6]
se asientan y se mecen[7] blandamente
la abeja y la galana mariposa.[8]

Bien te conoce Amor por tus señales,
gloria de las pintadas praderías,[9]
hechizo de pastoras y zagales.[10]

¿Más qué son para mí tus alegrías?
¿Qué tus claros y tersos manantiales
si sólo has de llevar lágrimas mías?

III. EL MOLINO Y EL LLANO DE ESCAMELA[1]

Tibia[2] en invierno, en el verano fría
brota[3] y corre la fuente: en su camino
el puente[4] pasa, toca la arquería,[5]
y mueve con sus ondas[6] el molino:

Espumosa[7] desciende, y se desvía[8]
después, en curso claro y cristalino
copiando a trechos la enramada umbría
y el cedro añoso y el gallardo pino.[9]

5. ora = ahora, now in the blue lily
6. that girdle your current's swift flow
7. alight and rock
8. the bee and the lovely butterfly
9. mottled meadows
10. enchantment of shepherdesses and swains

1. Escamela's Mill and Plain
2. tepid
3. gushes
4. bridge
5. reservoir
6. waves
7. frothy
8. swerves
9. mirroring [lit. copying] now and then the shadowy thicket and the old cedar trees and the elegant pine tree

Mírase aquí selvosa[10] la montaña:
allí el ganado ledo, que sestea,[11]
parte en la cuesta[12] y parte en la campaña.[13]

Y en la tarde, al morir la luz febea,[14]
convida[15] a desacnsar en la cabaña[16]
la campana sonora de la aldea.

IV. LA CASCADA DE BARRIO NUEVO[1]

Crecida, hinchada, turbia la corriente[2]
troncos y peñas con furor arrumba,[3]
y bate los cimientos y trastumba[4]
la falda, al monte de enriscada frente.[5]

A mayores abismos impaciente
el raudal espumoso se derrumba:[6]
la tierra gime,[7] el eco que retumba[8]
se extiende por los campos lentamente.

Apoyado[9] en un pino el viejo Río,
alzando entrambas sienes, coronadas
de ruda encina y de arrayán bravío.[10]

10. wooded
11. the drowsy cattle resting
12. slope
13. glen [lit. meadow]
14. phoebean [i.e. sun light]
15. invites
16. hut

1. Barrio Nuevo Waterfall
2. Increased, swollen, muddy, the torrent
3. pours forth tree trunks and rocks
4. and beats against the foundations and precipitates
5. over the skirt of the hill toward the mountain's craggy brow
6. the frothy swift current tumbles down
7. moans
8. resounds
9. leaning
10. lifting up its temples which are crowned with rugged oak trees
    and wild myrtle

entre el iris[11] y nieblas levantadas,
ansioso por llegar al mar umbrío,
a las ondas increpa amotinadas.[12]

V. EL CAMINO DE ORIZABA A CORDOBA

Del Orizaba fértil a la espalda
que erizada de cedros se defiende[1]
de los rayos del sol, la vía se extiende
de una a la otra ciudad, sobre la falda.[2]

El naranjo sus ramas de esmeralda
y el plátano vivaz sus hojas tiende[3]
aquí y allí. De trecho en trecho pende
la hiedra, que hace al valladar guirnalda.[4]

Por ingenios de caña y cafetales,[5]
ya mansos, ya turgentes,[6] van los ríos,
que más allá despeñan sus raudales;[7]

y cabañas, ganados, laboríos,[8]
pueblos, valles y alturas desiguales
encantan por do quier[9] los ojos míos.

11. rainbow
12. urges the mutinous waves

1. bristling with cedar trees protects itself
2. the mountainside
3. the orange tree stretches out its emerald branches and the deep
green banana tree spreads its leaves
4. here and there the ivy hangs, garlanding the fence
5. along sugar cane plantations and coffee plantations
6. now becalmed, now furious
7. precipitate their torrents
8. cottages, herds, cultivated fields
9. **por dondequiera,** everywhere

El carro del Señor, arrebatado[2]
de noche, en tempestad que ruge y crece,[3]
los cielos de los cielos estremece,[4]
entre los torbellinos y el nublado.[5]

De súbito, el relámpago[6] inflamado
rompe la oscuridad y resplandece;[7]
y bañado de luces, aparece
sobre los montes, el volcán nevado.

Arde[8] el bosque, de viva llama herido;
y semeja[9] de fuego la corriente
del río, por los campos extendido.

Al terrible fragor del rayo ardiente
lanza del pecho triste y abatido
clamor de angustia la aterrada gente.[10]

·VANIDAD DE LA GLORIA HUMANA

CANTO DE NETZAHUALCOYOTL

Son del mundo las glorias y la fama
como los verdes sauces[1] de los ríos,
a quienes quema repentina llama[2]
o los despojan[3] los inviernos fríos:

1. A Storm at Night in Orizaba
2. the lord's chariot, carried off
3. roars and grows
4. shakes heaven's roof
5. whirlwinds and fog
6. lightning flash
7. shines
8. burns
9. resembles
10. upon hearing the awesome noise of thunderbolts, the folks, terrified, heave anguished sobs from their melancholy, crushed breast

1. willows
2. burnt down by a quick forest fire

la hacha del leñador[4] los precipita
o la vejez caduca los marchita.[5]

Del monarca la púrpura preciosa
las injurias del tiempo no resiste;[6]
es en su duración como la rosa,
alegre al alba y en la noche triste:
ambas tienen en horas diferentes
las mismas propiedades y accidentes.

¿Pero qué digo yo? Graciosas flores
hay, que la aurora baña de rocío,[7]
muertas con los primeros resplandores
que el sol derrama[8] por el aire umbrío.
Pasa en un punto[9] su belleza vana,
y así pasa también la pompa humana.

¡Cuán breve y fugitivo es el reinado
que las flores ejercen, cuando imperan![10]
¡No es menos el honor alto y preciado[11]
que en sí los hombres perpetuar esperan!
Cada blasón[12] que adquieren se convierte
en sus manos en símbolo de muerte.

No llegar a su fin, nadie lo espere:
la más alegre y dilatada[13] vida

3. strip bare
4. woodcutter's axe
5. [decrepit] old age withers them
6. the monarch's purple fails to protect him from the cruel blows of
   time
7. bathes with dew
8. scatters
9. briefly
10. the reign ruled by flowers when they are in power
11. esteemed
12. honor [lit. blazon]
13. full

en yerto polvo[14] convertida muere.
¿Ves la tierra tan ancha y extendida?
Pues no es más que sepulcro dilatado[15]
que oculta cuanto fué, cuanto ha pasado.

Pasan los claros ríos, pasan las fuentes,
y pasan los arroyos bullidores:[16]
nunca a su origen vuelven las corrientes,
que entre guijas[17] nacieron y entre flores:
con incesante afán y con presura[18]
buscan allá en el mar su sepultura.

La hora que ya pasó rauda se aleja[19]
para nunca volver, cual sombra vana,
y la que ora[20] gozamos nada deja
de su impalpable ser para mañana.
Llena los cementerios polvo inmundo[21]
de reyes, que mandaron en el mundo.

Y su centro de horror también encierra
sabios en el consejo, ya olvidados
héroes famosos, hijos de la guerra,
grandes conquistadores esforzados,
que dictando su ley a las naciones
se hicieron tributar adoraciones.[22]

Mas su poder quedó desvanecido
como el humo que espira la garganta
de este volcán de México encendido,

14. cold ashes [lit. dust]
15. vast
16. clamorous
17. pebbles
18. with eagerness and [great] haste
19. rapidly goes away
20. **ahora**
21. filthy
22. compelled their subjects to adore them

cuando al cielo sus llamas adelanta.[23]
No queda más recuerdo a tanta gloria
que una confusa página en la historia.

¿Dónde está el poderoso, dónde el fuerte?
¿Do la doncella púdica y gallarda?[24]
El césped[25] que los cubre nos advierte
la condición que a todos nos aguarda.[26]
Murieron nuestros padres: moriremos:
la muerte a nuestros hijos legaremos.[27]

Volvamos ya la vista a los panteones,
morada de pavor,[28] lugar sombrío.
¿Dónde están los clarísimos varones
que extendieron su inmenso señorío[29]
por la vasta extensión de este hemisferio,
con leyes justas y sagrado imperio?

¿Dónde yace[30] el guerrero poderoso
que los tultecas[31] gobernó el primero?
¿Dónde Necax,[32] adorador piadoso
de las deidades, con amor sincero?
¿Dónde la reina Xiul, bella y amada?
¿Do el postrer[33] rey de Tula desdichada?

Nada bajo los cielos hay estable.
¿En qué sitio los restos se reservan
de Xolotl, tronco nuestro venerable?
¿Do los de tantos reyes se conservan?

23. has vanished like the smoke exhaled from the crater [lit. throat] of this glowing Mexican volcano as it belches its fires toward heaven
24. Do = dónde, Where is the chaste, beautiful maiden?
25. the lawn covering the grave warns us
26. awaits
27. we will bequeath
28. tombs, where fear dwells [lit. dwelling of fear]
29. dominion
30. lies
31. Toltecs [pre-Aztec Indians]
32. Necax, Xiul, Tula, Xolotl—refer to rulers and lofty personages
33. last

De mi padre la vívida ceniza[34]
¿qué lugar la distingue y eterniza?[35]

En vano busco yo, caros amigos,
los restos de mis claros ascendientes;[36]
de mi inútil afán me sois testigos,
a mis preguntas tristes y dolientes
sólo me respondéis: nada sabemos,
más que en polvo también nos tornaremos.[37]

¿Quién es el que esto advierte y no suspira
por gozar de otra vida, allá en la altura
donde sin corrupción libre respira
y en eterna quietud el alma dura?
Desprendida[38] del cuerpo, tiende el vuelo[39]
y vive con los astros en el cielo.

Es el sepulcro helado nueva çuna[40]
para nacer del sol a los fulgores,[41]
y su tiniebla, lóbrega,[42] importuna,
brillo para los astros superiores.
En polvo la criatura convertida
goza con las estrellas nueva vida.

No hay poder que trastorne[43] de esa esfera
los muros y los quicios diamantinos,[44]
allí el Criador su imagen reverbera:
en ellos imprimió[45] nuestros destinos
y en ellos el mortal mira seguro
con ojos penetrantes lo futuro.

34. ashes, remains
35. makes eternal
36. ancestors
37. we will become
38. separated
39. takes flight
40. cradle
41. brilliant splendors
42. darkness, gloomy
43. can overthrow
44. the adamantine walls and gates
45. imprinted

ESTEBAN ECHEVERRIA

b. Buenos Aires, Argentina, September 2, 1805
d. Montevideo, Uruguay, January 19, 1851

Son of a Basque father and a creole mother, Esteban Echeverría spent his childhood in the typical Buenos Aires suburb of San Telmo. His father died during Esteban's early childhood, so that his mother became responsible for taming her wild, unruly son. She failed utterly, and later in life Esteban felt he had been responsible for hastening her death.

After a rather haphazard and erratic fashion Esteban passed through elementary school and the Escuela de Dibujo though, of course, the activities of his predilection all along consisted of guitar playing, billiards, and fun making. Finally to keep alive (or was it because of remorse, as some critics suggest?) he got himself a clerical job at Lezica Hermanos. Useful employment seems to have sobered him down to the extent that in 1825 the management decided to send him to Europe to broaden his business education. Very little is known of what happened to him during his sojourn in Paris (1826-1830) but one thing is obvious: Echeverría lived through all the excitement which shook the French literary world—from the publication of Alfred de Vigny's historical novel à la Walter Scott, *Cinq Mars* (1826), to Victor Hugo's explosive prologue to his *Cromwell* (1827) and the riotous opening night of *Hernani* (1830), the crucial moments of French Romanticism. Although Echeverría's original aim in going to Europe had been to study economic theory, business administration and so forth (for, according to his friend Juan Bautista Alberdi, he often frequented the Laffitte salon where he met Benjamin Constant, Destutt de Tracy and other luminaries of the political, social and philosophical

53

world), he devoted a good deal of his time to reading Shakespeare, Schiller, Goethe, "y especialmente Byron," whose poems opened up for him new literary perspectives, "me conmovieron profundamente y me revelaron un mundo nuevo."

So that when he landed in Buenos Aires June 23, 1830, the Romantic virus entered the Argentine pampas. But 1830 was not really, as so many literary historians claim, the beginnings of Romanticism in the Spanish-speaking world, for was not the Cuban Heredia writing in the 1820's such authentically Romantic poems as "En el teocalli de Cholula" (1820), "A mi caballo" (1821), "En mi cumpleaños" (1821), "En una tempestad" (1822), and "Niágara" (1824)? At any rate, when Echeverría landed in Buenos Aires, Juan Manuel Rosas was already Governor of the Province of Buenos Aires and the political atmosphere was loaded: the bloody and bitter struggles between Federalists and Unitarians had begun. Soon Rosas took over and exerted his tyrannical rule for nearly two decades (1835-1852). So that Echeverría not only wrote Romantically—*Elvira o la novia del Plata* (1832), *Los consuelos* (1834) and especially *La cautiva* (1837), wherein the Argentine landscape, local color, and traditions are dramatized by means of the new Romantic rhetoric, but lived a truly Romantic existence of social protest, plottings, persecutions, exile. Echeverría became a leader of the opposition: a recalcitrant Unitarian. Seen in the light of objective appraisal, Echeverría's poetry contains all the weaknesses of Romantic poetry and few of its virtues. Such a "classic" as *La cautiva* is far-fetched to the point of banality and its rhetoric is hollow to the core.

Perhaps it is by his prose work and by his political activity that Echeverría's stature may best be judged. In 1838 he rallied together and organized a group of young intellectuals into a secret society, the revolutionary Asociación de Mayo. Echeverría drafted its manifesto which was in essence an expression of republican fervor and had little to do with its forbidding title *Dogma Socialista*. Echeverría's vivid depiction of the struggle of Unitarians vs. Federalists, however, a deeply felt plea for liberalism and tolerance took the form of a short story: *El Matadero* (1838). Buenos Aires' slaughter house [*el matadero*] is presented here in a grotesque realism reminiscent of the Flemish school, although the specific grows in dimension and the reader comes to realize that Echeverría's slaughter house was not just the Buenos Aires of the 1830's but the entire Argentine nation under the despotism of Dictator Rosas and his henchmen. Echeverría utilizes in its naive style a terse, colorful idiom unmistakably Argentine. But what is equally remarkable is his juxtaposition of realism and surrealism, which makes any comparison to the paintings of Breughel so rewarding. By way of illustration: into the filth and mire of the slaughter house, so truthfully depicted in the realistic tradition of the Spanish picaresque, there suddenly falls the severed head of a child (surrealist surprise) while its trunk propped on a forked pole of the corral squirts blood from innumerable jets. Even the denouement—the undaunted Unitarian hero, congested with anger, bursting like a ripe fruit—is highly surrealistic. In Echeverría, as in Kafka, unreality blossoms from the most mediocre, everyday reality. *El Matadero* is significant, therefore, both as a social document and as a literary achievement.

In the terror year of 1839, when the liberal revolution failed, the young intelectuals were forced to flee. Echeverría was the last to leave. In 1840 he crossed the Platte river and settled first in La Colonia, the town closest to Argentina, and later moved to Montevideo, where he lived in complete seclusion, broken in health, homesick, and completely absorbed by his writings. Ironically enough, he died there, only a little over a year before the battle of Caseros (February 3, 1852) whereby Argentina regained its freedom by forcing Rosas to flee the country.

EDITIONS: *Obras completas,* edited by Juan María Gutiérrez, Buenos Aires, Ediciones Antonio Zamora, 1951, 5 volumes [revised edition]; *La cautiva,* edited by Angel J. Battistessa, Buenos Aires, Ediciones Peuser, 1958; *El*

Matadero, edited by Jorge Max Rohde, Buenos Aires, Instituto de Literatura Argentina, 1944; *El Matadero,* English & Spanish, edited and translated by Angel Flores, New York, Las Américas Publishing Co., 1959; *Páginas autobiográficas,* edited by Natalio Kisnerman, Buenos Aires, Editorial Universitaria, 1962.

ABOUT ECHEVERRIA: Héctor Pablo Agosti: *Echeverría,* Buenos Aires, 1951; Rafael Alberto Arrieta: "Contribución al estudio de Esteban Echeverría," *Boletín de la Academia Argentina de Letras* (Buenos Aires), IX (July-September, 1941), 437-472; Rafael Alberto Arrieta: "Esteban Echeverría y el romanticismo en el Plata," in his *Historia de la literatura argentina,* 6 volumes, Buenos Aires, Peuser, 1958, Vol. II, pp. 19-111; Rómulo Bogliolo: *Las ideas democráticas y socialistas de Esteban Echeverría,* Buenos Aires, Editorial La Vanguardia, 1937; Antonio J. Bucich: *Esteban Echeverría y su tiempo,* Buenos Aires, Virtus, 1938; Julio Caillet-Bois: "Echeverría y los orígenes del romanticismo en América," *Revista Hispánica Moderna,* VI (April, 1940), 97-106; Abel Chaneton: *Retorno de Echeverría,* Buenos Aires, Editorial Ayacucho, 1944; Mario F. Espalter: "Las ideas de Esteban Echeverría," *Humanidades* (La Plata), IV (1922), 77-96; Jorge M. Furt: *Esteban Echeverría,* Buenos Aires, 1938; Martín García Merou: *Ensayo sobre Echeverría,* Buenos Aires, Peuser, 1944 (new ed.); Tulio Halperín Donghi: *El pensamiento de Echeverría,* Buenos Aires, Editorial Sudamericana, 1951; Natalio Kisnerman: *Contribución a la bibliografía de Estéban Echeverría,* Buenos Aires, Universidad de Buenos Aires, 1960; Nydia Lamarque: *Echeverría el poeta,* Buenos Aires, 1951; Alfredo L. Palacios: *Historia de Echeverría,* Buenos Aires, Emecé, 1960; Pablo Rojas Paz: *Echeverría, el pastor de soledades,* Buenos Aires, Losada, 1951.

AL CUMPLIR LOS TREINTA AÑOS...

[Hoy, Septiembre 2 de 1835]

Nací en septiembre de 1805 y hoy debo cumplir... ¿Y dónde están? ¿En qué los he empleado?[1]

Hasta la edad de 18 años fue mi vida casi toda externa: absorbiéronla sensaciones, amoríos, devaneos,[2] pasiones de la sangre y alguna vez la reflexión; pero triste como lámpara entre sepulcros.[3] Entonces como caballo desbocado,[4] pasaba yo sobre las horas, ignorando dónde iba, quién era, cómo vivía. Devorábame la saciedad y yo devoraba al tiempo.[5]

Desde los 18 hasta los 26 años, hiciéronse gigantes mis afectos y pasiones, y su impetuosidad, salvando límites, se estrelló y pulverizó contra lo imposible.[6]

Sed insaciable de ciencia,[7] ambición, gloria, colosales visiones de porvenir... todo he sentido.

Mi orgullo ha roto y hollado todos los ídolos que se gozó en fabricar mi vanidad.[8]

Cuando llamaba a mi puerta la fortuna yo le decía: Vete, nada quiero contigo; yo me basto a mí mismo.[9] Hacíase ella a menudo encontradiza,[10] y con el dedo me se-

---

1. today I have attained the age of... And where are [those thirty years] gone? To what use have I put them?
2. [my life] was devoted to the senses, love-affairs, dissipations
3. as dismal as a lamp among the tombs
4. runaway horse
5. satiety was eating me up and I was eating up time.
6. surmounting obstacles, it was reduced to dust when it collided against the impossible
7. an insatiable hunger for knowledge [lit. thirst for the sciences]
8. trampled upon all the idols which my vanity delighted in fabricating
9. go away I need nothing from you—I'm self sufficient
10. often making it seemed a chance encounter

ñalaba un blanco,[11] una senda[12] distinta de la que yo llevaba: airado le daba las espaldas,[13] y seguía adelante.

Entonces el tiempo me devoraba, cada minuto era un siglo y cada minuto me echaba estas palabras en rostro:[14] ¿Qué has hecho, qué has aprendido?

La inefable visión de mi fantasía era la gloria, y dábame la ambición brazos de gigante. ¿Sabía yo entonces quién era, cómo vivía y dónde iba?

Desde los 26 años hasta hoy, no existe el tiempo para mí. Noche y dolores todo lo que veo; dolor y noche, despierto o durmiendo; noche y dolor aquí y allí, y en todas partes. El universo y yo y las criaturas son para mi espíritu un abismo de noche y de dolor.[15]

Pero hoy, hoy sé que vivo aún. Sé que he peregrinado treinta años en la tierra, porque quiero desde hoy poner en este papel mi corazón a pedazos.[16] Mi corazón dolorido, ulcerado, gangrenado; mi corazón soberbio e indomable...[17]

¡Oh tú, Dios mío!... ¡Blasfemia! Cerrada están las puertas del cielo para el... réprobo...[18]

---

11. an objective, a goal
12. path
13. haughtily I turned my back on it
14. threw these words to my face
15. an abyss of night and grief
16. to set down my heart, piece by piece, upon this piece of writing paper
17. arrogant and indomitable
18. to the reprobate, i.e. to wicked people

EL ANGEL CAIDO

[EXCERPT]

¡Quién pudiera, hermoso Plata,
cabalgar[1] sobre tus ondas,
y de tus entrañas hondas[2]
los misterios descubrir,
y en el raudo torbellino
de la tormenta engolfarse,[3]
en su atmósfera bañarse
y de su vida vivir!

Me place con el Pampero
esa tu lidia gigante,[4]
y el incansable hervidero[5]
de tus olas a mis pies;
y la espuma y los bramidos
de tu cólera soberbia,
que atolondran mis sentidos,
llevan a mi alma embriaguez.[6]

Y me place verte en calma
dormir, como suele a veces
dormitar tranquila mi alma
o mi vida material;
cuando la luna barniza
tu faz de plata, y jugando,
el aura apenas te riza
la melena de cristal.[7]

1. to gallop
2. hidden heart [lit. deep entrails]
3. to be engulfed in the storm's impetuous whirlwind
4. I am delighted with your gigantic struggle against the Pampero [violent southwestern wind blowing from the pampas]
5. tireless surge [lit. bubbling, boiling]
6. the roarings [issuing] from your magnificent wrath, which confounds my senses and intoxicates my soul
7. when the moon silvers your surface and the breeze playfully curls your crystal mane

Me places, como el Océano,
tu rival en poderío,
cuando lo surcaba ufano
en mi albor de juventud;[8]
con el corazón de luto,[9]
pero con alma nutrida
de savia fértil de vida,
de fe y sueños de virtud.

Me places cual la llanura
con su horizonte infinito,
con su gala de verdura
y su vaga ondulación;
cuando en los lomos del bruto
la cruzaba velozmente,
para aturdir en mi mente
la fertil cavilación.[10]

Y te quiero, oh Plata, tanto
como te quise algún día
porque tienes un encanto
indecible para mí;[11]
porque en tu orilla mi cuna
feliz se meció,[12] aunque el brillo
del astro[13] de mi fortuna
jamás en tu cielo vi.

Te quiero como el recuerdo
más dichoso de mi vida,
como reliquia querida
de lo que fué y ya no es;

8. when merrily I sailed at the dawn of my youth [on his voyage to France]
9. or when I sailed on it with heart in mourning [at the death of his mother]
10. when on horseback I crossed the pampas swiftly in order to stun the feverish cavilings within my mind
11. because you hold unutterable charm for me
12. my cradle blissfully rocked
13. star

como la tumba do yacen[14]
esperanzas, ambiciones,
todo un mundo de ilusiones
que vi en sueño alguna vez.

Oh Plata, al verte gigante,
me agiganto,[15] iluso[16] siento
la emoción y arrobamiento[17]
de un inefable placer,
y mi vida incorporarse
con la tuya turbulenta,
y en inmortal tranformarse
mi perecedero ser.[18]

Si algo pedirte pudiera,
si me oyeses, en tus ondas
sepulcro encontrar quisiera,
mi cuerpo entregarte, sí;[19]
para que no viese el hombre
sobre lápida[20] ninguna
jamás escrito mi nombre
ni preguntase quién fuí.

14. wherein [do = donde] lie buried
15. I [also] become a giant
16. deluded
17. ecstasy
18. my perishable self
19. I would like to find a grave under your waves—indeed, to hand over
to you my corpse
20. gravestone

CONTESTACION

¡Ah!, ya agotada
siento mi juventud, mi faz marchita,
y la profunda pena que me agita
ruga mi frente, de dolor nublada.

HEREDIA.[1]

Feliz tú, que de bellas ilusiones
sin cesar halagado,[2] a las visiones
inefables del alma
librar puedes tu ardiente fantasía,
y de éxtasi embriagar y de armonía[2b]
tu corazón en calma.

Feliz tú, que aspirando el aura pura[3]
del majestuoso Plata, la hermosura
contemplas de la luna,
que asoma melancólica su frente,
como gentil beldad que de amor siente
la congoja importuna.[4]

Mecido[5] allí por sueño delicioso,
oyes sólo el susurro[6] misterioso
de las olas serenas,
que al rayo de la luna resplandecen,
sobre muelles arenas.[7]

---

1. In this "reply," Echeverría identifies with a sentiment expressed by
   the Cuban poet José María Heredia (1803-1839) who felt that his
   youth had come to an end, that his face had withered, and that
   the deep sorrow weighing him down had wrinkled his forehead,
   beclouded by anguish.
2. ceaselessly flattered
2b. and with ecstasy and harmony intoxicate your becalmed heart
3. breathing the pure air
4. [the moon] making visible its melancholy forehead, like a lovely
   girl feeling the importunate anguish of love
5. Rocked
6. whisper
7. on soft sands

Allí tu alma inflamada en su desvelo[8]
hasta el trono del Dios levanta el vuelo
y olvidada del mundo
escucha la armonía soberana
que de su eterna gloria eterna mana
cual venero fecundo.[9]

Allí anhela calmar su sed ardiente
en esa viva, inagotable fuente[10]
que el universo anima,
y con alas de fuego divagando
el infinito abarca, y remontando
más y más se sublima.[11]

¡Quién como tú pudiera, el pecho lleno
de esperanza y de fe, por el ameno[12]
camino de la vida
espaciar sus miradas halagüeñas,[13]
y ver por todo imágenes risueñas,
como en la edad florida!

¡Quién en su lira modular[14] sonora
dulce amor y amistad consoladora,
tesoros celestiales;
y al son de la hechicera melodía[15]
derramar[16] esperanza y alegría
en los pechos mortales!

¡Quién fuese como tú, que atrás dejando
un pasado feliz, y contemplando

---

8. sore [lit. afired, feverish] due to uneasiness [anxiety, lack of sleep]
9. eternally flows likek a bountiful spring
10. inexhaustible fountain
11. wandering about with wings of fire, encompassing the infinite, ascending higher and higher until it sublimates itself
12. pleasant
13. cast its alluring glances
14. modulate [to sing with harmony and variety of sound]
15. to the sound of an entrancing melody
16. to pour

el porvenir brillante,
un mundo de esperanzas y delicias
ante tus ojos ves, y no codicias
nada al vulgo anhelante.[17]

Mi juventud también tuvo visiones
de ambición y de gloria, y mil pasiones
terribles le agitaron;
amor fué su delirio y su ventura,
y en brazos apuró de la hermosura
delicias que volaron.[18]

Mas cual roble soberbio que derriba
el feroz huracán de cumbre altiva,[19]
al impulso violento
de fogosas pasiones, abatida
cayó mi juventud,[20] que sólo vida
tiene para el tormento.

¡Oh si en himnos de excelsa[21] poesía
yo pudiera el torrente de armonía
exhalar[22] de mi pecho,
o en tristes tonos modular suaves
de mi fiero dolor las ansias graves,
las dudas y el despecho![23]

El canto entonces de la musa mía
al eco de la tuya se uniría
en soberano coro,

17. covet nothing from the greedy mob
18. in beauty's arms drank joys that vanished away
19. like a magnificent oak tree knocked down from a lofty summit by the fierce hurricane
20. impelled by vehement passions, my youth, disheartened, toppled down
21. lofty
22. pour forth [lit. to breathe forth]
23. despair

y esos pechos de bronce casi yertos[24]
latirían[25] oyendo los conciertos
de vuestra lira de oro.

Pero, vano delirio, mi destino
es batallar con el dolor continuo[26]
hasta que suene la hora;
y consumirse en agonía lenta,
como el ave inmortal que en sí alimenta
fuego que la devora.[27]

LA AUSENCIA

Fuese el hechizo
del alma mía,[1]
y mi alegría
se fué también:
en un instante
todo he perdido:
¿dónde te has ido,
mi amado bien?

Cubrióse todo
de oscuro velo
el bello cielo
que me alumbró,
y el astro hermoso
de mi destino
en su camino
se oscureció.

Perdió su hechizo
la melodía

24. those bronze chest almost congealed [dead, frozen up]
25. would throb
26. contino = continuo
27. the phoenix

1. my soul's enchantment is gone

que apetecía
mi corazón.[2]
Fúnebre canto
sólo serena
la esquiva vena
de mi pasión.[3]

Doquiera llevo
mis tristes ojos,
hallo despojos
del dulce amor;
doquier vestigios
de fugaz gloria,[4]
cuya memoria
me da dolor.

Vuelve a mis brazos,
querido dueño;
sol halagüeño
me alumbrará:[5]
vuelve tu vista,
que todo alegra;
mi noche negra
disipará.[6]

2. the melody my heart desired has lost its spell
3. only a funeral dirge becalms my passion's elusive vein
4. wherever [doquiera = dondequiera] my sad eyes look they see only
   sweet love's spoils, everywhere remains of fleeting bliss
5. a bright sun will light my way
6. will dispel my dark night

DESEO

Silencio, nada más, y no gemido,[1]
lágrimas o suspiros yo demando,
en el instante lastimero cuando
descienda helado a la mansión de olvido.[2]

Jamás estéril llanto a la ternura
debió mi pecho en sus acerbos males;[3]
sólo apuré los tragos más fatales
que me brindó la impía desventura.[4]

Dormir sin ser al mundo tributario,[5]
quiero en la noche tenebrosa y fría,
sin que nadie interrumpa su alegría;
morir, como he vivido, solitario.

Tú, nunca de infelices, Dios de olvido,
que a la nada presides misterioso,
encubre con tus alas silencioso
el sepulcro de un ser desconocido.[6]

---

1. moan
2. at the doleful moment of my death, when, cold, I descend to the abode of forgetfulness
3. severe evils
4. I gulped down only the most deadly drinks a pitiless fate offered me
5. without being indebted to the world
6. you, god of forgetfulness (never of the unfortunate), who mysteriously preside over Nothingness, do silently cover up with your wings the tomb of an unknown person

A pesar de que la mía es historia, no la empezaré por el arca de Noé[1] y la genealogía de sus ascendientes como acostumbraban hacerlo los antiguos historiadores españoles de América que deben ser nuestros prototipos. Tengo muchas razones para no seguir ese ejemplo, las que callo por no ser difuso.[2] Diré solamente que los sucesos de mi narración, pasaban por los años de Cristo de 183...[3] Estábamos, a más, en cuaresma, época en que escasea la carne[4] en Buenos Aires, porque la iglesia, adoptando el precepto de Epicteto, *sustine abstine* (sufre, abstente),[5] ordena vigilia y abstinencia a los estómagos de los fieles, a causa de que la carne es pecaminosa,[6] y, como dice el proverbio, busca a la carne. Y como la iglesia tiene *ab initio* y por delegación directa de Dios[7] el imperio inmaterial sobre las conciencias y estómagos, que en manera alguna pertenecen al individuo, nada más justo y racional que vede lo malo.[8]

Los abastecedores, por otra parte, buenos federales,[9] y por lo mismo buenos católicos, sabiendo que el pueblo de Buenos Aires atesora una docilidad singular[10] para someterse a toda especie de mandamientos, sólo traen en días cuaresmales al matadero, los novillos[11] necesarios para el sustento de los niños y de los enfermos dispensados de la abstinencia por la Bula...[12] y no con el ánimo de que se harten algunos herejotes,[13] que no faltan, dispuestos siem-

1. Noah's ark
2. I shall pass them over in order to avoid prolixity
3. in the 1830's of our Christian era
4. during Lent, a time when meat is scarce
5. abstain
6. because carnivorousness is sinful
7. through God's direct dispensation
8. than for it to forbid that which is harmful
9. the purveyors [of meat], staunch Federalists [i.e. followers of the Dictator Rosas]
10. possess singular docility
11. steers
12. Papal Bull
13. had no intention of stuffing the heretics

pre a violar los mandamientos carnificinos[14] de la iglesia, y a contaminar la sociedad con el mal ejemplo.

Sucedió, pues, en aquel tiempo, una lluvia muy copiosa.[15] Los caminos se anegaron;[16] los pantanos se pusieron a nado[17] y las calles de entrada y salida a la ciudad rebosaban en acuoso barro.[18] Una tremenda avenida[19] se precipitó de repente por el Riachuelo de Barracas, y extendió majestuosamente sus turbias aguas hasta el pie de las barrancas[20] del Alto. El Plata creciendo embravecido empujó esas aguas que venían buscando su cauce[21] y las hizo correr hinchadas por sobre campos, terraplenes,[22] arboledas, caseríos, y extenderse como un lago inmenso por todas las bajas tierras. La ciudad circunvalada[23] del norte al este por una cintura[24] de agua y barro, y al sur por un piélago blanquecino[25] en cuya superficie flotaban a la ventura algunos barquichuelos[26] y negreaban las chimeneas y las copas de los árboles, echaba desde sus torres y barrancas atónitas miradas al horizonte como implorando misericordia al Altísimo. Parecía el amago de un nuevo diluvio.[27] Los beatos y beatas gimoteaban haciendo novenarios y continuas plegarias.[28] Los predicadores atronaban el templo y hacían crujir el púlpito a puñetazos.[29] Es el día del juicio, decían, el fin del mundo está por venir. La cólera divina rebosando se derrama en inundación. ¡Ay, de vosotros pecadores! ¡Ay de vosotros unitarios impíos

14. the meat commandments
15. at this time, then, rain was pouring down incessantly
16. the roads were inundated
17. the marshes stood deep enough for swimming
18. were flooded with watery mire
19. stream
20. slopes
21. the Plata, overflowing, enraged, pushed back the water that was seeking its bed
22. embankments
23. encircled
24. girdle
25. whitish sea
26. small craft [boats]
27. it seemed to be the threat of a new deluge.
28. Pious men and women wept as they busied themselves with their novenaries and continuous prayers
29. in church preachers thundered and made the pulpit creak under the blows of their fists

que os mofáis de la iglesia,[30] de los santos, y no escucháis con veneración la palabra de los ungidos del Señor![31] ¡Ah de vosotros si no imploráis misericordia· al pie de los altares! Llegará la hora tremenda del vano crujir de dientes y de las frenéticas imprecaciones. Vuestra impiedad, vuestras herejías, vuestras blasfemias, vuestros crímenes horrendos, han traído sobre nuestra tierra las plagas del Señor.[32] La justicia y el Dios de la Federación os declarará malditos.

Las pobres mujeres salían sin aliento, anonadadas del templo,[33] echando, como era natural, la culpa de aquella calamidad a los unitarios.

Continuaba, sin embargo, lloviendo a cántaros[34] y la inundación crecía acreditando el pronóstico de los predicadores.[35] Las campanas comenzaron a tocar rogativas por orden del muy católico Restaurador, quien parece no las tenía todas consigo.[36] Los libertinos, los incrédulos, es decir, los unitarios, empezaron a amedrentarse al ver tanta cara compungida, oír tanta batahola de imprecaciones.[37] Se hablaba ya como de cosa resuelta, de una procesión en que debía ir toda la población descalza y a cráneo descubierto, acompañando al Altísimo, llevado bajo palio por el Obispo,[38] hasta la barranca de Balcarce, donde millares de voces conjurando al demonio unitario, debían implorar la misericordia divina.

Feliz, o mejor, desgraciadamente, pues la cosa habría sido de verse, no tuvo efecto la ceremonia, porque bajando

30. Impious Unitarians [enemies of the Dictator Rosas] who mock the Church
31. those annointed by the Lord
32. the Lord's plagues
33. the wretched women left the church breathless, overwhelmed
34. however, the torrential rainfall continued
35. adding credence to the predictions of the preachers
36. the bells tolled plaintively by order of the most Catholic Restorer [the Dictator Rosas], who was rather uneasy
37. were frightened at seeing so many contrite faces and hearing such clamor of imprecations
38. the entire population was to attend barefoot and bareheaded, accompanying the Host, which was to be carried under a pallium by the Bishop

el Plata, la inundación se fué poco a poco escurriendo[39] en su inmenso lecho sin necesidad de conjuro ni plegarias.

Lo que hace principalmente a mi historia es que por causa de la inundación estuvo quince días el matadero de la Convalescencia sin ver una sola cabeza vacuna,[40] y que en uno o dos, todos los bueyes de quinteros y *aguateros* se consumieron en el abasto de la ciudad.[41] Los pobres niños y enfermos se alimentaban con huevos y gallinas, y los gringos[42] y herejotes bramaban[43] por el beef-steak y el asado.[44] La abstinencia de carne era general en el pueblo, que nunca se hizo más digno de la bendición de la iglesia, y así fué que llovieron sobre él millones y millones de indulgencias plenarias.[45] Las gallinas se pusieron a 6 pesos[46] y los huevos a 4 reales y el pescado carísimo. No hubo en aquellos días cuaresmales promiscuaciones ni excesos de gula;[47] pero en cambio se fueron derechos al cielo innumerables ánimas y acontecieron cosas que parecen soñadas.

No quedó en el matadero ni un solo ratón vivo de muchos millares que allí tenían albergue.[48] Todos murieron o de hambre o ahogados en sus cuevas por la incesante lluvia. Multitud de negras rebusconas de *achuras,* como los caranchos de presa, se desbandaron por la ciudad como otras tantas harpías[49] prontas a devorar cuanto hallaran comible. Las gaviotas[50] y los perros inseparables rivales suyos en el matadero, emigraron en busca de alimento animal. Porción de viejos achacosos cayeron en consunción por falta de nutritivo caldo;[51] pero lo más notable que sucedió fué el falleci-

39. the overflow gradually subsided
40. a single head of cattle
41. all the cattle from nearby farmers and watercarriers were used up in supplying the city with meat
42. foreigners
43. bellowed
44. roast
45. plenary indulgences
46. chickens went up to six pesos
47. there were no promiscuities or excesses of gluttony
48. which used to find shelter there
49. innumerable Negro women who go around after offal, like vultures after carrion, spread over the city like so many harpies
50. gulls
51. sickly old men wasted away for the lack of nutritive broth

miento casi repentino de unos cuantos gringos herejes que cometieron el desacato de darse un hartazgo de chorizos de Extremadura, jamón y bacalao[52] y se fueron al otro mundo a pagar el pecado cometido por tan abominable promiscuación.

Algunos médicos opinaron que si la carencia de carne continuaba, medio pueblo caería en síncope por estar los estómagos acostumbrados a su corroborante jugo;[53] y era de notar el contraste entre estos tristes pronósticos de la ciencia y los anatemas lanzados desde el púlpito por los reverendos padres contra toda clase de nutrición animal y de promiscuación en aquellos días destinados por la iglesia al ayuno y la penitencia. Se originó de aquí una especie de guerra intestina entre los estómagos y las conciencias, atizada[54] por el inexorable apetito y las no menos inexorables vociferaciones de los ministros de la iglesia, quienes, como es su deber, no transigen con vicio alguno[55] que tienda a relajar[56] las costumbres católicas: a lo que se agregaba el estado de flatulencia intestinal[57] de los habitantes, producido por el pescado y los porotos[58] y otros alimentos algo indigestos.

Esta guerra se manifestaba por sollozos y gritos descompasados[59] en la peroración de los sermones y por rumores y estruendos subitáneos[60] en las casas y las calles de la ciudad o dondequiera concurrían gentes. Alarmóse un tanto el gobierno, tan paternal como previsor,[61] del Restaurador, creyendo aquellos tumultos de origen revolucionario y atribuyéndolos a los mismos salvajes unitarios, cuyas impiedades, según los predicadores federales, habían traído sobre el país la inundación de la cólera divina; tomó activas provi-

52. who committed the folly of glutting on sausages from Extremadura, on ham and dry codfish
53. stimulating meat juice
54. stirred
55. tolerated no sin whatsoever
56. to slacken
57. intestinal flatulence
58. beans
59. sighs and strident shrieks
60. sudden explosions
61. as paternal as it is foreseeing

dencias, desparramó sus esbirros por la población[62] y por último, bien informado, promulgó un decreto tranquilizador de las conciencias y de los estómagos, encabezado por un considerando muy sabio y piadoso para que a todo trance y arremetiendo por agua y todo se trajera ganado a los corrales.[63]

En efecto, al décimosexto día de la carestía, víspera del día de Dolores,[64] entró a nado, por el matadero del Alto, una tropa de cincuenta novillos gordos; cosa poca, por cierto, para población acostumbrada a consumir diariamente de 250 a 300, y cuya tercera parte, al menos, gozaría del fuero eclesiástico de alimentarse con carne.[65] ¡Cosa extraña que haya estómagos privilegiados y estómagos sujetos a leyes inviolables y que la iglesia tenga la llave[66] de los estómagos!

Pero no es extraño, supuesto que el diablo con la carne suele meterse en el cuerpo y que la iglesia tiene el poder de conjurarlo: el caso es reducir al hombre a una máquina cuyo móvil principal no sea su voluntad sino la de la iglesia y el gobierno. Quizá llegue el día en que sea prohibido respirar aire libre, pasearse y hasta conversar con un amigo, sin permiso de autoridad competente. Así era, poco más o menos, en los felices tiempos de nuestros beatos abuelos que, por desgracia, vino a turbar la revolución de Mayo.

Sea como fuera, a la noticia de la providencia gubernativa, los corrales del Alto se llenaron, a pesar del barro, de carniceros, achuradores[67] y curiosos, quienes recibieron con grandes vociferaciones y palmoteos[68] los cincuenta novillos destinados al matadero.

—Chica, pero gorda —exclamaban—. ¡Viva la Federación! ¡Viva el Restaurador! —porque han de saber los lectores que en aquel tiempo la Federación estaba en todas partes, hasta

62. took provident steps, scattered his henchmen around town
63. without further delay and floods notwithstanding, cattle be brought to the corrals [of the slaughter house]
64. on the sixteenth day of the meat crisis, the eve of Saint Dolores' day
65. enjoyed the Church dispensation of eating meat
66. key
67. offal collectors
68. with much outcry and applause

entre las inmundicias[69] del matadero y no había fiesta sin Restaurador, como no hay sermón sin San Agustín. Cuentan que al oír tan desaforados gritos[70] las últimas ratas que agonizaban de hambre en sus cuevas, se reanimaron y echaron a correr desatentadas conociendo que volvían a aquellos lugares la acostumbrada alegría y la algazara[71] precursora de abundancia.

El primer novillo que se mató fué todo entero de regalo al Restaurador, hombre muy amigo del asado. Una comisión de carniceros marchó a ofrecérselo a nombre de los federales del matadero, manifestándole *in voce* su agradecimiento por la acertada providencia del gobierno,[72] su adhesión ilimitada al Restaurador y su odio entrañable[73] a los salvajes unitarios, enemigos de Dios y de los hombres. El Restaurador contestó a la arenga *rinforzando* sobre el mismo tema[74] y concluyó la ceremonia con los correspondientes vivas y vociferaciones de los espectadores y actores. Es de creer que el Restaurador tuviese permiso especial de su ilustrísima para no abstenerse de carne, porque siendo tan buen observador de las leyes, tan buen católico y tan acérrimo[75] protector de la religión, no hubiera dado mal ejemplo aceptando semejante regalo en día santo.

Siguió la matanza[76] y en un cuarto de hora cuarenta y nueve novillos se hallaban tendidos en la playa del matadero, desollados unos, los otros por desollar.[77] El espectáculo que ofrecía entonces era animoso[78] y pintoresco aunque reunía todo lo horriblemente feo, inmundo[79] y deforme de una pequeña clase proletaria peculiar del Río de la Plata. Pero

---

69. filth
70. raucous shouts
71. hubbub
72. expresse to him, **viva voce,** their gratitude for the wise government decree
73. profound
74. the restorer replied to their harangue by elaborating on the same theme
75. staunch
76. the slaughtering went on
77. lay in the court, some of them skinned, others still to be skinned
78. lively
79. filthy

para que el lector pueda percibirlo a un golpe de ojo preciso es hacer un croquis de la localidad.[80]

* * *

El matadero de la Convalescencia o Alto, sito en las quintas del sur de la ciudad, es una gran playa en forma rectangular,[1] colocada al extremo de dos calles, una de las cuales allí se termina y la otra se prolonga hacia el este.

Esta playa, con declive al sur, está cortada por un zanjón labrado por la corriente de las aguas fluviales,[2] en cuyos bordes laterales se muestran innumerables cuevas de ratones y cuyo cauce recoge, en tiempo de lluvia, toda la sangraza[3] seca o reciente del matadero. En la junción[4] del ángulo recto, hacia el oeste, está lo que llaman la casilla, edificio bajo, de tres piezas de media agua, con corredor al frente que da a la calle y palenque para atar caballos,[5] a cuya espalda se notan varios corrales de palo a pique, de ñandubay, con sus fornidas puertas para encerrar el ganado.[6]

Estos corrales son en tiempo de invierno un verdadero lodazal[7] en el cual los animales apeñuscados se hunden hasta el encuentro[8] y quedan como pegados y casi sin movimiento. En la casilla se hace la recaudación del impuesto de corrales,[9] se cobran las multas[10] por violación de reglamentos y se sienta el juez del matadero, personaje importante, caudillo de los carniceros y que ejerce la suma del poder en aquella pequeña república por delegación del Restaurador.

---

80. that the reader may grasp the setting at one glance, it might not be amiss to describe it briefly [lit. to draw a sketch of the locality]

---

1. the Convalescence, or Alto Slaughter House, is located in the southern part of Buenos Aires, on a huge lot, rectangular in shape
2. is bisected by a ditch made by the rains
3. blood
4. junction
5. a low building containing three small rooms with a porch in front facing the street, and hitching posts for tying horses
6. in the rear are several pens of ñandubay picket fence with heavy doors for guarding the steers
7. mire
8. remain bogged down, immobile, up to the shoulder blades
9. the collection of taxes for [the use of] the corrales or pens
10. fines

75

Fácil es calcular que clase de hombre se requiere para el desempeño de semejante cargo.[11] La casilla, por otra parte, es un edificio tan ruín y pequeño que nadie lo notaría en los corrales a no estar asociado su nombre al del terrible juez y a no resaltar sobre su blanca cintura[12] los siguientes letreros[13] rojos: "Viva la Federación", "Viva el Restaurador y la heroína doña Encarnación Ezcurra", "Mueran los salvajes unitarios". Letreros muy significativos, símbolos de la fe política y religiosa de la gente del matadero. Pero algunos lectores no sabrán que la tal heroína es la difunta esposa[14] del Restaurador, patrona muy querida de los carniceros, quienes ya muerta la veneraban como viva por sus virtudes cristianas y su federal heroísmo en la revolución contra Balcarce.[15] Es el caso que en un aniversario de aquella memorable hazaña de la mazorca,[16] los carniceros festejaron con un espléndido banquete en la casilla a la heroína, banquete a que concurrió con su hija y otras señoras federales, y que allí, en presencia de un gran concurso, ofreció a los señores carniceros en un solemne brindis[17] su federal patrocinio,[18] por cuyo motivo ellos la proclamaron entusiastamente patrona del matadero, estampando su nombre en las paredes de la casilla donde se estará hasta que lo borre la mano del tiempo.[19]

La perspectiva del matadero a la distancia era grotesca, llena de animación. Cuarenta y nueve reses estaban tendidas sobre sus cueros y cerca de doscientas personas hollaban aquel suelo de lodo regado con sangre.[20] En torno de cada res resaltaba un grupo de figuras humanas de tez[21] y

11. for the discharge of such an office
12. white front
13. posters
14. the deceased wife [of the Dictator Rosas, "the Restorer]
15. Juan Ramón Balcarce (1773-1833), Argentine general who was elected Governor of Buenos Aires (1832) but was driven out by Rosas
16. terrorist society of Rosas' henchmen—their emblem was a **mazorca** [ear of corn]: **mazorca** suggests **más horca** [their slogan], meaning "more gallows" for their enemies
17. toast
18. patronage
19. where it will remain until blotted out by the hand of time
20. muddy, blood-drenched floor
21. complexion [i.e. different skin colors]

76

raza distintas. La figura más prominente de cada grupo era el carnicero con el cuchillo en mano, brazo y pecho desnudos, cabello largo y revuelto, camisa, chiripá y rostro embadurnado de sangre.[22] A sus espaldas se rebullían, siguiendo sus movimientos, una comparsa de muchachos,[23] de negras y mulatas achuradoras, cuya fealdad trasuntaba las harpías de la fábula,[24] y entremezclados con ella, algunos enormes mastines olfateaban, gruñían o se daban de tarascones por la presa.[25] Cuarenta y tantas carretas toldadas con negruzco cuero se escalonaban[26] irregularmente a lo largo de la playa y algunos jinetes, con el poncho calado y el lazo prendido al tiento,[27] cruzaban por entre ellas. En el aire, un enjambre de gaviotas blanquiazules[28] que habían vuelto de la emigración al olor de carne, revoloteaban cubriendo con su disonante graznido[29] todos los ruidos y voces del matadero y proyectando una sombra clara sobre aquel campo de horrible carnicería. Esto se notaba al principio de la matanza.[30]

Pero a medida que adelantaba, la perspectiva variaba; los grupos se deshacían,[31] venían a formarse tomando diversas actitudes y se desparramaban[32] corriendo como si en medio de ellos cayese alguna bala perdida o asomase encolerizado mastín.[33] Esto era, que interín el carnicero en un grupo descuartizaba a golpe de hacha,[34] colgaba en otro los cuartos en los ganchos[35] a su carreta, despellejaba[36] en éste,

22. long hair dishevelled, shirt and sash and face besmeared with blood
23. at his back, following his every movement, romped a gang of children
24. offal collectors whose ugliness matched that of the harpies
25. huge mastiffs sniffed, snarled or snapped at one another as they darted after the booty
26. covered with awnings of blackened hides were lined up along the court
27. with their capes thrown over their shoulders and their lassos hanging from their saddles
28. a flock [lit. a swarm] of bluewhite gulls
29. strident cawing
30. slaughter
31. dissolved
32. scattered
33. or an enraged dog showed up
34. cut open with an axe
35. hooks
36. skinned

77

sacaba el sebo en aquél, de entre la chusma que ojeaba[37] y aguardaba la presa de achurra salía de cuando en cuando, una mugrienta mano a dar un tarazcón con el cuchillo al sebo o a los cuartos de la res,[38] lo que originaba gritos y explosión de cólera del carnicero y el continuo hervidero de los grupos,[39] —dichos y gritería de los muchachos.

—Ahí se mete el sebo en las tetas, la tía,[40] gritaba uno.

—Aquél lo escondió en el alzapón,[41] replicaba la negra.

—¡Ché!, negra bruja, salí de aquí antes que te pegue un tajo,[42] exclamaba el carnicero.

—¿Qué le hago ño Juan? ¡no sea malo! Yo no quiero sino la panza y las tripas.[43].

Hacia otra parte, entre tanto, dos africanas llevaban arrastrando las entrañas de un animal;[44] allá una mulata se alejaba con un ovillo[45] de tripas y resbalando[46] de repente sobre un charco[47] de sangre, caía cubriendo con su cuerpo la codiciada presa.[48] Acullá se veían acurrucadas en hilera 400 negras destejiendo sobre las faldas[49] el ovillo y arrancando uno a uno los sebitos que el avaro cuchillo del carnicero había dejado en la tripa como rezagados,[50] al paso que otras vaciaban panzas y vejigas.[51]

Varios muchachos, gambeteando[52] a pie y a caballo, se daban de vejigazos[53] o se tiraban bolas de carne, desparra-

---

37. the mob eyeing
38. a filthy hand ready to slice off fat or meat
39. incessantly milling crowds
40. watch the old woman hiding the fat under her breasts
41. over his behind
42. cut you open
43. a bit of the guts [lit. belly and tripe]
44. two Negro women were dragging along the entrails of an animal
45. a heap
46. slipping
47. pool
48. the coveted booty
49. farther on, huddled together in a long line, four hundred Negro women unwound heaps of intestines in their laps
50. overlooked
51. emptied stomachs and bladders
52. gamboling
53. banged one another with inflated bladders

78

mando con el!as y su algazara la nube de gaviotas que columpiándose en el aire celebraban chillando la matanza.[54]

* * *

Un animal había quedado en los corrales de corta y ancha cerviz, de mirar fiero,[1] sobre cuyos órganos genitales no estaban conformes los pareceres porque tenía apariencias de toro y de novillo.[2] Llególe su hora. Dos enlazadores[3] a caballo penetraron al corral en cuyo contorno hervía la chusma.

El animal prendido ya al lazo por las astas, bramaba echando espuma, furibundo,[4] y no había demonio que lo hiciera salir del pegajoso barro donde estaba como clavado.[5] Gritaban, lo azuzaban[6] en vano con las mantas y pañuelos los muchachos.

Los dicharachos,[7] las exclamaciones chistosas y obscenas rodaban de boca en boca.

—Nos dan gato por liebre.[8]

—Si es novillo.

—¿No está viendo que es toro viejo?

—Es emperrado y arisco como un unitario.[9]

—¡Alerta! Guarda los de la puerta. ¡Allá va furioso como un demonio!

Y en efecto, el animal acosado por los gritos y sobre todo por dos picanas agudas que le espoleaban la cola,[10] sintiendo flojo el lazo, arremetió bufando a la puerta, lanzando a

54. their noise frightening away the cloud of gulls which celebrated the slaughter with their shrieks as they hovered above

1. small and broad forehead, and fiery stare
2. some believe it to be a bull, others a steer
3. lasso men
4. with a slipknot already round its horns, the angrily foaming animal bellowed fiercely
5. to make it move from the sticky mud in which it was glued [lit. nailed]
6. stirred it up
7. wise cracks
8. they give us cat for rabbit!
9. it's as stubborn and vicious as a Unitarian.
10. harassed by the shouts and especially by two goads which pricked its tail

entrambos lados una rojiza y fosfórica mirada.[11] Dióle el tirón el enlazador sentando su caballo, desprendió el lazo de la asta, crujió por el aire un áspero zumbido y al mismo tiempo se vió rodar desde lo alto de una horqueta del corral como si un golpe de hacha la hubiese dividido a cercén, una cabeza de niño cuyo tronco permaneció inmóvil sobre su caballo de palo, lanzando por cada arteria un largo chorro de sangre.[12]

—Se cortó el lazo —gritaron unos ¡Allá va el toro!—. Pero otros, deslumbrados y atónitos, guardaron silencio porque todo fué como un relámpago. Desparramóse un tanto el grupo de la puerta. Una parte se agolpó sobre la cabeza y el cadáver palpitante del muchacho degollado por el lazo, manifestando horror en su atónito semblante, y la otra parte, compuesta de jinetes que no vieron la catástrofe, se escurrió en distintas direcciones en pos del toro, vociferando y gritando. ¡Allá va el toro! ¡Atajen! ¡Guarda! —Enlaza, Sietepelos. —[13] ¡Que te agarra, Botija! — Va furioso: no se le pongan delante. — Ataja, ataja, morado! — ¡Que lo ataje el diablo!

* * *

El toro, entre tanto, tomó hacia la ciudad por una larga y angosta[1] calle que parte de la punta más aguda del rectángulo anteriormente descrito, calle encerrada por una zanja y un cerco de tunas,[2] que llaman *sola* por no tener más de dos casas laterales y en cuyo centro había un profundo pantano que tomaba de zanja a zanja.[3] Cierto inglés, de vuelta de su saladero, vadeaba[4] este pantano a la sazón, paso a paso en un caballo algo arisco,[5] y sin duda iba tan

11. charged on the gate, snorting, casting reddish, phosphorescent glances right and left
12. long streams of blood spurting from every artery
13. there goes the bull! Stop it! Watch out! Lasso it, Sietepelos!

1. narrow
2. surrounded by a ditch and a cactus fence
3. a deep marsh extending from ditch to ditch
4. a certain English man, on his way home from a salting establishment, was crossing
5. somewhat nervous

absorto en sus cálculos que no oyó el tropel de jinetes ni la gritería, sino cuando el toro se metía en el pantano. Azoróse de repente su caballo dando un brinco al sesgo[6] y echó a correr dejando al pobre hombre hundido en el fango. Este accidente, sin embargo, no detuvo ni refrenó la carrera de los perseguidores del toro, antes al contrario, soltando carcajadas sarcásticas — ¡se amoló el gringo!; ¡levántate gringo![7] — exclamaron y cruzaron el pantano amasando[8] con barro bajo las patas de sus caballos, su miserable cuerpo. Salió el gringo como pudo después a la orilla, más con la apariencia de un demonio tostado por las llamas del infierno que de un hombre blanco pelirrubio.[9] Más adelante, al grito de "¡Al toro! ¡Al toro!" cuatro negras achuradoras que se retiraban con su presa se zambulleron[10] en la zanja llena de agua, único refugio que les quedaba.

El animal, entre tanto, después de haber corrido unas veinte cuadras en distintas direcciones, azorando[11] con su presencia a todo viviente, se metió por la tranquera de una quinta donde halló su perdición.[12] Aunque cansado, manifestaba bríos y colérico ceño;[13] pero rodeábalo una zanja profunda y un tupido cerco de pitas,[14] y no había escape. Juntáronse luego sus perseguidores que se hallaban desbandados y resolvieron llevarlo en un señuelo de bueyes para que expiase su atentado[15] en el lugar mismo donde lo había cometido.

Enlazaron muy luego por las astas al animal que brincaba haciendo hincapié y lanzando roncos bramidos.[16] Écháronle uno, dos, tres piales; pero infructuosos;[17] al cuarto

6. his horse took fright, leaped to one side
7. bursting into sarcastic laughter—"The gringo's sunk! Get up, gringo!"
8. kneading
9. a blond-haired white man
10. dived
11. frightening
12. got in through the back gate of a farm and there met his doom
13. showed its spirit and wrathful strength
14. a thick cactus fence
15. decided to take it back convoyed between tamed animals, so that it could expiate its crimes
16. leaped and reared, uttering hoarse bellows
17. They threw one, two, three lassos—to no avail

quedó prendido de una pata: su brío y su furia redoblaron: su lengua, estirándose convulsiva, arrojaba espuma, su nariz humo, sus ojos miradas encendidas.[18] —¡Desjarreten ese animal![19] exclamó una voz imperiosa. Matasiete se tiró al punto del caballo, cortóle el garrón de una cuchillada[20] y gambeteando en torno de él con su enorme daga en mano, se la hundió al cabo hasta el puño en la garganta, mostrándola en seguida humeante y roja a los espectadores.[21] Brotó un torrente de la herida, exhaló algunos bramidos roncos, vaciló y cayó el soberbio animal entre los gritos de la chusma que proclamaba a Matasiete vencedor y le adjudicaba en premio el matahambre.[22]

En dos por tres estuvo desollado, descuartizado y colgado[23] en la carreta el maldito toro. Matasiete colocó el matahambre bajo el pellón de su recado[24] y se preparaba a partir. La matanza estaba concluída a las 12, y la poca chusma que había presenciado hasta el fin, se retiraba en grupos de a pie y de a caballo, o tirando algunas carretas cargadas de carne.

* * *

De repente la ronca voz de un carnicero gritó: — ¡Allí viene un unitario — y al oír tan significativa palabra toda aquella chusma se detuvo como herida de una impresión súbita.

—¿No le ven la patilla en forma de U? No trae divisa en el fraque ni luto en el sombrero.[1]

—Perro unitario.

—La mazorca con él.

18. its tongue, hanging out convulsively, drooled froth, its nostrils fumed, its eyes emitted fiery glances
19. knock that animal down!
20. hocked the bull with one sure thrust
21. moving on nimbly with a huge dagger in his hand, stuck it down to the hilt in the bull's neck and drew it out, showing it smoking and red to the spectators
22. assigned him the most succulent steak as his prize
23. was skinned, quartered, and hung
24. placed the steak under the pelisse of his saddle

1. can't you see his U-shaped side whiskers? He carries no insignia on his coat and no mourning sash on his hat.

—¡La tijera!

—Es preciso sobarlo.

—¿A que no te animas, Matasiete?[2]

—¿A que no?

—A que sí.

Matasiete era un hombre de pocas palabras y de mucha acción. Tratándose de violencias, de agilidad, de destreza en el hacha, el cuchillo o el caballo, no hablaba y obraba. Lo habían picado: prendió la espuela a su caballo[3] y se lanzó a brida suelta al encuentro del unitario.

Era éste un joven como de 25 años, de gallarda y bien apuesta persona,[4] que trotaba hacia Barracas, muy ajeno de temer peligro alguno.[5] Notando, empero, las significativas miradas de aquel grupo de dogos[6] de matadero, echa maquinalmente la diestra sobre las pistolas de su silla inglesa, cuando una pechada al sesgo del caballo de Matasiete lo arroja de los lomos del suyo tendiéndolo[7] a la distancia boca arriba y sin movimiento alguno.

—¡Viva Matasiete!, exclamó toda aquella chusma cayendo en tropel[8] sobre la víctima.

Atolondrado[9] todavía el joven, fué, lanzando una mirada de fuego sobre aquellos hombres feroces, hacia su caballo, que permanecía inmóvil, no muy distante a buscar en sus pistolas el desagravio y la venganza.[10] Matasiete, dando un salto, le salió al encuentro y con fornido brazo, asiéndolo de la corbata, lo tendió en el suelo, tirando al mismo tiempo la daga de la cintura y llevándola a su garganta.[11]

—Degüéllalo, Matasiete: quiso sacar las pistolas.[12] De-

---

2. I bet you wouldn't dare touch him, Matasiete
3. they had piqued him; he spurred his horse
4. elegant, debonair of carriage
5. quite fearless of any danger ahead of him
6. gang of slaughterhouse curs
7. a side push from Matasiete's horse threw him from his saddle, stretching him out
8. shouted the mob, swarming upon the victim
9. confounded
10. compensation and vindication
11. whipping out his dagger from his belt and putting it against his throat
12. cut open his throat, Matasiete Didn't he try to shoot you?

güéllalo como al toro.

—Pícaro unitario. Es preciso tusarlo.[13]

—Tiene buen pescuezo para el violín.[14]

—Probemos, dijo Matasiete, y empezó sonriendo a pasar el filo[15] de su daga por la garganta del caído, mientras con la rodilla izquierda le comprimía el pecho[16] y con la siniestra mano le sujetaba los cabellos.

—No, no le degüellen, exclamó de lejos la voz imponente del Juez del Matadero que se acercaba a caballo.

—A la casilla con él, a la casilla. Preparen la mazorca y las tijeras. ¡Mueran los salvajes unitarios! —¡Viva el Restaurador de las leyes!

—Viva Matasiete.

¡Mueran! ¡Vivan! repitieron en coro los espectadores, y atándole codo con codo,[17] entre vociferaciones e injurias, arrastraron al infeliz joven al banco del tormento.

* * *

La sala de la casilla tenía en su centro una grande y fornida[1] mesa de la cual no salían los vasos de bebida y los naipes[2] sino para dar lugar a las ejecuciones y torturas de los sayones[3] federales del Matadero. Notábase, además, en un rincón otra mesa chica con recado de escribir y un cuaderno de apuntes[4] y porción de sillas entre las que resaltaba un sillón de brazos destinado para el Juez. Un hombre, soldado en apariencia, sentado en una de ellas cantaba al son de la guitarra una tonada de inmensa popularidad entre los federales, cuando la chusma, llegando en tropel al corredor de la casilla, lanzó a empellones[5] al joven unitario hacia el centro de la sala.

13. thrash him
14. he has a good neck for the violin [i.e. for the gibbet]
15. to pass the sharp edge
16. as he pressed in his chest with his left knee
17. tying his elbows together

1. big, hefty
2. liquor glasses and playing cards
3. bruisers, henchmen
4. with writing materials and a notebook
5. rushed tumultuously

—Encomienda tu alma al diablo.

—Está furioso como toro montaraz.[6]

—Ya le amansará el palo.

—Es preciso sobarlo.

—Mejor será la mazorca.

—Silencio y sentarse, exclamó el Juez, dejándose caer sobre su sillón. Todos obedecieron, mientras el joven de pie, encarando al Juez, exclamó con voz preñada de indignación:

—Infames sayones, ¿qué intentan hacer de mí?

—¡Calma! dijo sonriendo el juez; no hay que encolerizarse. Ya lo verás.

El joven, en efecto, estaba fuera de sí[7] de cólera. Todo su cuerpo parecía estar en convulsión: su amoratado rostro,[8] su voz, su labio trémulo, mostraban el movimiento convulsivo de su corazón, la agitación de sus nervios. Sus ojos de fuego parecían salirse de las órbitas, su negro y lacio cabello se levantaba erizado.[9]

—¿Tiemblas? —le dijo el Juez.

—De rabia, porque no puedo sofocarte entre mis brazos.[10]

—¿Tendrías fuerzas y valor para eso?

—Tengo de sobra voluntad y coraje para ti, infame.

—A ver las tijeras de tusar mi caballo; túsenlo a la federala.[11]

Dos hombres le asieron,[12] uno del brazo, otro de la cabeza y en un minuto cortáronle la patilla que poblaba toda su barba por bajo, con risa estrepitosa de sus espectadores.

—A ver, dijo el Juez, un vaso de agua para que se refresque.

—Uno de hiel te haría yo beber, infame.[13]

Un negro púsosele al punto delante con un vaso de agua en la mano. Dióle el joven un puntapié en el brazo y el

6. as a wild bull
7. beside himself
8. his mottled face
9. his fiery eyes bulged in their sockets, his long black hair bristled.
10. [trembling] with anger because I cannot choke you.
11. get out the scissors I use for cutting my horse's mane and clip his hair in the Federalist style.
12. two men got hold of him
13. I'll have you drink gall, you wretch.

vaso fué a estrellarse en el techo, salpicando el asombrado rostro de los espectadores.

—Este es incorregible.

—Ya lo domaremos.

—Silencio, dijo el Juez, ya estás afeitado a la federala sólo te falta el bigote. Cuidado con olvidarlo. Ahora vamos a cuentas. ¿Por qué no traes divisa?[14]

—Porque no quiero.

—No sabes que lo manda el Restaurador.

—La divisa es para vosotros, esclavos, no para los hombres libres.

—A los libres se les hace llevar a la fuerza.

—Sí, la fuerza y la violencia bestial. Esas son vuestras armas: infames. El lobo, el tigre, la pantera también son fuertes como vosotros. Deberías andar como ellos en cuatro patas.

—¿No temes que el tigre te despedace?[15]

—Lo prefiero a que, maniatado, me arranquen como el cuervo, una a una las entrañas.[16]

—¿Por qué no llevas luto en el sombrero por la heroína?

—Porque lo llevo en el corazón por la Patria, la Patria que vosotros habéis asesinado, ¡infames!

—No sabes que así lo dispuso el Restaurador.

—Lo dispusisteis vosotros, esclavos, para lisonjear el orgullo de vuestro señor y tributarle vasallaje infame.[17]

—¡Insolente! te has embravecido mucho. Te haré cortar la lengua si chistas. Abajo los calzones a ese cajetilla y a nalga pelada denle verga, bien atado sobre la mesa.[18]

Apenas articuló esto el Juez, cuatro sayones salpicados de sangre suspendieron al joven y lo tendieron largo a largo sobre la mesa[19]

14. why don't you wear any insignia?
15. torn you to pieces
16. I prefer that to having you pluck out my entrails, as the ravens do, one by one.
17. you, slaves, were the ones to order it so as to flatter your master and pay infamous homage to him.
18. take the pants off this arrogant fool, and beat him on his naked buttocks—tie him on the table first
19. four bruisers bespattered with blood lifted the young man and stretched him out upon the table

—Primero degollarme que desnudarme;[20] infame canalla.

Atáronle un pañuelo a la boca y empezaron a tironear sus vestidos.[21] Encogíase el joven, pateaba, hacía rechinar los dientes.[22] Tomaban ora sus miembros la flexibilidad del junco, ora la dureza del fierro.[23] Gotas de sudor fluían por su rostro, grandes como perlas; echaban fuego sus pupilas, su boca espuma y las venas de su cuello y frente negreaban en relieve sobre su blanco cutis como si estuvieran repletas de sangre.[24]

—Aténlo primero, exclamó el Juez.

—Está rugiendo de rabia, articuló un sayón.

En un momento liaron sus piernas en ángulo a los cuatro pies de la mesa, volcando su cuerpo boca abajo. Era preciso hacer igual operación con las manos, para lo cual soltaron las ataduras que las comprimían en la espalda. Sintiéndolas libre el joven, por un movimiento brusco en el cual pareció agotarse toda su fuerza y vitalidad, se incorporó primero sobre sus brazos, después sobre sus rodillas y se desplomó al momento murmurando: ¡primero degollarme que desnudarme!

Sus fuerzas se habían agotado —inmediatamente quedó atado en cruz y empezaron la obra de desnudarlo. Entonces un torrente de sangre brotó borbolloneando[25] de la boca y las narices del joven y extendiéndose empezó a caer a chorros por entreambos lados de la mesa. Los sayones quedaron inmóviles y los espectadores estupefactos.

—Reventó de rabia[26] el salvaje unitario, dijo uno.

--Tenía un río de sangre en las venas, articuló otro.

—Pobre diablo: queríamos únicamente divertirnos con

20. rather behead me than undress me
21. they muzzled him with a handkerchief and began to pull off his clothes
22. the young man wriggled, kicked, and gnashed his teeth.
23. his muscles assumed now the flexibility of rushes, now the hardness of iron
24. the veins on his neck and forehead jutted out black from his pale skin as if congested with blood
25. then a torrent of blood spouted, bubbling
26. he has burst with rage

él y tomó la cosa demasiado a lo serio, exclamó el Juez. Es preciso dar parte, desátenlo y vamos.

Verificaron la orden; echaron llave a la puerta y en un momento se escurrió la chusma en pos del caballo del Juez cabizbajo y taciturno.[27]

Los federales habían dado fin a una de sus innumerables proezas.[28]

En aquel tiempo los carniceros del Matadero eran los apóstoles que propagaban a verga y puñal la federación rosina,[29] y no es difícil imaginarse qué federación saldría de sus cabezas y cuchillas. Llamaban ellos salvaje unitario, conforme a la jerga[30] inventada por el Restaurador, a todo el que no era degollador,[31] carnicero, ni salvaje, ni ladrón; a todo hombre decente y de corazón bien puesto; a todo patriota ilustrado, amigo de las luces[32] y de la libertad; y por el suceso anterior puede verse a las claras que el foco[33] de la federación estaba en el Matadero.

27. they carried out the orders, locked the doors, and in a short while the rabble went out after the horse of the downcast, taciturn Judge
28. feats of valor
29. apostles who propagated by dint of whip and poignard Rosas' Federation
30. in accordance with the jargon
31. any man who was neither a cutthroat
32. friend of enlightenment
33. from the foregoing episode it can be clearly seen that the headquarters

FELIPE PARDO

b. Lima, Peru, June 11, 1806
d. Lima, December 25, 1868

When the Indian brigadier Pumacahua revolted in 1814, Felipe Pardo's aristocratic father was the Oidor of the Audiencia of Cuzco. Captured and imprisoned by the rebels, he was promptly condemned to death but the Bishop's intervention at the last minute saved him from the scaffold. This unforgettable experience, added to the fact that Peru finally won its independence, forced the Pardos to emigrate to Spain in 1821.

Felipe was then fifteen, and for seven years he studied with the Jesuits and was deeply influenced by one of them, the humanist and poet Alberto Lista. It was then that Felipe began writing verse and forming part of Lista's circle (Academia del Mirto) which included some of the most significant playwrights and poets of the day: Bretón, Espronceda, Ventura de la Vega. This period was characterized by its *afrancesamiento,* i.e. by the influence exerted on Spanish writing by French ideas and esthetics: an emphasis on good taste, refinement, sophistication—in short, a neo-classicism suffused with a tempered form of liberalism and some avant garde literary ideas verging on Romanticism. So that, during his twenty-second year, when Pardo returned to Lima in 1828, he was both a fervent lover of Hispanic traditions and a conservative, aristocratic mind, quite conversant with the latest rhetoric. No sooner had he set foot on the streets of Lima than he began to expose the vulgarity, bad taste, bad manners, etc., arising, he claimed, from the new state of affairs, from the Peruvian misconception of the democratic spirit. He wrote three comedies depicting Peruvian manners

89

and lambasting the new social order. Then in 1840 he founded a periodical, *El Espejo de mi Tierra* [The Mirror of my Native Land], in which to mirror in humorous verse and facetious prose sketches the typical fads and follies of his times, somewhat like the *cuadros de costumbres* his contemporary Larra had written in Spain.

Endowed with verse and caustic wit, a colorful vocabulary and a thorough knowledge of prosody, Pardo was, like Bello, a classicist on the threshold of Romanticism. His conservative ideology held him in check, but every so often he waxed Romantic. In his "Oda" (1829), for example, he lamented Olmedo's dedication to the prosaic Wars of Independence rather than the more "poetic" beauties of Nature:

> ¿Por qué no ensalzas con acento blando
> De nuestros ricos campos la hermosura?

Pardo's own long poem, "El Perú," contained evocations of the lush Peruvian landscape in a form strongly reminiscent of the opening section of Bello's "La agricultura de la zona tórrida."

Unfortunately Pardo became so engrossed in politics that he devoted much of his time to government posts and missions, and his literary creation ceased. Later on a long illness, resulting in paralysis and blindness, did the rest. His *opera omnia* are thus far from voluminous.

EDITION: *Poesías y escritos en prosa,* edited by Manuel Pardo and J. A. Lavalle, Paris, A. Chaix et Cie., 1869.

ABOUT PARDO: Patricio de la Escosura: *Tres poetas contemporáneos: Pardo, Espronceda y Vega,* Madrid, Real Academia Española, 1870; Manuel González de la Rosa: biographical note to his edition of Felipe Pardo's *Poesías,* Paris-Mexico, 1898; José Jiménez Borja: *Cien años de literatura,* Lima, Club del Libro Peruano, 1940, pp. 63-68; Manuel Pardo: prologue to Felipe Pardo's *Poesías y escritos en prosa,*

Paris, A. Chaix et Cie., 1869, pp. XI-XXVII; Raúl Porras Barrenechea: "Don Felipe Pardo y Aliaga," *Boletín Bibliográfico,* (Lima) II (June, 1926), 166-174; "Don Andrés Bello y Don Felipe Pardo: Cartas inéditas," *Mercurio Peruano,* (Lima) Año 12, Vol. 19 (1929), 456-466.

UN VIAJE

Mi partida es forzosa: que bien sabes
que si pudiera yo no me partiera.

LOPE DE VEGA

El niño Goyito está de viaje. El niño Goyito va a cumplir cincuenta y dos años; pero cuando salió del vientre[1] de su madre le llamaron niño Goyito; y niño Goyito le llaman hoy, y niño Goyito le llamarán treinta años más, porque hay muchas gentes que van al panteón[2] como salieron del vientre de su madre.

Este niño Goyito, que en cualquiera otra parte sería un don Gregorión de buen tamaño,[3] ha estado recibiendo por tres años enteros cartas de Chile en que le avisan que es forzoso que se transporte a aquel país a arreglar ciertos negocios interesantísimos de familia, que han quedado embrollados[4] con la muerte súbita de un deudo.[5] Los tres años los consumió la discreción gregoriana[6] en considerar cómo se contestarían estas cartas y cómo se efectuaría este viaje. El buen hombre no podía decidirse ni a uno ni a otro. Pero el corresponsal menudeaba sus instancias;[7] y ya fue preciso consultarse con el profesor, y con el médico, y con los amigos. Pues, señor, asunto concluido: el niño Goyito se va a Chile.

La noticia corrió por toda la parentela, dio conversación y quehaceres a todos los criados,[8] afanes y devociones a todos los conventos; y convirtió la casa en una Liorna.[9] Busca cos-

---

1. belly
2. cemetery
3. a jumbo sized Don Gregorio [**Gregorión**] is the augmentative of Gregorio; **Goyito**, the diminutive]
4. messed up
5. the sudden death of a relative
6. Gregorian, i.e. Gregorio's
7. kept on insisting
8. the news circulated among his relatives, and became a source of conversation and activity among the servants
9. turned the house up side down

92

tureras[10] por aquí, sastre por allá, fondista por acullá.[11] Un hacendado de Cañete[12] mandó tejer en Chincha cigarreras.[13] La Madre Transverberación del Espíritu Santo se encargó en un convento de una parte de los dulces; Sor María en Gracia, fabricó en otro su buena porción de ellos; la Madre Salomé tomó a su cargo en el suyo las pastillas;[14] una monjita recoleta mandó de regalo un escapulario;[15] otras, dos estampitas;[16] el Padre Florencio de San Pedro corrió con los sorbetes,[17] y se encargaron a distintos manufactureros y comisionados sustancias de gallina, botiquín, vinagre de los cuatro ladrones para el mareo, camisas a centenares,[18] capingo (don Gregorio llamaba capingo[19] a lo que llamamos capote[20]), chaqueta y pantalón para los días fríos, chaqueta y pantalón para los días templados, chaquetas y pantalones para los días calurosos. En suma, la expedición de Bonaparte a Egipto no tuvo más preparativos.

Seis meses se consumieron en ellos, gracias a la actividad de las niñas (hablo de las hermanitas de don Gregorio, la menor de las cuales era su madrina[21] de bautismo), quienes, sin embargo del dolor de que se hallaban atravesadas con este viaje, tomaron en un santiamén todas las providencias del caso.[22]

Vamos al buque. Y ¿quién verá si este buque es bueno o malo? ¡Válgame Dios! ¡Qué conflicto! ¿Se ocurrirá al inglés don Jorge, que vive en los altos?[23] Ni pensarlo; las hermanitas dicen que es un bárbaro capaz de embarcarse en

10. seamstresses
11. a caterer over there
12. a landowner from Cañete [a town 200 miles south of Lima]
13. ordered humidors made [lit. woven] in Chincha [Peruvian coastal province, 250 miles south of Lima]
14. little cakes
15. a nun of the Order of the Recoletas sent a scapular as a gift˗
16. holy cards
17. sherbets
18. chicken broth, medicine kit, preparation for seasickness, shirts by the hundreds
19. cape
20. cloak
21. godmother
22. finished in a jiffy all the preparations
23. upstairs

un zapato. Un catalán pulpero,[24] que ha navegado de condestable[25] en la Esmeralda, es, por fin, el perito.[26] Le cotean caballo, va al Callao, practica su reconocimiento[27] y vuelve diciendo que el barco es bueno; y que don Goyito irá tan seguro como en un navío de la Real Armada.[28] Con esta noticia calma la inquietud.

Despedidas. La calesa trajina[29] por todo Lima. ¿Conque se nos va usted? ¿Conque se decide usted a embarcarse?... ¡Buen valorazo![30] Don Gregorio se ofrece a la disposición de todos: se le bañan los ojos en lágrimas a cada abrazo. Encarga que le encomienden a Dios. A él le encargan jamones, dulces, lenguas y cobranzas.[31] Y ni a él le encomienda nadie a Dios, ni él se vuelve a acordar de los jamones, de los dulces, de las lenguas ni de las cobranzas.

Llega el día de la partida. ¡Qué bulla! ¡Qué jarana! ¡Que Babilonia![32] Baúles[33] en el patio, cajones[34] en el dormitorio, colchones en el zaguán, diluvios de canastos por todas partes.[35] Todo sale, por fin, y todo se embarca, aunque con bastantes trabajos. Marcha don Gregorio, acompañado de una numerosa caterva,[36] a la que pertenecen también, con pendones y cordón de San Francisco de Paula,[37] las amantes hermanitas, que sólo por el buen hermano pudieron hacer el horrendo sacrificio de ir por primera vez al Callao. Las infelices no se quitan el pañuelo de los ojos, y lo mismo le sucede al viajero. Se acerca la hora del embarque, y se agravan los soponcios.[38] ¿Si nos volveremos a ver?... Por fin, es

24. a Catalan grocer [frequently storekeepers were from Spain]
25. deck petty officer
26. expert
27. they pick a good horse for him, he rides to Callao [Peru's major port, 15 miles from Lima] and looks around
28. the Spanish Royal Navy
29. the chaise [two-wheeled carriage] goes back and forth
30. Really courageous!
31. smoked tongues and candied fruits
32. what bustle, what rumpus, what confusion [lit. Babel]!
33. trunks
34. boxes, crates
35. mattresses thrown around in the vestibule, oodles of baskets all over
36. crowd
37. with banners, and wearing St. Francis of Paul cordons [insignia of the Order]

forzoso partir; el bote aguarda. Va la comitiva al muelle:[39] abrazos generales, sollozos,[40] los amigos separan a los hermanos: "¡Adiós, hermanitas mías!" "¡Adiós, Goyito de mi corazón! La alma de mi mamá Chombita te lleve con bien.[41]

Este viaje ha sido un acontecimiento notable en la familia; ha fijado una época de eterna recordación; ha constituído una era, con la cristiana, como la de la Hégira,[42] como la de la fundación de Roma, como el Diluvio[43] Universal, como la era de Nabonasar.[44]

Se pregunta en la tertulia:

—¿Cuánto tiempo lleva Fulana de casada?

—Aguarde usted. Fulana se casó estando Goyito para ir a Chile...

—¿Cuánto tiempo hace que murió el guardián de tal convento?

—Yo le diré a usted; al padre guardián le estaban tocando las agonías[45] al otro día del embarque de Goyito. Me acuerdo todavía que se las recé, estando enferma en cama de resultas del viaje al Callao...

—¿Qué edad tiene aquel jovencito?

—Déjeme usted recordar. Nació en el año de... Mire usted, este cálculo es más seguro, son habas contadas:[46] cuando recibimos la primera carta de Goyito estaba mudando de dientes.[47] Conque, saque usted la cuenta...

Así viajaban nuestros abuelos; así viajarían si se determinasen a viajar, muchos de la generación que acaba, y muchos de la generación actual, que conservan el tipo de los tiempos del Virrey Avilés,[48] y ni aun así viajarían otros, por no viajar de ningún modo.

38. fainting spells get worse
39. the retinue accompanies him to the dock
40. sobs
41. carry you safely [to Chile]
42. Hegira [flight of Mohammed from Medina to Mecca in 622 A.D. —hence any flight or exodus]
43. Deluge
44. Nabonassar or Nabu-nasir, King of Babylon, B.C. 747-734
45. administering the last rites
46. extremely accurate [a foregone conclusion]
47. loosing his baby teeth
48. Gabriel Avilés, Viceroy of Peru, 1801-1806

Pero las revoluciones, hacen del hombre, a fuerza de sacudirlo y pelotearlo,[49] el mueble más liviano y portátil;[50] y los infelices que desde la infancia las han tenido por atmósfera, han sacado de ellas, en medio de mil males, el corto beneficio siquiera de una gran facilidad locomotiva. ¿La salud, o los negocios , o cualesquiera otras circunstancias aconsejan un viaje? A ver los periódicos. Buques para Chile. —Señor consignatario,[51] ¿hay camarote?[52] —Bien. —¿Es velero el bergantín?[53]— Magnífico. —¿Pasaje?[54]— Tanto más cuanto.[55] —Estamos convenidos.[56] —Chica, acomódame una docena de camisas y un almofrez.[57] Esta ligera apuntación al abogado, esta otra al procurador.[58] Cuenta, no te descuides con la lavandera,[59] porque el sábado me voy. Cuatro letras por la imprenta, diciendo adiós a los amigos.[60] Eh: llegó el sábado. Un abrazo a la mujer, un par de besos a los chicos, y agur.[61] Dentro de un par de meses estoy de vuelta. Así me han enseñado a viajar, mal de mi grado,[62] y así me ausento, lectores míos, dentro de muy pocos días.

No quisiera emprender este viaje; pero es forzoso.[63] No sabéis bien cuánto me cuesta el suspender con esta ausencia mis dulces coloquios con el público. Quizás no sucederá otro tanto a la mayor parte de vosotros, que corresponderéis a mi amistosa despedida exclamando: ¡Mal rayo te parta,[64] y nunca más vuelvas a incomodarnos la paciencia! En fin, sea lo que fuere,[65] los enemigos y enemigas descansad de mi inso-

49. bouncing him around
50. the lightest and most movable object
51. consignee
52. cabin
53. is the brig fast?
54. how much is the fare?
55. so much
56. O.K.
57. pack a dozen shirts for me and put some sheets and blankets in my traveling bag for bedding [**almofrez = almofrej**]
58. this brief memorandum goes to my lawyer, and this to my solicitor
59. don't overlook [to get the laundry from] the washerwoman
60. insert in the newspaper a few words of farewell to my friends
61. **agur = abur**, so long
62. unwillingly
63. unavoidable
64. may lightning strike you!
65. be what may

portable tarabilla;[66] preparad vuestros viajes con toda la calma que queráis; hablad de la ópera como os acomode; idos a Amancaes[67] como y cuando os parezca; bailad zamacueca a taco tendido, a roso y velloso, a troche y moche, a banderas desplegadas;[68] haced cuanta tontería os venga a la mente: en suma, aprovechad estos dos meses. Los amigos y amigas tened el presente artículo por visita o tarjeta de despedida, y rogad a Dios me dé viento fresco, capitán amable, buena mesa y pronto regreso.

66. nonsensical jabbering
67. Amancaes [hills near Lima where picnics are often held]
68. dance the ẓamacueca [Chile's national dance] to your heart's content, full blast [roso y velloso = roso y velludo], pell mell [a troche y moche = a trochemoche], in the open [a banderas desplegadas]

JOSE BATRES MONTUFAR

b. San Salvador, March 18, 1809
d. Guatemala City, July 9, 1844

Born into an aristocratic Spanish family in El Salvador, José Batres Montúfar's life was nonetheless inextricably bound to Guatemala. When he was only thirteen, his family was forced to flee from San Salvador as the mob outside their home demanded his father's head. "Pepe Batres", as he became known, attended a military academy and in 1826 graduated as junior lieutenant. His real interest then and later however was literature: he read extensively the Latin classics and English, French and Italian writers. During the turbulent Central American wars he was captured by the Salvadoreans and kept in prison for two years. On his release he went to live with his family in Guatemala's old capital, His only accomplishment during these lean years was to obtain a diploma as surveyor from the Academia de Ciencias (1835). But, alas, in times of overwhelming latifundias there was little to be surveyed! When Pepe was giving up all hope he met John Bailey who hired him in 1837 to help out with a preliminary study of the San Juan River area: the English engineer was investigating the possibility of building a canal across Nicaragua. Once more misfortune—this time a cholera epidemic—came to upset his plans. His own brother was one of the victims. Sick and poverty-stricken, Batres returned to his family in Guatemala. A period of relative calm ensued during which he fell in love [either Adela García Granados or Luisa Meany inspired his memorable poem "Yo pienso en ti"] and attended literary circles. His friends there, especially the Spanish writers Dionisio Alcalá Galiano and Francisco Pineda, stimulated him. Batres then

99

got to work and produced his supreme achievement, a series of narrative poems entitled "Tradiciones de Guatemala" and consisting of "Don Pablo," "Las falsas apariencias," and "El Reloj," which was never completed, for in 1844, at the age of thirty-five, José Batres Montúfar died in Guatemala City.

Although Batres seems to have read most carefully Byron's *Don Juan* (his "Yo pienso en ti" echoes "Song of Medora"), as well as Giambattista Casti's novellas in verse, and José Joaquín de Mora's *Leyendas españolas,* he succeeded in creating an authentically personal style, full of verve and satiric venom. Concealing his frustration and his deeply-felt anguish, Pepe Batres took time to amuse himself and his readers with a jovial but accurate portrayal, in all its grotesque falsity and buffoonery, of the human condition. It may not be too exaggerated to claim that, at his best, he resembles the Pushkin of *Evgeny Onegin.*

BEST EDITIONS: *Poesías,* edited by Adrián Recinos, Guatemala, 1940; *Poesías,* Guatemala, Tipografía Nacional, 1944 [Homenaje de la Sociedad de Geografía e Historia de Guatemala]; *Poesías,* San Salvador, Ministerio de Educación, 1961.

ABOUT BATRES: Antonio Batres Jauregui: *José Batres Montúfar, su tiempo y sus obras,* Guatemala, 1910; Fernando Cruz: *Biografías de literatos nacionales: El poeta don José Batres,* Publicación de la Academia Guatemalteca, 1889; Carlos Gándara Durán: "José Batres Montúfar, Trayectoria y vendimia," introduction to *Poesías,* listed above, Guatemala, 1944, pp. 7-33; José Martí: *Guatemala,* Mexico, 1877; José Milla: prologue to the first edition of Batres Montúfar's *Poesías,* Guatemala: Imprenta La Paz, 1845; Adrián Recinos: introduction to Batres Montúfar's *Poesías,* Guatemala, 1940; Victoriano Salado Alvarez: "José Batres Montúfar," *Excelsior* [Mexico], March 2, 1925; David Vela: *Literatura guatemalteca,* Guatemala, Tipografía Nacional, 1943, Vol. II, Part 3, "Los poetas."

YO PIENSO EN TI

Yo pienso en ti, tú vives en mi mente
Sola, fija, sin tregua,[1] a toda hora,
Aunque tal vez el rostro indiferente
No deje reflejar sobre mi frente
La llama que en silencio me devora.

En mi lóbrega y yerta fantasía[2]
Brilla tu imagen apacible y pura,
Como el rayo de luz que el sol envía
A través de una bóveda sombría
Al roto mármol de una sepultura.[3]

Callado, inerte, en estupor profundo,
Mi corazón se embarga y se enajena,[4]
Y allá en su centro vibra moribundo [5]
Cuando entre el vano estrépito[6] del mundo
La melodía de tu nombre suena.

Sin lucha, sin afán[7] y sin lamento,
Sin agitarme en ciego frenesí,[8]
Sin proferir un solo, un leve acento,[9]
Las largas horas de la noche cuento

Y pienso en ti!

---

1. constantly [lit. without respite]
2. in my sombre and petrified [lit. cold, incapable of creativeness]
   fantasy
3. [piercing] across a darkened vault to the broken marble of a tomb
4. my heart ceases beating and is enthralled
5. it pulsates in a death-like manner
6. senseless noise
7. without anxiety
8. without exciting myself into a blind frenzy
9. without uttering a single, solitary word

DON PABLO

PRIMERA PARTE

Amables damas, que leéis gustosas
Alguna u otra alegre anecdotilla
De aventuras galantes y amorosas,
Con tal que sea púdica[1] y sencilla
(Pues sé que sois honestas y virtuosas,
¡Almas puras, doncellas sin mancilla!)[2]
Una os voy a contar, si no os molesta,
Por divertir el ocio de la siesta.[3]

Y aunque me lo contaron en secreto,
Porque sé quiénes sois, os la confío:
Que no quisiera verme en un aprieto[4]
Con quien me la contó, que fué mi tío;
Porque le tengo un diablo de respeto[5]
Porque ni hablo en su presencia ni me río;
Pero si se os escapa por acaso,
No me deis por autor en ningún caso.[6]

Sucedió, pues (y es cuento verdadero
Bajo nombres supuestos y fingidos)[7]
Que había en Guatemala un caballero,
De esos antiguos tipos escogidos,
Rico de cuna y rico de dinero,
De setenta años largos y tendidos,[8]
Llamado don Pascual, ¡que de Dios goce!,[9]
De aquellos que comían a las doce.

1. provided it to be in good taste
2. unblemished
3. to make enjoyable the siesta rest period
4. for I shouldn't like to see myself in a tight spot
5. for I have the greatest respect for him [lit. a devilish amount of respect, i.e. out of fear]
6. but if you happen to talk about it, don't say I told you
7. fictitious names

Hombre de honor, viudo, buen cristiano,
De calzón corto, bata de indianilla,
Chupa bordada, capa en el verano,
Zapatos en invierno, con hebilla,
Peluquín con coleta, barbicano,
De carey los anteojos, sin patilla,
Que rarísima vez los ocupaba,[10]
Pues sólo para leer los empleaba.

Vestíase a las seis de la mañana,
Iba a misa, tomaba chocolate,
Asomábase[11] un rato a la ventana,
Rezaba el *Pueri Dominum laudate,*[12]
Sentábase a comer con buena gana,
Fumaba su cigarro por remate,[13]
Dormía siesta, y cuando no dormía,
La cabeza sin falta le dolía.

Por la tarde a Nuestro Amo[14] visitaba
Después del chocolate de ordenanza,[15]
Y como la mañana, se pasaba
Todo el resto rascándose la panza.[16]
A la oración el *Angelus* rezaba, [17]
A las ocho se hincaba[18] sin tardanza
A rezar el rosario y la novena,
Y a la cama llevábanle la cena.

---

8. one of those rare, old types, aristocratic and wealthy [lit. rich in family name (cradle) and financially], more than seventy years old
9. May he rest in peace!
10. knee britches, dressing gown of indianilla cloth, embroidered waistcoat, buckles, periwig, gray beard, tortoise shell glasses, without bows [i.e. pince-nez style] which he rarely wore
11. he looked out
12. Praise be the Lord, ye children [opening line of a psalm]
13. on finishing the meal
14. Our Lord [name of a chapel]
15. customary
16. scratching his belly
17. at dusk he prayed the Angelus [evening devotion]
18. he knelt down

Era, pues, don Pascual, hombre cumplido,[19]
Don Pascual del Pescón (que en el tintero
Se me había quedado el apellido) [20]
Muy bueno y muy honrado caballero
Que tres veces alcalde[21] había sido
Y regidor decano,[22] y tesorero
De la Archicofradía del Santísimo, [23]
De cuyo honor estaba orgullosísimo.

Daba gusto mirar a don Pascual,
Con su sombrero *al tres* y su bastón,[24]
Ir a algún besamanos general,
O del Corpus[25] a ver la procesión,
Y convidar después a cada cual
A hacer las once[26] al fin de la función,
Con alguna aceituna, algún pastel
Y un poquillo de vino moscatel.

Y obsequiar a las damas convidadas
Con cartuchos de dulces[27] que cogían,
Y era tal su pudor,[28] que, recatadas
Detrás de su mamá, se los comían
En sus velos de tul arrebozadas; [29]
Y ni media copilla se bebían,
Que apenas con los labios la tocaban,
Ni con los hombres, por pudor, hablaban.

19. a man who fulfilled his obligations
20. for I had forgotten to mention his last name
21. mayor
22. senior alderman
23. Brotherhood of the Holy Sacrament
24. three-cornered hat and staff
25. Corpus Christi [religious festival]
26. to have a snack
27. to treat the young ladies to paper cones filled with candy
28. bashfulness
29. hiding behind their mothers, they sucked the candy, enveloped in
    their tule veils

Aún no había venido el uso extraño,
Que desgraciadamente hay hoy en día,
Para sacar el vientre de mal año,
De engullirse jamones a porfía,[30]
Y tomarse después (si no me engaño),
Con pretexto de fiesta y de alegría,
Botellas de jerez y de cerveza;
Mas, se entiende, a botella por cabeza.[31]

Entonces era todo muy distinto:
Todo era sobriedad, todo mesura;[32]
Apenas se tomaba vino tinto,
Apenas se ostentaba la hermosura,[33]
Apenas se salía del recinto
De la estrecha, estrechísima clausura
De la casa materna,[34] y no a paseo,
Sino a misa mayor y al jubileo.[35]

Si una niña tenía algún amante,
O dos, o tres, o cuatro, o cinco, o ciento,
Era con un recato edificante,[36]
Y no hablaba con ellos un momento
Si sus padres hallábanse delante;
Ni entraban ellos nunca en su aposento,[37]
Pues si los recibía sólo era
De noche, en el jardín o en la cochera.[38]

---

30. of making a pig of oneself [lit. recovering (and developing a corporation) after a lean year], gorging oneself with ham
31. bottles of sherry wine and beer, but, mind you, a bottle per person
32. moderation
33. Beauty was not made a show of
34. from the confines, of the narrow, very narrow limits of her mother's house
35. except to attend High Mass and solemn church ceremonies
36. edifying prudence
37. bedroom
38. carriage house

Mas al presente *¡O tempora! ¡O mores!* [39]
En la sala, en la calle, en el paseo,
Delante de diez mil espectadores
Con sus amantes a las damas veo
Tratar corrientemente sus amores.
¡Qué descaro![40] ¡Lo veo y no lo creo!
Antiguamente el amoroso trato
Se hacía en la azotea, con recato.[41]

No hablo con vos, lectoras bellas mías,
Pues sé que no sois de esas descaradas
Que a la faz de su madre y de sus tías
Hacen gala de estar enamoradas,[42]
Sino de aquellas de los viejos días,
Circunspectas, discretas, recatadas,
De que habemos hablado,[43] cual lo muestra
Vuestra beldad,[44] la gentileza vuestra.

Mas volviendo al asunto de mi cuento,[45]
Pues veo que no os gustan los sermones,
Digo que estaba don Pascual contento
Viendo y acompañando procesiones,
Alumbrando al Divino Sacramento[46]
Y, sin otros cuidados ni atenciones
Que contemplar un hijo que tenía,
Como cristiano en santa paz vivía.

39. Oh times, oh customs!
40. How shameful!
41. In the old days love affairs took place in private, up in the roof of the house
42. boast of being in love
43. **habemos hablado** = hemos hablado
44. beauty
45. to get back to the point of my story
46. Attending the Holy Sacrament

Según el uso, el hijo era estudiante
Con beca[47] en el Colegio Tridentino;
Tenía buen talento, era pujante,
Buen mozo, muy travieso y libertino.[48]
Nunca pudo pasar muy adelante
En el idioma clásico latino,
Pues por más que estudiaba y que leía
Sólo el *Foemineis junges* retenía.[49]

Era mozo excelente y estimado,
De buen brío, de gala, de maneras,
Liberal, comedido y esforzado,[50]
Enemigo de libros y tonteras,[51]
De buen humor, chistoso, enamorado,
Que escogía muchachas como peras,
Osado y atrevido como un diablo,
Y este hijo llamábase don Pablo.

Es decir, que en su tiempo era un portento[52]
Superior a su edad, pues no tenía
Más que los cuatro lustros,[53] si bien cuento,
Lo que en prosa veinte años se diría.
Era de genio un poco turbulento,
No paraba de noche ni de día,
De vecina en vecina siempre andaba,
Pero jamás en vano el golpe daba.[54]

---

47. scholarship
48. he was spirited, good looking, very flighty and dissolute
49. for however much he studied and read he retained only things that
   had to do with women
50. full of pep, graceful, well-mannered, generous, courteous and brave
51. foolishness
52. a prodigy
53. only twenty years old [a lustro is a five year span]
54. never missed

La devota, la alegre, la casada,
La huérfana, la viuda, la doncella
Se la tenía *in petto* recetada,
Con tal que joven fuese y fuese bella.[55]
No acostumbraba reparar en nada[56]
Para lograr el fin de triunfar de ella,
Y ya habían servido a sus desmanes,[57]
Azoteas, jardines y zaguanes.[58]

Así como la abeja codiciosa[59]
Las más hermosas flores se destina,[60]
Ya chupa[61] en un jazmín, ya en una rosa,
Ya se aplica a la dulce clavellina,[62]
Ya blandamente sobre el nardo posa,[63]
Ya al fresco lirio[64] alegre se encamina,
Tal don Pablo en las flores que cogía,
No digo abeja, enjambre parecía.[65]

Mas todas su conquistas y trofeos
Presentes y futuros y pasados,
Y sus innumerables galanteos,[66]
Los hubiera trocado sahumados[67]
Por el objeto actual de sus deseos,
Doncella de ojos negros y rasgados,[68]
Y por el lindo talle[69] de Isabela,
Hermosa como heroína de novela.

55. he had her earmarked for himself provided she was young and pretty
56. he stopped at nothing
57. excesses
58. on the flat roofs of houses, in gardens, in vestibules
59. a greedy bee
60. seeks out
61. sucks
62. pink
63. alights on a spikenard
64. lily
65. he wasn't a bee but rather seemed like a swarm of bees
66. courtships
67. he would have rather exchanged
68. large black eyes
69. pretty figure

Que siendo tan guardada[70] como bella,
No era posible verla sino en misa,
Por ser recatadísima[71] doncella,
Y mucho más su madre, doña Luisa;
Y su padre, don Diego de la Mella,
No llevaba estas cosas a la risa,
Que era hombre puntilloso y delicado,
Coronel de milicias retirado.[72]

Al fin eran las armas su ejercicio
Y era famoso en ellas y temido,
Aunque ni en paz ni en guerra hizo el servicio[73]
Mas se había mostrado decidido,
Impertérrito, audaz, sin dar indicio
De temor, cuando hubo aquel ruido
De que pudiera ser que hubiese guerra[74]
No sé si con la Francia o la Inglaterra.

Don Pablo estaba, en fin, desesperado,
Sin lograr[75] la más mínima respuesta
A tanto billetito perfumado,[76]
A tal pasión tan clara y manifiesta,
A tanto y tan ternísimo recado,
A tanta copla en su loor compuesta,
Que este era el lado flaco de don Pablo,[77]
¡Y este es el mío por querer del diablo![78]

---

70. being as heavily chaperoned
71. very modest
72. did not take these things lightly for he was punctilious and cautious, a colonel retired from the national guard
73. seen action
74. dauntless, audacious, showing not the slightest trace of fear when there was that rumpus about the outbreak of a war
75. without receiving
76. to so many love letters
77. to so many and so tender notes, to so many verses composed in her praise, for poetry was Don Pablo's weakness
78. and mine too, alas! [lit. according to the devil's wishes]

Isabel parecía de diamante,
Ni hacía caso, ni tenía cuenta
Con el ansia amorosa del amante,[79]
Pues con el hombre la mujer ostenta
Ser más tirana cuanto más constante
Y cuanto más rendido se presenta:
En lo cual todas ellas se asemejan,
Que al tibio buscan y al ardiente dejan.

Ni los billetes Isabel leía,
Sino que los echaba en el brasero,
sin atender al sobre que decía:
"A la Deidad por quien penando muero."[80]
Mas ¿qué había de leer, si no sabía?
Una niña educada con esmero[81]
En aquel tiempo, no sabía a fondo
Ni conocer la O por lo redondo.[82]

No perdía el mancebo[83] la paciencia,
Y por medio de cierto pajecito
A la ingrata pedíale licencia[84]
De hablar con ella a solas un ratito.
Cansada al fin de tal impertinencia,
Díjole ella: —Ve y dile a don Pablito
Que es imposible hablarle..., que no puedo,
Porque a mamá le tengo mucho miedo.

79. Isabel was adamant [lit. seemed like a diamond]: she did not concern herself with, or paid any attention to the plight of the young man in love
80. she threw them in the brazier [i.e. burned them up] disregarding what was written on the envelope: "To the goddess for whom I am dying from so much suffering."
81. painstakingly
82. was not really able to recognize even the letter O by its roundness
83. young man
84. through a messenger boy sought permission from the ungrateful maiden

Me trae esta respuesta a la memoria,
Como si fuera ayer, una aventura
Que a mí me sucedió; pero es historia
Muy larga de contar y muy oscura.
Amada Emilia, ¡Dios te tenga en gloria!
Descansa tú en la fría sepultura,
Mientras yo, por sustraerme a mi tormento,[85]
Vuelvo a tomar el hilo[86] de mi cuento.

No cabía don Pablo en sus calzones
Del gusto de escuchar aquel mensaje,[87]
Que el sentido entendió de las razones
Que refería el venturoso paje.
En respuesta sacando dos doblones[88]
Le dijo al portador:[89] —Toma este gaje[90]
Y di a Isabel que el lunes por la noche
La espero oculto dentro de su coche.

La suspirada[91] noche, al fin llegó
En que el amante, en gran *deshabillé,*
A la mansión de su querida entró.
Por dónde entró don Pablo, no lo sé,
Ni de qué estratagema se valió;[92]
Pero, según mis cálculos, diré,
No sabiendo en contrario cosa cierta
Que es probable que entrara por la puerta.

85. to get away from my anguish
86. thread
87. Don Pablo was tickled to death [lit. did not fit into his trousers] on hearing that message
88. doubloons [gold coins]
89. bearer
90. tip
91. long awaited
92. nor what strategy he used

Dentro del coche, oculto y silencioso,
Adelantando dichas en su mente,[93]
Esperaba el momento delicioso
Y contaba las horas impaciente.
Ya reinaba el sosiego y el reposo,[94]
Ya la luna se hundía en el poniente,[95]
Y a la trémula luz que despedía[96]
El farol[97] moribundo respondía.

Eran a la sazón las doce dadas,
Hora fatal en todas las consejas;[98]
No había más rumor que las pisadas
Del buho patrullando por las tejas,[99]
O las mulas tirándose patadas,[100]
O el perro sacudiendo las orejas;
Rumores que bien saben mis lectoras
Que no suelen faltar a tales horas.

Por el desierto corredor se vía[101]
Blanca sombra avanzarse lentamente,
Que venir hacia el coche parecía
Con paso incierto, tímido y prudente.
El corazón a Pablo le latía,
Y a Isabel por motivo diferente,
Pues venía temblando y con razón,
Que no era para menos la aflicción.[102]

93. dwelling on anticipated pleasures
94. now all was peaceful and quiet
95. was setting in the west
96. shed
97. lamp
98. fairy tales
99. than the footsteps of the owl making his rounds on the tiies of
    the roof
100. kicking one another
101. se vía = se veía
102. for her plight was really serious

Llegó, en fin, y el amante venturoso
Al pie del coche a recibirla vino.
Nunca se ha visto talle más gracioso,
Mano mejor formada, pie más fino,
Cuerpo más torneado y voluptuoso,
Rostro más celestial y peregrino;[103]
Mas en esto de formas seductoras
¿Quién puede competir con mis lectoras?

Pablo en el coche se subió primero,
Y tomó de la mano a su *futura*,
Que apoyó en el estribo el pie ligero,[104]
Y volvió la cabeza con presura[105]
Antes de levantar el compañero,[106]
Haciendo una bellísima figura,
Porque creyó escuchar algún ruido
A modo de suspiro comprimido.[107]

Suspensos ambos, Isabel y Pablo,
En esta situación permanecieron
Como dos figurines de retablo,[108]
De cuya posición no se movieron,
Ni respiraron hasta ver qué diablo
Era aquel ruido que los dos oyeron.
Quédense, pues, así por un momento,
Que necesito de tomar aliento.[109]

103. a more shapely and voluptuous body, a more perfectly heavenly
face
104. his wife-to-be who rested her dainty foot on the footboard [of
the coach]
105. quickly
106. before helping up the other foot
107. something like a repressed sigh
108. like two statues on an altar
109. let them remain thus for a while, while I catch my breath

SEGUNDA PARTE

Un poeta moderno, muy famoso,
Ha dicho que el exordio[1] y el final
Eran lo más difícil y escabroso[2]
De una composición original.[3]
En uno y otro caso trabajoso
Me veo, yo lectoras, por mi mal,[4]
Pues tengo que acabar mi relación
Y ponerle al final su introducción.

Y pues está mi honor comprometido,
Mal que le pesa a mi angustiada Musa
Yo tengo que cumplir con lo ofrecido,[5]
Aunque en mi tierra lo contrario se usa.[6]
Mas por obviar obstáculos[7] os pido,
Vuestra amistad sirviéndome de excusa,[8]
Del exordio os dignéis exonerarme,[9]   .
Que en otra vez prometo de enmendarme.[10]

Hemos dejado a Pablo y a Isabela
Formando un cuadro hermoso y acabado,
Suspensos en la angosta portezuela[11]

1. exordium [beginning]
2. arduous, troublesome
3. Lord Byron is the poet in question. In **Don Juan**, Canto IV, 1, he declared:

> Nothing so difficult as a beginning
> In poesy, unless perhaps the end

4. Readers, I am aware of my shortcomings in a number of my works
5. unfavorably as it may weigh on my anguish Muse, I must conclude what I started
6. the opposite is true
7. to surmount obstacles
8. taking advantage of your friendship
9. be generous enough to forgive the beginning
10. to make amends
11. standing up by the narrow coach door
12. but not even with the best of lights could my readers have noticed the presence of another person hidden back there, by the entrance archway

Por el rumor que habían escuchado:
Pero ni registrando con candela
Habrían mis lectoras reparado
En este cuadro oculta otra figura,
Del arco del portal en la moldura.[12]

Era esta, en buenas cuentas,[13] doña Luisa
Que viendo levantarse a la doncella,
Se levantó también a toda prisa
De la cama, y se vino tras la huella,[14]
Juzgando, con razón, que no iba a misa,
Y procuró ocultarse detrás de ella;
Mas cuando al cabo descubierta vióse,
Entre los dos, de sopetón,[15] plantóse.

No queda tan atónito y turbado[16]
Un círculo de niños inocentes
Si en medio de sus juegos, un criado
Asoma rechinándoles los dientes,[17]
Con máscara de diablo disfrazado,
Como quedaron nuestras pobres gentes
Al ver aparecer a doña Luisa
En chinelas y en faldas de camisa.[18]

Grandes fueron las penas y aflicciones
De Pablo viendo a la iracunda vieja,[19]
Que sin pararse a hacer reconvenciones[20]
Agarró[21] a su querida de una oreja

13. to be sure
14. followed up the trail
15. all of a sudden
16. surprised and alarmed
17. a servant shows up wearing a devil's mask, gnashing his teeth at them
18. in slippers and nightgown
19. the wrathful old woman
20. to complain
21. she grabbed
22. shoving her off
23. without complaint
24. allowing herself to be dragged off thus
25. like a criminal on his way to the scaffold

Y se la fué llevando a rempujones,[22]
La cual sin proferir ninguna queja[23]
Se dejaba llevar de aquella suerte[24]
Como un reo que llevan a la muerte.[25]

Apenas despuntó el siguiente día,[26]
Cuando Isabel en coche fué llevada
A un monasterio (ignoro cuál sería),
Del cual a la sazón era prelada[27]
Una su anciana y venerable tía,
Y pues no puede sucederle nada
En tan santa mansión, quédese en ella
Por un poco de tiempo la doncella.

Y volvamos a Pablo, que confuso,
Sin pestañear[28] habíase quedado,
Desde que doña Luisa se interpuso
Entre el amante y el objeto amado.
No sé si con el criado se compuso,
Así que su deseo vió burlado,[29]
Para que le saliera a abrir la puerta,
O no sé si al entrar la dejó abierta.

Pero ello es que al buscarlo la señora
No encontró ni la sombra del culpado,[30]
Y al otro día al asomar la aurora[31]
Fué a ver a don Pascual, que levantado,
De vuelta[32] ya de misa a aquella hora
Y el chocolate habiéndose acabado,
Laudate pueri Dominum[33] rezaba
Cuando en su cuarto doña Luisa entraba.

26. the next day had hardly dawned
27. at the time was Mother Superior
28. without batting an eyelash
29. thwarted
30. not a trace of the culprit
31. at dawn
32. having returned
33. Praise be the Lord, ye children
34. informed him briefly of the matter

Impúsolo en el caso brevemente,[34]
Y exigióle palabra muy formal[35]
De infligir un castigo suficiente
Capaz de corregir[36] al criminal.
—Es regular que tenga usted presente,[37]
Le dijo doña Luisa a don Pascual,
Que en nuestro tiempo era esto delicado,
Dígalo yo, que tanto me ha costado.[38]

En esto le entregaron un cartel[39]
(A don Pascual, se entiende) [40] que decía
Que don Diego quería hablar[41] con él
Con el arma que él mismo elegiría;
Que siendo un caballero, un coronel,
Entenderse con Pablo no quería,
Por ser capaz un mozo tan grosero
De faltarle al respeto a un caballero.[42]

Don Pascual contestó que era cristiano,
Y que le serviría en otra cosa:[43]
Que no era permitido alzar la mano[44]
Y que ya había hablado con su esposa;
Quedando el infrascrito muy de llano
A imponer una pena rigurosa[45]
Al hijo criminal, y en consecuencia
Hizo venir a Pablo a su presencia.

35. exacted from him the promise
36. strong enough to reform [the culprit]
37. it is essential that you bear in mind
38. for in our day and age this was a delicate matter, and I know
    what I am talking about — because of this I have suffered a
    great deal
39. at this point they delivered him a note
40. be it understood
41. to discuss with him [the choice of weapons for a duel]
42. that he did not wish to have any dealings with Pablo, since a youth
    so lacking in breeding was incapable of showing the proper respect
    to a gentleman
43. that he would satisfy [serve] him in other ways
44. to lift a hand, i.e. to fight duels
45. the undersigned making it clearly understood that he would impose
    a severe punishment

Y habiendo reprendídolo agriamente[46]
Sobre la mala vida que traía,
Le trató de bribón y de insolente,
Y de cuanto a las mientes le venía.[47]
Por un oído Pablo atentamente
Escuchaba, y por otro le salía[48]
Aquella paternal peroración
Digna de Marco Tulio Cicerón.[49]

Mas no paró en palabras la tormenta,
Que entonces se le habría dado un bledo,
Por muy recia, muy larga y muy violenta
Que hubiera sido, pues jamás el miedo
Ni la vergüenza entraban en su cuenta.[50]
Lo que hubo de malo en el enredo[51]
Fué que su padre, al cabo del sermón,
Cargó con él a la Recolección.[52]

No digo que su padre lo cogiera
Con sus manos, *ut sic* materialmente
Como quien coge un títere de cera:
Cargar con algo es un equivalente
De mandar que otro cargue; en tal manera
Se acostumbra decir entre la gente
Que el Rey, el Presidente, el Diputado,
Están cargando el peso del Estado.[53]

46. having given him a severe dressing down
47. he charged him of being an insolent scoundrel and a goodly number
   of other things that came to his mind
48. it went in one ear and out the other
49. a fatherly speech worthy of Marcus Tullius Cicero [the Roman
   orator, 106 B.C.-43 B.C.]
50. But the diatribe was not the end all: he wouldn't have given a
   damn however long, strong or violent it might have been, for
   never had fear or shame been of concern to him
51. what was really bad about the awful mess
52. carried him off to the Recolección [Monastery]
53. carrying the burdens of the State

Cargó, pues, con los dos una berlina,[54]
Que con su paso lento acostumbrado
Al citado[55] convento se encamina,
Y no bien a la puerta hubo llegado
Que el reverendo fray José Godina,
Guardián entonces, recibió recado
De estar en ella[56] don Pascual Pescón
Esperando su santa bendición.

Fray José dejó al punto su Breviario
Y encontró a don Pascual en el ingreso,[57]
Quien le besó el bendito escapulario[58]
Y brevemente le contó el suceso.
Fray José había sido gran sectario
Del faldellín, antes de ser profeso,[59]
Por lo que no extrañó lo sucedido
Que don Pascual le había referido.

Y ofreció convertir al delincuente
Al camino del Cielo, Dios mediante,[60]
Porque era, a la verdad, hombre elocuente,
Famoso confesor, muy insinuante.[61]
Entró, pues, nuestro joven penitente
En calidad de simple *ejercitante*[62]
Y lo llevó a una celda el buen prelado
Donde había una mesa y un estrado.[63]

54. they went off in a berlin [a four-wheeled carriage with a separate sheltered seat behind the back]
55. aforementioned
56. was told to be in it [i.e. in the berlin]
57. at the entrance
58. scapulary
59. a great devotee of women [lit. of skirts] before entering the monastery
60. God willing
61. very eloquent [convincing]
62. as a mere exercitant [one engaged in spiritual exercises, generally in spiritual retreat]
63. dais

119

—Aquí—le dijo—harás tu penitencia;
Ahí tienes un libro muy precioso
Que se intitula *Examen de conciencia,*
Léelo con cuidado y con reposo;
Nada contiene de la humana ciencia,[64]
Y por tanto es más útil y gustoso:
Y entre tanto, *Pax tecum, munda te.*[65]
Dijo, dejólo y fuése fray José.

Figuraos, lectoras, el estado
En que estaría nuestro pobre preso
Por más de un mes que estuvo allí encerrado
¡Él, que era tan alegre y tan travieso![66]
La única diversión que había hallado
Era escribir en verso su suceso,[67]
Que por lo que hace a componer en prosa
Entendía don Pablo poca cosa.[68]

Hizo un ensayo en forma de tercetos
Garantías llamado *individuales,*[69]
Y unas cuantas octavas y cuartetos
Contra los institutos monacales.[70]
Compuso dos bellísimos sonetos
Atestados de ideas liberales
En loor del[71] *Habeas Corpus,* que decía
Que algún día en su patria regiría.[72]

64. worldly knowledge
65. Peace be with you, cleanse thyself!
66. flighty
67. his story [what had happened to him]
68. when it came to writing in prose Don Pablo was not much [for he
was only a poet]
69. entitled **Personal Guarantees** [sarcastic allusion to the Law of
Guarantees approved by the liberal-minded Legislature of 1837,
but emasculated by the decree of December 5, 1839]
70. and a number of eight- and four-line stanzas against monastic
institutions
71. crammed with liberal ideas in praise of
72. would be in force

Además, una sátira sangrienta
Contra don Diego y contra doña Luisa,
Y hasta su mismo padre entraba en cuenta
Con una gracia que movía a risa.[73]
Escribió una elegía muy atenta
A Isabel, y muy tierna y muy sumisa,[74]
En forma de canción de pie quebrado;
Pero ni los fragmentos han quedado.[75]

Finalmente, hizo una oda de su mano,[76]
En que, para Isabel, a Dios pedía
El amparo del Cielo soberano.
Alguno dirá aquí que no debía
Lo sagrado mezclar con lo profano,
Y que aquello tocaba en herejía;[77]
Lo mismo digo yo, mas en verdad
Él podía excusarse con su edad.[78]

Una tarde de julio, al fin del mes
(Que era, creo, en el año del Señor
Mil setecientos y setenta y tres)
En que hacía muchísimo calor,
Pablo postrado hallábase a los pies
De fray José, su sabio confesor,
Del templo en una nave lateral,
Confesando sus culpas bien o mal.

---

73. even his father entered the picture in such a funny way that it moved people to laughter
74. submissive
75. a song in short lines [**pie quebrado** = lit. broken feet], of which not even fragments have survived [Batres Montúfar loves puns!]
76. composed an ode
77. bordered on heresy
78. he could be excused because of his age

Y acabada la larga relación,
¡Que sabe Dios qué relación sería!,[79]
Le hizo una paternal admonición
Fray José de Godina, que decía:
—Hijo, si quieres obtener perdón,
Llora por tus pecados noche y día,
Que el pecador contrito y convertido
Es más acepto al Cielo y más querido.

Yo fuí gran pecador y gran malvado,
Y tu difunta madre, si viviera,
Te pudiera decir cuánto he pecado,
Que ella mejor que nadie lo supiera.
Veme aquí arrepentido y humillado,
Gracias a Dios y a aquesta calavera[80]
Que fué quien me sirvió de desengaño.
Y al decirlo sacóla de entre un paño.[81]

—Esta que miras calavera agora,[82]
Pablo, mujer fué un tiempo muy hermosa:
Tras ésta corre el hombre a toda hora
Como tras de la luz la mariposa.[83]
¡Medita a solas cuán engañadora
Es la mujer, y cuán inútil cosa
Por este asquerosísimo fragmento![84]
Esto dicho metióse en el convento.[85]

---

79. **relación** means both account and confession [so another pun follows]
80. skull
81. which led me to discover the errors of my ways — and on saying this, he uncovered it
82. this skull which you are now [**agora** = **ahora**] looking at
83. man always goes after this, just like the moth for the flame
84. Consider how deceitful woman is, and how insignificant, as witnessed by this most loathsome fragment [i.e. the skull]!
85. This said, he withdrew to the monastery

Aquel fragmento había sido parte
De una bella mujer muy disoluta,
Que de Venus seguía el estandarte
De hombres haciendo amplísima recluta;[86]
Pues de enganchar sabía a fondo el arte:
Érase el hueso de una rica fruta
En cuya dulce pulpa,[87] en cien lugares
Habían caído moscas a millares.

No son así mis jóvenes lectoras,
Que no pierden a nadie,[88] ni se envidian,
Ni lanzan miradillas seductoras,
Ni tienden redes, ni al amor convidan:[89]
Antes bien, del decoro observadoras,
De su beldad parece que se olvidan:[90]
Que si el talle o el cuello nos descubren,
Es por descuido[91] y presto se lo cubren.

—¿Habéis bastantemente meditado?
Dijo al volver el fraile al penitente,
Viéndole el rostro en lágrimas bañado;
El cual le respondió con voz doliente:
—Sí, señor; vedme aquí desesperado
Contemplando este ejemplo tan patente
De la humana miseria y desventura,
Y este triste final de la hermosura.

---

86. who followed Venus' banner, herding together a very substantial number of men
87. for she was extremely experienced in the art of ensnaring men: she was the pit of a delicious fruit in whose sweet pulp
88. who do not lead anyone astray
89. nor cast seductive glances, nor set traps, nor invite amorous advances
90. on the contrary, observing decorum, they seem oblivious of their beauty
91. for if they expose their lines and breasts to us, it's just an oversight

—Conque ha dispuesto la fortuna avara
Hacer de tanto hechizo y embeleso,[92]
Que a los otros la carne les tocara
Y a mí tan sólo me tocara el hueso![93]
Se le alegraba al confesor la cara
Viendo de su elocuencia el buen suceso,
Mas al oír aquella picardía
Dijo frunciendo el gesto: ¡Ave María![94]

¿Qué más dijera el jefe del Estado,
Hablando de las rentas nacionales,[95]
Si de la patria el hueso le ha tocado
Cuya carne tocó a los liberales?
Mas volvamos al padre, que, espantado,
Invocaba las iras celestiales
Contra aquel obcecado pecador,[96]
Que se burlaba así del confesor.

No desoyó sus súplicas el Cielo,
Pues por medio de un fuerte terremoto
Parte de la cornisa la echó al suelo
Sobre Pablo,[97] dejando el arco roto.
Murió el mísero joven sin consuelo,[98]
Y entre la confusión y el alboroto[99]
No faltó quien hubiera visto al diablo
Cargar con cuerpo y alma con don Pablo.[100]

---

92. and so, that miserly lady Fortune has seen fit to make of so much enchantment and delight
93. I was left only with the bone [or pit]!
94. the priest's face lighted up as he realized the success of his eloquence, but on hearing about such knavery he said, as he frowned; "Hail Mary!"
95. national income
96. shocked, he invoked the wrath of heaven against that recalcitrant sinner
97. Heaven did not overlook his plea, for, by means of a violent earthquake, a piece of cornice fell upon Pablo
98. without comfort [i.e. without the company of friends and relatives, etc.]
99. hubbub
100. some people saw the devil carrying off Don Pablo, body and soul

Isabel profesó de capuchina[101]
Cuando supo la suerte de su amante,
A instigación de fray José Godina,
Que fué su confesor en adelante.
Tomó por nombre Sor Escutufina
De la Circuncisión: ¡nombre elegante!
Y la nombró portera la prelada
Porque la vió al zaguán aficionada.[102]

Don Diego, don Pascual y doña Luisa
Murieron de diversos accidentes:
Cuál, de haber ido con catarro a misa;
Cuál, de unas calenturas remitentes
Por andar a deshoras en camisa;
Cuál, de un disgusto contra sus parientes,
Que bien dice el proverbio, si se advierte,
¡Que así como es la vida así es la muerte![103]

101. Isabel became a Capuchin nun
102. the Mother Superior appointed her doorkeeper seeing how much
    she liked vestibules
103. one from going to Mass while suffering from a bad cold; another,
    from remittent fever from going around in undershirt; another, from
    quarreling with his relatives—for, according to the proverb: "As
    you live so shall you die!"

PLACIDO [Gabriel de la Concepción Valdés]

b. Havana, Cuba, March 18, 1809
d. Havana, June 29, 1844

Soon after his birth "Plácido" was left in a foundling hospital where, following an old custom, he was baptized under the surname Valdés in memory of Bishop Jerónimo Valdés. His mother was the Spanish dancer Concepción Vázquez, and his father, a barber, the mulatto Diego Matoso who, a few months later, reclaimed him and educated him to the best of his ability. Eventually the barber emigrated to Mexico and died there. His son, who had remained in Cuba, apprenticed in a printing shop and perhaps because of his close contact with the printed word and extensive readings began before long to compose his own poems. However, wishing to earn more, he learned the art of making the kind of ornamental hair combs then in style. He suceeded so well that he moved to Havana to expand his business whereupon the writer Ramón Vélez Guevara discovered him as a poet and ushered him into literary circles. Under the pseudonym of "Plácido" [suggested either by the hero in Madame de Genlis' *Placide et Blanche,* or else to honor one of his sponsors, the druggist Francisco Plácido Puente] he improvised in verse with the greatest of ease: occasional poems for weddings, baptisms, birthday celebrations, etc. which brought him some extra cash. However he did have his serious moments wherein he exhibited his revolutionary zeal and profound love for individual and national freedom, as can be readily seen from his sonnet "El juramento." These politically-minded outpourings put him on the spot and when in 1842 a rumor circulated about a plot against the government organized by Negroes and mulattoes, Plácido was thrown in jail. Two months later he was released only to be arrested again. Summarily questioned, he was condemned to death. With ten other "conspirators" he was executed by a firing squad just when he had attained the age of thirty-five. Shortly before his death he wrote three poems, the most memorable of which is his "Plegaria a Dios."

Plácido's voluminous work is extremely uneven. Because of his ambiguous social status he would celebrate freedom one day and flatter local despots the next:

> Mil veces sin razón canté a los grandes,
> llevado más por juvenil deseo
> a lucir en el coro de los cisnes
> que inspirado de un justo sentimiento

The philosopher José Enrique Varona evaluated correctly Plácido's work when he stated: "Llega a intervalos a la cima de la inspiración poética para caer en lo trivial; escritor a la par grandilocuente e incorrecto, versificador callejero, poeta comensal de fiestas mundanas y lírico sublime. De su boca brotan los versos más sonoros y las frases más triviales: su fantasía se enciende con imágenes grandiosas y se extasía en futiles concepciones" — which seems to corroborate a recent critique by the perceptive José Antonio Portuondo: "En Plácido se dan todos los méritos y todos los defectos de la tendencia romántica: el absurdo, la incoherencia, el disparate, la musicalidad fácil y ramplona de Zorrilla, la exaltación anárquica de Espronceda, pero también hay en sus versos sentido plástico, aliento patriótico, gracia popular y erotismo más sincero que en Heredia."

EDITIONS: *Poesías completas,* Havana, Cultural, 1930; *Poesías selectas,* edited by A. M. Eligio de la Puente, Havana, Cultural, 1930.

ABOUT PLACIDO: Ben F. Carruthers: *The Life Work and Death of Plácido,* Ph. D. dissèrtation University of Illinois, Urbana, Ill, 1941; Jorge Casals: *Plácido como poeta cubano,* Havana, Ministerio de Educación, 1944; Carlos A. Cervantes: "Bibliografía placidiana," *Revista Cubana* (Havana), April-June, 1938, pp. 155-186; Rafael Estenger: *Los poetas de ayer vistos por los poetas de hoy,* Havana, Ateneo de La Havana, 1941; Domingo Figarola Caneda: *Plácido,* Havana, 1922; Manuel García Garófalo y Mesa: *Plácido, poeta y mártir,* Mexico, Botas, 1938; Leopoldo Horrego Estuch: *Plácido, el poeta infortunado,* Havana, Ed. Luz-Hilo, 1944; Ildefonso Pereda Valdés: *Antología de la poesia negra americana,* Santiago de Chile, Ercilla, 1936; Frederick S. Stimson: *Cuba's Romantic Poet, the Story of Plácido,* University of North Carolina Press, 1964.

A UNA INGRATA[1]

Basta de amor:[2] si un tiempo te quería
Ya se acabó mi juvenil locura,[3]
Porque es, Celia, tu cándida hermosura
Como la nieve, deslumbrante y fría.[4]

No encuentro en tí la extrema simpatía
Que mi alma ardiente contemplar procura,[5]
Ni entre las sombras de la noche oscura,
Ni a la espléndida faz[6] del claro día.

Amor no quiero como tu me amas,
Sorda a los ayes, insensible al ruego;[7]
Quiero de mirtos adornar con ramas

Un corazón que me idolatre ciego,[8]
Quiero besar a una deidad de llamas,
Quiero abrazar a una mujer de fuego.[9]

LA FLOR DE LA CAÑA[1]

Yo ví una veguera
trigueña, tostada,[2]
que el sol, envidioso
de sus lindas gracias,
o quizá bajando

1. To an Ingrate
2. Enough of love!
3. youthful madness
4. your candid beauty is like snow, dazzling and cold
5. so needed by my ardent soul
6. face
7. Love I do not seek as you would give, deaf to sighs, unmoved by entreaties
8. I want to adorn with myrtle branches a heart that would adore me blindly
9. I want to kiss a flaming goddess, I want to embrace a woman of fire

1. The Sugar Cane Flower
2. an olive-skinned, sun-tanned country girl

de su esfera sacra,
prendado de ella,[3]
le quemó la cara,
y es tierna y modesta,
como cuando saca
sus primeros tilos,[4]
—la flor de la caña.

La ocasión primera
que la vide[5] estaba
de blanco vestida,
con cintas rosadas;[6]
llevaba una gorra[7]
de brillante paja,[8]
que tejió ella misma[9]
con sus manos castas,
y una hermosa pluma
tendida, canaria,
que el viento mecía,[10]
—como flor de caña.

Su acento es divino,
sus labios de grana, [11]
su cuerpo gracioso,
ligera su planta,[12]
y las rubias hebras
que a la merced vagan
del céfiro,[13] brillan
de perlas ornadas,

---

3. in love with her
4. pistils, buds
5. the first time that I saw her [**la vide** = **la vi**]
6. pink ribbons
7. bonnet
8. brightly-colored straw
9. that she wove herself
10. and, streched out, a canary-colored feather swinging in the breeze
11. red lips
12. nimble-footed
13. her blond hair, blowing in the wind

131

como con las gotas
que destila el alba,[14]
candorosa ríe
—la flor de la caña.

El domingo antes
de Semana Santa,[15]
al salir de misa
le entregué una carta,[16]
y en ella unos versos
donde le juraba,
mientras existiera,
sin doblez[17] amarla.
Temblando tomóla
de pudor velada,[18]
como con la nieve
—la flor de la caña.

Habléla en el baile
la noche de Pascua;[19]
púsose encendida,
descogió su manta
y sacó del seno,
confusa y turbada,
una petaquilla
de colores varias;[20]
diómela al descuido,[21]
y, al examinarla,
he visto que es hecha
—con flores de caña.

14. adorned with pearls, as if with dewdrops [lit. drops distilled by dawn]
15. Holy Week
16. after Holy Mass I handed her a letter
17. truly [lit. without trickery]
18. filled with shyness
19. I spoke to her at the Easter Sunday dance
20. she blushed, spread her shawl, and took from her bosom, confused
and embarrassed, a many-colored cigar case
21. she gave it to me on the sly

En ella hay un rizo,
que no lo trocara[22]
por todos los tronos
que en el mundo haya;
un tabaco puro
de Manicaragua[23]
con una sortija
que ajusta la *capa*,
y en lugar de *tripa*
le encontré una carta,[24]
para mí más bella
—que la flor de caña.

No hay ficción en ella,
sino estas palabras:
"Yo te quiero tanto
como tú me amas."
En una reliquia
de rasete, blanca,[25]
al cuello conmigo
la traigo colgada,
y su tacto quema,
como el sol que abrasa[26]
en julio y agosto
—la flor de la caña.

Ya no me es posible
dormir sin besarla;[27]
y mientras que viva
no pienso dejarla.
Veguera preciosa

22. in it there was a lock of hair that I would not exchange
23. a cigar made from the fine tobacco of the Manicaragua region
24. with a paper ring girding the wrapper and, instead of filler, I found
    a letter inside
25. in a white satin reliquary
26. it hangs from my neck and burns me when it touches me as if it
    were the burning sun
27. No longer it is possible for me to go to sleep without kissing it
    [the reliquary]

de la tez tostada,
ten piedad del triste
que tanto te ama;[28]
mira que no puedo
vivir de esperanzas,
sufriendo vaivenes[29]
—como flor de caña.

Juro que en mi pecho,
con toda eficacia,
guardaré el secreto
de nuestras dos almas;
no diré a ninguno
que es tu nombre Idalia,
y si me preguntan
los que saber ansian[30]
quién es mi veguera,
diré que te llamas,
por dulce y honesta,
—la flor de la caña.

28. Darling girl of the sun-tanned complexion, pity the melancholy boy
who loves you so dearly
29. ups and downs
30. those who are anxious to know

JICOTENCAL[1]

Dispersas[2] van por los campos
las tropas de Moctezuma,
de sus dioses lamentando
el poco favor y ayuda,
mientras, ceñida la frente
de azules y blancas plumas,
sobre un palanquín de oro
que finas perlas dibujan,[3]
tan brillantes que la vista,
heridas del sol, deslumbran,[4]
entra glorioso en Tlascala
el joven que de ellas triunfa.[5]
Himnos le dan la victoria,
y de aromas le perfuman
guerreros[6] que le rodean,
y el pueblo que le circunda,
a que contestan alegres
trescientas vírgenes puras.
"Baldón y afrenta al vencido,
loor y gloria al que triunfa."[7]
Hasta la espaciosa plaza
llega, donde le saludan
los ancianos senadores
y gracias mil le tributan.[8]
Mas ¿por qué veloz[9] el héroe,

1. A young man who headed the fierce Tlaxcala warriors against
   Montezuma (1480-1520), the last Aztec Emperor
2. Scattered
3. his foreheaded encircled with [tufts of] blue and white feathers,
   [bome] on a golden palanquin studded with pearls [a palanquin is a
   conveyance, usually for one person, consisting of an inclosed litter,
   borne on the shoulders of men by means of poles]
4. dazzle
5. the youth who defeated them [Montezuma's men] enters his native
   town, Tlaxcala
6. warriors
7. Shame on the conquered, praise and glory to the victor!
8. render
9. quick

atropellando la turba,[10]
del palanquín salta y vuela
cual rayo que el éter surca?[11]
Es que, ya del caracol[12]
que por los valles retumba,[13]
a los prisioneros muerte
el eco sonante anuncia.
Suspende a lo lejos hórrida
la hoguera su llama fúlgida,[14]
de humanas víctimas, ávida,
que bajan sus frentes mustias.[15]
Llega; los suyos al verle
cambian en placer la furia,
y de las enhiestas picas
vuelven al suelo las puntas.[16]
"¡Perdón!", exclama, y arroja
su collar; los brazos cruzan
aquellos míseros seres,
que vida por él disfrutan.[17]
"Tornad a Méjico, esclavos;
nadie vuestra marcha turba,[18]
y decid a vuestro amo,
vencido ya veces muchas,
que el joven Jicotencal
crueldades como él no usa,
ni con sangre de cautivos
asesino el suelo inunda;
que el cacique de Tlascala
ni batir ni quemar gusta
tropas dispersas e inermes,[19]

10. pushing aside the crowd
11. [as swift as] the thunderbolt splitting open the sky
12. conch [used as a bugle by the natives]
13. resounds [announcing that the war prisoners are about to be burnt to death]
14. the horrendous bonfire shows in the distance its bright flames
15. despondent heads [lit. languid foreheads]
16. lower to the ground the tips of their upright lances
17. those wretched creatures who owe him their lives
18. no one will disturb you on your trip
19. that the Tlaxcalan chief does not care to fight or burn alive routed, unarmed soldiers

sino con armas y juntas;
que arme flecheros[20] más bravos
y me encontrará en la lucha,
con solo una pica mía
por cada trescientas suyas;
que tema el día funesto
que mi enojo al punto suba;[21]
entonces ni sobre el trono
su vida estará segura;
y que si los puentes corta
porque no vaya en su busca,
con cráneos de sus guerreros
calzada haré en la laguna",[22]
dijo, y marchóse al banquete
do está la nobleza junta
y el néctar de las palmeras
entre vítores se apura.[23]
Siempre vencedor después
vivió lleno de fortuna;
mas como sobre la tierra
no hay dicha estable y segura,
vinieron atrás los tiempos
que eclipsaron su ventura,
y fué tan triste su muerte
que aún hoy se ignora la tumba[24]
de aquél ante cuya clava,
barreada de áureas puntas,
huyeron despavoridas
las tropas de Moctezuma.[25]

20. archers
21. let him fear the ill-fated day when my wrath will suddenly erupt
22. were he to destroy the bridges to prevent me from pursuing him, I
    will build then a highway across the lake with his warriors' skulls
    [Montezuma's capital, today Mexico City, was built on a lake]
23. where [do = dónde] his nobles are assembled drinking merrily
    [amidst triumphant cheers] the nectar from the palm trees
24. it is not known, even now, where his grave is located
25. before whose warriors, bristling with golden tips [lances], Montezuma's
    troops fled, terrified

MUERTE DE GESLER[1]

Sobre un monte de nieve transparente,
en el arco la diestra reclinada,
por un disco de fuego coronada,
muestra Guillermo Tell la heroica frente.[2]

Yace en la playa el déspota insolente,
con férrea vira al corazón clavada,[3]
despidiendo al infierno, acelerada
el alma negra en forma de serpiente.[4]

El calor le abandona, sus sangrientos
miembros bota la tierra al océano;
tórnanle a echar las ondas y los vientos;[5]

no encuentra humanidad el inhumano...
que hasta los insensibles elementos,
lanzan de sí los restos de un tirano.[6]

1. Gesler's Death: by the shores of a lake William Tell kills Gesler, the Austrian bailiff governor who sentenced him to shoot an apple from the head of his own son, and frees his Switzerland from Austrian oppression. The sonnet mirrors Plácido's profound hatred of tyrants.
2. William Tell, bow [arco] in hand, watches the sun [disco de fuego] setting behind the snow-clad mountains [monte de nieve]
3. The insolent despot [Gesler] lies by the lake, an iron arrow [férrea vira] nailed to his heart
4. sending swiftly to hell Gesler's black soul which resembles a snake
5. Gesler's body grows cold [lit. the warmth abandons him] and the land casts his blood-stained limbs unto the sea, but waves and wind [refusing them] push them back to the land
6. the inhuman wretch [Gesler] finds no sympathy anywhere, even the unfeeling elements of Nature reject the tyrant's remains

EL JURAMENTO[1]

A la sombra de un árbol empinado[2]
que está de un ancho valle a la salida,
hay una fuente que a beber convida
de su líquido puro y argentado.[3]

Allí fuí yo, por mi deber[4] llamado,
y, haciendo altar la tierra endurecida,[5]
ante el sagrado código de vida,
extendidas mis manos,[6] he jurado:[7]

Ser enemigo eterno del tirano;
manchar, si me es posible, mis vestidos
con su execrable sangre, por mi mano;[8]

derramarla[9] con golpes repetidos,
y morir a las manos de un verdugo,[10]
si es necesario, por romper el yugo.[11]

1. The Oath
2. very lofty
3. a spring [located in Yumurí] that invites people to drink its pure, silvery water
4. duty
5. using the hard earth for an altar
6. my hands stretch out toward life's sacred code [i.e. the landscape, the book of Nature, Natural law]
7. I have sworn
8. if possible, to stain my clothes with the accursed blood [of the Spanish enemy] murdered by me, with my own hands
9. to spill it [the blood]
10. executioner
11. in order to break the [Spanish] yoke [and liberate Cuba]

PLEGARIA A DIOS[1]

Ser[2] de inmensa bondad, ¡Dios poderoso!,
a vos acudo en mi dolor vehemente...[3]
¡Extended[4] vuestro brazo omnipotente.
Rasgad de la calumnia el velo odioso,[5]
y arrancad este sello ignominioso
con que el hombre manchar quiere mi frente![6]

¡Rey de los reyes! ¡Dios de mis abuelos!
Vos sólo sois mi defensor, ¡Dios mío...!
Todo lo puede quien al mar sombrío
olas y peces dió, luz a los cielos,
fuego al Sur, giro al aire,[7] al Norte hielos,
vida a las plantas, movimiento al río.

Todo lo podéis vos, todo fenece
o se reanima[8] a vuestra voz sagrada;
fuera de vos, Señor, el todo es nada,[9]
que en la insondable eternidad perece;[10]
y aun esa misma nada os obedece,
pues de ella fué la humanidad creada.

Yo no os puedo engañar, Dios de clemencia,[11]
y pues vuestra eternal sabiduría
ve al través de mi cuerpo el alma mía
cual aire a la clara transparencia,
estorbad que humillado la inocencia
bata sus palmas la calumnia impía.[12]

1. A Supplication to God
2. Being
3. At this moment of acute suffering I turn to Thee
4. Stretch out
5. tear apart Calumny's hateful veil
6. blot out this ignominious stigma [my enemies] want to stamp upon
my forehead
7. motion to the wind
8. everything comes to an end or begins
9. All becomes Nothingness
10. that perishes in unfathomable eternity
11. I cannot deceive Thee, Merciful God

Estorbadlo, Señor, por la preciosa
sangre vertida, que la culpa sella
del pecado de Adán;[13] o por aquella
madre cándida, dulce y amorosa,
cuando envuelta en pesar, mustia y llorosa,[14]
siguió tu muerte como helíaca estrella.[15]

Mas si cuadra a tu Suma Omnipotencia
que yo perezca cual malvado impío,
y que lo shombres mi cadáver frío
ultrajen con maligna complacencia...,[16]
suene tu voz, acabe mi existencia...
¡Cúmplase en mí tu voluntad, Dios mío...!

12. prevent pitiless Calumny from humiliating the innocent and scoring
    one more victory [lit. clapping hands (victoriously)]
13. for the sake of the precious blood spilled, which brings to an end
    Adam's sin
14. when wrapped in sorrow, distressed and tearful
15. heliac star
16. But if Thine Supreme Omnipotence wishes me to perish like any
    hard-hearted evildoer and that with mischievous delight men outrage
    my cold corpse

DESPEDIDA A MI MADRE[1]

Si la suerte fatal que me ha cabido[2]
Y el triste fin de mi sangrienta historia[3]
Al salir de esta vida transitoria[4]
Deja tu corazón de muerte herido;[5]

Basta de llanto; el ánimo aflijido
Recobre su quietud; moro[6] en la gloria,
Y mi plácida lira a tu memoria
Lanza en la tumba su postrer sonido.[7]

Sonido dulce, melodioso, santo,
Glorioso,. espiritual, puro, divino,
Inocente, espontáneo, como el llanto

Que vertiera al nacer...[8] Ya el cuello inclino,
Ya de la Religión me cubre el manto...[9]
¡Adiós, mi Madre, adiós! — El Peregrino.[10]

1. Farewell to My Mother [written in the Chapel of Santa Cristina Hospital, midnight June 27, 1844, six hours before his execution]
2. If the unfortunate fate that has been mine
3. the sad end of my grievous biography [lit. bloody history]
4. brief existence
5. wounded to death
6. Weep no more [lit. Enough of weeping]; may your afflicted spirit regain its composure; I dwell
7. and my well-tempered lyre [Plácido puns here with the word plácida], before it is forever stilled, gives to you its last note within the grave
8. as the tears I shed at birth
9. Now I bow my head [i.e. now hour of death is here], now the mantle of Religion covers me
10. The Pilgrim [i.e. now the pilgrimage begins]

DOMINGO FAUSTINO SARMIENTO

b. San Juan, Argentina, February 15, 1811
d. Asunción, Paraguay, September 11, 1888

Sarmiento was born in the provinces and because of his poverty had to forego a formal education. Instead he worked as clerk, journalist, and elementary school teacher. Even as a teen ager he had become aware of the political abuses rampant in his native province. Illiterate, unscrupulous, and really savage gaucho political bosses rallying under the banner of Federalism had taken control of the government. To fight these men and most especially the Federalist chieftain of the area, Facundo Quiroga, he joined the Unitarians and participated in numerous encounters.

Defeated in the battle of Chañón (1831), Sarmiento was forced to flee to Chile. He had just celebrated his twentieth birthday, and from then on he moved back and forth from Argentina to Chile, from Chile to Argentina, struggling to keep alive and at the same time combatting the bestial powers which were holding back the development of his native land. He envisaged the conflict as essentially one of the cities vs. the pampas, symbols of the two phases of Argentina's social evolution. The cities stood for European culture and for what was most meaningful at the moment: democracy, industrialization, education, progress. The pampas meant the very opposite: negation of Europe, isolationism, self-sufficience, stagnation.

During his sojourn in Chile (1831-1837), Sarmiento worked as a clerk in a store, as teacher, as miner. Because of ill health, he was allowed to return to San Juan and soon found himself surrounded by congenial, enthusiastic young men. They started a Sociedad Literaria, in reality a branch of the Buenos Aires Asociación de Mayo founded by Echeverría and other liberal-minded young men. In the meetings of the Sociedad, Sarmiento was introduced to XIXth century European thinkers (Leroux, Cousin, Quinet, Saint-Simon, Guizot, Sismondi), and particularly to the Utopian socialists and Positivists who were then exerting a powerful influence. The novel ideas which now fused with those extracted from his favorite book, Benjamin Franklin's *Autobiography*, stimulated Sarmiento to no end. He started a progressive school for girls, called Colegio de Pensionistas de Santa Rosa, and a periodical, *El Zonda* (1839), which the government, in the hands of one of Facundo Quiroga's henchmen, closed down after the sixth issue. Sarmiento was locked up, and after a brutal chastisement, was sent into exile abroad. On his way to Chile, he wrote on a wall, right under the coat of arms of Argentina, a famous phrase by the French writer Fortoul: *On ne tue point les idées* (Ideas cannot be killed).

So, back in Chile in 1840, he took up the struggle again. This time, however, his journalistic activities won him quick recognition. In *El Progreso*, Santiago de Chile's first daily newspaper, founded by him, he serialized in 1845 his outstanding work: *Facundo o civilización y barbarie. Facundo* was not just a personal attack against Facundo Quiroga. It was much more than that: it may be described as an ecological study, as an essay of descriptive sociology with a distinctly anthropogeographic emphasis. According to its main theses men like Facundo and Rosas were merely personifications, concrete representatives, of a social condition, of an underlying barbarism which had been imposed upon Argentine society by its vast plains and consequent isolation. The necessary privations in the life of the inhabitants of Argentina's pampas "are used as justification for their natural indolence, and frugality in enjoyments brings with it all the manifestations of barbarism. Society has disappeared completely; there is left only the isolated feudal family, withdrawn into itself; since there is no organized society, all government becomes impossible." Religion degenerates into superstition; education is overlooked, for what counts under such conditions is the development of muscles, not mind. Sarmiento's panacea is always the same: the solution to all problems is "to educate the sovereign people." Education leads to civilization and progress. This was Sarmiento's grand obsession and to it he devoted his life. While in Chile he directed the Escuela Normal, making of it the finest teacher's college in Latin America. He kept writing for periodicals and engaged in a violent polemics with Andrés Bello, defender of classicism and the purity of the Spanish language, of *casticismo*. From these debates Sarmiento was recognized by the young people as their intellectual leader, as the head of the Romantic movement and the champion of a genuinely American idiom, endeavoring to reform Spanish spelling.

Sponsored by the Chilean government, Sarmiento traveled in Europe, North Africa and the United States (1849-1851), examining the educational systems and cultural institutions of various countries. On his return to Argentina he joined the forces of General Urquiza which defeated Rosas at the battle of Caseros (February 3, 1852). After holding important offices in the provincial and Federal government, Sarmiento served as Minister to Chile, Peru, and the United States. In 1868 he was elected President of the Argentine Republic. His six years in office were punctuated by deep economic crisis, violent gaucho rebellions, and a yellow fever epidemic, which cost many lives in Buenos Aires. All this notwithstanding, he strengthened the authority of the central government, established agricultural colonies on the pampas, stimulated railroad building to the interior, lifted the cultural level of the country and left the entire educational system on solid foundations.

EDITIONS: *Obras*, 53 vols., Santiago, Imp. Gutenberg, 1885-1914; *Obras escogidas,* 18 vols., Buenos Aires, Edit. "La Facultad," 1938; *Obras selectas,* 3 vols., edited by Enrique de Gandía, Buenos Aires, Biblioteca histórica del pensamiento americano, 1944; *Recuerdos de provincia,* edited by Jorge Luis Borges, Buenos Aires, El Navío, 1944; *Facundo,* edited by Delia S. Etcheverry, Buenos Aires, Peuser, 1955;

Colección Sarmiento, 6 vols., Buenos Aires, Ediciones Culturales Argentinas, 1961-1963.

ABOUT SARMIENTO: Ana María Barrenechea: "Notas al estilo de Sarmiento", *Revista Iberoamericana,* January-December, 1956, pp. 275-294; Allison W. Bunkley: *The Life of Sarmiento,* Princeton University Press, 1952; Emilio Carilla: *Lengua y estilo en "Facundo",* Tucumán, Universidad Nacional, 1954; María Emma Carsuzán: *Sarmiento, el escritor,* Buenos Aires, Edit. "La Facultad", 1949; C. Galván Moreno: *Radiografía de Sarmiento,* Buenos Aires, Claridad, 1961; Leopoldo Lugones: *Historia de Sarmiento,* Buenos Aires, Editorial Universitaria, 1960; Ezequiel Martínez Estrada: *Sarmiento,* Buenos Aires, Argos, 1956; Carlos María Onetti: *Cuatro clases sobre Sarmiento,* Tucumán, Universidad Nacional, 1939; Alberto Palcos: *Sarmiento,* Buenos Aires, Emecé, 1962; Aníbal Ponce: *Sarmiento, constructor de la nueva Argentina,* Madrid, Espasa-Calpe, 1932; Ricardo Rojas: *El profeta de la pampa,* Buenos Aires, Kraft, 1962; Félix Weinberg: *Vida e imagen de Sarmiento,* Buenos Aires, Editorial Universitaria, 1963.

VIDA DE JUAN FACUNDO QUIROGA

Capítulo V

1

Media[1] entre las ciudades de San Luis y San Juan un dilatado[2] desierto, que, por su falta completa de agua, recibe el nombre de travesía.[3] El aspecto de aquellas soledades es, por lo general, triste y desamparado,[4] y el viajero que viene del oriente[5] no pasa la última represa o aljibe de campo, sin proveer su *chifles*,[6] de suficiente cantidad de agua. En esta travesía tuvo lugar una vez, la extraña escena que sigue: las cuchilladas,[7] tan frecuentes entre nuestros gauchos, habían forzado, a uno de ellos, a abandonar precipitadamente la ciudad de San Luis, y ganar la *travesía* a pie, con la montura al hombro,[8] a fin de escapar de las persecuciones de la justicia. Debían alcanzarlo dos compañeros, tan luego como pudieron robar caballos para los tres.

No eran, por entonces,[9] sólo el hambre o la sed los peligros que le aguardaban en el desierto aquel, que un tigre *cebado* andaba hacía un año siguiendo los rastros de los viajeros,[10] y pasaban ya de ocho los que habían sido víctimas de su predilección por la carne humana. Suele ocurrir, a veces, en aquellos países en que la fiera y el hombre se disputan el dominio de la Naturaleza, que éste cae bajo la garra sangrienta[11] de aquélla: entonces, el tigre empieza a

1. There lies
2. vast
3. "The Crossing"
4. dreary and desolate
5. from the east
6. water hole or reservoir, without filling up their canteens
7. stabbings
8. his saddle on his shoulder
9. at that particular time
10. for a year a man-eating jaguar had lurked in wait for travelers
11. bloody claws

gustar de preferencia su carne, y se llama *cebado* cuando se ha dado a este nuevo género de caza, la caza de hombres.[12] El juez de la campaña inmediata al teatro de sus devastaciones,[13] convoca a los varones hábiles para la correría,[14] y bajo su autoridad y dirección, se hace la persecución del tigre *cebado,* que rara vez escapa a la sentencia que lo pone fuera de la ley.[15]

Cuando nuestro prófugo[16] había caminado cosa de seis leguas, creyó oir bramar el tigre a lo lejos, y sus fibras se estremecieron.[17] Es el bramido del tigre un gruñido como el del cerdo, pero agrio, prolongado, estridente,[18] y que, sin que haya motivo de temor, causa un sacudimiento involuntario en los nervios, como si la carne se agitara, ella sola, al anuncio de la muerte.[19]

Algunos minutos después, el bramido se oyó más distinto y más cercano; el tigre venía ya sobre el rastro, y sólo a una larga distancia se divisaba un pequeño algarrobo.[20] Era preciso apretar el paso, correr, en fin, porque los bramidos se sucedían con más frecuencia, y el último era más distinto, más vibrante que el que le precedía.

Al fin, arrojando la montura a un lado del camino, dirigióse el gaucho al árbol que había divisado, y no obstante la debilidad de su tronco, felizmente bastante elevado, pudo trepar a su copa y mantenerse en una continua oscilación, medio oculto entre el ramaje.[21] Desde allí pudo observar la escena que tenía lugar en el camino: el tigre marchaba a paso precipitado, oliendo el suelo y bramando con más frecuencia, a medida que sentía la proximidad de su presa.[22]

12. receives the appelation of **cebado** when it takes to hunting this new quarry, man
13. the district judge nearest to the scene of the [jaguar's] depredation
14. hunt
15. who rarely escapes the death sentence pronounced upon him
16. fugitive from justice
17. seemed to him that he heard the roar of a jaguar in the distance, a chill ran through him
18. a grunt, similar to that of the pig, but shrill, prolonged, strident
19. produces an involuntary shudder, as if the flesh were trembling
20. carob tree
21. he managed to climb to the top and partly concealed himself among the leaves, though the tree kept swaying back and forth
22. prey

Pasa adelante del punto en que ésta se había separado del camino y pierde el rastro; el tigre se enfurece, remolinea, hasta que divisa la montura, que desgarra de un manotón.[23] Más irritado aún con este chasco,[24] vuelve a buscar el rastro, encuentra al fin la dirección en que va, y levantando la vista, divisa a su presa haciendo con el peso balancearse el algarrobillo, cual la frágil caña cuando las aves se posan en sus puntas.[25]

Desde entonces, ya no bramó el tigre: acercábase a saltos, y en un abrir y cerrar de ojos, sus enormes manos estaban apoyándose a dos varas del suelo, sobre el delgado tronco,[26] al que comunicaban un temblor convulsivo, que iba a obrar sobre los nervios del mal seguro gaucho. Intentó la fiera dar un salto, impotente; dio vuelta en torno del árbol midiendo su altura con ojos enrojecidos por la sed de sangre,[27] y al fin, bramando de cólera, se acostó en el suelo, batiendo, sin cesar, la cola,[28] los ojos fijos en su presa, la boca entreabierta y reseca.[29] Esta escena horrible duraba ya dos horas mortales: la postura violenta del gaucho y la fascinación aterrante que ejercía sobre él la mirada sanguinaria, inmóvil, del tigre,[30] del que por una fuerza invencible de atracción no podía apartar los ojos, habían empezado a debilitar sus fuerzas y ya veía próximo el momento en que su cuerpo extenuado[31] iba a caer en su ancha boca, cuando el rumor lejano de galope de caballos le dio esperanza de salvación.

En efecto, sus amigos habían visto el rastro del tigre y corrían sin esperanza de salvarlo. El desparramo de la

---

23. flies into a rage, circles about, until it catches sight of the saddle, which it rips to pieces with one blow of its paw
24. disappointment
25. like a fragile reed when a bird settles on its tip
26. in a twinkling, its huge forepaws were clawing the tender trunk two yards from the ground
27. reddened by the lust for blood
28. lashing its tail incessantly
29. its mouth panting and dry
30. the uncomfortable position of the gaucho, and the terrifying fascination that the jaguar's bloodshot, unwinking stare exerted upon him
31. benumbed body

montura[32] les reveló el lugar de la escena, y volar a él, desenrollar sus lazos, echarlos sobre el tigre, *empacado* y ciego de furor, fue la obra de un segundo.[33] La fiera, estirada a dos lazos, no pudo escapar a las puñaladas repetidas[34] con que, en venganza de su prolongada agonía, le traspasó el que iba a ser su víctima. "Entonces supe lo que era tener miedo" —decía el general don Juan Facundo Quiroga, contando a un grupo de oficiales, este suceso.

También a él le llamaron *Tigre de los Llanos,* y no le sentaba mal esta denominación, a fe.[35]

2

Un hombre iletrado,[1] un compañero de infancia y de juventud de los hechos que dejo referidos, me incluye en su manuscrito, hablando de los primeros años de Quiroga, estos datos curiosos: "—que no era ladrón[2] antes de figurar como hombre público, —que nunca robó, aún en sus mayores necesidades, — que no sólo gustaba de pelear, sino que pagaba por hacerlo y por insultar al más pintado,[3] —*que tenía mucha aversión a los hombres decentes,* —que no sabía tomar licor nunca,[4] —que de joven era muy reservado, y no sólo quería infundir miedo, sino aterrar,[5] para lo que hacía entender a hombres de su confianza, que tenía agoreros o era adivino,[6] —que con los que tenía relación, los trataba como esclavos, — que jamás se ha confesado, rezado ni oído misa, —que cuando estuvo de general, lo vio una vez en misa, —que él mismo le decía que no creía

32. scattered fragments of the saddle
33. unrolling their lassos and throwing them over the stubborn, infuriated jaguar, was the work of a second
34. stretched flat by two lassos, was unable to defend itself against the repeated knife-thrusts
35. in faith the name fitted him well

1. illiterate
2. thief
3. distinguished citizens
4. he never touched a drop of liquor
5. not only to make people afraid of him but to terrify them
6. that he had supernatural powers and could foretell the future

en nada." El candor con que estas palabras están escritas, revela su verdad.

Toda la vida pública de Quiroga me parece resumida en estos datos.[7] Veo en ellos el hombre grande, el hombre de genio, a su pesar, sin saberlo él, el César, el Tamerlán, el Mahoma.[8] Ha nacido así, y no es culpa suya; descenderá en las escalas sociales para mandar, para dominar, para combatir el poder de la ciudad, la partida de la Policía.[9] Si le ofrecen una plaza en los ejércitos, la desdeñará, porque no tiene paciencia para aguardar los ascensos;[10] porque hay mucha sujeción, muchas trabas puestas a la independencia individual,[11] hay generales que pesan sobre él, hay una casaca que oprime el cuerpo, y una táctica que regla los pasos;[12] ¡todo esto es insufrible! La vida de a caballo, la vida de peligros y emociones fuertes, han acerado[13] su espíritu y endurecido su corazón; tiene odio invencible, instintivo, contra las leyes que lo han perseguido, contra los jueces que lo han condenado, contra toda esa sociedad y esa organización a que se ha substraído desde la infancia y que lo mira con prevención y menosprecio.[14] Es el hombre de la Naturaleza que no ha aprendido aún a contener o a disfrazar sus pasiones, que las muestra en toda su energía, entregándose a toda su impetuosidad. Facundo es un tipo de la barbarie primitiva: no conoció sujeción de ningún género; su cólera era la de las fieras: la melena de sus renegridos y ensortijados cabellos caía sobre su frente y sus ojos, en guedejas como las serpientes de la cabeza de Medusa; su voz se enronquecía, y sus miradas se convertían en puñaladas.[15]

7. summed up in the above statements
8. a Caesar, a Tamerlane, a Mahommed
9. the judicial authority
10. to wait for promotions
11. because the army demands submission, and places fetters upon individual independence
12. a uniform to constrict his body and tactics that mapped out his course of action
13. have steeled
14. from which he withdrew while still a child, and which views him with suspicion and scorn
15. his jet black curly hair fell about his forehead and eyes, like the serpents from the head of Medusa; his voice was hoarse, and his glances turned to daggers

Dominado por la cólera, mataba a patadas, estrellándole los sesos a N, por una disputa de juego;[16] arrancaba ambas orejas a su querida[17] porque le pedía, una vez, treinta pesos para celebrar un matrimonio consentido por él; y abría a su hijo Juan la cabeza de un hachazo, porque no había forma de hacerlo callar;[18] daba de bofetadas,[19] en Tucumán, a una linda señorita a quien ni seducir ni forzar podía. En todos sus actos, mostrábase el hombre bestia aún, sin ser por eso estúpido y sin carecer de elevación de miras.[20] Incapaz de hacerse admirar o estimar, gustaba de ser temido; pero este gusto era exclusivo, dominante, hasta el punto de arreglar todas las acciones de su vida a producir el terror en torno suyo, sobre los pueblos como sobre los soldados, sobre la víctima que iba a ser ejecutada, como sobre su mujer y sus hijos. En la incapacidad de manejar los resortes del gobierno civil, ponía el terror como expediente para suplir el patriotismo y la abnegación;[21] ignorante, rodeábase de misterios y haciéndose impenetrable, valiéndose de una sagacidad natural,[22] y una capacidad de observación no común y de la credulidad del vulgo, fingía una presciencia de los acontecimientos,[23] que le daba prestigio y reputación entre las gentes vulgares.

Es inagotable[24] el repertorio de anécdotas de que está llena la memoria de los pueblos con respecto a Quiroga; sus dichos, sus expedientes, tienen un sello de originalidad que le daban ciertos visos orientales, cierta tintura de sabiduría salomónica en el concepto de la plebe.[25] ¿Qué di-

16. When enraged over a gambling dispute, he killed N. by kicking out his brains
17. mistress
18. he split his son Juan's head open with an ax because he could not make him stop talking
19. he slapped
20. not lacking in a certain elevation of views
21. Because of his incapacity to run an orderly civil government, he used terror as a substitute for patriotism and self-sacrifice
22. taking advantage of a native shrewdness
23. he feigned foreknowledge of events
24. inexhaustible
25. his sayings, his decisions have a stamp of originality which give them a certain Oriental quality, a tinge of Solomonic wisdom, in the minds of the common people

ferencia hay, en efecto, entre aquel famoso expediente de mandar partir en dos al niño disputado, a fin de descubrir la verdadera madre, y este otro para encontrar un ladrón?[26] Entre los individuos que formaban una compañía, habíase robado un objeto, y todas las diligencias practicadas para descubrir al ladrón habían sido infructuosas.[27] Quiroga forma la tropa, hace cortar tantas varitas de igual tamaño cuantos soldados había,[28] hace en seguida que se distribuyan a cada uno, y luego, con voz segura, dice: "Aquel cuya varita amanezca mañana más grande que las demás, ése es el ladrón."[29] Al día siguiente, fórmase de nuevo la tropa, y Quiroga procede a la verificación y comparación de las varitas. Un soldado hay, empero, cuya vara aparece más corta que las otras. "¡Miserable! —le grita Facundo, con voz aterrante—,[30] ¡tú eres...!" Y, en efecto, él era: su turbación lo dejaba conocer demasiado. El expediente es sencillo: el crédulo gaucho, temiendo que, efectivamente creciese su varita, le había cortado un pedazo. Pero se necesitaba cierta superioridad y cierto conocimiento de la naturaleza humana, para valerse de estos medios.

Habíanse robado algunas prendas de la montura de un soldado, y todas las pesquisas[31] habían sido inútiles para descubrir al ladrón. Facundo hace formar la tropa y que desfile por delante de él, que está con los brazos cruzados, la mirada fija, escudriñadora,[32] terrible. Empiezan a desfilar, desfilan muchos y Quiroga permanece inmóvil. De repente, se abalanza sobre uno, le agarra el brazo[33] y le dice, con voz breve y seca: "¿Dónde está la montura?" "—Allí, señor" —contesta, señalando un bosquecillo—.[34] "Cuatro tiradores"[35] —grita entonces Quiroga.

26. and this which follow, to identify a thief
27. every effort to discover the thief had been futile
28. had as many little rods [or wands] cut as there were soldiers
29. "The one whose rod tomorrow morning is longer than those of the others is the thief."
30. terrifying
31. investigation
32. scrutinizing, searching
33. Suddenly he leaped forward, grabbed one of the men by the arm
34. pointing to a little grove
35. "A firing squad of four!"

¿Qué revelación era ésta? La del terror y la del crimen, hecha ante un hombre sagaz. Estaba, otra vez, un gaucho respondiendo a los cargos que se le hacían por robo: Facundo le interrumpe, diciendo: "Ya este pícaro está mintiendo: ¡a ver..., cien azotes...!"[36] Cuando el reo[37] hubo salido, Quiroga dijo a alguno que se hallaba presente: "Vea, patrón; cuando un gaucho, al hablar, esté haciendo marcas con el pie, es señal que está mintiendo."[38] Con los azotes, el gaucho contó la historia como debía ser, esto es, que se había robado una yunta de bueyes.[39]

De estos hechos hay a centenares[40] en la vida de Facundo, y que, al paso que descubren un hombre superior, han servido eficazmente para labrarle una reputación misteriosa, entre hombres groseros, que llegaban a atribuirle poderes sobrenaturales.

36. "That scoundrel is lying — let me see, give him a hundred lashes!"
37. culprit
38. when a gaucho makes marks on the ground with his foot, it's a sure sign that he's lying
39. a yoke of oxen
40. hundreds

RECUERDOS DE PROVINCIA

Andando el tiempo, yo había logrado hacerme de la afección de una media docena de pilluelos,[1] que hacían mi guardia imperial y con cuyo auxilio repetí una vez la hazaña de Leónidas,[2] a punto de que el lector, al oírla, la equivocará con la del célebre espartano.[3] Este es un caso serio que requiere traer uno a uno los personajes que brillaron en aquel día memorable.

Había en casa de los Rojos un mulato regordete que tenía el sobrenombre de *Barrilito*,[4] muchacho inquieto y atrevido, capaz de una fechoría.[5] Otro del mismo pelaje,[6] de Cabrera, de once años, diminuto, taimado, y tan tenaz,[7] que cuando hombre, elevado a cabo[8] por su bravura, desertó de las filas de Facundo Quiroga con algunos otros, y en lugar de fugarse, tiroteó[9] al ejército en marcha hasta que se hizo coger y fusilar.[10] A éste llamábanle *Piojito*.[11] Descollaba el tercero bajo el sobrenombre de *Chuña*, ave desairada;[12] un peón chileno de veinte o más años, un poco imbécil, y por tanto muy bien hallado en la sociedad de los niños. Era el cuarto José I. Flores, mi vecino y compañero de infancia, a quien también distinguía el sobrenombre de *Velita*, que él ha logrado quitarse a fuerza de buen humor y jovialidad.[13]

1. urchins
2. Leonidas, heroic King of Sparta who with three hundred Spartans made their historic stand against the Persians (480 B.C.) at Thermopylae, the pass in Thessaly
3. Spartan
4. a fat mulatto boy nicknamed Tubby
5. mischief
6. of the same feather
7. small, sly and so strong-willed
8. corporal
9. fired
10. shot
11. Little Louse
12. towered above the others, Chuña-bird, an ungainly wading bird
13. Little Candle, of which he succeeded in ridding himself, by his sense of humor and jovial disposition

Era el quinto el *Guacho*[14] Riberos, excelente muchacho y mi condiscípulo; y agregóse más tarde Dolores Sánchez, hermano de aquel Eufemio, a quien por envolverse el capote en el brazo para defenderse de las piedras, llamábamos *Capotito*.[15] Este nuevo recluta se educó a mi lado, y probó muy luego ser digno de la noble compañía en que se había alistado.[16]

En el año, pues, del Señor no sé cuántos[17] (que los niños no saben nunca el año en que viven), hicimos tres o cuatro jornadas más o menos lucidas, con más o menos pedradas y palos dados y recibidos, terminando un domingo en deshacer un ejército y tomar prisioneros generales, tambores y chusma[18] que paseamos insolentemente por algunas calles de la ciudad. Esta humillación impuesta a los vencidos trajo su represalia,[19] y no más tarde que el miércoles o jueves de la semana siguiente, supimos que los barrios de la Colonia y de Valdivia, cuan grandes son, y poblados de cardúmenes de muchachos, se aprestaban a volvernos la mano[20] al domingo siguiente. Viernes y sábado me llovían los avisos cada vez más alarmantes de los progresos de la liga colono-valdiviana,[21] mientras que yo citaba a toda mi gente para hallarme en aptitud de recibirlos dignamente.[22] Sobrevino el domingo tan esperado por los unos, tan temido por los otros, y llegó la tarde y se avanzaba la hora y mis soldados no aparecían, tanto miedo les ponía la noticia de los preparativos y amenazas de nuestros enemigos.

---

14. Orphan
15. from his habit of wrapping his cape around his arm to protect himself against stones [thrown at him] we used to call him Little Cape
16. enlisted
17. In the year of our Lord, I don't know how many
18. we made three or four more or less brilliant sorties with many blows and stones exchanged, ending one Sunday by defeating an army and taking prisoner generals, drummers, and rabble
19. reprisal
20. large as they were and inhabited by swarms of boys, were preparing to lay their hands on us
21. Colono-Valdivian league
22. I ordered all my forces to put themselves in a proper posture for defense

En fin, convencidos de la imposibilidad de aceptar el combate, dirigímonos yo y aquellos seis de que he hecho mención, y que no habrían dejado de reunirse, aunque se hubiera desplomado el cielo,[23] hacia los puntos por donde era presumible viniese el ejército aliado. Así marchando a la ventura llegamos hasta la *Pirámide,* en donde oímos ya las aclamaciones y gritos de entusiasmo de los chiquillos y el sonido de los tambores de calabazas o de cuero[24] que los precedían. Momentos después apareció la columna y se derramó en el erial vecino.[25] ¡Dios mío! Eran quinientos diablejos[26] con veinte banderas, y picas y sables de palo que no reflejaban los rayos del sol.[27] Contamos más de treinta adultos mezclados entre la imberbe turba,[28] tanta era la novedad que causaba aquella inusitada[29] muchedumbre. Nosotros, instintivamente, retrocedimos, temerosos de ser sepultados por aquella avalancha de muchachos ávidos de hacer una diablura,[30] sobre todo en venganza de lo pasado en el domingo anterior.

Tomamos los siete por la calle de atravieso que conduce hacia el molino de Torres,[31] desconcertados, cabizbajos, y punto menos que huyendo.[32] Precede al puente del molino, hacia el norte, un terreno sólido, gredoso y unido,[33] mientras que en torno del puente había una enorme cantidad de guijarros[34] sacados del fondo de la acequia.[35] Una idea me vino que Napoleón me habría disputado como suya.[36] Ocurrióme que, parados los siete en el estrecho puente y con aquella bendición de piedras a la mano, podíamos

23. who would not have failed me had the sky fallen
24. sound of gourds or leather drums
25. deployed on a neighboring vacant lot
26. little devils
27. wooden pikes and swords that did not reflect the rays of the sun
28. beardless mob
29. motley
30. fearful of being buried under the avalanche of boys eager to do us mischief
31. the cross street that leads to the Torres mill
32. crestfallen, and almost ready to take to our heels
33. smooth, solid, chalky [strip of] ground
34. stones
35. ditch
36. would have claimed as his own

disputar el paso al ejército aliado de la Colonia y de Valdivia. Detengo a los míos, les explico el caso, los arengo,[37] y concluyo arrancándoles un *está bueno* firme y chisporroteando de entusiasmo.[38] Me prometen obediencia ciega, tomo yo con dos más, Riberos y *Barrilito,* el centro del puente, distribuyo dos de cada lado de la trinchera hecha por la acequia, y todos nos ocupamos diligentemente en acopiar piedras de manera de suplir el número por la vivacidad del fuego.[39] Habíamos apercibido en tanto, y el aire se estremecía con los gritos de aquella muchedumbre[40] que avanzaba rápidamente sobre nosotros. Mi plan era no disparar una piedra hasta tenerlos a tiro.[41] Acercóse la turba,[42] y de repente arrojamos tal granizada de piedras,[43] que los chiquillos de diez a doce años, a quiénes en el montón alcanzaron, dieron prueba sonora de que no se había malogrado del todo.[44] Huyó aquella chusma desordenada, querían lanzarse los míos a la persecución, pero el general lo había calculado todo y visto que la interposición del puente era el único medio posible de defensa.

Cuando digo que lo había calculado todo, olvidaba que lo mejor no se me había pasado por las mientes,[45] y era que las mismas piedras que habíamos tirado, podían devolvérnoslas a su turno, y que a su retaguardia tenía la inmensa columna la calle de San Agustín, rica en guijarros a despear los caballos[46] que la transitan. Vueltos en efecto de su espanto los agresores, y mandando muchachos por centenares a traer piedras a ponchadas, se trabó el más rudo cambate[47]

---

37. harangued them
38. enthusiastic
39. to gather stones so as to make up for our numbers by the rapidity of our fire
40. Meanwhile the crowd of boys had sighted us, and the air shook with their shouts
41. not to throw a stone until we had them within range
42. mob
43. a hail of stones
44. that the urchins in the crowd who had been hit gave loud proof that our fire had been effective
45. had not occurred to me
46. full of stones of the size that bruise horses' hoofs
47. to carry stones in their ponchos, the bitterest fight ensued

de que hayan hecho jamás mención las crónicas de los pilluelos vagabundos.

Acercóse a la trinchera que yo defendía un muchacho, Pedro Frías, y me propuso, a fuer de parlamentario, que peleásemos a sable.[48] ¡Nosotros siete contra quinientos! Después de bien reflexionada la propuesta, la deseché terminantemente,[49] y un minuto después el aire se veía cubierto de piedras que iban y venían, a tal punto que aun había riesgo de tragarlas.[50] Al *Piojito* le rompieron la cabeza, y destilando sangre y mocos de llorar, y echando sendas puteadas, disparaba a centenares como una catapulta antigua;[51] el *Chuña* había caído desmayado ya dentro de la acequia a riesgo de ahogarse; estábamos todos contusos,[52] y la refriega seguía con encarnizamiento creciente;[53] la distancia era ya de cuatro varas y el puente no cedía al paso,[54] hasta que el negro Tomás, de Don Dionisio Navarro, que estaba en primera línea, gritó a los suyos: "¡No tiren, vean al general que no puede mover los brazos!".

Cesó con esto el combate y se acercaron los más inmediatos hacia mí, silenciosos y más contentos de mi que de su triunfo.[55] Era el caso que a más de las pedradas sin cuento que yo tenía recibidas en el cuerpo, habíanme tocado tantas en los brazos, que no podía moverlos, y las piedras que aún lanzaba por puro patriotismo, iban a caer sin fuerza a pocos pasos. De mis valientes habían flaqueado y huído, dos,[56] que no nombro para no comprometer su reputación, que no ha de exigirse a todos igual constancia. Estaban aún a mi lado Riberos, chillaba y puteaba todavía al *Piojito,* y sacamos al *Chuña* de la acequia, a fin de cuidar de nuestros

48. proposed, in a parley, that we fight with swords
49. Having duly considered the proposal, I definitely rejected it
50. that one ran the risk of swallowing them
51. dripping blood and snot [from so much crying] and hurling obscenities, he flung stones by the hundred like an ancient catapult
52. wounded
53. the fray continued with increasing fury
54. did not yield a step
55. the nearest boys quickly pressed silently around me, more pleased with me than with their own triumph
56. of my brave soldiers, two had weakened and fled

heridos. Quisieron algunos desalmados[57] compelerme a seguir en clase de prisionero; opúseme yo con el resto de energía que me quedaba, teniendo mis dos brazos caídos y empalados;[58] intervinieron en mi favor los hombres que venían en la comitiva, dando su debido mérito y todo el honor de la jornada a los vencidos, y retiréme bamboleándome de extenuación a casa,[59] donde con el mayor sigilo me administré durante una semana frecuentes paños de salmuera para hacer desaparecer aquellas negras acardenaladuras que me habrían hecho aparecer, si me hubiesen desnudado, a guisa de potro overo, tan frecuentes y repetidas eran.[60] ¡Oh, vosotros, compañeros de gloria en aquél día memorable! ¡Oh, vos, *Piojito,* si vivierais! *Barrilito, Velita, Chuña, Guacho* y *Capotito,* os saludo aun desde el destierro en el momento de hacer justicia al ínclito valor de que hicisteis prueba! Es lástima que no se os levante un monumento en el puente aquel para perpetuar vuestra memoria. No hizo más Leónidas con sus trescientos espartanos en la famosa Termópilas.[61]

57. heartless
58. my arms having fallen useless
59. I retired, staggering home exhausted
60. I secretly wrung out cloths in brine and laid them on my black bruises which were so numerous that without my clothes on I looked like a piebald colt
61. Leonidas with his three hundred Spartans did no more at renowned Thermopylae.

GERTRUDIS GOMEZ DE AVELLANEDA

b. Santa María de Puerto Príncipe, Cuba, March 23, 1814

d. Seville, Spain, February 2, 1873

Although born in Cuba, La Avellaneda spent most of her life in Spain and became an integral part of the nineteenth century Spanish literary climate. Yet she never forgot her native island, which, as in the case of Heredia, looms in her poetical horizon as something warm and resplendent. And, again like Heredia, her temperament and life experiences caused her to transcend her cold, pedantic neo-classical masters or friends: Meléndez Valdés, Arriaza, Quintana, Lista, and Gallego. Congenitally romantic, La Avellaneda was passionately involved with men — not just husbands but also lovers — so that painlessly, almost unconsciously, without the benefit of Romantic models, she veered from neo-classicism into the Romantic zone. Later on, her acquaintance with Espronceda, Victor Hugo, and Zorrilla came to strengthen her "natural" inclinations. Chronologically, La Avellaneda was the first of that stream of impassioned Spanish American women poets which reaches down to our day and which includes many gifted lyricists: Delmira Agustini, Gabriela Mistral, Alfonsina Storni, Juana de Ibarbourou, Guadalupe Amor, Sara Ibañez, Maruja Vieira, Dora Isella Russell, María Elena Walsh, and so many others.

La Avellaneda began her poetical career as a child. By the time of her departure from Cuba (1836), at the age of twenty-two, she had composed a sonnet, "Al Partir," which shows her to be a master of her craft. As her subject matter expanded — for she scattered her inspiration in albums and occasional pieces for birthdays, parties and all types of celebrations — her intimacy and more recondite idiosyncracies vanished. Instead of nuances and lyrical innuendos, she succumbed to declamatory banalities and verbal fireworks which inevitably led her to sonorous but hollow poetry not unlike that of her pedantic, second-rate Spanish contemporaries.

Her not infrequent, notorious love-affairs scandalized the rather orthodox rigid Spanish society of her day; indeed they, and the fact she was a woman, precluded her admission to the Royal Academy. Her feelings of guilt would sometimes draw her to religion, from which she sought peace of mind and consolation. She even considered becoming a nun and entered a convent for a while, but instead of becoming Sor Gertrudis, she continued to be La Avellaneda, somewhat sublimated, with a mystical twist.

As for her work in prose, La Avellaneda wrote numerous historical novels of slight merit. One of them, *Sab* (1841), is remembered only because of its sociological implications: it propounded the abolition of slavery and critics have referred to it as the Spanish American *Uncle Tom's Cabin.*

As a playwright she was prolific and several of her classic and/or romantic tragedies: *Munio Alfonso* (1844), *El Príncipe de Viena* (1844), *Egilona* (1845), *Saúl* (1846), and especially the biblical drama *Baltasar* (1858), were very successful perhaps because they catered so adroitly to the public taste of her period. None of them would appeal to theatregoers today.

EDITION: *Obras de la Avellaneda,* 6 vols., Havana, Aurelio Miranda, 1914 (Edición Nacional del Centenario); *Sus mejores poesías,* Barcelona, Editorial Bruguera, 1953 (Colección Laurel).

ABOUT GOMEZ DE AVELLANEDA: V. Aramburo y Machado: *La Avellaneda. Su personalidad literaria,* Madrid, 1898; Emilio Blanchet: "Gertrudis Gómez de Avellaneda como poetisa lírica y dramática," *Universidad de La Habana,* XVIII (1914), 129-179; José María Chacón y Calvo: *Ensayos críticos de literatura,* Madrid, 1922; Emilio Cotarelo y Mori: *La Avellaneda y sus obras,* Madrid, Tipografía de Archivos, 1930; Lorenzo Cruz de Fuentes: *La Avellaneda,* Huelva, 1907; Domingo Figarola Caneda: *Gertrudis Gómez de Avellaneda. Biografía, bibliografía e iconografía,* Madrid, 1929; Mercedes Gailbrors de Ballesteros: *Vida de la Avellaneda,* Madrid, 1949; Edith L. Kelly: "Bibliografía de la Avellaneda," *Revista Bimestre Cubana,* (Havana), XXXV (1935) 107-139, 261-295; Alberto López Argüello: "La Avellaneda y sus versos," *Boletín de la Biblioteca Menéndez y Pelayo* (Santander), VIII (1926), 210-226, 298-315; IX (1927), 15-24, 123-136; Rafael Marquina: *Gertrudis Gómez de Avellaneda, la peregrina,* Havana, Ed. Trópico, 1939; Edwin B. Williams: *The Life and Dramatic Works of Gertrudis Gómez de Avellaneda,* Philadelphia, University of Pennsylvania Press, 1924.

AL PARTIR[1]

¡Perla del mar! ¡Estrella de Occidente!
¡Hermosa Cuba! Tu brillante cielo
la noche cubre con su opaco velo
como cubre el dolor mi triste frente.

¡Voy a partir!... La chusma diligente
para arrancarme del nativo suelo
las velas iza,[2] y pronta a su desvelo
la brisa acude de tu zona ardiente.[3]
¡Adios, patria feliz, edén querido![4]

¡Doquier que el hado en su furor me impela,
tu dulce nombre halagará mi oído![5]
¡Adiós!...¡Ya cruje la turgente vela...
el ancla se alza.. el buque, estremecido,
las olas corta y silencioso vuela![6]

1. As the schooner sailed from Santiago de Cuba bound for Spain, Gertrudis, age 22, wrote the sonnet "Al partir" (On Leaving [Cuba])
2. tearing me away from my native land, the bustling crew hoist sail
3. eagerly, as if to assist [the crew] in their work, the breeze blows from your warm clime
4. Eden dear!
5. wherever [doquiera=dondequiera] fate in its wrath may cast me, your sweet name will [always] delight my ear
6. already the turgid sail flaps [in the wind]... the anchor lifts... shuddering the ship cleaves the waves and silently sails [flies]

A EL[1]

No existe lazo ya; todo está roto;
plúgole al cielo así; ¡bendito sea!
Amargo cáliz con placer agoto;[2]
mi alma reposa al fin: nada desea.

Te amé, no te amo ya, piénsolo al menos;
¡nunca, si fuere error, la verdad mire!
Que tantos años de amarguras llenos
trague el olvido: el corazón respire.[4]

Lo has destrozado sin piedad; mi orgullo
una vez y otra vez pisaste insano...
Mas nunca el labio exhalará un murmullo
para acusar tu proceder tirano...[5]

De graves faltas vengador terrible,
dócil llenaste tu misión; ¿lo ignoras?
No era tuyo el poder que irresistible
postró ante ti mis fuerzas vencedoras.[6]

1. i.e. to Ignacio de Cepeda y Alcalde, whom Gertrudis met in Seville (1839) and who, personified for her the Prince of fairy tales. She felt madly in love with him but Cepeda was throughout circumspect and wary. After an intense sexual interlude (1839-April 1840), which flared up again (1847), the final rupture took place in 1847, although they exchanged letters until 1854, when Cepeda married María de Córdova y Govantes.
2. No bond exists now [between us] for all [that held us together] is broken; it pleased heaven thus — so let it be! I drain with pleasure this bitter chalice
3. at heart so do I think: never if I erred, the truth be said
4. Let forgetfulness swallow the many years fraught with bitterness: let the heart breathe freely!
5. Pitilessly you have destroyed my heart: my pride you have insanely trampled under foot again and again... But never will my lips exhale a murmur to reproach your tyrannical conduct...
6. Frightful avenger of grievous faults, docilely you have fulfilled your mission: are you not aware of this? Not yours was the irresistible power which surrendered my conquering forces to you

Quísolo Dios y fué; ¡gloria a su nombre!
Todo se terminó; recobro aliento.[7]
¡Angel de las venganzas! ya eres hombre...
Ni amor ni miedo al contemplarte siento.

Cayó tu cetro, se embotó tu espada...[8]
mas ¡ay! ¡cuán triste libertad respiro!
Hice un mundo de ti, que hoy se anonada
y en honda y vasta soledad me miro.[9]

¡Viva dichoso tú! Si en algún día
ves este adiós que te dirijo eterno,
sabe que aún tienes en el alma mía
generoso perdón, cariño tierno.[10]

7. God wished it and so it was: praised be his name! All is over: I
   regain my breath!
8. Your sceptre has fallen, your sword is blunted
9. Of you I made a world which today ceases to exist and [now] I see
   myself in deep vast loneliness
10. Live on in happiness! If some day you see this eternal farewell, know
    that you still have in my soul generous forgiveness [and] tender love

IMITANDO UNA ODA DE SAFO[1]

¡Feliz quien junto a ti por ti suspira,[2]
quien oye el eco de tu voz sonora,
quien el halago de tu risa adora,
y el blando aroma de tu aliento aspira![3]

Ventura tanta, que envidioso admira
el querubín que en el empíreo mora,
el alma turba, al corazón devora,
y el torpe acento, al expresarla, expira.[4]

Ante mis ojos desparece[5] el mundo,
y por mis venas circular ligero
el fuego siento del amor profundo.[6]

Trémula, en vano resistirte quiero...
De ardiente llanto mi mejilla inundo...
¡delirio, gozo, te bendigo y muero![7]

1. Imitating an Ode of Sappho [the Greek poetess, fl. 600 B.C.]
2. sighs
3. who adores the cajolery of your laughter and inhales the sweet aroma from your breath
4. So much bliss that the cherub who dwells in the empyrean [Cupid] enviously admires it — [so much bliss that] it upsets the soul, devours the heart, and the awkward words fail to express it [lit. expire upon trying to express it]
5. desparece = desaparece
6. I feel the fire of deep love swiftly circulating in my veins
7. Trembling, I want to reject you — to no avail! hot tears flow down [lit. inundate] my cheeks.. .I am delirious, I rejoice, I bless you and perish!

LA PESCA EN EL MAR[1]

¡Mirad! ya la tarde fenece,[2]
   La noche en el cielo
   Desplega[3] su velo
   Propicio el amor.

La playa desierta parece;
   Las olas serenas
   Salpican[4] apenas
   Su dique de arenas,[5]
   Con blando rumor.

Del líquido seno la luna
   Su pálida frente,
   Allá en occidente[6]
   Comienza a elevar.

No hay nube que vele importuna[7]
   Sus tibios reflejos,
   Que miro de lejos
   Mecerse en espejos
   Del trémulo mar.[8]

¡Corramos!... ¿quién llega primero?
   Ya miro la lancha...
   Mi pecho se ensancha[9]
   Se alegra mi faz.[10]

1. Fishing at Sea
2. expires
3. spreads out
4. splash
5. sand dike
6 west
7. that they may importunately conceal
8. rocking on the mirrors of the tremulous sea
9. boat
10. expands

¡Ya escucho la voz del nauclero[11]
Que el lino desplega
Y al soplo lo entrega
Del aura que juega
Girando fugaz![12]

¡Partamos...! la plácida hora
Llegó de la pesca,
Y al alma refresca
La bruma[13] del mar.

¡Partamos...! que arrecia sonora
La voz indecisa
Del agua,[14] y la brisa
Comienza de prisa
La flámula a hinchar![15]

¡Pronto, remero,
¡Bate la espuma!
¡Rompe la bruma!
¡Parte veloz![16]
¡Vuele la barca!
¡Dobla la fuerza![17]
¡Canta, y esfuerza
Brazos y voz!

Un himno alcemos
Jamás oido,
Del remo al ruedo
Del viento al son,

11. skipper
12. who hoists the sails and delivers them to the breeze blowing playfully in fast gyrations
13. mist
14. the voice of the water sounds louder
15. rapidly the wind begins to swell the streamers
16. Quick, oarsman, beat the foam, cut through the fog, get going
swiftly!
17. Redouble your strength [at the oars]

Y vuele en alas
Del libre ambiente
La voz ardiente
Del corazón.

Yo a un marino le debo la vida
Y por patria le debo al azar
Una perla en un golfo nacida[18]
    Al bramar
    Sin cesar
    De la mar.

Me enajena al lucir de la luna
Con mi bien estas olas surcar,[19]
Y no encuentro delicia ninguna
    Como amar
    Y cantar
    En el mar.

Los suspiros de amor anhelantes[20]
¿Quién ¡oh amigos! querrá sofocar,[21]
Si es tan grato a los pechos amantes
    A la par
    Suspirar
    En el mar?

¿No sentis que se encumbra la mente
Esa bóveda inmensa al mirar?[22]
Hay un goce profundo y ardiente
    En pensar
    Y admirar
    En el mar.

18. i.e. her Spanish father was "un marino", or rather sea-captain. Her mother was Cuban and Gertrudis was born "por azar" in Cuba, the "Pearl of the Antilles," — in a gulf: Santa María de Puerto Príncipe.
19. I am thrilled as I cut through these waves in the moonlight and in the company of my beloved
20. sighs yearning for love
21. to stifle
22. the spirit exalted on beholding that immense dome [the sky]

¡Presto todos...! ¡Las redes se tiendan!
¡Muy pesadas las hemos de alzar![23]
¡Presto todos! ¡Los cantos suspendan,
    Y callar
    Y pescar
    En el mar!

Ni un recuerdo del mundo aquí llegue
Nuestra paz deliciosa a turbar;
Libre el alma al deleite se entregue
    De olvidar
    Y gozar
    En el mar.

23. Ready, everybody! Cast the nets! We must hoist them very heavy
[i.e. with a big haul]

PLEGARIA[1]

Sálvame ¡oh Dios! porque me agito en vano
Buscando la virtud sobre la tierra...[2]
 ¡Todo el linaje humano
Huye del bien y la verdad destierra![3]

Dijo: *¡No hay Dios!* en su locura impía;
Y la rienda soltando a sus pasiones,
 Con el error por guia,
Profanó todos sus sublimes dones.[4]

¡No hay un hombre de bien!... ni uno siquiera
¡Libre de fraude, exento de malicia!...
 Y es la virtud quimera,
Y palabra irrisoria la justicia.[5]

Llevan de tumba olores pestilentes
Todos en sus infectos corazones;
 La impudencia en sus frentes,
Y en sus labios veneno de escorpiones.[6]

Unos en oprimir fundan su gloria,
Otros en engañar cifran su ciencia,[7]
 Y nadie hace memoria
De que vuela cual humo la existencia.

Cual pedazo de pan al pueblo triste.
Devoran sin cesar los poderosos,
 Y nadie al pobre asiste
Ni presta al flaco auxilios generosos.[8]

1. Prayer
2. Help me out, Oh God, [for I am tired of] seeking in vain virtue on earth
3. the entire human race shuns the good and banish truth
4. in their irreligious madness, giving free rein to their [base] passions, with error as a guide, they profaned all of His sublime gifts
5. virtue is a chimera; justice, a mockery
6. every one bears in his infected heart the pestilent stench of the grave; impudence on his forehead; and scorpion poison on his lips
7. To some oppression constitutes their glory, while others devote their knowledge to cheat
8. nor lend a generous helping hand to the weak

Por eso tiemblan con pavura interna
En medio de su fausto y poderío;
   Pues tu justicia eterna
Quiere en balde negar su desvarío.[9]

Mas no invocan, Señor, tu nombre santo;
Ni comprenden jamás, que les advierte
   De su alma el hondo espanto[10]
Que es la vida fugaz, cierta la muerte.

Siguen su ruta sin mirar en torno
Y aunque muy alto tu bondad los llame,
   Ostentan cual adorno
De su impiedad la desvergüenza infame.[11]

¡Sálvame, oh Dios! ya ves que me rodea
Por todas partes corrompido ambiente,
   Y el ánimo flaquea
Y conturbado el corazón se siente.[12]

¡Sálvame, oh Dios! pues que me agito en vano
Buscando la virtud sobre la tierra! . . .
   ¡Todo el linaje humano
Huye del bien y la verdad destierra!

---

9. on that account they tremble with inward terror in the midst of their pomp and power for Your eternal justice tries in vain to stop their folly
10. they do not invoke Your holy name, Oh Lord, nor understand that a deep consternation in their soul warns them that
11. they display, as if it were an ornament, the infamous shamelessness of their impiety
12. every where a corrupted atmosphere surrounds me and the soul flags, and the heart feels disquieted

A LA MUERTE DEL CELEBRE POETA CUBANO
DON JOSE MARIA DE HEREDIA[1]

Le poète est semblable aux oiseaux de passage,
Qui ne batissent point leurs nids sur le rivage.[2]
Lamartine

Voz pavorosa en funeral lamento
desde los mares de mi patria vuela
a las playas de Iberia; tristemente
en son confuso la dilata el viento;
el dulce canto en mi garganta hiela,
y sombras de dolor viste a mi mente.[3]
  ¡Ay! que esa voz doliente,
con que su pena América denota
y en estas playas lanza el Océano,
"Murió," pronuncia, "el férvido patriota..."
"Murió," repite, "el trovador cubano;"
y un eco triste en lontananza gime,
"Murió el cantor del Niágara sublime."[4]

  ¿Y es verdad? ¿Y es verdad?... ¿La muerte impía
apagar pudo con su soplo helado
el generoso corazón del vate,
do tanto fuego de entusiasmo ardía?[5]

1. The Cuban poet José María Heredia died in México May 7, 1839,
   at the age of thirty-six
2. The poet resembless those birds of passage that do not build their
   nests upon the shore. Gertrudis quotes one of her favorite poets,
   the French Romantic Alphonse Lamartine (1790-1869): "Le poete
   mourant" from **Nouvelles Méditations** (1823).
3. A terrifying voice [uttering] funereal lamentation flies from the seas
   of my native land [Cuba] to Spanish shores [Gertrudis was living
   in Andalusia, Spain, in 1840 when her poem was written]
4. and a sorrowful echo moans in the distance: "The sublime singer
   of Niagara Falls is dead!" Gertrudis refers to one of Heredia's best
   poems, **Al Niágara**, included in Vol I of this anthology
5. Did cruel death succeed in extinguishing with its cold breath the
   poet's generous heart, wherein [**do**=**donde**] so much fervid fire
   used to blaze?

¿No ya en amor se enciende, ni agitado
de la santa virtud al nombre late?...[6]
Bien cual cede al embate
del aquilón sañoso el roble erguido,
así en la fuerza de su edad lozana
fué por el fallo del destino herido...[7]
Astro eclipsado en su primer mañana,
sepúltanle las sombras de la muerte,
y en luto Cuba su placer convierte.[8]

¡Patria! ¡numen feliz![9] ¡nombre divino!
¡ídolo puro de las nobles almas!
¡objeto dulce de su eterno anhelo!
ya enmudeció su cisne peregrino...[10]
¿Quién cantará tus brisas y tus palmas,
tu sól de fuego, tu brillante cielo?
Ostenta, sí, tu duelo;
que en ti rodó su venturosa cuna,
por ti clamaba en el destierro impío,[11]
y hoy condena la pérfida fortuna
a suelo extraño su cadáver frío,[12]
do tus arroyos ¡ay! con su murmullo
no darán a su sueño blando arrullo.[13]

¡Silencio! De sus hados la fiereza
no recordemos en la tumba helada[14]
que lo defiende de la injusta suerte.

6. Does it not ignite with love, nor does it throb at the mentioning of
holy virtue?
7. Just as the lofty oak surrenders at the assault of the violent north-
wind, so it was Fate's verdict to slay him at the prime of his youth
8. Star eclipsed at its first morning, death's shadows bury it, and Cuba
has turn her pleasures into mourning
9. joyous divinity
10. Cuba's felicitous swan is now forever silent
11. Show, indeed, your bereavement, because his lucky cradle rocked
upon you, because from cruel exile he cried out for you [Heredia
lived a great part of his life away from Cuba, mostly in Mexico and
the United States, and frequently recalled Cuba in his lyrics: "Himno
del desterrado," etc.]
12. today misfortune [lit. a treacherous fortune] condemns his cold corpse
to [be buried in] a foreign soil
13. [brooks] will not put him to sleep with gentle lullabies
14. recall not the cruelness of his fate at his cold tomb

Ya reclinó su lánguida cabeza
—de genio y desventuras abrumada—[15]
en el inmóvil seno de la muerte.
   ¿Qué importa al polvo inerte,
que torna a su elemento primitivo,
ser en este lugar o en otro hollado?[16]
¿Yace con él el pensamiento altivo?...[17]
Que el vulgo de los hombres, asombrado,
tiemble al alzar la eternidad su velo;
mas la patria del genio está en el cielo.[18]

   Allí jamás las tempestades braman,[19]
ni roba al sol su luz la noche oscura,
ni se conoce de la tierra el lloro...
Allí el amor y la virtud proclaman
espíritus vestidos de luz pura,
que cantan el Hosanna en arpas de oro.
   Allí el raudal[20] sonoro
sin cesar corre de aguas misteriosas,
para apagar la sed que enciende al alma;[21]
—sed que en sus fuentes pobres, cenagosas,[22]
nunca este mundo satisface o calma.
Allí jamás la gloria se mancilla, [23]
y eterno el sol de la justicia brilla.

   ¿Y qué, al dejar la vida, deja el hombre?
El amor inconstante; la esperanza,
engañosa visión que lo extravía;[24]
tal vez los vanos ecos de un renombre
que con desvelos[25] y dolor alcanza;

15. overwhelmed
16. to be tread upon here or elsewhere?
17. Have his lofty thoughts been buried with him?
18. Let the common mob, astonished, tremble as Eternity lifts up the veil, but the Fatherland of a genius is in Heaven
19. roar
20. torrent
21. to quench the thirst that the soul instigated
22. muddy
23. becomes sullied
24. Hope, deceptive phantom that leads him astray
25. anxieties

el mentido poder, la amistad fría;
    y el venidero día,
—cual el que expira breve y pasajero—
al abismo corriendo del olvido...
y el placer, cual relámpago ligero,
de tempestades y pavor[26] seguido...
y mil proyectos que medita a solas,
fundados ¡ay! sobre agitadas olas.

De verte ufano, en el umbral del mundo
el ángel de la hermosa Poesía
te alzó en sus brazos y encendió tu mente,
y ora lanzas, Heredia, el barro inmundo
que tu sublime espíritu oprimía,
y en alas vuelas de tu genio ardiente.[27]
No más, no más lamente
destino tal nuestra ternura ciega,
ni la importuna queja al cielo suba...
¡Murió!... A la tierra su despojo[28] entrega,
su espíritu al Señor, su gloria a Cuba,
¡que el genio, como el sol, llega a su ocaso,
dejando un rastro fúlgido su paso![29]

---

26. terror
27. Upon seeing you so proud, at the world's threshold, the angel of
beautiful Poetry lifted you up and kindled your mind, and now,
Heredia, casting off the vile clay which was imprisoning your
sublime soul, you fly up on the wings of your impassioned genius
28. mortal remains
29. for genius, like the sun, sets, leaving behind a resplendent trail

JOSE MARMOL

b. Buenos Aires, December 2, 1817
d. Buenos Aires, August 9, 1871

On April 1, 1839, before completing his law studies at the Facultad de Buenos Aires, Mármol was imprisoned for distributing Montevideo newspapers critical of the Rosas dictatorship; it was on a wall of his cell that he wrote his first poem:

> Muestra a mis ojos espantosa muerte,
> Mis miembros todos en cadenas pon.
> Bárbaro, nunca matarás el alma
> Ni pondrás grillos a mi mente, ¡no!

Upon winning his freedom he fled to Montevideo where he wrote and produced his unsuccessful plays *El Poeta* and *El Cruzado*. In 1843, when Rosas' forces marched into Montevideo, Mármol escaped to Río de Janeiro and soon thereafter sailed for Valparaiso, Chile; however, bad weather prevented his boat from crossing Cape Horn and he had to return to Brazil. During the voyage (February-May 1844), so typically Romantic, with its magnificent seascapes, storms and hovering death, Mármol wrote some of his *Cantos del peregrino,* a long Byronic poem. Back in Montevideo in 1846, he contributed to several periodicals, including his poems *Armonías* and Part I of a novel, *Amalia,* exposing the horrors of the Rosas regime.

At the end of Rosas' tyranny Mármol returned to Buenos Aires; involved in the political quarrels and confusion of the times, he was forced to leave and travel about: Valparaiso, Lima, Montevideo. Finally in 1854 he settled down in Buenos Aires where he occupied a seat in the Senate of the Province of Buenos Aires, and began publication of his collected works, for by the age of thirty-five he had brought his literary career to an end. From 1858 until his death he was Director of the Public Library.

Mármol's reputation rests primarily on the novel *Amalia* (1851) and *Cantos del peregrino,* parts of which stand out among the best romantic poetry in the Spanish language.

EDITIONS: *Poesías completas,* edited by Rafael Alberto Arrieta, Buenos Aires, Academia Argentina de Letras, 1946-1947, 2 vols.; *Cantos del peregrino,* edited by Elvira Burlando de Meyer, Buenos Aires, Editorial Universitaria, 1965; *Amalia,* edited by Adolfo Mitre, Buenos Aires, Estrada, 1944, 2 vols.

ABOUT MARMOL: Elvira Burlando de Meyer: "Prólogo" to her edition of *Cantos del Peregrino,* Buenos Aires, Editorial Universitaria, 1965, pp. 11-33; Stuart Cuthbertson: *The Poetry of José Mármol,* Boulder, Colorado, *University of Colorado Studies,* XXII (1935), Nos. 2-3; Arturo Giménez Pastor: *Historia de la literatura argentina,* Buenos Aires, 1945, Vol. I, pp. 188-199 and 228-232; Juan María Gutiérrez: Introduction to *Cantos del peregrino,* Buenos Aires, La Cultura Argentina, 1917, pp. 7-15; Calixto Oyuela: "Estudio preliminar" to Mármol's *Poesías escogidas,* Buenos Aires, 1922; Jorge Max Rohde: *Las ideas estéticas en la literatura argentina,* Buenos Aires, 1921, Vol. I, pp. 130-158, Buenos Aires, 1924, Vol. III, pp. 85-112; Ricardo Rojas: *Historia de la literatura argentina,* Buenos Aires, Kraft, 1920, Vol. III, pp. 385-428; Ricardo Rojas: "El poeta José Mármol," in *Los proscriptos,* Buenos Aires, Kraft, 1920. Vol. II, Chapter 15, pp. 693-765.

CANTOS DEL PEREGRINO

A MI PATRIA

Hijo de la desgracia el peregrino
ha confiado a los mares su destino,
y al compás de las ondas y los vientos[2]
el eco de sus tristes pensamientos
vibrará por el mar. El su grandeza
cantará entusiasmado: la belleza
de la espléndida bóveda estrellada,[3]
con el alma ante Dios arrodillada;
y cantará también sobre los mares
la libertad, su amor, y sus pesares.

Sigámosle en el mar, doquier[4] existe,
como las sombras de la tarde, triste,
y una secreta dulce simpatía
nos roba su letal melancolía:[5]
¡El!, el proscripto trovador del Plata[6]
que, conducido por la suerte ingrata,
cinco años ha que su enlutada lira
bajo extranjero sol triste suspira![7]

Con él la dulce inspiración del canto
nació para cantar el dogma santo[8]

1. **Cantos del peregrino** was conceived after **Childe Harold,** one of Marmol's favorite works. Like Byron's poem it is somewhat autobiographical, but it lacks its comic spirit and sophisticated satire, instead it voices, often repetitiously and boisterously, Mármol's deep patriotic fervor and political venom.
2. attuned to waves and wind
3. of the splendid starred dome
4. **dondequiera**
5. robs us of his lethal melancholy
6. the proscript troubadour from the Platte (i.e. the exiled poet from the River Platte area)
7. for five years his lyre, in mourning, has sadly sighed under a foreign sun
8. the blessed dogma (i.e. the democratic ideal — the war of independence had inspired the young people with democratic ways of thought and action but, alas, soon after independence from Spain was won, a local caudillo took power: the tyrant Juan Manuel Rosas, and ruled as dictator from 1835 to 1852.

que inauguró a la luz de la victoria
ese pueblo que en brazos de la gloria
reventara de un mundo las cadenas[9]
con prender el cañón de su almenas,
pero helóse la voz en su garganta[10]
cuando, al mover la adolescente planta,
en vez de abierta y espaciosa vía[11]
al genio, a la virtud y nombradía[12]
tropezó de un patíbulo en las gradas
con la sangre de Mayo salpicada.[13]

Ya el eco del cañón no se dilata
en las riberas del altivo Plata,
cuando dora su linfa el sol de mayo[14]
con su primero suspirado rayo;
ya no escuchan sus santas catedrales
los religiosos himnos de alabanza
al Dios que iluminaba la esperanza
en medio de la larga incierta lucha.
Ya en las calles y plazas no se escuc!
del pueblo rey la estrepitosa grita,[15]
cuando a los rayos de su luz bendit
festejaba aquel sol que hirió su frente
con raudales de gloria refulgente:[16]
ya no oprimen las madres en su seno
su tierno fruto de esperanzas lleno,[17]

---

9. broke lose from its world of chains
10. by shooting off the cannon from its merlons, but its voice froze in its throat
11. instead of walking free along a wide, open road
12. fame
13. stumbled on the scaffold's steps bespattered with May blood (i.e. with the blood from the young men belonging to the liberal Association of May who were sent to the scaffold by Rosas and his henchmen)
14. does not re-echo any longer on the banks of the proud River Platte when the May sun gilds its waters
15. the deafening shouting of the ruling common people
16. with torrents of refulgent glory
17. no longer do mothers hug to their breasts their tender fruit (i.e. their children) so full of hope (i.e. so promising)

ni a par del blanco maternal arrullo
lloran sobre su sien llanto de orgullo.[18]

Ya el Plata no se empina del profundo
a ver la Roma del naciente mundo,
y a sus olas indómitas desciende,
y en las arenas sin valor las tiende,[19]
ya en las grietas del Andes no se interna
derrumbada la nieve sempiterna,
porque no hay otra vez quién de la cima
la arroje y ledo la montaña oprima.[20]
Ya para el cóndor en la sien su vuelo,
y ese invasor intrépido del cielo
ya no vuela a esconderse entre la nube,
labrando las pedrosas cordilleras
un mundo de guerreros y banderas.

¡Patria! ¡Patria del alma! Con tu espada,
el atlas de la América admirada
trazaste en la pelea.[21] Repartiste
los montes y los ríos; y volviste
a reposar la sien en sus laureles.[22]

18. nor as they lull them to sleep do they shed over their heads (lit. temples) tears of pride
19. no longer does the Platte River stand on tip-toe from the depths to behold the Rome of the New World [Buenos Aires], [on the contrary] now it causes its indomitable waves to descend, listlessly spreading them upon the sand
20. no longer does the fallen, sempiternal snow sip into the crevices of the Andes for there is no one now to throw it from the summit and merrily conquer the mountain [This involved image refers to General San Martín's crossing of the Andes during the War of Independence. Under his command, the Argentine troops, mostly gauchos trained by him, left Mendoza (Argentina) January 20, 1817 [which is summer in Argentina], and climbing the ranges of Uspallata, Aconcagua and Planchón, reached the Aconcagua valley (Chile) February 11. The battle of Chacabuco which took place on the following day, was brilliantly won by San Martín. After many ups and downs, Chile was finally liberated by San Martín and his Argentine soldiers.]
21. with your sword, in combat, you drew up the map of our admired America [because after Chile's liberation San Martín and his men moved on to liberate Perú, etc.]
22. you distributed mountains and rivers [between the various nations, in the struggle for liberation] and returned home to rest, a crown of laurel on your forehead

¡Grande fué tu misión! Grandes y fieles,
la llenasteis vosotros, los que hermosa
visteis la luz de una época dichosa:
Ya la época pasó... Dormid con ella
a los celestes rayos de la estrella
que alumbrará eternal en la memoria,
la época, con vosotros y su gloria.[23]

Siguió tras ella, como al claro día
siguen las horas de la noche umbría,[24]
la época del dolor. Del mundo es esa
la eterna ley que sobre el mundo pesa.[25]
Una edad a otra edad se precipita,
y en el rápido empuje enhabilita
y destruye y derrumba el edificio[26]
a la edad que pasó grande y propicio.
Su ley es destruir; destruye, mira,
completa su misión, y alegre expira.

Otra generación viene tras ella,
y para edificar halla en su huella
escombros humeantes todavía,[27]
sin plan, ni base, ni favor, ni guía.

La misión de tumbar sólo es de una;
la ley de edificar pesa importuna
de diez generaciones en los hombros.[28]
¡Ay de aquella que en medio a los escombros
nace; al caer el edificio al suelo,
y entre caos de ¡vivas! y de duelo,
buscan sus ojos el color del día
y hallan la sombra de la noche umbría!

---

23. Sleep with it under the celestial rays of the star which will eternally
    highlight your epoch, and you, and your glorious deeds
24. dark night
25. weighs upon the world
26. One age hurls forth into another age, and in its fast thrust upsets
    and dèstroys and causes to collapse the edifice
27. finds on its way debris, still smouldering
28. construction projects weigh heavily on the shoulders of ten gen-
    erations

¡Ay de la reacción que la atropella!
¡Ay de su porvenir la incierta estrella!
¡Ay de tus hijos, que en furor continuo,
cual verdes hojas de tumbado pino,
sacude, oh Patria, el vendaval de mayo![29]
El quebró con el ímpetu del rayo
la cadena de hierro de dos mundos,
él levantó en sus vuelos furibundos
el porvenir del suelo americano,[30]
bello como su cielo soberano,
inmenso cual sus montes y sus mares.
El ungió[31] nuestra frente en los altares
con las glorias del tiempo venerado:
él nos legó[32] la gloria del pasado,
y a los hombres que vengan la fulgente[33]
gloria del porvenir. Pero el presente,
eco rudo de bélico estallido,
última convulsión, postrer quejido[34]
de nuestra vieja, lamentable vida;
destello fatuo, emanación perdida,
de la pasada edad, que vaga incierto
entre los miembros de su cuerpo yerto,
y asusta y cruza con su luz siniestra,
sólo nos cupo por desgracia nuestra.[35]

¡Luchar y padecer! Es un tributo
que aún le pagamos a tu edad de luto:
holocausto de sangre y de reposo
por las primicias de tu tiempo hermoso;[36]

29. windstorms of May
30. with thunderbolt impetus he cut off the iron chain [binding] two
worlds, he lifted up, by means of his frenzied flights, the future
of America
31. anointed
32. bequeathed
33. resplendent
34. strident echo of warlike explosion, final convulsion, last whimper
35. fatuous sparkle, lost emanation, of a bygone epoch, that wanders
among the limbs of a dead body, frightening as it crosses with its
sinister light — to our misfortune, that's all that befitted our plight
36. To struggle, to suffer! this is the tax we are still paying for to
your age of mourning: an offering of blood and stagnation for
the first fruits of your splendid times

y nosotros, sufriendo los rigores
del crudo tiempo en la estación de flores,
le rendimos doquier, lejos del Plata,
¡oh, madre hermosa! sin llamarte ingrata.[37]

Ahí va Carlos, proscripto y peregrino,
sobre la popa del nadante pino...[38]
Arpa en la mano, con el alma herida,
sin patria, sin hogar y sin querida,
a merced de las ondas y los vientos,[39]
fijo· en Dios sus altos pensamientos,
y con la fe del corazón cristiano
esperando del mar el bien lejano.
¡Cinco lustros de vida solamente!...
¡Y de tanto sufrir ni el do'or siente![40]

37. without calling you ingrate, O beautiful mother! we contribute it,
wherever (**doquier** = **dondequiera**) we may be, even if far away
from the Platte River
38. a proscript, a wanderer, on the stern of a schooner (lit. floating
pine)
39. without a fatherland, without a home, without a beloved, at the
mercy of waves and winds
40. Only twenty five years old! [a lustro is a period of five years:
lustrum] and from so much suffering, he does not feel even pain!

América es la virgen que sobre el mundo canta,
profetizando al mundo su hermosa libertad;
y de su tierna frente la estrella se levanta
que nos dará mañana radiante claridad.

No hay más allá en los siglos a la caduca Europa,
que al procurar mañana se encuentra con ayer;[2]
bebió con entusiasmo del porvenir la copa,
y se postró embriagada de gloria de poder.

La gloria quiere vates, la poesía glorias:[3]
¿Por qué no hay armonía, ni voz, ni corazón?
La Europa ya no tiene ni liras ni victorias:
el canto expiró en Byron, la gloria en Napoleón.[4]

Los tronos bambolean y el cetro se despeña;
los pueblos quieren alas y se les clava el pie;
el pensamiento busca del porvenir la enseña,
y no halla sino harapos ·del pabellón que fué.[5]

Hay tumba a las naciones. Se eleva y se desploma
la Grecia que elevara sus sienes inmortal;
al mundo hallaba chico para hospedarse Roma,
después murió en el nido de su águila imperial.[6]

1. Confident about the future of America, Mármol's feelings were
   not unlike those of many Latin American writers after World
   War I and World War II; they all thought that Europe and its
   culture had come to an end and that the future belonged to
   America.
2. there is no future for decrepit old Europe, which on trying to
   look towards tomorrow always finds itself in yesterday
3. Glory wants poets; poetry, glory
4. [As a true Romantic poet, Mármol feels that poetry had ceased to
   exist after Byron's death, and glorious deeds after Napoleon's.]
5. Thrones totter and sceptres tumble down: nations want wings but
   they nail their feet [to the ground]; thought seeks the banner
   of the future but finds only tatters from the old flag
6. There is a grave for nations: Greece that lifted in the past her
   immortal head crashed down; Rome, that found the world too
   small for her lodgings, later perished in the nest of her imperial
   eagle

¿Adónde irá mañana con peregrina planta[7]
la Europa con las joyas[8] de su pasada edad?
América es la virgen que sobre el mundo canta,
profetizando al mundo su hermosa libertad.

¿Qué importa del presente los días lastimeros,[9]
cuándo el pasado es lleno de gloria y esplendor,
y a quién por vida cuenta los siglos venideros
que borrarán, pasando las huellas del dolor?

Salpique a los bridones la sangre de los llanos,
y en medio a la tiniebla se hieran,[10] está bien.
La niña coge flores, e hiriéndose las manos,
trabaja una corona para su blanca sien.[11]

Hasta el presente ingrato le servirá de gloria
cuando los tiempos vivan de porvenir mejor,
pues que verá en nosotros para hermosear su historia
dramática epopeya que inspirará al cantor...[12]

7. with wandering steps
8. jewels
9. grievous days
10. Let the blood sprinkle the horsemen from the pampas and in the
    midst of their darkness [i.e. of their ignorance] hurt themselves
11. weaves a wreath to put over her head (lit. on her white temples)
12. an exciting epic that will inspire the poet

A BUENOS AIRES

Son éstos los mares que besan su planta;[1]
son éstos los cielos que doran su sien:[2]
allí Buenos Aires, el águila esclava
que hendía altanera las nubes ayer.[3]

¡Oh patria! Tus días de gloria pasaron;
pasaron las horas benditas de Dios;
tus hijos proscritos el pan ablandamos
con lágrimas tibias de ingrato dolor.[4]

Así lo quisieron... ¡Silencio! Del alma
se legue al olvido la fuente del mal;[5]
si nada nos queda de bien ni de patria,
feliz del que puede tu cielo mirar.

¡Tu sol! ¡Tu horizonte! ¡Tus nubes! ¡Son ellas,
tus nubes pintadas de plata y zafir![6]
¡Oh madre, si al hombre faltara la ciencia,
sabría al mirarlas que estabas allí!

Al ver estos cielos a mi alma dirían:
"Nosotras te dimos la luz al nacer;
nosotras velamos tu patria argentina,
y en olas de lumbre bañamos tu sien."[7]

¡Cuán bellos tus mares! Cuál alzan henchidas
de orgullo sus ondas,[8] valiente su voz!
¡Oh!, vaya en nosotros al cielo argentino
vibrando en las olas mi lúgubre "¡Adios!"[9]

1. that kiss her feet
2. that gild her forehead (lit. her temples)
3. the enslaved eagle which [only] yesterday used to cleave proudly
   the clouds
4. your exiled sons soften our bread with warm tears of thankless grief
5. Let the soul relegate to oblivion the source of evil
6. your clouds painted with silver and sapphire
7. we are keeping guard over your Argentine fatherland, and in waves
   of light bathe your forehead (lit. temples)
8. How [your seas] lift your waves filled with pride
9. may my sad farewell go to you rolling over the waves

¡Oh mar! Si en la tierra proscrito me aguarda
sepulcro extranjero sin llanto ni cruz,
subleva tus ondas; allí está mi patria;
mis miembros helados arrójale tú.[10]

Mas, ¡eh!, ¡no habrá un día justicia del cielo
que puedas, ¡oh madre!, tus hijos mirar?
¿También un sepulcro proscritos tendremos
que pedir a extraños, cual hoy, un hogar?

La nube del crimen que cubre tu frente,
¡no habrá de romperla la mano de Dios?
Las manchas de sangre que el suelo enrojecen,
¿no habrá de extinguirlas benéfico sol?[11]

¡Oh patria, lo espero! Tú lloras el llanto
que vierte del cielo la aurora al nacer;
con él reverdecen las flores del campo,
y al rey de los astros anuncia con él.[12]

En tanto, doquiera,[13] verán a tus hijos
sin caer abatida la sien del dolor.[14]
que el pecho orgulloso del pecho argentino
no sufre desmayo[15] diciéndote: "¡Adios!"

---

10. If a grave in some foreign land is waiting for me, lift your waves
without tears or Cross; my country lies there; throw to her my
cold limbs
11. Will not a beneficent sun wipe out the blood stains that redden
the land?
12. with it [with the weeping] the flowers of the field will come
back to life and will announce the rising of the sun
13. dondequiera, wherever
14. without a forehead overwhelmed by grief
15. suffer no despondency

CREPUSCULO

Con el color de la torcaz y el lirio
tranquilas nubes[1] el espacio pueblan,
y allá el confín del horizonte inundan
ondas de fuego que en la mar reflejan.

Guardado el rostro en azulados velos
cae a su ocaso la vital lumbrera,[2]
pero el cabello destrenzado, flotan
en sierpes de oro sus brillantes hebras.[3]

Púrpura y oro en el ocaso brillan
entre celajes de enlutada niebla,[4]
como entre el manto de la negra duda
los bellos sueños de la edad primera.

Púrpura y oro en el ocaso brillan,
y frente a frente de la luz postrera,[5]
paso tras paso, con semblante adusto,
la oscura noche al firmamento trepa.[6]

Así las esperanzas alumbraron[7]
mi joven corazón; así con ellas
la gloria y el amor se reflejaban
sobre las flores de mi incierta huella.[8]

Así vino después, como la noche,
el desencanto a oscurecer la senda;[9]
y de gloria y de amor y de esperanzas
un crepúsculo vago se conserva.

1. tranquil clouds the color of wild pigeons and lilies [i.e. gray and white]
2. the sun sets (lit. the vital source of light falls to the west)
3. but the hair dishevelled, its brilliant threads floating [like] golden serpents
4. shine purple and golden in the west, between clouds of mist in mourning
5. last light
6. with gloomy countenance, the dark night creeps into the firmament
7. illuminated
8. of my uncertain footsteps
9. path

Viene el día
quieto el cielo,
no hay un velo
ni un indicio
de impropicio
vendaval.[1]

Fresca brisa
mueve el pino[2]
en camino,
balanceando,
coqueteando[3]
con el mar.

Olas leves
con espumas
como plumas
de rizada
nacarada
redondez;[4]

a los bordes
de la nave
en suave
curso llegan
y se pliegan[5]
a su pie.

1. no sign of impropitious winds
2. the boat [i.e. the mast]
3. flirting
4. of curly, pearly roundness
5. fold over

Y del barco
por las huellas[6]
cantan ellas
dulce canto,
como llanto
de torcaz,[7]

o murmuran
de que aliente[8]
quien valiente
turbe el sueño
halagüeño[9]
de la mar.

Ya vese
que sube
la nube
que forman
de pardos[10]
colores,
vapores
del mar.

Y hendiendo
a la fina
neblina[11]
la vista
se puede
la frente
de oriente
mirar.[12]

6. wake [of a boat]
7. wild pigeon
8. that may breathe [i.e. that may be alive]
9. disturb the pleasant sleep
10. dark
11. cutting the thin mist
12. one can behold the east shore

Un tenue
rosado
pintado
se mira
al borde
lejano
del llano
del mar.

Y un arco
de plata
dilata[13]
sus luces
en débil
anillo
de brillo
fugaz.[14]

13. spreads
14. flimsy ring of fleeting brightness

HIMNO A DIOS

I

Ser que habitas el sol y la tierra,
que consientes la hormiga y el hombre,[1]
yo conozco tu gloria y tu nombre
y yo tiemblo a tu nombre no más.

Bendición a tu labio he pedido
entre el caos de los hombres, incierto,
lo he pedido también del desierto
y hoy la pido en las olas del mar.

II

No es, Señor, el poeta quien habla
con el fuego febril de la mente,[2]
es el hombre quien baja la frente
abrumado de intenso dolor.[3]
¡Ah! sin crimen ni culpa en el alma
tengo patria y me arrojan de ella,[4]
soy amante y me falta mi bella,
tengo hermana y no escucho su voz.

III

Con el frío del llanto se ha helado
mi esperanza recién en retoño,[5]
y no dejan los vientos de otoño
una palma ni un mirto en mi sien.[6]

1. who coddles ant and man
2. with the feverish fire of his mind
3. overwhelmed by deep sorrow
4. they cast me away from it
5. recently revived
6. a palm or a myrtle over my temples [i.e. the crown of the poet laureate]

¿Es verdad que padezco,[7] Dios mío,
o el delirio del alma me engaña?
¡Es que el mundo me asesta su saña,[8]
o es que al mundo no miro cual es?

IV

A ti solo mi espíritu vuela,
de ti solo mi vida se escuda,[9]
Ah, disipa de mi alma la duda
cual las nubes el rayo del sol.
El que sabe adorarte te escucha...
tu voz suele llegar a mi oído
cual el vago armonioso sonido
de una lira que lejos vibró.

V

Allá estás en la flor del desierto,
ahí te miro alumbrar las estrellas,
ahí están tus espléndidas huellas
en el último rayo de luz.
Aquí están los océanos que rugen
convulsivo de cólera el seno,
ahí está el estampido del trueno,[10]
y esa mar y ese trueno eres tú.

---

7. that I suffer
8. punishes me cruelly
9. to you alone I look for protection [i.e. for guarding me from any danger]
10. Here are the oceans that roar, their breast convulsive with rage; there is the crashing of thunder

VI

Ahí están los colores del iris
aquietando las ondas y el rayo,
aquí está de mi pecho en desmayo
la esperanza alentada por ti.[11]
¡La esperanza! magnífica perla
que persiste en el fondo del arca
y al volver la paloma al patriarca
por herencia la dio al porvenir.[12]

VII

Vedme solo, señor, en los mares
más juguete infeliz del destino
que en las ondas el trémulo pino
donde pulso mi triste laúd.[13]
Cinco lustros apenas de vida
y mi sol se eclipsó lentamente...
solo queda en mi pálida frente
un crepúsculo incierto de luz.

VIII

De mi vida en el negro horizonte
si una trémula estrella diviso,
mi alma tiembla y camino indeciso
cual la virgen que marcha al altar,

11. There, the colors of the rainbow quieting down waves and
thunderbolt, and here in my faltering breast is the hope inspired
by you
12. the magnificent pearl that remains at the bottom of the ark and
that, when the dove returned to the patriarch, he bequeathed to
the future
13. Behold me, God, a more unhappy toy of fate than the quivering
pine [i.e. boat] whereon I play my melancholy lute

y si siento que alumbra la estrella
con sus trémulos rayos mi frente
dudo aún, cual la esposa que siente
de otro ser la primera señal.

IX

¿Está en mi alma, Señor, la desgracia,
o hay un se· que me oprime inhumano?
a la flor la marchita mi mano,
o no hay flores, Señor, para mí.
A ti solo mi espíritu vuela,
de ti solo mi vida se escuda,
¡ah! disipa mi Dios esta duda
cual al humo la brisa sutil.[14]

Sea el orbe, dijiste, y al punto
quedó en mundos espléndido el cielo,[15]
¡ah! ¡una chispa de amor y consuelo,
una luz de ventura mi Dios!!
Y si tumba extranjera me aguarda
solitaria sin flores ni llanto,
a lo menos no muera mi canto
cuando expire en el labio la voz.

14. just as a gentle breeze dispels the smoke
15. "Let there be a universe!" you said, and instantly space filled
up magnificently with worlds

ROSAS[1]

El 25 de Mayo de 1850

¡Rosas! ¡Rosas! un genio sin segundo
formó a su antojo[2] tu destino extraño:
después de Satanás, nadie en el mundo,
cual tú, hizo menor bien ni tanto daño.[3]

Gloria, nombre, virtud, patria argentina, —
todo perece do tu pie se estampa,[4]
todo hacen polvo, en tu ambición de ruina,
bajo el casco los potros de tu pampa.[5]

Y bien, Rosas, ¿después? Tal es — atiende —
la pregunta de Dios y de la historia:
ese *después* que acusa o que defiende
en la ruina de un pueblo o en su gloria.

Ese *después* fatal a que te reta[6]
sobre el cadáver de la patria mía,
en mi voz inspirada de poeta,
la voz tremenda del que alumbra el día.

1. This poem was written during the celebrations of the fortieth an-
niversary of Argentine liberation: it was on May 25, 1810, twelve
days after news arrived announcing that Seville had fallen in
Napoleon's hands that a Buenos Aires junta took over the duties
formerly reserved to the Spainsh crown. However on Dec. 8, 1829,
Juan Manuel Rosas took power, setting up a tyranny which lasted
for more than twenty years. To the Romantic poet Mármol, Rosas
was Lucifer in the flesh and relentlessly attacked him until his
defeat. Because of this the poet suffered imprisonment and exile
for over thirteen years.
2. at his whim
3. nor so much harm
4. wherever (**do** = **donde**) you stamp your foot everything perish
5. under the hoofs of the colts from the pampas
6. that impeaches you

Habla, y, en pos[7] la destrucción, responde:
¿Do están las obras que brotó tu mano?
¿Dónde tu creación? ¿Las bases dónde
de grande idea o pensamiento vano?

¿Qué mente hubiste en tu sangriento insomnio[8]
que a tanto crimen te impeliese tanto?[9]
¡Aparta, aparta, aborto del demonio,[10]
que haces el mal para gozar del llanto!

La raza humana se horroriza al verte,
hiena del Indo transformada en hombre;[11]
mas ¡ay de ti, que un día al comprenderte
no te odiará, despreciará tu nombre!

El tiempo sus monumentos te ha ofrecido;
la fortuna ha rozado tu cabeza;[12]
y, bárbaro y no más, tú no has sabido
ni ganar tiempo, ni ganar grandeza.

Tumbaste una república,[13] y tu frente
con diadema imperial no elevas ledo;[14]
murió la libertad y, omnipotente,
esclavo vives de tu propio miedo.

Tu reino es el imperio de la muerte;
tu grandeza, el terror por tus delitos;[15]
y tu ambición, tu libertad, tu suerte
abrir sepulcros y formar proscritos.[16]

7. after
8. sanguinary sleeplessness
9. which so forcibly incited you to [commit] so many crimes
10. Keep away, demon's abortion [i.e. demonic monster]
11. hyena from the [area of the] Indus River transformed into man
12. has passed lightly over your head
13. You knocked down a republic
14. you do not lift cheerfully your forehead with the imperial diadem
15. crimes
16. to open tombs and send people into exile

Gaucho salvaje de la pampa ruda,
eso no es gloria, ni valor, ni vida;
eso sólo es matar porque desnuda
te dieron una espada fratricida.[17]

Y, grande criminal en la memoria
del mundo entero, de tu crimen lleno,
serás reptil que pisará la historia
con asco de tu forma y tu veneno.[18]

Nerón da fuego a Roma,[19] y la contempla,
y hay no sé qué de heroico en tal delito;
mas tú, con alma que el demonio templa,
cuanto haces lleva tu miseria escrito.

Espíritu del mal nacido al mundo,
no has sido bueno ni contigo mismo;
y sólo dejarás un nombre inmundo
al descender a tu primer abismo.[20]

Te nombrarán las madres a sus hijos
cuando asustarlos en la cuna quieran;[21]
y ellos, temblando y en tu imagen fijos,
se dormirán soñando que te vieran.

Los trovadores pagarán tributo
a los cuentos que invente tu memoria;
y execrando tus crímenes sin fruto,
rudo y vulgar te llamará la historia.[22]

---

17. because they gave to you a fratricidal sword, unsheathed
18. you will be a reptile which, nauseated by your shape and poison, history will step on
19. Nero sets Rome on fire
20. on your descent to Hell [lit. to the first abyss] you will leave behind but a filthy name
21. when they want to scare their children in their cradless
22. poets will pay tribute to the yarns summoned up by the remembrance [of your misdeeds] and history, cursing your futile crimes, will call you ignorant and vulgar

¡Ah, que casi tus crímenes bendigo,
ante el enojo de la patria mía,
porque sufras tan bárbaro castigo
mientras alumbre el luminar del día!

Porque mientras el sol brille[23] en el Plata
aquel castigo sufrirás eterno;
nunca a tu nombre la memoria ingrata;
nunca a tu maldición el pecho tierno;

y por último azote[24] de tu suerte,
verás al expirar que se levanta
bello y triunfante y poderoso y fuerte
el pueblo que ultrajaste con tu planta.[25]

Pues no habrá en él, de tus aleves manos,[26]
más que una mancha sobre el cuello apenas;
que tú no sabes, vulgo de tiranos,
ni dejar la señal de tus cadenas.[27]

23. as long as the sun sheds light
24. lashing, scourge
25. the people you kicked around
26. from your treacherous hands
27. for you do not know, you scum of tyrants, how to leave even a
    trace of your chains

JOSE MILLA

b. Guatemala City, August 4, 1822

d. Guatemala City, September 30, 1882

"Pepe" Milla's mother died when he was only six, and his father, the Honduran coronel Justo Milla who had been sent into exile to Mexico, died four years later, so that Pepe spent his childhood with his mother's relatives, the Vidaurres. Upon finishing his studies at the Colegio Seminario Tridentino, a Jesuit school, Pepe joined the staff of *La Gaceta,* the official organ of the Guatemalan government and filled successively various government posts: Chief Clerk in the Ministry of Foreign Relations, Assembly Deputy, etc.

From the earliest Pepe wrote poetry, satirical sketches, history, and fiction: historical novels in the Walter Scott-Alexandre Dumas tradition — *La Hija del Adelantado* (1866), *Los Nazarenos* (1867), *El Visitador* (1867), *Memorias de un Abogado* (1876) and the realistic *Historia de un Pepe* (1882); of his productions in verse, the humorous *Don Bonifacio* (1862) is most outstanding; and of course his *Historia de Centroamérica* is pithy and very well written.

However, of all his works our contemporaries will favor most the satirical prose sketches or *Cuadros de Costumbres* which he published in local papers in 1862, 1865, 1867 and 1881. In these *Cuadros* Milla depicted the types and customs of Guatemalan society, but often he transcended the purely local and mirrored with verve and humour universal foibles. Some of his more successful *Cuadros* — and he wrote over a hundred of them — were collected in *El Canasto del Sastre* (1880-1881) and *Libro sin Nombre* (1883).

203

EDITIONS: *Obras Completas*, 6 volumes, Guatemala City, E. Goubaud, 1897-1899; *Cuadros Guatemaltecos,* edited by George J. Edberg, New York, Macmillan, 1965.

ABOUT MILLA: Juan F. Aycinema: prologue to *El Visitador,* Guatemala, Colección Juan Chapín, 1935, pp. 5-16; Flavio Guillén: "José Milla el Delicioso," *Boletín de la Biblioteca Nacional* (Guatemala), February 1933; Marjorie C. Johnston: "José Milla, retratista de costumbres guatemaltecas," *Hispania,* November 1949, pp. 449-452; J. L. Martín: "Las obras literarias de José Milla," *Revista de la Universidad de San Carlos,* April-June 1947, pp. 7-25, and July-September 1947, pp. 33-38; Ramón Rosa: "José Milla y Vidaurre," *Revista de la Universidad* (Tegucigalpa), XII (1922), 478-482; Ramón Salazar: introduction to *Historia de un Pepe,* Guatemala, E. Goubaud, 1897; Luis A. Sánchez: *Escritores Representativos de América,* Segunda Serie, Madrid, Editorial Gredos, 1963, pp. 53-66.

EL EMBROLLON[1]

En el próximo enero hará cuatro años redondos[2] que pasó a mejor vida el señor don Pedro Maraña,[3] quien traté con intimidad y que era un sujeto de los más chuscos que he conocido.[4] Alegre y bonachón, de entendimiento despejado y no escaso de conocimientos,[5] el bueno de don Pedro no tenía más que un defectillo de poca monta,[6] y era el ser la persona más informal[7] que calentaba el sol; el hombre más liberal en el prometer y el más avaro en el cumplir;[8] para decirlo de una vez, la quinta esencia de los embrollones.

Fué municipal, individuo de la junta del consulado de comercio y de otros varios cuerpos,[9] y en todos se hizo notar por la puntualidad de no concurrir a las sesiones y en no despachar los negocios sobre los cuales debía abrir dictamen.[10] Se le aguardaba algunas veces por sus compañeros, que quizá contaban con él para la decisión de un asunto arduo;[11] el embrollón, que había ofrecido su voto a los que decían blanco y a los que decían negro, a la hora de la junta, tomaba su escopeta, y seguido de sus perros, se iba a una cacería,[12] a tres o cuatro leguas de la capital.

Lo comprometieron una vez para que hiciera el principal papel en una comedia casera.[13] En el segundo acto, el personaje a quien representaba debía simular una fuga.[14]

1. embroiler, deceiver, trickster
2. exactly
3. lit. Peter Entanglement
4. one of the funniest characters I ever met
5. Cheerful, good-natured, clear-minded and well informed
6. had but one slight defect
7. unreliable
8. the most liberal in making promises and the most niggardly in fulfilling them
9. a member of the Municipal Council, the Chamber of Commerce [lit. guild merchant corporation], and other associations
10. he became conspicuous for the regulariry with which he failed to appear at meetings and attend to matters that were his responsibility
11. difficult
12. he would pick up his gun just when the board held its meeting and, followed by his hounds, would go on a hunting party
13. They once induced him to take the leading role in a play produced in a neighbor's house
14. the character he was impersonating was supposed to take flight

Maraña tuvo la peregrina[15] idea de fugarse real y verdaderamente, marchándose a dormir a su casa, dejando la pieza a medio andar y chasqueados a los espectadores y a los comediantes.[16]

El embrollón no contestaba cartas, ni acudía jamás a una cita.[17] Había dos cosas que no pagaba por nada de esta vida: visitas y deudas, teniendo siempre a la mano algún enredo para excusarse y salir airoso de cualquier apuro.[18] Si un amigo le había convidado a comer y tuvo que aguardarle en balde,[19] sentándose a la mesa ya aburrido, llegaba corriendo cuando se servían los postres,[20] y se disculpaba pretextando haber sido llamado para padrino de un desafío, contando el lance con todos sus pelos y señales[21] y diciendo que dejaba muerto a uno de los combatientes. La verdad era que Maraña se había entretenido en el patio de gallos,[22] y no había pensado en ir al tal convite.[23]

Su persona, su casa, sus bienes,[24] estaban a la disposición de todo el mundo, según él decía. Si se ofrecía que uno anunciara en su presencia que iba a hacer un viaje a Amatitlán[25] —yo tengo caballo, decía Maraña, cuente usted con él. Cuando ocurría el crédulo por el animal,[26] contestaba que lo sentía mucho, pero que acababa de darle un torozón[27] y no podía enviarlo. Si una buscaba coche para ir al encuentro de una familia que regresaba de fuera, el embrollón se apresuraba a brindar[28] el suyo; pero a la hora

---

15. felicitous
16. leaving the play halfway through, to the disappointment of audience and players
17. nor ever kept appointments
18. always having some handy tall story as an excuse for squeezing out of some tight spot
19. in vain
20. would come running in just about time when dessert was being served
21. apologizing on the ground that he had to act as a second in a duel, and would launch forth into a detailed description of the affair
22. pit for cockfights
23. dinner engagement
24. property
25. lake south of Guatemala City
26. When the gullible one showed up for the horse
27. was experiencing, just then, griping pains
28. hastened to offer

precisa, se habían roto los resortes, o sucedido cualquier otro percance.[29]

Pero todo eso era nada en comparación de los embrollos del amigo Maraña en materia de amoríos y cortejaciones.[30] Emprendía las aventuras de ese género por centenares,[31] diciendo que con que le correspondiera un dos por ciento de las jóvenes a quienes cortejaba, saldría bien librado.[32] Así, llegaba a tener ocho o diez novias simultáneamente, y a veces se le alcanzaba el tiempo para contestar billetes, acudir a citas[33] y hallarse presente en los diversos puntos a donde debían concurrir sus adoradas. Para dar abasto a lo de las cartas al fin tuvo que tomar un escribiente a sueldo,[34] y aún así, algunas veces se le acumulaba demasiado el trabajo. Entonces discurrió comprar una prensa copiadora y estableció el cómodo sistema de las circulares para declaraciones, rompimientos, etc.[35] Para cumplir medianamente con las citas, dispuso concurrir a ellas a caballo,[36] como hacen sus visitas los médicos que están de moda. Un álbum entero de más de cincuenta fojas,[37] estaba lleno con las fotografías de sus Dulcineas,[38] y un cajón de muy regulares dimensiones contenía rizos de todos los colores, desde el rubio más pronunciado, hasta el mechón rosillo cosechado en alguna dorada cumbre esparcida ya de nieve,[39] según la poética imagen de fray Luis de León.[40]

* * *

29. at the appointed hour [the carriage] had developed broken springs, or some other accident had taken place
30. Maraña's entanglements when it came to love-affairs and courtships
31. He undertook adventures of this type by the hundreds
32. saying that even if only 2% of the young women he courted succumbed to his line, he would be pretty well off
33. he spent all the time answering letters, keeping appointments
34. to catch up with his correspondence, he was forced to hire a secretary
35. he thought of buying a mimeograph machine and started the convenient system of circular letters for proposals, breaking of engagements, etc.
36. he arranged to come to them on horseback
37. pages
38 sweethearts [Dulcinea del Toboso was Don Quixote's beloved]
39. and a box of very sizeable proportions contained ringlets of hair of all shades, from the very fairest of blond to the lightest of red locks garnered from some summit already a bit flecked with snow [i.e. interspersed with gray hair]
40. Fray Luis de León (1527-1591), famous Spanish poet

En una de tantas ocasiones mi don Pedro dió, como suele decirse, con la horma de su zapato.[1] Ocurriósele agregar a sus cautivas a una señorita llamada doña Florencia del Anzuelo,[2] de veinticuatro años y meses y meses, hasta ajustar unos treinta y cinco abriles.[3] Florencia estaba un poco marchita; tenía fea boca, nariz chata y remangada;[4] a no haber sido un poco turnia,[5] habría tenido muy hermosos ojos, como casi todas las mujeres de Guatemala. A pesar de todo eso, Florencia llegó a ponerse muy a la moda, y fué declarada linda, hechicera,[6] admirable. El embrollón vió a la sin par belleza, y a decir verdad, le pareció más fea que la Tarasca; pero tenía fama y esto bastaba. Emprendió la que le pareció desde luego fácil conquista; pero, con gran asombro suyo, sus atractivos no hicieron impresión alguna y después de su declaración solemne, volvió a su casa calabaceado.[8] Aquel fracaso sólo sirvió para encaprichar al galán, que volvió a la carga con mayor denuedo.[9] Instó, porfió y la ingrata permanecía dura como el bronce.[10] Maraña estaba a punto de volverse loco, y al fin apeló a la última ratio[11] y ofreció formalmente casamiento. Como cayeron las murallas de Jericó al sonido de las trompetas de los israelitas,[12] así se rindió la fortaleza[13] de la dama al eco mágico de la voz que designa el séptimo sacramento.[14] Todo quedó

1. failed to meet his perfect match [lit. the shoemaker's last that fit his shoe]
2. Florence of the Fishhook
3. would add up to thirty-five years of age
4. a bit faded, had an ugly mouth, a tilted flat nose
5. if they weren't so squinty
6. betwitching
7. saw the peerless beauty, and, frankly, he thought her uglier than sin [**Tarasca** refers to the figure of a dragon brought out during the Corpus Christi procession]
8. spurned
9. to make our gallant even more enamored and he returned to lay siege [to the lady] with renewed zeal
10. He urged [and] persisted but the ungrateful woman remained as hard as bronze
11. **the last argument** [of Kings], slogan used by Louis XIV
12. Just as the walls of Jericho crashed down at the sound of the Israelite trumpets
13. fortress
14. the seventh sacrament, i.e. marriage

allanado y se señaló día para la boda.[15] Ocho empleó el futuro en devolver cartas, retratos, sortijas, flores secas, cabellos y demás artículos menudos que forman el contrabando de las relaciones amorosas[16] y libre de esas atenciones, se consagró exclusivamente a los preparativos de su matrimonio. La noticia tronó como una bomba[17] en la ciudad, y a penas podía creer que aquel archiembrollón estuviese realmente resuelto a aflojar las cinco.[18] Pero el hecho era demasiado cierto. Todo estaba listo, y al fin llegó el día en que aquella mariposa iba a quemar sus alas para no volar más de flor en flor. El cura y los padrinos estaban en la iglesia que se había llenado de curiosos, que oyendo contar como Maraña se casaba, decían con el apóstol confiado: ver y creer.[19] La novia no cabía dentro del pellejo,[20] y se acercó al altar como un general triunfante a quien le abren las puertas de una plaza declarada intomable.[21] Don Pedro Maraña estaba pensativo, como quien medita una resolución extraña y atrevida. En efecto, no podía serlo más. Al preguntarle el párroco[22] si recibía por legítima esposa a la señorita doña Florencia del Anzuelo, un NO redondo, claro y bien pronunciado, dejó pasmada a la concurrencia.[23] El cura repitió la pregunta y habiendo escuchado la mismísima respuesta, se encogió de hombros y se retiró, no menos asombrado que los otros circunstantes.[24] La pobre novia cayó desmayada, y los padrinos y testigos se veían las caras unos a otros,[25] sin saber qué hacer. El único que estaba

15. All differences were ironed out and the day for the wedding was fixed.
16. Eight days were consumed by the groom in returning letters, photographs, rings, dried flowers, locks of hair and other trifling articles that make up the contraband of love-affairs
17. exploded like a bomb
18. hardly could anyone believe that the confirmed deceiver had really decided to get married
19. with that trusting apostle: Seeing is believing.
20. The bride could hardly contain herself
21. impregnable
22. priest
23. his flat No, loud and well enunciated, left the congregation stunned
24. shrugged his shoulders and departed, no less astounded than the others present
25. The poor bride-to-be swooned, and the groomsmen and witnesses looked at each other

fresco era don Pedro, que se marchó a su casa tarareando entre dientes una cancioncilla.[26]

Como debe suponerse, aquel escandaloso suceso fué el asunto de todas las conversaciones. La murmuración caritativa no dejó de hacer su oficio,[27] y *la pobre* Florencia excitó las simpatías de todas sus amigas, y muy especialmente de las solteras involuntarias,[28] que declararon a Maraña monstruo abominable. Las gentes de juicio afeáronle su proceder,[29] y los parientes de la ex-novia tuvieron intenciones de desafiarlo;[30] pero lo pensaron mejor y resolvieron verlo con desprecio.[31] La infeliz mujer estuvo ocho días con fiebre, y cuando recobró la salud, consagró todas sus potencias a imaginar alguna manera de reparar aquel ultraje.[32] Poco tardó en encontrarla. El embrollón, que en el fondo estaba lejos de ser lo que se llama un hombre malo, viendo el fatal resultado de su fea acción, se arrepintió en el acto como San Pedro y lloró su pecado. Cualquier cosa haría por reparar el daño causado, dijo a sus amigos, menos casarse, pues, a la verdad, caída la venda que lo había cegado, su Dulcinea se haba convertido para él en la más insoportable Maritornes.[33]

Estando las cosas en aquella situación, ocurrió a la ingeniosa Florencia un arbitrio que la dejaría bien puesta, sin necesidad de que se hiciese el matrimonio, al cual no podía ocultársele estaba Maraña muy poco inclinado.[34] Hízole proponer, por medio de persona respetable, que volviesen al altar, que entonces ella lo rechazaría a él, con lo cual quedarían iguales y su amor propio satisfecho. Excelente

26. who went home humming a little tune
27. Charitable gossip did not fail to make itself felt
28. unwilling spinsters
29. Sensible people condemned his conduct
30. to challenge him [to a duel]
31. on thinking it over, they decided [simply] to slight him
32. to avenge that outrage
33. the bandage which blinded him had dropped from his eyes and his sweetheart now appeared to him the most uncouth of scullery maids [Maritornes is a wench in **Don Quixote**]
34. the ingenious Florence thought of a compromise that would restore her dignity and yet not require an actual marriage, for which Maraña obviously had little inclination

210

pareció la idea al caballero, a quien poco importaba el convenido chasco, con tal de acallar el cencerro de la murmuración que se había levantado contra él y no casarse.[35] Convino, pues, en la propuesta, y todo quedó arreglado, bajo la condición precisa de guardar un secreto inviolable.[36] Llegó el día de la nueva boda fingida,[37] y como era natural, la iglesia se llenó de bote en bote,[38] deseando el vecindario ver si ocurría algún otro episodio como el de la vez pasada. El cura hizo al contrayente la pregunta de ordenanza,[39] y respondió clara y distintamente que sí recibía por esposa y mujer a doña Florencia del Anzuelo, que estaba presente. Volviéndose entonces a la dama, la requirió el eclesiástico para que dijese si recibía por esposo y marido al señor don Pedro Maraña,[40] a lo que la bellaca[41] respondió con un SI tan sonoro, que retumbó en las bóvedas del templo.[42] El bueno del embrollón se quedó frío como un muerto, y estuvo a su vez a punto de desmayarse. La novia estaba seria e impasible como una estatua, paladeando interiormente su venganza, más completa de lo que se había convenido.[43] Al salir de la iglesia, el novio dió tal pellizco a doña Florencia, que la hizo soltar las lágrimas,[44] lo que se atribuyó por los concurrentes a la emoción que le causó el acto solemne en que acababa de hacer el principal papel.

Maraña quedó desde aquel lance, como suele decirse, curado de espanto, y se le quitó la gana de embrollar.[45] En

---

35. the farce not worrying him in the slightest as long as it would quiet down the backbiting which had risen against him and as long as he would not have to get married
36. He agreed, therefore, and everything was arranged under the expressed condition that it would be kept an inviolate secret.
37. make-believe marriage
38. was jammed
39. asked the groom the prescribed question
40. the priest inquired whether she would take Don Pedro Maraña for her husband
41. the sly woman
42. that it reechoed from the vaults of the shrine
43. gloating inwardly over her vengeance [which proved] even more completed than that agreed upon
44. the groom gave Florence such a pinch that tears sprang to her eyes
45. After this incident Maraña was, as people say, cured from all fear, and lost his flair for deceiving

cuanto a la señorita Anzuelo, poco le duró el gusto de la pesca[46] que había hecho, pues el pobre hombre, cogido en la red[47] contra su voluntad, fué entristeciéndose,[48] hasta que enfermó y murió.

46. catch [of fish]
47. net
48. became sadder and sadder

JOSE MARIA ROA BARCENA

b. Xalapa, Mexico, September 3, 1827
d. Mexico City, September 21, 1908

A successful businessman, José María Roa Bárcena devoted his leisure time to literature. The local papers published his poems, legends, and short stories. In 1853 he moved to Mexico City and joined the militant wing of the Conservative Party, devoting most of his time to journalism. He contributed for two years to *El Universal,* and later shared the editorship of *La Cruz* with José Joaquín Pesado. His political orthodoxy led him to approve of Emperor Maximilian, who appointed him to his Junta de Notables; but soon Roa Bárcena found Maximilian not conservative enough for him, and he wrote against the Emperor and his Empire. At the downfall of Maximilian, Roa Bárcena was imprisoned but even the liberal press came to his defense, admiring his fervent, desinterested love for his native country.

During his long and fruitful life Roa Bárcena cultivated a wide variety of literary genres, ranging all the way from geographical and historical treatises (*Catecismo Elemental de Geografía Universal, Catecismo de Historia de México, Recuerdos de la Invasión Norte-Americana de 1846-1847*) and biographies of famous writers (outstanding are the ones devoted to the poet Pesado and the playwright Gorostiza) to classical *and* romantic poems (a remarkable example of the latter is *Diana*), and translations of Vergil, Horace, Schiller, Shakespeare, Tennyson and Byron. But Roa Bárcena excelled in story-writing. "Lanchitas" is especially successful and the reader may be reminded of E.T.A. Hoffmann, three of whose tales he had translated into Spanish, as well as two by Dickens. In "Lanchitas," originally published in 1878, its author sems to be quite

213

removed from the classical literary tradition; he succeeds in evoking an atmosphere, a suspense and a terror characteristic of the German Romantics and Edgar Allan Poe.

EDITION: *Obras,* Mexico, Imprenta de V. Agüeros, 1897-1910, 6 volumes [short stories in Vol. 1 (1897)].

ABOUT: Victoriano Agüeros: "Noticia del autor" in *Obras,* Mexico, Imprenta V. Agüeros, 1897, Vol. I, pp. V-XV; Julio Jiménez Rueda: "Prólogo" to Roa Bárcena's *Relatos,* Mexico, Biblioteca del Estudiante Universitario, 1941; Luis Leal: *Breve historia del cuento mexicano,* Mexico, Studium, 1956, pp. 55-57; Manuel G. Revilla: "El historiador y el novelista D. José M. Roa Bárcena." *Memorias de la Academia Mexicana,* IV (1910), 263-287; Renato Rosado: "Roa Bárcena y sus traducciones del alemán," *Abside* (Mexico), IX (1945), 329-340.

LANCHITAS

No recuerdo el día, el mes, ni el año del suceso. Sólo sé que se refería a la época de 1820 a 1830, y no me cabe duda de que se trataba de una noche oscura, fría y lluviosa como suelen ser las de invierno. El Padre Lanzas — o "Lanchitas," como le llamaban en señal de cariño o por lo pequeño de estatura — tenía ajustada una partida de tresillo[1] con algunos amigos suyos. Terminados sus quehaceres del día, iba del centro de la ciudad a reunírseles esa noche, cuando, a corta distancia de la casa en que tenía lugar la modesta tertulia, alcanzóle una mujer del pueblo,[2] ya entrada en años y miserablemente vestida, quien, besándole la mano, le dijo:

—¡Padrecito! ¡Una confesion! Por amor de Dios, véngase conmigo pues el caso no admite espera.

Trató de informarse el Padre de si había o no acudido previamente a la parroquia respectiva en solicitud de los auxilios espirituales que se le pedían,[3] pero la mujer, con frase breve y enérgica, le contestó que el interesado pretendía que él precisamente le confesara, y que si se malograba el momento, pesaría sobre su conciencia.[4] El Padre no dio más respuesta que echar a andar detrás de la vieja.

Recorrieron en toda su longitud una calle mal alumbrada y fangosa,[4b] yendo a salir cerca del Apartado, y de allí tomaron hacia el Norte, hasta torcer a mano derecha[5] y detenerse en una miserable accesoria del callejón del Padre Lecuona.[6] La puerta del cuartucho estaba nada más que entornada, y empujándola[7] simplemente, la mujer pe-

---

1. had arranged a game of cards [**tresillo,** ombre]
2. a lower class woman caught up with him
3. whether she had gone to the proper parish in search of the spiritual aid that was asked of him
4. the interested party that he himself should be the one to confess him, and that if time was lost, it should weigh heavily on his conscience
4b. poorly lighted and muddy
5. turned right
6. a miserable-looking tenement house on Father Lecuona Alley
7. [the door] was only half-closed, and pushing it

netró en la habitación llevando al padre Lanzas de una de las extremidades del manteo. En el rincón más amplio y sobre una estera sucia y medio desbaratada,[8] estaba el paciente, cubierto con una frazada;[9] a corta distancia, una vela de sebo[10] puesta sobre un jarro boca abajo en el suelo, daba su escasa luz a toda la pieza, enteramente desamueblada y con las paredes llenas de telarañas.[11]

Cuando el Padre, tomando la vela, se acercó al paciente y levantó con suavidad la frazada que le ocultaba por completo, descubrióse una cabeza huesosa y enjuta, amarrada con un pañuelo amarillento y a trechos roto.[12] Los ojos del hombre estaban cerrados y notablemente hundidos, y la piel de su rostro y de sus manos, cruzadas sobre el pecho, aparentaba la sequedad y rigidez de la de las momias.[13]

—¡Pero este hombre está muerto!— exclamó el Padre Lanzas dirigiéndose a la vieja.

—Se va a confesar, Padrecito— respondió la mujer, quitándole la vela, que fué a poner en el rincón más distante de la pieza, quedando casi a oscuras el resto de ella; y al mismo tiempo el hombre como si quisiera demostrar la verdad de las palabras de la mujer, se incorporó[14] en su estera, y comenzó a recitar en voz cavernosa, pero suficientemente inteligible, el *Confiteor Deo*.[15]

Tengo que abrir aquí un paréntesis a mi narración, pues el digno sacerdote jamás a alma nacida refirió la extraña y probablemente horrible confesión que aquella noche le hicieron. De algunas alusiones y medias palabras suyas, se infiere que al comenzar su relato el penitente, se refería a fechas tan remotas, que el Padre creyéndole difuso o divago,[16] y comprendiendo que no había tiempo que per-

8. upon a dirty, somewhat ragged mat
9. blanket
10. candle
11. barren of furniture and with the walls covered with cobwebs
12. a bony and dried head, covered with a yellowish and torn handkerchief
13. resembled the dryness and rigidity of mummies
14 as if he wished to testify to the truth of the woman's words, sat up
15. a form of prayer in which public confession of sins is made
16. confused and rambling

der, le excitó a concretarse[17] a lo que importaba; que a poco entendió que aquél se daba por muerto de muchos años atrás,[18] en circunstancias violentas que no le habían permitido descargar su conciencia como había acostumbrado pedirlo diariamente a Dios, aun en el olvido casi total de sus deberes y en seno de los vicios, y quizá hasta del crimen; y que por permisión divina lo hacía en aquel momento, viniendo de la eternidad para volver a ella inmediatamente. Acostumbrado Lanzas, en el largo ejercicio de su ministerio, a los delirios y extravagancias de los febricitantes[19] y de los locos, no hizo mayor aprecio de tales declaraciones, juzgándolas efecto del extravío de la razón[20] del enfermo. Se contentó con exhortarle al arrepentimiento y explicarle lo grave del trance[21] en que se hallaba, y con absolverle bajo las condiciones necesarias, supuesta la perturbación mental[22] de que le consideraba dominado. Al pronunciar las últimas palabras del rezo, notó que el hombre había vuelto a acostarse; que la vieja no estaba ya en el cuarto, y que la vela a punto de consumirse por completo, despedía sus últimas luces. Llegando él a la puerta, que permanecía entornada, quedó la pieza en profunda oscuridad; y, aunque al salir atrajo con suavidad la hoja entreabierta, cerróse ésta de firme, como si de adentro la hubieran empujado.[23] El Padre, que contaba con hallar a la mujer de la parte de afuera, y con recomendarle el cuidado del moribundo[24] y que volviera a llamarle a él mismo, aun a deshora,[25] si adverta que recobraba aquél la razón, desconcertóse al no verla; esperóla en vano durante algunos minutos; quiso volver a entrar en la accesoria, sin conse-

17. urged him to concentrate
18. that the patient considered himself as having died several years past
19. the delirium and irregularities of the feverish
20. lost of reason
21. was content to exhort him to repentance and to explain to him the gravity of the situation
22. in view of the mental disturbance
23. softly pulled the half-open door, it closed firmly as if someone had pushed it from the inside
24. the dying man
25. even at an inconvenient hour

guirlo, por haber quedado cerrada, como de firme, la puerta; y, apretando en la calle la obscuridad y la lluvia,[26] decidióse, al fin, a alejarse, proponiéndose efectuar, al siguiente día muy temprano, nueva visita.

Sus compañeros de tresillo le recibieron amistosa y cordialmente, aunque no sin reprocharle su tardanza. La hora de la cita había, en efecto, pasado ya con mucho, y Lanzas, sabiéndolo o sospechándolo, había venido a prisa y estaba sudando.[27] Echó mano, al bolsillo en busca del pañuelo para limpiarse la frente, y no le halló. No se trataba de un pañuelo cualquiera, sino de la obra acabadísima[28] de alguna de sus hijas espirituales más consideradas de él; finísima batista con las iniciales[29] del Padre, primorosamente bordadas en blanco, entre laureles y trinitarias.[30] Prevalido de su confianza[31] en la casa, llamó al criado, le dió las señas[32] de la accesoria en que seguramente había dejado el pañuelo, y le despachó en su busca, satisfecho de que se le presentara así ocasión de tener nuevas noticias del enfermo, y de aplacar la inquietud[33] en que él mismo había quedado a su respecto. Y con la fruición[34] que produce en una noche fría y lluviosa, llegar de la calle a una pieza abrigada y bien alumbrada, y hallarse en amistosa compañía cerca de una mesa espaciosa, a punto de comenzar el juego que por espacio de más de veinte años nos ha entretenido una o dos horas cada noche, repantigóse nuestro Lanzas en un sillón[35] y encendiendo un buen cigarro habano, y arrojando bocanadas de humo aromático, al colocar sus cartas en la mano izquierda en forma de abanico,[36] y como si no hiciera más

26. since darkness and the rain were increasing
27. had hurried and was perspiring
28. finished masterpiece
29. a very fine cambric with the initials
30. exquisitely embroidered in white amidst laurels and pansies
31. Taking advantage of his familiarity
32. the whereabouts, the address
33. to relieve himself of certain restiveness
34. enjoyment
35. Lanzas sprawled out in an arm chair
36. blowing mouthfuls of aromatic smoke as he arranged his cards fan-shaped in his left hand

que confirmar en voz alta el hilo de sus reflexiones[37] relativas al penitente a quien acababa de oír, dijo a sus compañeros de tresillo:

—¿Han leído ustedes la comedia de don Pedro Calderón de la Barca intitulada "La devoción de la Cruz"?

Alguno de los comensales[39] la conocía, y recordó al vuelo las principales peripecias del galán noble y valiente, al par que corrompido, especie de Tenorio de su época, que, muerto a hierro,[40] obtiene por efecto de su constante devoción a la sagrada insignia del cristianismo,[41] el raro privilegio de confesarse momentos u horas después de haber cesado de vivir. Recordado lo cual, Lanzas prosiguió diciendo, en tono entre grave y festivo:

—No se puede negar que el pensamiento del drama de Calderón es altamente religioso, no obstante que algunas de sus escenas causarían positivo escándalo hoy. Más, para que se vea que las obras de imaginación suelen causar daño efectivo aun con lo poco de bueno que contengan,[42] les diré que acabo de confesar a un infeliz que no pasó de artesano en sus buenos tiempos; que apenas sabía leer;[43] y que, indudablemente, había leído o visto "La devoción de la Cruz", puesto que, en las divagaciones de su corazón, creía reproducido en sí mismo el milagro del drama...

—¿Cómo? ¿Cómo? — exclamaron los comensales de Lanzas, mostrando repentino interés.

—Como ustedes lo oyen, amigos míos. Uno de los mayores obstáculos con que, en los tiempos de ilustración que corren, se tropieza en el confesonario,[44] es el deplorable

---

37. the thread of his thoughts
38. entitled "The Devotion of the Cross" [an outstanding religious play by the great Spanish dramatist of the Golden Age, Pedro Calderón de la Barca (1600-1681)]
39. table companions
40. the main incidents of the noble and brave as well as corrupt hero, a kind of Don Juan [Tenorio] of his times, who, stabbed to death
41. the sacred insignia of Christianity, i.e. the Holy Cross
42. usually cause real harm with what little good they contain
43. an unfortunate wretch who was no more than a laborer at best, who could hardly read
44. during these enlightened times of ours, one stumbles in the confessional

efecto de las lecturas, aun de aquellas que a primera vista no es posible calificar de nocivas.[45] Ninguno tan preocupado ni porfiado[46] como mi último penitente; loco, loco de remate.[47] ¡Lástima de alma, que a vueltas de un verdadero arrepentimiento, se está en sus trece de que hace quién sabe cuántos años dejó el mundo,[48] y que por altos juicios de Dios[49]... ¡Vamos! ¡Lo del protagonista del drama consabido![50]

En estos momentos se presentó el criado de la casa, diciendo al Padre que en vano había llamado durante media hora en la puerta de la accesoria; habiéndose acercado al fin, el sereno,[51] a avisarle caritativamente que la tal pieza y las contiguas[52] llevaban mucho tiempo de estar vacías, lo cual le constaba perfectamente, por razón de su oficio[53] y de vivir en la misma calle.

Con extrañeza[54] oyó esto el Padre; y los comensales que, según lo dicho, habían ya tomado interés en su aventura, dirigiéronle nuevas preguntas, mirándose unos a otros. Daba la casualidad[55] de hallarse entre ellos nada menos que el dueño de las accesorias, quien declaró que, efectivamente, así éstas como la casa toda a que pertenecían llevaban cuatro años de vacías y cerradas, a consecuencia de estar pendiente en los tribunales un pleito en que se le disputaba la propiedad de la finca,[56] y no haber querido él, entretanto, hacer las reparaciones indispensables para arrendarla.[57] Indudablemente Lanzas se había equivocado respecto de la locali-

45. which at first sight cannot be classified as harmful
46. No one as worried and as obstinate
47. raving mad
48. persists in the opinion that he left the world I do not know how many years ago
49. [by the] high judgment of God
50. just like the main character in the play
51. nightwatchman
52. the adjoining [rooms]
53. this he knew perfectly well because of his job
54. With surprise
55. It so happened by chance
56. because of a lawsuit pending in court against him that challenged his right of ownership
57. to make necessary repairs to rent it

dad[58] por él visitada, y cuyas señas, sin embargo, correspondían con toda exactitud a la finca cerrada y en pleito; a menos que, a excusas del propietario,[59] se hubiera cometido el abuso de abrir y ocupar la accesoria defraudándole su renta.[60] Interesados igualmente aunque por motivos diversos, el dueño de la casa y el Padre, en salir de dudas, convinieron esa noche en reunirse al otro día temprano, para ir juntos a reconocer[61] la accesoria.

Aun no eran las ocho de la mañana siguiente, cuando llegaron a su puerta, no sólo bien cerrada, sino mostrando entre las hojas y el marco y en el ojo de la llave, telarañas y polvo[62] que daban la seguridad material[63] de no haber sido abierta en algunos años. El propietario llamó sobre esto la atención del Padre, quien retrocedió hasta el principio del callejón, volviendo a recorrer cuidadosamente, y guiándose por sus recuerdos de la noche anterior, la distancia que mediaba desde la esquina hasta el cuartucho, a cuya puerta se detuvo nuevamente, asegurando con toda formalidad ser la misma por donde había entrado a confesar al enfermo, a menos que, como éste, no hubiera perdido el juicio. A creerlo así se iba inclinando el propietario, al ver la inquietud y hasta la angustia con que Lanzas examinaba la puerta y la calle, ratificándose en sus afirmaciones y suplicándole hiciese abrir la accesoria a fin de registrarla por dentro.

Llevaron allí un manojo de llaves viejas, tomadas de orín,[64] y probando algunas, después de haber sido necesario desembarazar de tierra y telarañas, por medio de un clavo,[65] el agujero de la cerradura, se abrió al fin la puerta, saliendo

---

58. location
59. unknown to the owner
60. depriving him of the rent
61. to explore
62. between the leaves of the door and frame and the keyhole, cobwebs and dust
63. concrete proof
64. a bunch of old, rusty keys
65. to get rid of the dirt and cobwebs in the keyhole by means of a nail

por ella el aire malsano[66] que Lanzas había aspirado[67] allí la noche anterior. Penetraron en el cuarto nuestro clérigo y el dueño de la finca, y a pesar de su oscuridad, pudieron notar, desde luego, que estaba enteramente deshabitado y sin muebles ni rastro alguno de inquilinos.[68] Disponíase el dueño a salir, invitando a Lanzas a seguirle o precederle, cuando éste, renuente[69] a convencerse de que había simplemente soñado lo de la confesión, se dirigió al ángulo del cuarto en que recordaba haber estado el enfermo, y halló en el suelo y cerca del rincón, su pañuelo, que la escasísima luz de la pieza no le había dejado ver antes. Recogióle con profunda ansiedad, y corrió hacia la puerta para examinarle a toda claridad del día. Era el suyo, y las marcas bordadas no le dejaban duda alguna.[70] Inundados en sudor su semblante y sus manos, clavó[71] en el propietario de la finca los ojos, que el terror parecía hacer salir de sus órbitas;[72] se guardó el pañuelo en el bolsillo, descubrióse la cabeza, y salió a la calle con el sombrero en la mano, delante del propietario, quien, después de haber cerrado la puerta y entregado a su dependiente el manojo de llaves, echó a andar al lado del Padre preguntándole con cierta impaciencia:

—Pero, ¿y cómo se explica usted lo acaecido?[73]

Lanzas le vió con extrañeza, como si no hubiera comprendido la pregunta; y siguió caminando con la cabeza descubierta y no se la volvió a cubrir desde aquel punto. Cuando alguien le interrogaba sobre semejante rareza, contestaba con risa como de idiota, y llevándose la diestra al bolsillo, para cerciorarse de que tenía consigo el pañuelo.[74] Con infatigable constancia siguió desempeñando las tareas

---

66. unhealthy
67. inhaled
68. uninhabited and unfurnished and with no trace whatever of tenants
69. reluctant
70. embroidered monogram left no doubt about it
71. fixed
72. terror seemed to make pop out of their sockets
73. what has happened
74. putting his right hand in his pocket to make sure he had the handkerchief with him

más modestas del ministerio sacerdotal,[75] dando señalada preferencia a las que más en contacto le ponían con los pobres y los niños, a quienes mucho se asemejaba en sus conversaciones y en sus gustos.

Jamás se le vió volver a dar el menor indicio de enojo o de impaciencia; y si en las calles era casual o intencionalmente atropellado o vejado,[76] continuaba su camino con la vista en el suelo y moviendo sus labios como si orara.

Diré, por vía de apéndice,[77] que poco después de su muerte, al reconstruir alguna de las casas del callejón del Padre Lecuona, extrajeron del muro más grueso[78] de una pieza, el esqueleto[79] de un hombre que parecía haber sido emparedado[80] mucho tiempo antes, y a cuyo esqueleto se dio sepultura con las debidas formalidades.[81]

---

75. he continued performing the most modest tasks of the priestly ministry
76. bumped accidentally, or on purpose, or abused
77. by way of epilogue
78. they extracted from the thickest wall
79. skeleton
80. shut between the walls
81. was buried with all due formalities

ALBERTO BLEST GANA

b. Santiago de Chile, May 4, 1830

d. Paris, November 9, 1920

Son of the Irish physician William Cunningham Blest, founder of Santiago de Chile's School of Medicine (1833), and the Chilean lady María de la Luz Gana, Blest Gana studied at the Instituto Nacional and later at the Escuela Militar, graduating in 1847, whereupon he was sent to the Ecole Militaire in Paris, in time to witness the downfall of Louis-Philippe and the Revolution of 1848. Returning to Chile in 1851, he served as Lieutenant in the Engineering Corps and taught mathematics in the Escuela Militar. Although he had begun writing romantic verse rather early, Blest Gana's reading of Balzac assumed the proportions of a conversion, for he declared then: "juré ser novelista, y abandonar el campo literario si las fuerzas no me alcanzaban para hacer algo que no fuesen triviales y pasajeras composiciones." So the Balzac disciple published *Una escena social* (1853), in which he endeavored to reproduce Balzacian realism; following this with *La aritmética en el amor* (1860), which won him a coveted literary prize and an invitation to join the Department of Humanities at the University of Chile. In his inaugural address he pleaded for a literature "que combata los vicios y ensalce [extol] las virtudes patrias y conmueva por la fuerza de su realismo"; in his novel *Martín Rivas* (1862) he did try, despite its romantic afflatus, to look deep into the socio-political reality of Chile.

After the fertile decade 1853-1863, during which Blest Gana sent to press sixteen novels, a long period of silence followed due to his numerous duties, first as Chilean Chargé d'Affaires in Washington and later a Legation Chief in London (1868) and as Ambassador in Paris (1899) where he remained until his death and where he is buried beside his wife in the Père Lachaise Cemetery. It was in 1897 when Blest Gana surprised Chilean readers with his vast historical novel *Durante la Reconquista,* considered by some his most significant achievement; of it the critic Eliodoro Astorquiza has this to say: "Es Chile, el alma chilena en su lucha por la Independencia, el verdadero protagonista de *Durante la Reconquista.* Si existe entre nosotros alguna obra que pueda merecer el título de epopeya nacional es ésta." However, other critics seem to prefer either *Los transplantados* (1904), depicting the life of Spanish Americans in Paris, or *El loco Estero* (1909), wherein the eighty-year old writer charmingly evokes his childhood years.

Un drama en el campo belongs to his early period (it was published in 1859); and the reader cannot fail to observe Blest Gana's psychological perceptiveness, his poetical evocation of the landscape, and his masterful control of style.

EDITIONS: *Un drama en el campo,* Santiago, Zig-Zag, 195-; *Martín Rivas,* Santiago, Zig-Zag, 1961 (8th ed.); *Sus mejores páginas,* edited by Manuel Rojas, Santiago, Ercilla, 1961.

ABOUT BLEST GANA: Alone [Hernán Díaz Arrieta]: *Don Alberto Blest Gana, biografía y crítica,* Santiago, Nascimento, 1940; Eliodoro Astorquiza: "Don Alberto Blest Gana," *Revista Chilena,* X (August 1920), 345-370; Homero Castillo & Raúl Silva Castro: "Las novelas de don Alberto Blest Gana," *Revista Hispánica Moderna* (N.Y.), XXIII (July-October 1957) 292-304 and bibliography; Domingo Melfi: *Estudios de literatura chilena,* Santiago, Nascimento, 1938, pp. 23-47; F.D. Miller: *La sociedad coetánea como se ve a través de las principales novelas de Alberto Blest Gana,* Mexico, Universidad Nacional, 1949; Raúl Silva Castro: *Alberto Blest Gana,* Santiago, Zig-Zag, 1955 (2nd. ed.).

UN DRAMA EN EL CAMPO

I

En el interior de una casa de la calle Ahumada,[1] un joven se hallaba en una pieza pequeña, sentado delante de un escritorio. Después de arrojar el resto de un cigarro que humeaba entre sus dedos,[2] tomó la pluma y se puso a escribir lo siguiente:

"Querido Pablo:

"Al fin vamos a vernos, después de tan larga separación. Con esta idea vienen en tropel[3] a mi memoria los alegres juegos de nuestra niñez y los amores fugaces del colegio:[4] vuelvo a estar contigo, en una palabra, y recorro[5] una a una las horas de nuestra fraternal amistad.

"A todo esto se me olvidaba decirte el objeto de mi viaje, que te comunicaré en dos palabras: voy, encargado por mi padre, a entregar la hacienda al nuevo arrendatario,[6] y como no me acomodaría vivir solo en ese viejo caserón[7] donde ha pasado mi niñez, voy a pedirles a Uds. hospitalidad por algunos días.

"Da un abrazo en mi nombre a la buena tía, otro al selvático Antonio y tú, mi querido Pablo, recibe uno muy cordial de tu amante primo.

Emilio".

Esta carta llevaba la fecha del 23 de octubre de 1834.

El joven que acaba de escribirla salió al patio después de cerrarla y la entregó a un hombre que esperaba al lado de un caballo ensillado con el avío clásico de los campos.[9]

---

1. Ahumada Street, in Santiago de Chile
2. After getting rid of the cigar stump which was smoking between his fingers
3. tumultuously
4. puppy loves
5. recall
6. I have been assigned by my father to hand the hacienda over to a new tenant
7. big house
8. rustic [uncouth, wild]
9. saddled and with the customary countryside outfit

II

Tres días después, el hombre que había recibido la carta se baja delante de una casa de campo de pobre apariencia, situada en la provincia de Colchagua.[1]

Después de acomodar las riendas[2] de su cabalgadura con ese cuidado por sus arreos[3] de viaje que distingue a nuestros *huasos*,[4] el viajero penetró en una pieza en la que se veían tres personas: una mujer que parecía rayar[5] en los cincuenta años, y dos jóvenes, entre los cuales les habría sido muy difícil conocer una diferencia de edad; pues ambos aparentaban tener de veinticinco a veintiséis años cuando más.

En la figura de la mujer no resaltaba nada de notable.[6] Cierta melancolía de la mirada, cierto tinte de tristeza[7] que reinaba en su persona, eran indicios que sólo a un observador muy avisado y perspicaz[8] habrían servido para adivinar los pesares que amargaban[9] aquella vida oscura, dejando apenas un rastro en el semblante,[10] como tan a menudo acontece. El dolor es un huésped sombrío que las más veces gusta de aposentarse[11] en el alma, sin revelar al exterior su devastadora existencia.

Entre los dos jóvenes sentados junto a la señora se veían notables y muy marcadas diferencias.

El uno, bien que vestido con el desaliño[12] natural a la vida del campo, revelaba en su porte,[13] en la elegancia y finura de sus movimientos, al hombre que en medio de las sociedades y por una educación esmerada,[14] ha recibido la

1. Chilean province south of Santiago, located between 33° 55' and 35° 0', the Andes and the Pacifc
2. bridle
3. equipment
4. peasants
5. seemed to be bordering on
6. nothing remarkable stood out
7. melancholy air
8. traits that only to a very keen, perceptive observer
9. the sorrows that embittered
10. leaving hardly a vestige on her face
11. to lodge
12. untidiness
13. bearing
14. painstaking

gracia que sabe conquistarse irresistiblemente las simpatías de todos. Veíase además en sus cabellos negros desarreglados con arte,[15] en sus ojos embellecidos[16] por una expresión indefinible de dulzura, en las formas de su cuerpo delgado y vigoroso, cierta elegancia natural, que decía bien claro que aquel joven no había vivido siempre entregado a las duras fatigas de las tareas campestres.[17]

El otro formaba en toda su persona un singular contraste con aquél. Sus miradas revelaban la indomable fuerza de voluntad[18] que jamás retrocede: los labios abultados, la espesa barba desgreñada y áspera, las pobladas cejas, habitualmente contraídas,[19] quitábanle la gracia natural de la juventud, imprimiéndole el sello que las pasiones fuertes hacen,[20] casi siempre, contraer a los músculos del rostro.

Cualquiera que hubiese tenido que dirigirse por casualidad a uno de estos dos jóvenes, habría elegido maquinalmente[21] al primero.

A la entrada del viajero, las tres personas volvieron la vista hacia la puerta. El *huaso* avanzó en las puntas de los pies, haciendo que el ruido de sus espuelas se apagara[22] por medio de esa precaución, y tomando su sombrero con una mano, pasó con la otra la carta a la señora, mientras que con la que sostenía el sombrero llevaba hacia atrás un indómito cadejo de pelo,[23] que cayó sobre su frente apenas le faltó el apoyo[24] que lo sostenía.

—*Señor don Pablo Reina,* —leyó la señora en el sobre, pasando la carta al primero de los jóvenes que describimos.

Este tomó la carta y, abriéndola, echó la vista sobre la firma.

—¡Ay, madre —exclamó lleno de alegría—, es de Emilio!

15. artfully dishevelled
16. enhanced
17. farm chores
18. will power
19. thick lips; dishevelled beard, rough and heavy; thick eyebrows, usually knitted
20. leaving upon him the mark of strong passions
21. would have chosen automatically
22. that the noise from his spurs would be toned down
23. untamable lock of hair
24. support

—¿A ver qué dice? —exclamó la señora, en cuyo semblante brilló también un rayo de contento.

—Mañana estará aquí, viene a entregar la hacienda —exclamó Pablo, levantándose radiante de felicidad—. Le manda un abrazo, madre, —añadió—, y otro a ti, Antonio.

—¡Cuánto me alegro! —dijo la señora.

Antonio pareció hacer un esfuerzo para dibujar en sus labios una sonrisa, encendió un cigarro y salió sin decir una palabra.

III

Los dos jóvenes, Antonio y Pablo Reina, componían con la señora, a quien este último dió el nombre de madre, la pequeña familia que habitaba la casa de campo.

El padre de estos jóvenes, muerto cuando el mayor de ellos contaba apenas diecinueve años, había legado[1] por toda fortuna a su familia una hijuela de trescientas cuadras en el departamento de San Fernando.[2] En aquellos tiempos, esa extensión de terreno estaba muy lejos de tener el valor que en el día han alcanzado los fundos rústicos,[3] con el progresivo aumento de la riqueza del país. Así es que la familia de don Pedro Reina, el padre de los jóvenes, quedó a su muerte reducida a un estado de pobreza vecino de la indigencia.[4]

Hasta entonces doña Manuela Esteros, la madre de los jóvenes, y Antonio, el mayor de ellos, habían acompañado a don Pedro en sus trabajos de agricultura, mientras que Pablo estudiaba en calidad de externo[5] en el Instituto de Santiago y vivía en casa de los padres de Emilio Reina, su primo hermano. De manera que Pablo, el hijo mimado,[6] participaba de la ventajosa posición de su tío, mientras que Antonio se vió desde la niñez reducido a los duros trabajos

1. had bequeathed
. 2. a three hundred-acre farm in the San Fernando Department [of Colchagua province]
3. farms
4. almost totally impoverished [lit. poverty bordering on indigence]
5. day pupil
6. pampered son

de una vida expuesta a las inclemencias del tiempo.[7] Esta desigualdad establecida por los padres en la condición material y moral de los dos hermanos, desigualdad muy común en la existencia de las familias, había arrojado desde temprano entre los dos jóvenes el germen de un odio sombrío, que, andando el tiempo, habría de producir fatales e irremediables resultados.

Antonio veía llegar a su hermano todos los años en la época de las vacaciones, vestido con la elegancia del joven santiaguino[8] que ya pasea en la Alameda y gusta pasar en los días festivos por las puertas de calle, donde las niñas que aspiran a ser *grandes,* establecen con los que pasan un fuego de ojeadas,[9] que no pocas veces acaba por rendir a ambos combatientes. Además, Pablo era festejado[10] por los padres con aquella ternura que resuena dolorosamente[11] en el corazón de los hijos abandonados, y mientras él los extasiaba[12] con el franco y afable cariño del hijo preferido, Antonio sentía aumentarse en su pecho la honda y constante melancolía que infunde la conciencia y acaso la previsión de un porvenir sin amor y sin alegría.

A la muerte de don Pedro, Antonio sintió que la naturaleza, privándole del cariño de sus padres, le había revestido[13] de la suprema autoridad en la familia. Su voluntad, hasta entonces reprimida por el respeto a su padre, se armó de la dureza que le era propia y resolvió hacer triunfar sus deseos, ya que su cariño había sido injustamente desdeñado.[14]

Un día, cuando el dolor había calmado en su madre la fuerza de sus primeros ataques, Antonio entró en su cuarto y comenzó a pasearse con el aire concentrado de un hombre a quien preocupa una idea única, haciéndole indiferente a todo lo que pasa en derredor suyo.

7. exposed to the inclemency of the weather
8. from Santiago [Chile's capital city]
9. an exchange of glances [lit. of firing]
10. petted
11. with that tenderness which is painfully echoed
12. delighted them
13. had invested him [of total authority]
14. scorned

Doña Manuela notó al instante la preocupación de su hijo y pareció adivinar la idea que se agitaba en su mente.

—Me he ocupado ayer todo el día, —dijo el joven continuando sus paseos—, de arreglar las cuentas de mi padre, y vengo a decirle que, lejos de poseer algo, nos hallamos debiendo seis mil pesos.

Doña Manuela bajó la vista sin contestar una palabra, y Antonio, después de esperar una respuesta continuó:

—Creo que ha llegado ya el momento de reducir nuestros gastos en cuanto sea posible, para cubrir esa deuda.

—Me parece, —se aventuró a decir la señora—, que no no se puede vivir más económicamente que lo que hasta ahora hemos hecho.

—Bien lo sé —replicó Antonio—; pero no basta la economía de la casa, es preciso suprimir todos los gastos superfluos y que mi padre, contando con más larga vida, creía hallarse en posesión de hacer.

—¿Qué gastos? —preguntó doña Manuela.

—Los que origina la educación de Pablo, —dijo resueltamente el joven, atacando de lleno la cuestión[15]—. Me parece que Ud. encontrará muy justo que él venga también a contribuir con su trabajo, en vez de estar gastando lo que no tenemos. Piénselo Ud. bien, —añadió sin esperar una respuesta—; mañana voy a enviar un mozo con caballos a Santiago para que pueda venirse y creo que Ud. debe escribirle también como yo lo hago, manifestándole la necesidad de esta medida.

Tras estas palabras, Antonio salió del cuarto de su madre, dejándola entregada a su dolor y a sus lágrimas.

Doña Manuela pasó toda la noche de aquel día entregada al más intenso sentimentalismo. Cortar la educación de Pablo, sobre quien se hallaban cifradas sus únicas esperanzas,[16] era para ella una resolución casi superior a sus fuerzas; pero al propio tiempo conocía la indomable voluntad de su hijo mayor y, bien que un tanto cegada[17] con su

15. facing the problem squarely
16. on which were placed her only hopes
17. rather blinded

preferencia por el otro, sentía en el fondo de su conciencia la amarga justicia de las pocas observaciones que acababa de hacerle.

Al día siguiente, como Antonio lo había anunciado, un inquilino[18] de la hacienda salió para Santiago llevando cartas para Pablo y caballos para hacer el viaje.

Ocho días después, la madre se encontraba con sus dos hijos en su pequeña hijuela y Pablo, abandonando los hábitos de la vida estudiosa y sedentaria que hasta entonces había llevado, se entregaba, con el ardor de la juventud, a los trabajos que representaban su único porvenir.

IV

Desde entonces se estableció entre los dos hermanos una serie continua de parciales desavenencias,[1] que debía convertir en abismo profundo la distancia que desde la niñez los separaba. Esas dos opuestas naturalezas entregadas al choque incesante de la vida de familia, fueron encontrándose poco a poco por todos los puntos salientes de su carácter, haciendo estallar el rencor[2] por una parte y la impaciencia por otra, por los gustos y por lás antipatías[3] y depositando en el alma de cada uno cierta hiel,[4] que, desarrollada en la estrecha esfera de una vida monótona, cobraría[5] al fin proporciones increíbles.

Doña Manuela siguió la marcha del odio que animaba a los dos hermanos, con el sentimiento y previsión profundos de la madre, sin poder jamás desprenderse[6] de su preferencia por el menor; de aquí la imperceptible melancolía de su rostro, en el que los tintes sombríos de su intenso pesar se hallaban templados[7] por la tranquilidad de una

18. tenant

1. disagreements
2. causing their animosity to explode
3. dislikes
4. gall
5. would attain
6. to get rid
7. tempered

existencia oscura y entregada a la práctica constante de la virtud.

Esta vida, con sus rencores y melancolías continuos, duraba ya cerca de ocho años. Los cabellos de la madre habían encanecido[8] en ese tiempo y los dos niños se hallaban transformados en los hombres cuya descripción ligera dejamos hecha.

Tal era el estado de la pequeña familia olvidada en un rincón de una lejana hacienda, cuando llegó a la casa Emilio Reina, el joven que dirigió a Pablo la carta.

V

Corría, como dijimos, uno de los últimos meses del año de 1834.

Emilio fué recibido con la cordialidad digna de aquellos tiempos de hospitalaria memoria, tiempos en que la civilización no había establecido aún esa política reserva[1] que, aún entre miembros de la misma familia, se va haciendo común en nuestros días de progreso.

Pablo se arrojó[2] en los brazos de su primo con el placer del que estrecha en un abrazo[3] al hermano largo tiempo ausente, y Antonio se limitó a pasarle su mano, pero con una sonrisa que revelaba que en su alma la amistad era todavía una creencia.[4]

Tras esto siguiéronse las sabrosas[5] conversaciones de los recuerdos, campo en que el alma del hombre se explaya[6] siempre con placer, como si conociendo la avaricia de la suerte, quisiese contar siempre los goces pasados, para ponerlos en lugar de los que pudiera desvanecer el porvenir.[7]

---

8. had become gray

1. cool reserve
2. threw himself
3. embraces
4. belief
5. delightful
6. opens up
7. in place of those the future might obliterate

Dadas las once de la noche, hora avanzadísima en los campos y en aquellos tiempos sobre todo, Pablo condujo a Emilio a su propio cuarto, en donde le había hecho preparar una cama.

—Sabes —dijo Emilio—, que me da pena verte así en el campo, abandonando tus antiguas esperanzas.

Pablo dió un suspiro.

—Cierto que al principio he sufrido mucho —contestó—, pero te aseguro que si ahora no soy enteramente feliz, no me encuentro, a lo menos, desgraciado.

—No importa; la conformidad es una virtud, pero no constituye la dicha: tú has nacido para otra vida más intelectual que ésta, vente conmigo a Santiago.

—Imposible.

—Imposible, ¿por qué? No me obligues a decirte que no tendrías que pensar en gastos.[8]

—Gracias, pero es imposible, a lo menos por ahora.

—No te comprendo, ¿Quién te lo impide?

—Te haré francamente una confesión: estoy enamorado.

—¡Aquí! ¿de quién? ¿De alguna huasa?[9]

—¿Tú no recuerdas la familia de la hacienda vecina?

—Ah, tienes razón, no me había acordado de Paulina Mendibel; pero te diré una cosa, ya que tan franco te muestras.

—¿Cuál?

—Que te compadezco: el padre es de una avaricia proverbial.[10]

—Y yo soy pobre, ¿no es verdad?

—Precisamente; lo que quiere decir que no serás admitido como candidato.

—Pero eso no quita[11] que pueda ser amado.

—Es cierto. A ver, cuéntame esos amores, ya que por mi parte ninguna confidencia tengo que hacerte.

---

8. expenses
9. hick
10. I feel sorry for you: her father is a really grasping miser
11. does not prevent from

—Conocí a Paulina el año pasado, —dijo Pablo— cuando el padre compró la hacienda y vino a establecerse aquí con la familia. Antonio y yo hicimos nuestra primera visita a título de vecinos[12] y las continuamos después en calidad de vecinos y amigos. Tú conoces el carácter de Antonio. En esas visitas poco hablaba, de manera que yo tenía que hacer todo el gasto de la conversación;[13] mas poco a poco la intimidad fué estableciéndose a tal punto que la noche que no íbamos, yo me sentía triste y aún inquieto. Desde entonces abandoné mi idea favorita de volver a Santiago, y Paulina, en diversas conversaciones, me manifestó igual gusto por la vida del campo, que en los primeros meses parecía desesperarla. Esta simpatía de gustos, como bien adivinarás, hizo más frecuentes y más íntimas nuestras conversaciones, hasta que llegamos a esas confidencias del corazón con que los amantes principian por decirse indirectamente lo que sienten. Te ahorraré la pintura de mi alegría, cuando Paulina, llena de timidez, me hizo comprender que correspondía a mi amor. Durante algunos meses fuimos completamente felices, pues vivíamos de nuestros juramentos, como si guardásemos el secreto de una dicha[14] perfecta e inalterable: ¡tú sabes que los horizontes del amor platónico son inmensos!

"Nada de más expansivo, además, ni tan dispuesto a tiernos sentimientos como un enamorado feliz. Así me sentía yo después de la confesión de Paulina, de modo que quise borrar con una prueba de cariño,[15] la distancia que el carácter de Antonio había puesto entre nosotros. Lleno de confianza y olvidando nuestros repetidos disgustos, quise anudar el lazo[16] de nuestro cariño, roto tantas veces, y establecer con él esa intimidad de hermano, que el mismo amor no puede reemplazar[17] en ciertas ocasiones.

"Un día que nos hallábamos solos, después de comer, quise realizar mi propósito.

12. as neighbors
13. so that I had to do all the talking
14. happiness
15. to blot out through affection
16. to tie the bond
17. to replace

—"Sabes, —le dije, con el acento más cariñoso que pude encontrar en mi voz—, que tengo una confidencia que hacerte.

"Al oír mis palabras, se levantó del sofá sobre el que se había recostado a fumar y me miró con una expresión de cariño, que nunca había yo visto pintarse en su rostro. Hubiérase creído que su alma despertaba de repente de un sueño fatigoso y sonreía ante una halagüeña[18] realidad.

—"¿A mí? —exclamó.

—"¿Por qué no a ti que eres mi hermano? —le dije—, ¿puedo tener mejor amigo que tú?

—"Bueno, bueno, —contestó confuso, cual si hubiese tomado mis palabras como un reproche dirigido a su constante terquedad[19]—; confiándome algo, me darás una prueba de cariño; ya te escucho.

—"¿Te has fijado en mis conversaciones con Paulina, —le pregunté.

"Su semblante se puso pálido y toda la sangre pareció agolparse[20] a sus ojos.

—"¿Por qué me haces esa pregunta? —me dijo con voz apagada.[21]

—"Porque quiero decirte que la amo.

—"¿Y piensas que tú solo tienes derecho de amarla? —exclamó levantándose.

—"A lo menos —le contesté, picado[22] del tono de su exclamación—, creo que tengo más derecho que tú.

"Sus manos se crisparon de cólera y sus ojos circundados de sangre, brillaron con un fulgor sombrío y aterrante.[23]

—"Sí, tienes más derecho que yo —me dijo principiando a pasearse—, también siempre has tenido derecho de ser feliz a costa mía. En verdad, no sé por qué nacimos hermanos, cuando la suerte nos destinaba para enemigos.

18. alluring
19. bullheadedness
20. to rush
21. muffed
22. piqued
23. His hands contracted convulsively and his eyes became bloodshot, shining with a sinister, terrifying radiance

Tú amas a Paulina, me dices; pues bien, yo seré franco como tú: yo también la amo y he resuelto que sea mía, ¿entiendes?, lo he resuelto.

"Y diciendo esto, me dejó solo, sin esperar mi respuesta.

VI

"Al día siguiente de esta conversación nos hallábamos, como de costumbre, en casa de Paulina. En todo el día Antonio y yo no nos habíamos visto. Cada vez que conversaba con ella y alzaba por casualidad la vista,[1] encontraba la mirad de mi hermano fija sobre nosotros, brillando con ese fulgor sombrío que me mostró el querer yo hacerle la confidencia de mi amor.

"Varias semanas pasaron de este modo. Paulina había notado también la extraña expresión de Antonio, que casi nunca le dirigía la palabra; esa expresión, me decía a veces, le causaba un indecible[2] terror.

"Por otra parte, en nuestro amor, tras los juramentos vinieron los proyectos: entre éstos, se deslizó la palabra matrimonio,[3] que nunca me había atrevido a pronunciar, y que Paulina acogió[4] con un placer franco y sincero, que me probó la realidad de su amor. Venciendo la timidez que me inspiraba mi pobreza y la gran fortuna[5] del padre de Paulina, me dirigí resueltamente a él y le impuse de nuestro amor y mis proyectos, solicitando la mano de su hija. La respuesta que obtuve fué también de una franqueza desesperante.

"—Amigo, —me dijo este hombre, haciéndome bajar la vista con la insolencia de su mirada—, mi hija aunque será rica, no lo es todavía, por consiguiente necesita un marido de fortuna para no descender de la posición que por

1. by chance looked up
2. unutterable
3. the word "marriage" cropped up
4. welcomed
5. wealth

mi trabajo le he dado. La hijuela que Uds. cultivan, apenas daría para comer a uno solo y mucho menos a su madre de Ud., a su hermano, y a su familia que Ud. tendría. Siga un buen consejo, que le doy por amistad: no piense en casarse hasta que sea rico.

"Ante la fría lógica de aquella redonda[6] negativa, basada en un cálculo aritmético, mi voluntad y mi espíritu se sintieron sin energía, como sin argumentos. Los idilios de mis ensueños amorosos vinieron por tierra, como las flores de un jardín que los muchachos se divierten en destrozar con el primer palo que encuentran a la mano.[7] Sin sentirme humillado, vi que era preciso ceder a la omnipotente majestad del dinero y me retiré culpando sólo al destino, que me negaba mi primera y más ardiente ambición.

"En la noche no quise presentarme en casa de Paulina y al día siguiente me preparaba a imponerla,[8] por medio de una carta, de las razones que me desterraban[9] de su lado, cuando recibí una de ella en la que, a la más tierna inquietud, venían unidas las solemnes protestas de una eterna constancia. Mi contestación fué contándole mi entrevista con su padre y la redonda negativa que había recibido.

"Desde entonces quedó establecida nuestra correspondencia que dura hasta ahora. Desde entonces también sólo dos veces he podido hablar con ella, cuando la he encontrado paseando a inmediaciones[10] de la casa, acompañada por una vieja, sirvienta antigua de la familia.

"Paulina, en sus cartas, me da cuenta, una por una, del empleo que hace de las horas del día, teniéndome al corriente de todo lo que acontece en su casa y que puede interesar a nuestro amor. Hace pocos días noté en su correspondencia una tristeza que rayaba[11] en reserva, y conjurándola,[12] en nombre de sus juramentos, a que me hiciese saber

---

6. emphatic
7. to destroy with the first stick they got hold of
8. to inform her
9. removed me [lit. exiled me]
10. near
11. bordered on
12. entreating her

la causa de aquel cambio, me confesó que Antonio le había declarado su amor y habládola de mí con menosprecio y desdén.[13] Luego después, me anunció que mi hermano se había retirado de su casa, cuando ella le había dicho que me amaba, jurando que nunca me pertenecería. Este juramento, me decía Paulina, fué hecho con una expresión de rabia,[14] que a todas horas se presentaba a su memoria, como el recuerdo de una pesadilla horrorosa.

"Desde aquel día nuestros disgustos y rencillas[16] con Antonio han sido cada vez más agrias[17] y frecuentes, hasta el punto de no vernos nunca, sino a la hora de almorzar y comer, en presencia de mi madre.

"Pero hace tres días, este género de vida cercado de contrariedades y pesares domésticos, sin más placer que las cartas de Paulina y la esperanza de verla, ha cambiado repentinamente. Paulina me anunció que su padre, sintiéndose enfermo, acababa de arrendar la hacienda y que había ordenado hacer los aprestos[18] para marcharse a Santiago. Bien pensarás que ese golpe inesperado fué para mí terrible; la idea de perder a Paulina hizo cruzar por mi cerebro mil siniestros proyectos, en los que imperaba el más profundo desprecio[19] de la vida. Parecíame que en Paulina todos mis afectos se habían concentrado, y sentía que perderla era el principio de una agonía atroz, que en breve cortaría mi vida.

"Mi respuesta a la carta de Paulina fué naturalmente en ese sentido: en ella apuré[20] los colores más sombríos de mi desesperación, sin ocultarle mis fatales presentimientos, ni las probalidades de que pudieran realizarse. Paulina me escribió, entregada[21] a la más desesperante inquietud. Cada frase de su carta respiraba la abnegación del amor verdadero,

13. and spoke to her about me with contempt and scorn
14. wrath
15. dreadful nightmare
16. arguments and quarrels
17. bitter [lit. sour]
18. to get ready
19. contempt
20. exhausted
21. surrendered

240

encendido y aumentado por los obstáculos; amor que desconoce los sacrificios para arrostrarlos[22] con la sonrisa en los labios, como la fe religiosa daba fuerza a los mártires para sufrir los tormentos y la muerte. Para ella, como para mí, nuestro amor era la vida: sin él preferíamos morir.

"A la lectura de esta carta me resolví a emplear el único expediente que nuestra angustiada situación me sugería, y le propuse la fuga, diciéndole que iríamos a casarnos a San Fernando[23] a casa de un amigo, de cuya fidelidad no puedo dudar. Mi propuesta ha sido aceptada, no sólo con resignación, sino con placer, y como pasado mañana es el día fijado por su padre para emprender el viaje a Santiago, nuestra fuga está convenida[24] para mañana en la noche."

—¿Y has pensado bien —dijo Emilio— en el paso que vas a dar?

—¿Y qué hacer? —replicó Pablo— yo puedo resolverme a todo, menos a dejarla partir.

—Pero tienes que abandonar a tu madre.

—Será por poco tiempo; cuando me haya casado, volveré con Paulina.

—¿Y su padre?

—¡Qué me importa! El arreglará sus cálculos como pueda y sufrirá las consecuencias de su ambición.

VII

A la noche siguiente de esta conversación, los dos hermanos, la madre y Emilio se hallaban en la pieza que servía de comedor. Doña Manuela tomaba mate[1] sentada en un rincón del cuarto, mientras que Pablo y Emilio conversaban a su lado. Antonio se paseaba fumando, sin tomar parte en la conversación. En aquellos momentos había algo de solemne y sombrío en el cuadro que formaban estas cuatro

---

22. to face them
23. town in the San Fernando Department [in Colchague]
24. we have agreed to escape

1. was drinking tea

personas. La escasa luz que alumbraba la estancia dejaba caer sus pálidos rayos sobre el rostro melancólico de la señora y parecía eclipsarse ante el fuego de las miradas que, al dar vuelta en sus paseos, lanzaba Antonio sobre su hermano y su primo. La conversación, además, era fría y trabajosa, como la de personas que hablan preocupadas de ideas distintas a las que van emitiendo con distracción.

Así llegaron hasta las diez de la noche, hora en que doña Manuela se retiró a su cuarto, y Emilio hizo señas a Pablo de retirarse también. Este salió dejando a su primo solo con Antonio, que había tomado un asiento a distancia.

—Primo —dijo Emilio, rompiendo el silencio—, desde ayer tengo deseos de hablar a solas con Ud.

—¿Sí? ¿Y sobre qué? —contestó Antonio, como sacudiendo[2] alguna idea que parecía dominarle.

—Sobre varias cosas —replicó Emilio—, que pueden resumirse en una sola: desearía ver en sus relaciones con Pablo ese amor de hermano que echo de menos.[3]

—Ese amor de hermano —exclamó Antonio— ha muerto en mí cada vez que ha querido renacer.[4] ¿Quién tiene la culpa? Dios sólo lo sabe. Hay, sin duda, primo, naturalezas desgraciadas, que la providencia o quien sabe qué, destina fatalmente a una lucha perpetua: la mía es una de esas. ¿Cree Ud. que mi corazón no ha sentido jamás la necesidad de un afecto? Una sola confesión de mi parte le dará la respuesta: yo he devorado los libros de Pablo y hecho gala[5] de mis conocimientos, para que nuestros padres viesen que yo también quería conquistar su cariño aun cuando ellos pareciesen querer negármelo. Sin embargo, de todo esto, nada he logrado, cuando sentía en mí irresistibles impulsos hacia esa vida de tiernos sentimientos, que sólo podían endulzar la soledad a que me he visto condenado desde mi infancia. Ahora ya es tarde. He querido buscar en una mujer toda esa dicha que me huía[6] con los otros, y esa

2. as if shaking off
3. which is missing
4. to be reborn
5. showed off
6. that was fleeing away from me

mujer ha preferido también a Pablo; ya ve Ud. que entre nosotros toda reconciliación es imposible, porque yo también amo a Paulina, y he jurado que si no llega a ser mía, no será de nadie. ¡Alguna vez siquiera me he de dar el placer de realizar mi deseo!

Antonio, que había principiado a hablar con un tono de reconcentrada tristeza, se animó por grados hasta temblar de emoción al decir su amor a Paulina.

—Vea Ud. —dijo después de una ligera pausa— cómo Pablo ha sido desde nuestros primeros años el ser con quien siempre me han comparado deprimiéndome;[7] yo he buscado el modo de hacerme superior a él en cuanto he podido y en muchas cosas lo he logrado. El no me aventaja en ningún ejercicio de cuerpo y nunca se atreverá a arrostrar mi cólera, porque lo quebraría como a un niño.[8] Es verdad que él me ha vencido hasta ahora en el amor, pero yo sabré vencer al destino; voluntad y energía me sobran.

Y al decir estas palabras, empezó a reírse de un modo extraño y forzado, que heló[9] la sangre de su primo.

—Todo lo que Ud. me ha dicho —dijo Emilio— prueba sólo que Uds. no se han entendido hasta ahora, pero que pueden amarse.

—Vea —replicó Antonio, interrumpiéndole—, dejemos esta cuestión, porque ella me afecta demasiado. Si Pablo renunciase a Paulina, desde ahora mismo, ¿me entiende Ud.?, en el acto, tal vez nuestro porvenir sería más feliz. De otro modo tendremos que conformarnos con nuestro destino. Buenas noches, primo.

Los dos jóvenes se separaron y Emilio se dirigió al cuarto de Pablo.

—Es intratable[10] —dijo al entrar—; creo que nunca se alcanzará nada de él.

—Lo siento —murmuró Pablo—: al dar el paso a que me preparo, hubiera querido reconciliarme con él.

---

7. to my disadvantage [lit. belittling, or humiliating me]
8. he will never dare to face my wrath for fear of my crushing him as if he were a little child
9. frozed up
10. intractable [headstrong, restive]

Emilio se guardó bien de decir la condición que Antonio imponía para olvidar su rencor.

—Creo que la hora ha llegado —dijo Pablo, tomando su sombrero y un par de pistolas que había dejado sobre una silla.

—Yo te acompaño —le dijo Emilio.

—Para qué, solo estoy bien.

—En lugar de llevar un hombre cualquiera, irás conmigo.

—Vaya, si tú te empeñas:[11] gracias.

Emilio tomó su sombrero y ambos salieron, dirigiéndose detrás de la casa, en donde había tres caballos ensillados, que un hombre sujetaba[12] por las riendas.

—Bien está, déjanos los caballos —dijo Pablo a este hombre.

Los dos jóvenes montaron, y tomando Pablo la brida del tercer caballo, se pusieron a galopar en dirección a la casa que habitaba Paulina.

VIII

Eran ya las dos de la mañana.

La noche, sin ser de luna, tenía bastante claridad para dejar distinguir los objetos a una distancia considerable.

El silencio de los campos era profundo y sólo interrumpido de cuando en cuando por el lejano mugido de los toros,[1] que los ecos de los montes repetían.

Por lo demás, todos los ruidos nocturnos que se oyen en los campos en las primeras horas de la noche habían cesado ya, dando lugar a ese silencio solemne que predispone el ánimo a[2] la superstición y a los temores.

Los dos jóvenes galoparon durante un cuarto de hora sin dirigirse la palabra: ambos iban engolfados[3] en sus pro-

11. if you insist
12. held

1. the far-away bellowing of the bulls
2. predisposes the mind to
3. deeply absorbed

pias meditaciones, que la calma de aquella hora favorecía. Al cabo de este tiempo, Pablo pasó del galope al trote y de éste al paso poco después. Emilio disminuyó también la velocidad de su marcha, en la misma proporción que su primo.

—Ya vamos a llegar —dijo Pablo, rompiendo el silencio— y es preciso caminar más despacio, para que el ruido no llame la atención de los inquilinos[4] que viven en los alrededores de las casas con sus pandillas de perros, los que esparcirían la alarma a más de una legua a la redonda.[5]

Ambos se detuvieron después de estas palabras. Hallábanse delante de una tapia baja de adobones.[6]

Los dos jóvenes echaron pie a tierra, y Pablo se alzó apoyando un pie en uno de los agujeros de la tapia. Delante de su vista había un potrerillo de cortas dimensiones,[7] terminando al frente por las altas paredes de adobe que circunvalaban[8] la casa. En un rincón se divisaba apenas un punto oscuro, que era la puerta que comunicaba el potrerillo con el interior.

—Espérame aquí —dijo Pablo a su primo, pasándole las riendas de su caballo y las del que había traído tirando—; sobre todo, ten paciencia, pues será preciso esperar algún tiempo.

Diciendo esto, el joven saltó al otro lado de la tapia y se dirigió al rincón, donde hemos dicho se hallaba la puerta que daba entrada a la casa por la parte de atrás. Emilio siguió a su primo con la vista, sentándose sobre la tapia: le vió detenerse algunos instantes y perderse después tras la puerta, que se abrió y cerró sin hacer el menor ruido.

En esa expectativa transcurrieron diez minutos,[9] durante los cuales Emilio sintió palpitar su corazón y llenársele el espíritu de mil funestos presentimientos.[10] A cada instante creía oír ruido de voces en el interior de la casa, y el

4. tenant farmers
5. pack of dogs which would spread the alarm for miles around
6. a low adobe wall
7. a small stable
8. the high adobe walls surrounding
9. During the expectation, ten minutes elapsed
10. direful presentiments

lejano mugido de las vacas[11] resonaba en sus oídos como el lamento de una voz ahogada[12] por el dolor.

"Si le sorprenden —se decía temblando—, tendrá tal vez que habérselas con los criados de la casa, que le tomarán por un ladrón".

Entretanto, sus ojos se fijaban obstinadamente en la puerta, mientras esta reflexión cobraba cada vez más alarmantes proporciones.[13]

Su vista, acostumbrada ya a la oscuridad, divisó por fin abrirse la puerta y aparecer un bulto[14] que, proyectándose sobre ella, podía apenas distinguirse. Pero el bulto continuó avanzando hacia él y empezó a dibujarse mejor, a medida que se aproximaba. En la mitad de la distancia, Emilio percibió distintamente dos personas: un hombre y una mujer.

Entonces sintió desvanecerse, como por encanto, sus temores y dilatársele el pecho con la vuelta de la tranquilidad.[15] Pero no bien experimentaba esta consoladora sensación, cuando resonó en el aire el estampido de un tiro,[16] y sus ojos, que seguían el movimiento de las dos personas que avanzaban, vieron caer a una de ellas, y oyó un gemido que fué a confundirse en los cerros con los ecos de la detonación.[17]

IX

Emilio se lanzó del puesto que ocupaba y corrió, cuan ligero le fué posible,[1] hasta el punto en que una de las dos personas acababa de caer: Pablo se hallaba sin sentido en el suelo y una mujer joven y bella hacía esfuerzos para sostenerle.[2]

11. the far-away mooing of cows
12. stifled
13. assumed increasingly alarming proportions
14. a form [or shadow]
15. as if by enchantment, he felt his fears dissipating and his chest expand as he regained his composure
16. a shot sounded
17. a moan merged with the report [of the gun] echoing in the hills

1. as fast as possible
2. to support him

Emilio, sin decir una palabra, se puso a reconocer el cuerpo de su primo: la bala había pasado a algunas líneas sobre la sien izquierda, abriendo una herida que la sangre hacía aparecer más grave.[3]

—Señorita —dijo a la niña que fijaba en él sus ojos llenos de inquietud—, yo he venido con Pablo y me hallaba esperándole cuando he sentido el tiro y le he visto caer: soy su primo.

—El me lo venía diciendo —contestó ella—; pero ¡qué haremos, por Dios! ¿Cree Ud. que la herida sea de gravedad?[4]

—Imposible me será decirlo ahora; pero es preciso que Ud. vuelva a su casa antes que noten su ausencia: de otro modo Ud. y él se pierden para siempre.[5]

—No, —dijo la niña con resolución—; yo no puedo abandonarle así.

—En nombre de él y de su amor, —replicó Emilio—, vuélvase Ud. Yo voy a conducirle a su casa y la tendré a Ud. al corriente de su salud:[6] si Ud. se queda, todo se descubre y están Uds. perdidos.

—No importa —dijo ella—, ya he resuelto salir de mi casa, y si pensaba seguirle estando bueno, con más razón lo haré ahora que su vida se halla en peligro.

Emilio inclinó la cabeza ante aquella enérgica resolución, y pasando sus brazos bajo el cuerpo de Pablo, se enderezó con él hasta la tapia,[7] en donde momentos antes le esperaba.

Allí, el herido alzó la cabeza y fijó la vista en Paulina y su primo.

—¿Ud. no está herida? —dijo, tomando las manos de la niña.

---

3. the bullet had grazed past the left temple opening a wound that the [abundant flow of] blood made it seem more serious [than it really was]
4. Do you think he is seriously wounded?
5. will be ruined forever
6. will keep you informed about his condition
7. walked with him [in his arms] up to the wall

—No —respondió ésta, cuyo rostro se hallaba bañado en lágrimas[8]—, ¿qué siente Ud.?

—Creo que la bala sólo me ha rozado la cabeza[9] —dijo Pablo, llevando una de sus manos a la herida—; esto no será nada.

—Pero me parece que lo más prudente es dirigirnos a casa de tu madre —dijo Emilio—, y que esta señorita vuelva a la suya antes que hayan notado su ausencia.

—Tienes razón —contestó Pablo—, a menos que ella quiera ponerse bajo la protección de mi madre.

—Mi resolución está tomada —dijo Paulina—, yo iré donde Ud. vaya.

Pablo estrechó con amor las manos de su querida.

—Entonces —dijo Emilio— vamos pasando la tapia y a caballo; el tiempo urge, pues ese maldito tiro ha despertado a todos los perros de esta hacienda, y creo notar en la casa un movimiento de luces, que manifiesta que se han puesto en movimiento los que la habitan.

Hasta entonces aquellas tres personas parecían querer evitar la conversación sobre el origen del tiro.

Pablo, entretanto, recobraba todas sus fuerzas, porque después de pasar la tapia insistió en ayudar a Paulina a subir a su caballo. Hecho esto, montó ligeramente en el suyo y se pusieron en marcha, tomando Emilio la delantera[10] para dejar conversar libremente a los dos amantes.

Al cabo de una hora llegaban a la casa de doña Manuela, en la que reinaba el más profundo silencio. Al bajar del caballo, Pablo sintió que las fuerzas le faltaban: una violenta fiebre, que el frío de la noche y el movimiento del caballo habían aumentado, le privaba casi de todo movimiento.

Emilio y Paulina ayudaron al joven y le condujeron a su cuarto. Luego Emilio se dirigió a la habitación de Antonio, después de despertar a doña Manuela y de ponerla al corriente de lo que sucedía.

---

8. whose face was wet with tears
9. has only grazed my head
10. Emilio riding ahead

La madre de los jóvenes llegó al cuarto de Pablo un instante después y encontró a Paulina que sostenía entre sus brazos la cabeza de su hijo. Después de darle las gracias con lágrimas en los ojos, se pusieron ambas a lavar y vendar cuidadosamente la herida. Hecho esto se arrojaron en brazos la una de la otra y confunideron sus lágrimas y sus ahogados suspiros,[11] como si se hubiesen amado desde largo tiempo.

Doña Manuela, viendo que Pablo parecía haberse dormido, se puso a contemplar con curiosidad y cariño a aquella niña por la que su hijo se hallaba al borde de la tumba.[12]

Paulina era una hermosa joven de dieciocho años, de regular estatura y facciones de una irreprochable delicadeza.[13] En toda su persona brillaba ese aire de perfecta salud que añade brillo y frescura a los ojos y al semblante de la mujer, y su cuerpo, sin perder nada de su aristocrática elegancia con una moderada gordura,[14] hacía resaltar[15] la gracia y perfección de sus artísticas ondulaciones. Su rostro tenía la dulce palidez del sentimiento y sus ojos pardos,[16] animados por los resplandores de un amor vivamente sentido, le prestaban un encanto indecible. Por gracioso movimiento, maquinal en ella, alzaba sus sedosos cabellos cuando cubrían la parte superior de su frente, dejándola así despejada[17] y majestuosa con su franca pureza.

Doña Manuela hizo todas estas observaciones de un solo golpe de vista y sintió una especie de maternal orgullo al contemplar la belleza de la niña, que arrostraba por su hijo querido los fallos[18] severos de la sociedad y acaso la cólera y maldición de sus padres.

—¿Y a qué han atribuído Uds. esta desgracia? —dijo, dirigiéndose a Paulina, que seguía con inquieta solicitud la febril respiración del herido.[19]

11. stifled sighs
12. at death's door [a foot in the grave]
13. irreproachably delicate features
14. slightly stout
15. emphasize
16. brown
17. uncovered
18. verdict
19. the irregular [lit. febrile] breathing of the wounded man

—Pablo ha dicho que deben ser algunos ladrones[20] de los que no faltan en estos campos y que tiraron creyendo sin duda que estábamos solos, y han huído cuando han visto a su primo. Pero la herida no es grave —añadió con los ojos llenos de lágrimas.

—¿Y Ud. no teme que su padre pueda venir? —preguntó doña Manuela.

—Al contrario, pienso escribirle diciéndole lo que he hecho.

Doña Manuela la abrazó cariñosamente y ambas se sentaron a la cabecera[21] de Pablo.

X

Como dijimos, Emilio se dirigió a la habitación de Antonio, despúes de despertar a doña Manuela. Al entrar vió a su primo en su cama y, al parecer, profundamente dormido.

—Antonio —le dijo después de despertarle—, Pablo acaba de ser herido y es preciso ir a buscar un médico a San Fernando.

—¡Herido! —exclamó Antonio, levantándose—, ¿quién lo ha herido?

No sabemos —contestó Emilio, sintiendo casi desvanecerse la idea con que había entrado al cuarto.

En un instante Antonio se halló vestido.

—Vamos a verle —dijo.

—Mejor será ir a buscar inmediatamente al médico —le replicó su primo—; Pablo está durmiendo y conviene aprovechar el tiempo: si yo supiese el camino, me habría puesto en marcha ya.

—Como quieras —dijo Antonio.

Y saliendo del cuarto, montó en uno de los caballos que había ensillados[1] en el patio, y partió a galope, camino de San Fernando.

20. thieves
21. at the head of Pablo's bed

1. saddled

Tres horas después, Antonio volvió a la casa acompañado por un facultativo[2] de aquel pueblo. Ambos entraron en el cuarto del enfermo, después que doña Manuela y Paulina salieron, dejando a Emilio en la habitación.

Antonio se acercó con el médico, y éste, después de reconocer la herida, escribió una receta[3] y pidió un cuarto para retirarse.

—¿Qué piensa Ud. del enfermo? —le preguntó Emilio.

—La herida no es de mucha gravedad, pero la fiebre puede hacerla muy seria —contestó el médico.

Cuando Emilio y Antonio quedaron solos, éste se arrojó a los pies del lecho de Pablo y prorrumpió en sollozos desesperados.

—¡Mi hermano! ¡mi pobre hermano! —exclamó, retorciéndose dolorosamente.[4]

—Cálmate —le dijo Emilio, arrepintiéndose, ante aquel violento dolor, de haber juzgado temerariamente[5] de Antonio—; cálmate, esto no será nada.

El joven no respondió porque el llanto ahogaba su voz. Parecía que aquella naturaleza de fierro[6] experimentaba por primera vez el alivio[7] de las lágrimas, pues rendido a su imperiosa fuerza, Antonio ocultaba su rostro entre las manos y lloraba como lloran los niños. Transcurrida una hora de este modo, alzó su rostro y púsose de pie, fijando sus ojos escaldados[8] sobre su primo, que permanecía silencioso en un rincón de la estancia.[9] Nunca más intenso dolor se había manifestado tan visible y dejado tan profunda traza en unas cuantas horas. Los ojos encendidos, cóncavas las mejillas por una mortal palidez, abatida la frente[10] y los labios sin color, se habría creído que tan extraña transformación no podía ser la obra de un instante. Antonio dió

2. physician
3. prescription
4. writhing with pain
5. rashly
6. iron constitution
7. solace
8. bloodshot
9. in a corner of the room
10. sunken, mortally pale [lit. sunken with mortal pallor], and his head drooping

dos pasos por la pieza, y al querer de nuevo dirigir a Emilio la palabra, sus labios balbucearon inarticulados sonidos[11] y, dando algunos pasos hacia la puerta, cayó de rodillas al lado de su hermano, dejando correr de sus ojos el llanto que había querido en vano reprimir.[12]

Emilio se acercó a él y trató de mitigar su desesperación,[13] haciendo favorables pronósticos[14] sobre la salud de Pablo.

A la mañana siguiente, Paulina, como lo había dicho, escribió a su padre imponiéndole de su conducta[15] y anunciándole su firme resolución de no abandonar a Pablo. Después de escribir esta carta, dirigióse con doña Manuela al cuarto del enfermo, en donde se hallaba ya el médico con Emilio.

Antonio se había retirado al amanecer, encargando que le anunciasen cualquier ocurrencia[16] nueva en la salud de su hermano.

—Señora —dijo el médico, dirigiéndose a doña Manuela—, el joven parece enteramente fuera de peligro: la fiebre ha pasado casi del todo y creo que muy luego podrá levantarse.[17]

Antonio entró en el cuarto cuando el médico hablaba aún, y después de oírle, se acercó a la cama de su hermano y volvió a salir al cabo de algunos instantes de muda contemplación, después de echar sobre Paulina y su madre una mirada de indefinible tristeza.

Media hora después, el encargado de llevar la carta al padre de Paulina volvió trayéndole la siguiente lacónica contestación:[18]

"El paso que has dado te perjudica a ti únicamente, pues desde ahora quedas privada de toda herencia".[19]

---

11. stammered inarticulate sounds
12. to repress
13. to mitigate his despair
14. prognosis
15. giving him an account of her actions
16. new development
17. very soon he'll be able to get out of bed
18. brief reply
19. harms only you, for I am now disinheriting you

Paulina pasó la carta sonriéndose a doña Manuela y estrechó con amor las manos de Pablo, que principiaba a despertar.

En estos mismos momentos, Emilio, llamado fuera de aquella pieza por un sirviente de la casa, recibía una carta:

—El señor don Antonio —dijo el criado—, me ha mandado traerle esta carta:

Emilio la abrió y leyó lo que sigue:

"Primo: Anoche, si hubiera creído en peligro la vida de Pablo, me hubiera muerto a sus pies: ahora veo que sanará[20] y he resuelto ausentarme para siempre. En Ud. he reconocido un corazón generoso, y por esta le ruego que trabaje para que mi madre y mi hermano no maldigan mi memoria y compadezcan algún día mi desgracia.[21] Adios.

"Su primo,

Antonio".

Emilio sintió en su pecho una profunda compasión hacia aquel ser al que la naturaleza y las debilidades humanas habían condenado a perpetuo sufrimiento, ahogándole los instintos generosos que germinaban en su corazón, para desarrollar únicamente las funestas pasiones con que se hallaban confundidos. Después de esto, puso la carta en su bolsillo al entrar de nuevo en el cuarto del que acababa de salir, y encontró al instante la mirada de su primo y de Paulina que parecían decirle, en ese mudo lenguaje, su felicidad y su alegría.

---

20. that he will get well
21. so that my mother and my brother may not curse my memory but feel sorry for my misfortune some day

JUAN MONTALVO

b. Ambato, Ecuador, April 13, 1832

d. Paris, France, January 17, 1889

The son of a storekeeper, Juan Montalvo studied first in the local schools and then was sent to Quito in the care of his older brother, a lawyer influential in political spheres. Here he attended the Convictorio de San Fernando and the University, which he left before completing his law courses to become Secretary in the Ecuadorean Legation in Rome. He was soon transferred to Paris where he remained until 1859, returning home to oppose the Dictador Gabriel García Moreno who ruled Ecuador directly or indirectly from 1861 to 1875. With virulent pamphlets Montalvo lambasted the tyrant and established journals, such as *El Cosmopolita* (1866), with the avowed purpose of exposing him. When García Moreno became President, Montalvo was forced to seek refuge in the Colombian Legation, escaping finally to France. The year was 1870 and Paris was not a safe place either, so Montalvo returned to America and settled in the Colombian town of Ipiales, near the Ecuadorean border. There he wrote some of his outstanding works and also kept up so fierce an attack against García Moreno that when the Dictator was assassinated on August 6, 1875, Montalvo uttered his famous phrase: "¡Mi pluma lo mató!"

But no sooner was one Dictator gone than another took power: General Veintimilla, who immediately condemned Montalvo to perpetual banishment. So he moved to Panama and then to France where he founded the journal *El Espectador* (1886-1888). At the Dictator's downfall Montalvo was elected Deputy by the Liberals but he refused to return to Ecuador and died in Paris at the age of fifty-seven.

Of his much-admired Simón Bolívar, Montalvo had said: "Bolívar tiene aún que hacer; su espada no va a suspenderse en el templo de la gloria, pues mientras hay en el Nuevo Mundo un pueblo esclavo su tarea no se ha concluido," — and indeed Bolívar's sword transformed into a pen was wielded indefatigably, to the very last hour of his existence, by Juan Montalvo, champion of freedom. Among his lasting literary contributions are his *Siete tratados* (1882), philosophical essays written in 1873, and the posthumous *Capítulos que se olvidaron a Cervantes* (1895), which after some pithy considerations on th Spanish language, spreads out into the fields of sociology and politics. From the *Siete tratados* is the excerpt included here dealing with Bolívar and Napoleón; and, from *El Espectador,* Vol. III (1888), the one entitled "Urcu Sacha."

EDITIONS: *Siete tratados,* 2 vols., Paris: 1930; *Capítulos que se le olvidaron a Cervantes,* Buenos Aires: Americalee, 1944; *Páginas escogidas,* edited by Arturo Giménez Pastor, Buenos Aires: Estrada, 1952; *Obras escogidas,* prólogo de Julio E. Moreno, Quito: Casa de la Cultura Ecuatoriana, 1948; *Juan Montalvo,* edited by Gonzalo Zaldumbide, Puebla (Mexico) : Biblioteca Ecuatoriana Mínima, 1960.

ABOUT MONTALVO: Roberto Agramonte y Pichardo: *El panorama cultural de Montalvo,* Ambato: Casa de Montalvo, 1935; R. Alvarez and H. Toro B.: *Biografía y crítica de Montalvo,* Quito: Imprenta de la Escuela Central Técnica, 1939; Enrique Anderson Imbert: *El arte de la prosa en Juan Montalvo,* Mexico: El Colegio de México, 1948; Isaac J. Barrera: *Historia de la literatura ecuatoriana,* 4 vols., Quito: Ed. Ecuatoriana, 1953-1955, Vol. III, pp. 165-230; Rufino Blanco Fombona: *Grandes escritores de América (Siglo XIX),* Madrid: Renacimiento, 1917, pp. 223-265, Benjamín Carrión: *El pensamiento vivo de Montalvo,* Buenos Aires: Losada, 1961; Julio E. Moreno: *"Prólogo"* to Montalvo's *Obras escogidas,* Quito: Casa de la Cultura Ecuatoriana, 1948, pp. IX-LXXVI; Oscar Efrén Reyes: *Vida de Juan Montalvo,* Quito: Talleres Gráficos de Educación, 1943 (2nd ed.) ; José Enrique Rodó: *Cinco ensayos* Madrid, Ed. América, n.d. [Biblioteca Andrés Bello], pp. 21-109; Gonzalo Zaldumbide: *Cuatro clásicos americanos,* Madrid: Ediciones Cultura Hispánica, 1951, pp. 125-183.

NAPOLEON Y BOLIVAR[1]

Estos dos hombres son, sin duda, los más notables de
nuestro tiempo en lo que mira[2] a la guerra y a la política,
unos[3] en el genio, diferentes en los fines, cuyo paralelo no
podemos hacer sino por disparidad.[4] Napoleón salió del
seno de la tempested, se apoderó de ella, y revistiéndose de
su fuerza le dió tal sacudida al mundo, que hasta ahora lo
tiene estremecido.[5] Dios hecho hombre fué omnipotente;
pero como su encargo,[6] no era la redención sino la servidumbre,[7] Napoleón fué el dios de los abismos que corrió
la tierra deslumbrando[8] con sus siniestros resplandores. Esta
es la figura de Napoleón: va rompiendo por las olas del
mundo, y al fin sale, y en una alta cumbre desafía a las
potestades[9] del cielo y de la tierra. Emperador, rey de reyes,
dueño de pueblos, ¿qué es? ¿quién es ese ser maravilloso?
Si el género humano hubiera mostrado menos cuanto puede
acercarse a los entes[10] superiores, por la inteligencia con
Platón,[11] por el conocimiento de lo desconocido con Newton,[12] por la inocencia con San Bruno,[13] por la caridad con
San Carlos Borromeo,[4] podríamos decir que nacen de tiempo en tiempo hombres imperfectos por exceso, que por sus
facultades atropellan al círculo donde giran sus semejantes.[15]
En Napoleón hay algo más que en los otros, algo más que

1. Montalvo establishes a comparison between Napoleon Bonaparte
   (1769-1821) and Simón Bolívar (1783-1830)
2. as regards
3. alike
4. except by contrasting them
5. came out of the eye [lit. breast] of the storm, took hold of it [of
   the storm], and investing himself of its power, shook the world
   so that it is trembling still
6. mission
7. servitude
8. dazzling
9. from a lofty summit challenges the supernal powers
10. beings
11. Plato (428-347 B.C.), Greek philosopher
12. Sir Isaac Newton (1642-1724), English mathematician
13. St. Bruno (1035-1101), founder of the Carthusian Order
14. Carlo Borromeo (1538-1584), the Archbishop of Milan who fasted
    in order to save that city during the plague
15. trample under foot those men around them

en todos: un sentido, una rueda en la máquina de entendimiento, una fibra en el corazón, un espacio en el seno,[16] ¿qué de más hay en esta naturaleza rara y admirable? "Mortal, demonio o ángel",[17] se le mira con uno como terror supersticioso, terror dulcificado[18] por una admiración gratísima, tomada el alma de ese efecto inexplicable que acusa lo extraordinario.[19] Comparece en medio de un trastorno[20] cual nunca se ha visto otro; le echa mano a la revolución, la ahoga[21] a sus pies; se tira sobre el carro de la guerra, y vuela por el mundo, desde los Apeninos[22] hasta las columnas de Hércules,[23] desde las pirámides de Egipto hasta los hielos de Moscovia.[24] Los reyes dan diente con diente,[25] pálidos, medio muertos; los tronos crujen y se desbaratan;[26] las naciones alzan el rostro, miran espantadas al gigante y doblan la rodilla.[27] ¿Quién es? ¿de dónde viene? Artista prodigioso, ha refundido cien coronas en una sola,[28] y se echa a las sienes esta descomunal presa;[29] y no muestra flaquear su cuello, y pisa firme, y alarga el paso,[30] y poniendo él un pie en un reino, el otro en otro reino, pasa sobre el mundo, dejándolos marcados con su planta como a tantos otros esclavos. ¿Qué parangón[31] entre el esclavizador y el libertador? El fuego de la inteligencia ardía en la cabeza de uno y otro, activo, puro, vasto, el corazón y otro de temple antiguo,

16. a wheel in the machine of his understanding, a fibre in his heart, a space in his chest
17. Cf. Shakespeare's **Julius Caesar**, IV, 3: "Art thou some god, some angel, or some devil?"
18. sweetened
19. points out something unusual
20. He appears in the very midst of an upheaval
21. quells it
22. Apennines, mountain range across Italy, from North to South
23. the columns of Hercules, ancient name given to the mountains in Spain (Calpe) and North Africa (Abila) facing each other at the Strait of Gibraltar
24. Moscow
25. frightened to death [lit. their teeth chattered]
26. thrones creak and break down
27. get down on their knees
28. he has recast a hundred crowns into one
29. he puts on his head [lit. temples] this enormous crown [referring to Napoleon's coronation in 1802]
30. he doesn't bend his neck [but] steps assertively and increase his stride
31. comparison

bueno para el pecho de Pompeyo:[32] uno y otro formados de una masa especial, más sutil, jugosa, preciosa que la del globo de los mortales: ¿en qué se diferencian? En que el uno se dedicó a destruir naciones, el otro a formarlas; el uno a cautivar pueblos, el otro a libertarlos: son los dos polos de la esfera política y moral, conjuntos en el heroísmo. Napoleón es cometa que infesta la bóveda celeste[33] y pasa aterrando[34] al universo: vése humear[35] todavía el horizonte por donde se hundió la divinidad tenebrosa[36] que iba envuelta en su encendida cabellera. Bolívar es astro bienhechor[37] que destruye con su fuego a los tiranos, e infunde vida a los pueblos, muertos en la servidumbre: el yugo[38] es tumba; los esclavos son difuntos puestos al remo del trabajo,[39] sin más sensación que la del miedo, ni más facultad que la obediencia.

Napoleón surge del hervidero espantoso que se estaba tragando a los monarcas,[40] los grandes, las clases opresoras; acaba con los efectos y las causas, lo allana[41] todo para sí, y se declara él mismo opresor de opresores y oprimidos. Bolívar, otro que tal,[42] nace del seno de una revolución cuyo efecto era dar al través[43] con los tiranos y proclamar los derechos del hombre en un vasto continente: vencen entrambos:[44] el uno continúa el régimen antiguo; el otro vuelve realidades sus grandes y justas intenciones. Estos hombres tan semejantes en la organización y el temperamento, difieren en los fines, siendo una misma la ocupación de toda su vida: la guerra. En la muerte vienen también a parecerse: Napoleón encadenado[45] en medio de los mares;

32. Pompey (107-48 B.C.), brave Roman general
33. the firmament
34. terrorizing
35. to give off smoke
36. gloomy
37. beneficent star
38. yoke
39. corpses assigned to the oars [as galley slaves]
40. emerges from the frightening mob [the French Revolution of 1789] which was swallowing up monarchs
41. levels
42. quite differently [otherwise]
43. to do away with
44. both
45. chained up

Bolívar a orillas del mar, proscrito[46] y solitario. ¿Qué conexiones misteriosas reinan entre este elemento sublime y los varones grandes? Parece que en sus vastas entrañas buscan el sepulcro, a él se acercan, en sus orillas mueren: la tumba de Aquiles se hallaba en la isla de Ponto.[47] Sea de esto lo que fuere, la obra de Napoleón está destruída; la de Bolívar próspera. Si el que hace cosas grandes y buenas es superior al que hace cosas grandes y malas, Bolívar es superior a Napoleón; si el que corona empresas grandes y perpetuas es superior al que corona empresas grandes, también, pero efímeras, Bolívar es superior a Napoleón. Mas como no sean las virtudes y sus fines los que causan maravilla primero que el crimen y sus obras, no seré yo el incauto[48] que venga a llamar ahora hombre más grande al americano que al europeo: una inmensa carcajada me abrumaría,[49] la carcajada de Rabelais que se ríe por boca de Gargantúa,[50] la risa del desdén y la fisga.[51] Sea porque el nombre de Bonaparte lleva consigo cierto misterio que cautiva la imaginación; sea porque el escenario en que representaba ese trágico portentoso[52] era más vasto y esplendente, y su concurso aplaudía con más estrépito;[53] sea, en fin, porque prevaleciese por la inteligencia y las pasiones girasen más a lo grande en ese vasto pecho, la verdad es que Napoleón se muestra a los ojos del mundo con estatura superior y más airoso continente[54] que Bolívar. Los siglos pueden reducir a un nivel[55] a estos dos hijos de la tierra, que en una como demencia acometieron a poner monte sobre monte para escalar el Olimpo.[56] El uno, el más audaz,

---

46. exiled
47. the tomb of Achilles [Greek hero of the Trojan war] was located in an island of the Black Sea [Ponto Euxino]
48. the heedless one
49. a huge guffaw would overwhelm me
50. François Rabelais (1483-1553), French novelist, author of **Gargantua** (1934), of which Gargantua is the principal character
51. banter, raillery
52. because of the stage upon which this amazing tragic actor performed
53. the spectators applauded more noisily
54. proud bearing
55. to bring to the same level
56. in their madness undertook the impossible: to pile mountains upon mountains in order to scale Olympus [the home of the Greek gods]

fué herido por los dioses, y rodó al abismo de los mares; el otro, el más feliz, coronó[57] su obra, y habiéndolos vencido se alió[58] con ellos y fundó la libertad del Nuevo Mundo. En diez siglos Bolívar crecerá lo necesario para ponerse hombro a hombro con el espectro que arrancando de la tierra hiere[59] con la cabeza la bóveda celeste.

¿Cómo sucede que Napoleón sea conocido por cuantos son los pueblos, y su nombre resuene lo mismo en las naciones civilizadas de Europa y América, que en los desiertos de Asia, cuando la fama de Bolívar apenas está llegando sobre el ala débil[60] a las márgenes del viejo mundo? Indignación y pesadumbre causa ver cómo en las naciones más ilustradas y que se precian de saberlo todo, el libertador de América del Sur no es conocido sino por los hombres que nada ignoran, donde la mayor parte de los europeos oye con extrañeza pronunciar el nombre de Bolívar. Esta injusticia, esta desgracia proviene de que con el poder de España cayó su lengua en Europa, y nadie la lee ni cultiva sino los sabios y los literatos poliglotos. La lengua de Castilla, esa en que Carlos Quinto[61] daba sus órdenes al mundo; la lengua de Castilla esa que traducían Corneille y Molière;[62] la lengua de Castilla, esa en que Cervantes[63] ha escrito para todos los pueblos de la tierra, es en el día asunto de pura curiosidad para los anticuarios: se la descifra,[64] bien como una medalla romana encontrada entre los escombros[65] de una ciudad en ruina. ¿Cuándo volverá el reinado de la reina de las lenguas? Cuando España vuelva a ser la señora del mundo; cuando de otra oscura Alcalá de Henares[66] salga otro Miguel de Cervantes: cosas difíciles, por no decir del todo inverosímiles. La lengua en que debemos hablar con

57. finished up successfully
58. joined up
59. knocks
60. weak wing [or flank]
61. Charles V (1500-1558) Holy Roman Emperor and King of Spain
62. Pierre Corneille (1606-1684) and Molière (1622-1673), French dramatists
63. Miguel de Cervantes (1547-1616), Spanish novelist, author of **Don Quixote**
64. it is deciphered
65. remains
66. Spanish university, where Cervantes studied

Dios[67] ¿a cuál sería inferior? Pero no entienden el castellano en Europa, cuando no hay galopín[68] que no lea el francés, ni buhonero[69] que no profese la lengua de los pájaros. Las lenguas de los pueblos suben o bajan con sus armas: si el imperio alemán se consolida y extiende sus raíces allende los mares,[70] la francesa quedará y llorará como la estatua de Níobe.[71] No es maravailla que el nombre de un héroe sudamericano halle tanta resistencia para romper por medio del ruido europeo.

67. [Charles V was reported to have said that he spoke to God only in Spanish]
68. ragamuffin
69. peddler
70. across the seas
71. Niobe, in Greek mythology she symbolizes the suffering of a mother

URCU, SACHA[1]

Los honores que alcanzó Uricochea[2] con sus estudios acerca de los idiomas del Nuevo Mundo, podrán servir de freno y guía a los indianos[3] que por allá ostentan ese desprecio[4] tan aristocrático por todo lo que es de los indios; como si el saber, en cualquier materia, fuese motivo de desconsideración y diese lugar a la vergüenza. Personas hay que saben admirablemente el quichua,[5] y no entienden una palabra de esa misma lengua que bebieron en la leche de sus nodrizas y comieron en el maíz de sus haciendas.[6] Pues yo afirmo que, por mi parte, diera la mitad de mi ya escaso caudal de lengua castellana por la mitad de la que hablaba Moctezuma[7] en el trono de México, y la suave y graciosa en que los príncipes de Huaina-Cápac[8] enamoraban á las hijas del sol. Yo no finjo que no sé el quichua, lo que tengo ganas de fingir es que lo sé.[9] Uno de sus primores[10] es la maravillosa flexibilidad con que se acomoda a las palabras

---

1. The title "Urcu, Sacha" is elucidated in the course of the essay.
2. The honors gained by Uricochea — Montalvo met the Colombian scholar Ezequiel Uricochea in Paris and was impressed by his studies in linguistics. After his series of lectures at the Sorbonne, Uricochea became professor of Oriental languages at the University of Bruxelles. Among his contributions was a grammar of the language of the Chibcha Indians of Colombia. About Uricochea's premature death, Montalvo declared: "cuando para beber el árabe en sus propias fuentes emprendía una peregrinación científica a Medina y la Meca, la muerte le salió al paso a la entrada del desierto."
3. white Americans — i.e. Spaniards living in America or who had returned to Spain from America
4. scorn
5. i.e. quechua or Kechwa, the language of the Incas, spoken to this day by many Peruvian Indians
6. they drank with the milk of their wet nurses and ate with the corn from their farms
7. I would give up half of my modest command of Castilian for half of the language spoken by Montezuma [the Aztec emperor overthrown by Cortés in 1530]
8. Huayna Capac, the Inca enperor whom Pizarro captured and executed in 1525
9. I do not pretend not to know quechua — what I really would like to pretend is that I do know it
10. One of the virtues [of the quechua language]

compuestas,[11] en lo cual tiene conexiones impremeditadas con el inglés.[12]

El *urcu-camasca,* el *sacha-runa* ofrecen al espíritu ideas imposibles de expresar en otra lengua. Llevado de esta analogía, me he dejado yo decir: *Urcu*-Maquiavelos y *sacha*-Talleyranes;[13] esto es, Maquiavelos del monte, Talleyranes de la quebrada; locuciones que convienen a ciertos ignorantes que, siendo animales monteses, o hijos de las grietas,[14] pican por alto y dan puntada en la tela del legislador y el hombre público,[15] echándose encima una espesa capa de ridiculez.[16] Sin lo ridículo que derraman esas palabras opuestas, no significarían gran cosa. *Sacha*-poeta se puede llamar ventajosamente á un poetastro;[17] y *urcu*-Voltarie diremos de uno de esos descreídos tan graciosos que andan fingiendo impiedad[18] y burlándose de lo que, en su conciencia, creen y temen como sencillo é inocente vulgo.[19]

Si el urcu-Maquiavelo es común en América, el sacha-Voltaire no es de lo más raro entre hombres de *ideas avanzadas,* para hablar gabacha.[20] El sacha-Voltaire se tiene firme, hasta cuando le duele la barriga;[21] en esta emergencia pide confesión, y se va á los infiernos muy católico.[22] Me agradan los urcu-Talleyranes; pero no hay cosa que más me guste que un sacha-Voltaire. El sacha-Voltaire es religiosísimo, á oscuras.[23] Se persigna para acostarse, si nadie le ve;[24] reza entre dientes para levantarse; pero antes de

---

11. the marvellous flexibility with which it can form portmanteau words
12. in this respect it is surprisingly similar to English
13. forest-Machiavellis and cave-Talleyrands [Nicolo Machiavelli (1469-1527), Florentine statesman and political writer, author of **The Prince:** Charles Talleyrand (1754-1838), French statesman]
14. wild animals or cavemen
15. aim as high as becoming legislators and public figures
16. thereby wrapping themselves up in a thick cloak of ridicule
17. poetaster
18. Voltaire (1694-1778 [the French philosopher], one of those funny atheists who go about pretending to be impious
19. fear as much as any simple, ingenuous man
20. as the French say
21. stands firm even when suffering from a belly-ache
22. at this juncture, he wants to confess, and takes himself off to Hell as a good Catholic
23. in secret
24. on going to bed crosses himself if nobody is watching

almorzar habrá echado ya algunos pasadores á la Santísima Trinidad, y habrá puesto en tela de juicio la pureza de María.[25] El sacha-Voltaire oye misa, pero nunca entera: su prurito es decir: "Oigamos un pedazo de misa",[26] y entrar tarde á la iglesia, allá á eso de la elevación, para tener el gusto de no hincarse en la crisis del sacramento, y hacer rabiar á las beatas.[27] Ayunar, no ayuna;[28] comer carne, la come en viernes santo;[29] mas, si viene á morir un pariente suyo, un amigo, reflexiona, y deja de mofarse durante quince días[30] ó tres semanas de las penas eternas;[31] transcurridos los cuales, el olvido se le come el miedo, y vuelve con más fuerza á su elegante ortodoxia.[32] Esto es lo donoso de su impiedad, que la simula por moda y preponderancia filosófica.[33] Sus doctrinas son volátiles y no nada peligrosas, porque no tiene fuerza de propaganda; pero de un *sacha-Voltaire* convertido y arrepentido huyo como del demonio, porque ése tiene para sí que Dios no le perdona su ridícula herejía, si no echa á las fieras al que, sin ficción, ostentación ni vanidad, saca sus ideas de la luz y edifica sus convicciones sobre la conciencia.[34]

* * *

25. he mutters a prayer on getting up in the morning, and before lunch he will have delivered himself of a dozen Our Fathers and questioned Mary's purity
26. goes to Mass, but he never stays till the end: his pride and joy is to be able to say: "Let's hear a **bit** of the Mass."
27. not to have to kneel at the crucial moment of the Sacrament, thus infuriating the devout old women
28. As for fasting, he never fasts
29. Good Friday
30. he stops jeering for a fortnight
31. the idea of eternal torment
32. at the end of this time forgetfulness eats up fear and he returns with zest to his elegant orthodoxy
33. The most interesting thing about his impiety is that he affects it because it is fashionable and because such is the drift of philosophy at the moment
34. because he holds that God cannot pardon him his ridiculous heresy unless he throws to the lions [lit. to the wild beasts] all those who, without affectation, ostentation or vanity, express their ideas and build their convictions on their conscience

Yo vi, y éste no es sueño,[1] sino historia, un caso que, después de muchos años, se me presenta al espíritu más á menudo de lo que requiere mi tranquilidad futura.[2] Había muerto el ministro de los Estados Unidos en cierta capital de América. En tanto que sus deudos ocurrían por sus restos, el Gobierno dispuso que fuesen depositados en una capilla extramuros de la población.[3] El obispo, revestido de sus hábitos pontificales; el internuncio, azuzando, medio oculto tras él; una manga de pueblo engañado cerraron el paso á la comitiva fúnebre,[4] oponiéndose á que el cadáver[5] entrase al convento á donde se le llevaba. Con los Estados-Unidos no hay vuelva-usted-luego:[6] los monitores de la escuadra del Pacífico están ahí para vengar los agravios de sus muertos, y no hubieran tardado en presentarse bramando en las embocaduras de esos ríos.[7] El gobierno, católico apostólico, romano, pero prudente, mandó una mitad de caballería que barrió en obispos, nuncios y devotos encapados.[8] El cuerpo del ministro pasó, su familia ocurrió por él, la República se escapó de una tremenda, y nadie perdió nada con esa hospitalidad transitoria á un difunto ilustre[9] Seamos justos con nosotros mismos y digamos que muchos de los actos de barbarie que se nos imputa[10] ó que cometemos verdaderamente, son obra de algún civilizado europeo, quien, una vez que se halla lejos de su patria, es más bár-

1. a dream
2. present itself to my mind more often than suits my peace of mind
3. the Government had decided that his remains should be placed in an extra-mural chapel [i.e. outside the city limits] until his relatives could come for them
4. The bishop, in full episcopal regalia, with the Papal nuncio goading him on and half-hidden behind him; and a mob of deceived people barred the way of the funeral procession
5. corpse
6. One cannot say "Come back later on" to the United States
7. the gunboats of the Pacific fleet are always ready to avenge any insult to American dead, and would soon have been roaring in the mouths of our rivers
8. ordered a detachment of cavalry to sweep away bishops, nuncios and hooded bigots
9. The minister's body was allowed to pass, his family came and took it away, and the republic got out of a nasty scrape and nobody lost anything as a result of this transitory hospitality to a distinguished corpse.
10. of which we are accused

baro que nosotros. El autor de ese motín[11] contra el cadáver de un ministro plenipotenciario fué, en realidad, otro miembro del cuerpo diplomático; pues el obispo que mostraba la cara no hacía sino seguir el impulso de un sacerdote más autorizado que él, y por ventura obedecer á su superior. Hombre bueno y de buenas intenciones, pero de cerebro enflaquecido por el ayuno perpetuo y las mortificaciones corporales, no halló en sí mismo luz suficiente para alumbrarse, ni fuerza para defenderse. El italiano que en ese conflicto ponía al clero nacional usaba de mala fe tanto mayor, cuanto que él estaba viendo la sinagoga al lado de la basílica de San Pedro, y el gran rabino libre y seguro en la ciudad del papa.[12]

11. riot
12. especially as he had seen with his own eyes the synagogue near St. Peter's in Rome, and as he knew that the Chief Rabbi could walk free and safe in the city of the Pope.

RICARDO PALMA

b. Lima, February 7, 1833

d. Miraflores, October 6, 1919

Scion of a well-to-do family, Ricardo Palma attended the renowned Convictorio de San Carlos and the University. After an unfortunate love affair he left his studies and joined the Navy, returning after six adventurous years to live in Lima as a bohemian during the exciting days of the Romantic insurgence. Since the theatre was so popular then, he wrote some hair-raising melodramas, which he later dismissed as "abominaciones patibularias" [scaffold abominations]. In 1876 at the age of forty-three, he married and settled down to serious historical research. However his placid existence was disrupted (and his magnificent library destroyed) during the War of the Pacific (1879-1883). When peace was restored, General Iglesias, then President of Peru, assigned him to reorganize the National Library, also ravaged during the War. Despite meagre funds, Palma did a splendid job displaying enormous energy and wisdom — when he retired in 1912 the National Library was again among the best in the Western Hemisphere.

From his intimate contact with old books, archival material, manuscripts and rare documents, Palma began to cull anecdotes, episodes and spicy adventures from that colonial Lima which was the seat of the Viceroy, recounting them in his wicked, slanderous style intentionally archaic and baroque, and fraught with verve and humor. These short tales, which he entitled *Tradiciones peruanas,* he continued writing for over three decades, filling several volumes, now considered among the loftiest literary achievements of Latin America. Palma's *Tradiciones* sparkle with that bittersweet

269

charm which one associates with Boccaccio, Voltaire and Anatole France.

BEST EDITIONS: *Poesías completas,* Barcelona, 1911; *Tradiciones peruanas,* 6 vols., Madrid, Calpe, 1923-1925 (2nd ed., 1945-1947) ; *Tradiciones peruanas completas,* edited by Edith Palma, Madrid, Aguilar, 1964.

ABOUT PALMA: Dora Bazán: *Significación y forma de un tema de las "Tradiciones"* [Thesis, Facultad de Letras, UNM, Lima, 1960]; Robert Bazin: "Les trois crises de la vie de Ricardo Palma," *Bulletin Hispanique* (Bordeaux), LXI, Nos. 1-2; L. Fernán Cisneros & others: "Ricardo Palma," *Mercurio Peruano* (Lima), III (1919), 259-461; César Miró: *Don Ricardo Palma, el patriarca de las "Tradiciones,"* Buenos Aires, Losada, 1954; Guillermo Feliú Cruz: *En torno de Ricardo Palma,* 2 vols., Santiago de Chile, Universidad de Chile, 1933; Angélica Palma: *Ricardo Palma,* Buenos Aires, Tor, 1933; Angélica Palma: *Ricardo Palma, el tradicionista,* Buenos Aires, Codex, 1958; Walter J. Peñaloza: "Significado de don Ricardo Palma en nuestra cultura," *Tres* (Lima), September-December 1941, pp. 73-95; H. Petriconi: "Ricardo Palma der Verfasser des *Tradiciones Peruanas,*" *Revue Hispanique* (Paris), LVII (1923), 207-285; Raúl Porras Barrenechea: *Tres estudios sobre Palma,* Lima, Mejía Baca, 1953; Luis Hernán Ramírez: *Indices nominales y verbales en la primera serie de las "Tradiciones Peruanas"* [Thesis, Facultad de Letras, UNM, Lima, 1960 ; José de la Riva Agüero & others: *Elogio de Don Ricardo Palma y Lima,* Lima, Torres Aguirre, 1927; Ruth S. Thomas: "Las fuentes de las *Tradiciones peruanas,*" *Revista Iberoamericana,* November 1940, pp. 461-469; K.W. Webb: *Ricardo Palma's Technique in Recreating Colonial Lima* [Ph.D. thesis], University of Pittsburgh, 1951; Luis F. Xammar: "Elementos románticos y anti-románticos de Ricardo Palma," *Revista Iberoamericana,* November 1941, pp. 95-107; Luis F. Xammar: "Ricardo Palma, bibliotecario," *Fénix* (Lima), I (1944), 121-132; Julio Caillet-Bois: "Problemas de lengua y de estilo en las *Tradiciones peruanas* de Ricardo Palma," *Revista de la Universidad de La Plata,* III (1958), 69-79; Alberto Escobar: *Ricardo Palma,* Lima, Biblioteca Hombres del Perú, 1964; Alessandro Martinengo: *Lo stile di Ricardo Palma,* Padua, Liviana, 1962; Josué Montello: *Ricardo Palma, classico da America,* Río de Janeiro, 1954; José Miguel Oviedo: *Genio y figura de Ricardo Palma,* Buenos Aires, Editorial Universitaria, 1965; Raúl Porras Barrenechea: *Bibliografía de Don Ricardo Palma,* Lima, Torres Aguirre, 1952; Luis Hernán Ramírez: "El estilo de las primeras *Tradiciones* de Palma," *Sphinx* (Lima), XIV, pp. 126-155; Sociedad Amigos de Palma: *Ricardo Palma* (Homenaje con ocasión del centenario de R. Palma: contributions by José de la Riva Agüero, Raúl Porras, Victor Andrés Belaúnde and Clemente Palma), Lima Sociedad Amigos de Palma, 1933.

LA POESIA

—¿Es arte del demonio o brujería[1]
esto de escribir versos? — le decía,
no sé si a Calderón o Garcilaso
un mozo más sin jugo que el bagazo[2] —
Enséñeme, maestro, a hacer siquiera
una oda chapucera.[3]

—Es preciso no estar en sus cabales[4]
para que un hombre aspire a ser poeta;
pero, en fin, es sencilla la receta:[5]
forme usted líneas de medida iguales,[6]
y luego en fila las coloca juntas
poniendo consonantes en las puntas.[7]

—¿Y en el medio?

—¿En el medio? ¡Ese es el cuento!
Hay que poner talento.

1. witchcraft
2. a dull young man [lit. as juiceless as bagasse, i.e. the remains of
   sugar cane which have been pressed] asked from either Calderón
   [de la Barca (1600-1681), the Spanish playwright and poet] or Garcilaso [de la Vega (1503-1536), the Spanish poet]
3. even some crude ode
4. one must not be in his right mind
5. recipe, prescription
6. form lines with the same number of syllables [lit. of equal length]
7. rhyming their endings

LA CAMISA DE MARGARITA[1]

I

Probable es que algunos de mis lectores hayan oído decir a las viejas de Lima, cuando quieren ponderar lo subido de precio de un artículo:[2]

—¡Qué! Si esto es más caro que la camisa de Margarita Pareja.

Habríame quedado con la curiosidad de saber quién fué esa Margarita, cuya camisa anda en lenguas, si en *La América*, de Madrid, no hubiera tropezado con un artículo firmado por[3] don Ildefonso Antonio Bermejo (autor de un notable libro sobre el Paraguay), quien, aunque muy a la ligera[4] habla de la niña y de su camisa, me puso en vía de desenredar el ovillo,[5] alcanzando a sacar en limpio[6] la historia que van ustedes a leer.

II

Margarita Pareja era (por los años de 1765) la hija más mimada[1] de don Raimundo Pareja, caballero de Santiago y colector general del Callao.[2]

La muchacha era una de esas limeñitas[3] que, por su belleza, cautivan al mismo diablo y lo hacen persignarse y tirar piedras.[4] Lucía un par de ojos negros que eran como

---

1. Margarita's Chemise
2. when they want to emphasize the high price of something [lit. of an article]
3. had I not run across an article signed by
4. merely in passing
5. gave me the clue to unravelling the threads [of the mystery]
6. bringing to light

1. the most cherished [the petted darling]
2. Knight of the Order of Santiago and Collector of Revenue of the port of Callao
3. beauties of Lima [lit. young Lima girls]
4. captivate the Devil himself and cause him to make the sign of the Cross and turn somersaults [lit. hurl stones]

dos torpedos cargados de dinamita[5] y que hacían explosión sobre las entretelas[6] del alma de los galanes limeños.

Llegó por entonces de España un arrogante mancebo,[7] hijo de la coronada villa del oso y del madroño,[8] llamado don Luis Alcázar. Tenía éste en Lima un tío solterón y acaudalado, aragonés rancio y linajudo, y que gastaba más orgullo que los hijos del rey Fruela.[9]

Por supuesto que, mientras le llegaba la ocasión de heredar al tío, vivía nuestro don Luis tan pelado como una rata y pasando la pena negra.[10] Con decir que hasta sus trapicheos eran al fiado y para pagar cuando mejorase de fortuna,[11] creo que digo lo preciso.

En la procesión de Santa Rosa[12] conoció Alcázar a la linda Margarita. La muchacha le llenó el ojo y le flechó el corazón.[13] La echó flores,[14] y aunque ella no le contestó ni sí ni no, dió a entender con sonrisitas y demás armas del arsenal femenino que el galán era plato muy de su gusto.[15] La verdad, como si me estuviera confesando, es que se enamoraron hasta la raíz del pelo.[16]

Como los amantes olvidan que existe la aritmética, creyó don Luis que para el logro[17] de sus amores no sería obstáculo su presente pobreza, y fué al padre de Margarita, y, sin muchos perfiles,[18] le pidió la mano de su hija.

---

5. she had a pair of black eyes that were like two charges of dynamite
6. inner recesses of the soul
7. dashing youth
8. from the crowned city of the bear and the madrone [lit. from Madrid, in whose coat of arms a bear is represented leaning against a madrone or strawberry tree]
9. a rich bachelor uncle, of ancient Aragonese stock, and prouder than the sons of King Fruela [king of Asturias during the eighth century]
10. as poor as a [church] mouse, in dire poverty
11. even his amorous adventures were on credit, to be paid when his fortunes improved
12. at the procession of Santa Rosa, patron saint of Lima
13. filled up his eyes and pierced his heart
14. He showered her with compliments
15. was a dish very much to her taste
16. they fell madly in love [lit. they fell in love down to the root of their hair]
17. consummation
18. without beating about the bush

A don Raimundo no le cayó en gracia la petición,[19] y cortésmente despidió al postulante,[20] diciéndo que Margarita era aún muy niña para tomar marido; pues a pesar de sus diez y ocho mayos, todavía jugaba a las muñecas.[21]

Pero no era ésta la verdadera madre del ternero.[22] La negativa nacía de que don Raimundo no quería ser suegro de un *pobretón;*[23] y así hubo de decirlo en confianza a sus amigos, uno de los que fué con el chisme[24] a don Honorato, que así se llamaba el tío aragonés. Este, que era más altivo que el Cid, trinó de rabia[25] y dijo:

—¡Cómo se entiende! ¡Desairar a mi sobrino! Muchos se darían con un canto en el pecho por emparentar con el muchacho,[26] que no lo hay más gallardo en todo Lima. ¡Habráse visto insolencia de la laya! Pero ¿adónde ha de ir conmigo ese colectorcillo de mala muerte?[27]

Margarita, que se anticipaba a su siglo, pues era nerviosa como una damisela de hoy, gimoteó, y se arrancó el pelo, y tuvo pataleta, y si no amenazó con envenenarse, fué porque todavía no se habían inventado los fósforos.[28]

Margarita perdía colores y carnes, se desmejoraba a vista de ojos, y hablaba de meterse monja.[29]

—¡O de Luis o de Dios!—gritaba cada vez que los nervios se le sublevaban,[30] lo que acontecía una hora sí y otra también.

19. did not take kindly to the request
20. dismissed the suitor
21. in spite of her eighteen years, she still played with dolls
22. but this was not the real reason [lit. the true mother of the bull calf]
23. father-in-law to a pauper
24. gossip
25. haughtier than the Cid, fumed with rage [The "Cid," Rodrigo Díaz de Bivar (1040-1099), is the national hero of Spain]
26. How do you like that? To snub my nephew! Many would be tickled just to get him into the family
27. The nerve! How far does that petty, insignificant Collector think he can go with me?
28. who was well ahead of her century (for she was as high-strung as a damsel of today), wailed, tore her hair, and went into a swoon, and if she did not threaten to poison herself, it was because matches had not yet been invented [matches contain phosphorus, a very active, poisonous chemical, used as a rat poison]
29. kept growing pale and losing weight, was visibly pining away, and talked of becoming a nun
30. each time her nerves became upset

Alarmóse don Raimundo, llamó físicos y curanderas,[31] y todos declararon que la niña tiraba a tísica,[32] y que la única medicina salvadora no se vendía en la botica.

O casarla con el varón de su gusto, o encerrarla en el cajón.[33] Tal fué el *ultimatum* médico.

Don Raimundo (¡al fin, padre!), se encaminó como !oco a casa de don Honorato y le dijo:

—Vengo a que consienta usted en que mañana mismo se case su sobrino con Margarita; porque, si no, la muchacha se nos va por la posta.[34]

—No puede ser—contestó el tío—. Mi sobrino es un *pobretón,* y lo que usted debe buscar para su hija es un hombre que varee la plata.[35]

El diálogo fué borrascoso.[36] Mientras más rogaba don Raimundo, más se subía el aragonés a la parra,[37] y ya aquél iba a retirarse desahuciado[38] cuando don Luis, terciando en la cuestión,[39] dijo:

—Pero, tío, no es de cristianos que matemos a quien no tiene la culpa.

—¿Tú te das por satisfecho?

—De todo corazón, tío y señor.

—Pues bien, muchacho: consiento en darte gusto; pero con una condición, y es ésa: don Raimundo me ha de jurar ante la Hostia consagrada que no regalará un ochavo a su hija ni la dejará un real en la herencia.[40]

Aquí se entabló un nuevo y más agitado litigio.[41]

—Pero, hombre—arguyó don Raimundo—mi hija tiene veinte mil duros de dote.[42]

---

31. physicians and healers
32. was becoming consumptive
33. lay her out in her coffin
34. otherwise we're going to lose the girl [lit. she'll go away by stage coach (in a hurry)]
35. rolling in wealth
36. stormy
37. the more obstinate the Aragonese became
38. frustrated, in despair
39. took a hand in the discussion
40. Don Raimundo must swear before the Blessed Host that he will not give a cent nor leave her a nickel as an inheritance
41. at this point, another, more violent argument began
42. a dowry of twenty thousand duros

—Renunciamos a la dote. La niña vendrá a casa de su marido nada más que con lo encapillado.[43]

—Concédame usted entonces obsequiarla los muebles y el ajuar de novia.[44]

—Ni un alfiler. Si no acomoda, dejarlo y que se muera la chica.[45]

—Sea usted razonable, don Honorato. Mi hija necesita llevar siquiera una camisa para reemplazar la puesta.[46]

—Bien: paso por esa funda[47] para que no me acuse de obstinado. Consiento en que le regale la camisa de novia, y san se acabó.[48]

Al día siguiente don Raimundo y don Honorato se dirigieron muy de mañana a San Francisco, arrodillándose para oír misa, y, según lo pactado, en el momento en que el sacerdote elevaba la Hostia divina,[49] dijo el padre de Margarita:

—Juro no dar a mi hija más que la camisa de novia. Así Dios me condene si perjurare.[50]

III

Y don Raimundo Pareja cumplió *ad pedem litterae* su juramento;[1] porque ni en vida ni en muerte dió después a su hija cosa que valiera un maravedí.[2]

Los encajes de Flandes[3] que adornaban la camisa de la novia costaron dos mil setecientos duros y, el cordoncillo

43. with nothing but the clothes she's wearing
44. give her at least the furniture and the trousseau
45. Not a pin! If that does not suit you, drop the matter and let the girl die
46. to replace the one she has on
47. All right, I'll make an exception of that garment
48. and that's all
49. raised the Blessed Host
50. May God condemn me if I fail to keep my word!

1. kept his oath to the letter
2. another thing worth a **maravedi** [coin worth about one-sixth of a cent]
3. The Brussels lace

que ajustaba al cuello era una cadeneta de brillantes,[4] valorizada en treinta mil duros.

Los recién casados[5] hicieron creer al tío aragonés que la camisa a lo más valdría un duro; porque don Honorato era tan testarudo[6] que, a saber lo cierto, habría forzado al sobrino a divorciarse.

4. the drawstring at the neck was a chain of diamonds
5. newlyweds
6. stubborn

EL ALACRAN DE FRAY GOMEZ[1]

Cuando yo era muchacho oía con frecuencia a las viejas exclamar, ponderando el mérito y precio de una alhaja:[2] —¡Esto vale tanto como el alacrán de fray Gómez! Y explicar el dicho de las viejas,[3] es lo que me propongo . . .

I

Este era un lego[1] que desempeñaba en Lima, en el convento de los padres seráficos,[2] las funcions de refitolero[3] en la enfermería u hospital de los devotos frailes. El pueblo lo llamaba fray Gómez y fray Gómez lo llaman las crónicas conventuales, y la tradición lo conoce por fray Gómez. Creo que hasta en el expediente que para su beatificación[4] y canonización[5] existe en Roma no se le da otro nombre.

Fray Gómez hizo en mi tierra milagros a mantas,[6] sin darse cuenta de ellos y como quién no quiere la cosa.[7]

Sucedió que un día iba el lego por el puente, cuando un caballo desbocado arrojó sobre las losas al jinete.[8] El infeliz quedó patitieso,[9] con la cabeza rota y arrojando sangre por boca y narices.

—¡Se descalabró,[10] se descalabró!—gritaba la gente—. ¡Que vayan a San Lázaro por el santo óleo![11]

1. Fray Gómez Scorpion
2. as they ponder over the merit or price of a jewel
3. the old wives' saying

1. lay brother
2. Seraphic Fathers, i.e. the Franciscans: "seraphic" is applied to St. Francis of Assisi and the monastic order he founded
3. refectioner: one in charge of the refectory or dining room in a monastery
4. Beatification, in the Roman Catholic Church, is a declaration by a decree that a deceased person is "one of the Blessed," and has been received into Heaven, and though not canonized, is worthy of a degree of homage.
5. Canonization, in the Roman Catholic Church, is the act of declaring a man a saint.
6. heaps of miracles
7. quite easily
8. a runaway horse tossed its rider on the flagstones
9. The poor man lay there, stiff as a board [lit. stiff-legged]
10. He's cracked his skull!
11. Go to fetch the holy oil from St. Lazarus church, i.e. Go and bring a priest from St. Lazarus to administer the last rites.

Y todo era bullicio y alharaca.[12]

Fray Gómez acercóse pausadamente al que yacía en la tierra, púsole sobre la boca el cordón de su hábito[13] echóle tres bendiciones, y sin más médico ni más botica[14] el descalabrado se levantó tan fresco, como si golpe no hubiera recibido.

—¡Milagro, milagro! ¡Viva fray Gómez! — exclamaron los espectadores.

Y en su entusiasmo intentaron llevar en triunfo al lego. Este, para substraerse a la popular ovación, echó a correr camino de su convento y se encerró en su celda.[15]

La crónica franciscana cuenta esto último de manera distinta. Dice que fray Gómez, para escapar de sus aplaudidores, se elevó en los aires y voló desde el puente hasta la torre de su convento.[16] Yo ni lo niego ni lo afirmo. Puede que sí puede que no.[17] Tratándose de maravillas, no gasto tinta en defenderlas ni en refutarlas.

Aquel día estaba fray Gómez en vena de hacer milagros,[18] pues cuando salió de su celda se encaminó a la enfermería, donde encontró a San Francisco Solano[19] acostado sobre una tarima, víctima de una furiosa jaqueca.[20] Pulsólo el lego y le dijo:

—Su paternidad[21] está muy débil, y haría bien en tomar algún alimento.

—Hermano—contestó el santo—, no tengo apetito.

—Haga un esfuerzo, reverendo padre, y pase siquiera un bocado.[22]

---

12. uproar and confusion
13. the cord of his girdle [lit. of his habit]
14. medicines [lit. drugstore]
15. to avoid the demonstration [lit. to escape the popular ovation], started off at a run for his convent and shut himself up in his cell
16. to escape from his admirers [lit. applauders] rose up in the air and flew from the bridge to the tower of his convent
17. perhaps he did, and perhaps he didn't
18. in a miracle-working mood
19. San Francisco Solano (1549-1610), a Franciscan monk who worked as a missionary among the Indians and died in Lima.
20. stretched out on a bench, the victim of a throbbing headache
21. Father [lit. Your Fatherhood]
22. even if it's just a bite [lit. swallow just a monthful]

Y tanto insistió el refitolero, que el enfermo, por librarse de exigencias que picaban ya en majadería,[23] ideó pedirle lo que hasta para el virrey[24] habría sido imposible conseguir, por no ser la estación propicia para satisfacer el antojo.[25]

—Pues mire, hermanito, sólo comería con gusto un par de pejerreyes.[26]

Fray Gómez metió la mano derecha dentro de la manga[27] izquierda, y sacó un par de pejerreyes tan fresquitos que parecían acabados de salir del mar.

—Aquí los tiene su paternidad, y que en salud se le conviertan. Voy a guisarlos.[28]

Y ello es que con los benditos pejerreyes quedó San Francisco curado como por ensalmo.[29]

Me parece que estos dos milagritos de que acabo de ocuparme no son paja picada.[30] Dejo en mi tintero[31] otros muchos de nuestro lego, porque no me he propuesto relatar su vida y milagros.

Sin embargo, apuntaré, para satisfacer curiosidades exigentes, que sobre la puerta de la primera celda del pequeño claustro, que hasta hoy sirve de enfermería, hay un lienzo pintado al óleo[32] representando estos dos milagros, con la siguiente inscripción:

"El Venerable Fray Gómez.—Nació en Extremadura[33] en 1560. Vistió el hábito en Chuquisaca[34] en 1580. Vino a Lima en 1587.—Enfermero[35] fué cuarenta años, ejercitando todas las virtudes, dotado de favores y dones[36] celestiales. Fué su vida un continuado milagro. Falleció en 2 de mayo de 1631, con fama de santidad."

23. to rid himself of entreaties now bordering on nagging
24. viceroy
25. as it was not the proper season to satisfy the whim
26. a couple of smelts
27. sleeve
28. let's hope they make you feel better [lit. may they be turned into health for you] I am going to cook them.
29. as if by magic
30. chaff [lit. chopped straw]
31. I leave unsaid [lit. I leave in my inkwell]
32. an oil painting [lit. a canvas painted in oil]
33. a Spanish province
34. Took the habit in Chuquisaca, former capital of Bolivia, now Sucre
35. nurse
36. gifts

Estaba una mañana fray Gómez en su celda entregado a la meditación,[1] cuando dieron a la puerta unos discretos golpecitos, y una voz de quejumbroso timbre[2] dijo:

—*Deo gratias* . . . ¡Alabado sea el Señor![3]

—Por siempre jamás, amén.[4] Entre, hermanito—contestó fray Gómez.

Y penetró en la humildísima celda un individuo algo desarrapado, *vera effigies* del hombre a quien acongojan pobrezas,[5] pero en cuyo rostro se dejaba adivinar la proverbial honradez del castellano viejo.[6]

Todo el mobiliario de la celda se componía de cuatro sillones de vaqueta, una mesa mugrienta, y una tarima sin colchón, sábanas ni abrigo, y con una piedra por cabezal o almohada.[7]

—Tome asiento,[8] hermano, y dígame sin rodeos[9] lo que por acá lo trae—dijo fray Gómez.

—Es el caso, padre, que yo soy hombre de bien...

—Se le conoce y que persevere deseo, que así merecerá en esta vida terrena la paz de la conciencia, y en la otra la bienaventuranza.[10]

—Y es el caso que soy buhonero,[11] que vivo cargado de familia y que mi comercio no cunde por falta de medios, que no por holgazanería y escasez de industria en mí.[12]

---

1. lost in meditation
2. plaintive-toned voice
3. Thanks to God [form of salutation] ... Praised be the Lord!
4. For ever and ever, amen.
5. somewhat ragged, the spit and image of a man crushed by poverty
6. revealed the proverbial honesty of the Old Castilian [a person from the province of Old Castile, Spain]
7. The entire furnishings of the cell consisted of four leather chairs, a filthy table, a cot without a mattress, sheets, or blankets, and with a stone for a headrest or a pillow.
8. Sit down
9. without beating about the bush
10. That is plain, and I trust you will continue that way and merit peace of mind in this earthly life and bliss in the next
11. peddler
12. my business does not prosper because of a lack of capital, not because of laziness or lack of effort on my part

—Me alegro, hermano, que a quien honradamente trabaja Dios le acude.[13]

—Pero es el caso, padre, que hasta ahora Dios se me hace el sordo, y en acorrerme tarda...[14]

—No desespere, hermano, no desespere.

—Pues es el caso que a muchas puertas he llegado en demanda de un préstamo por quinientos duros,[15] y todas las he encontrado cerradas. Y es el caso que anoche, en mis cavilaciones, yo mismo me dije a mí mismo: —¡Ea!, Jerónimo, buen ánimo[16] y vete a pedirle el dinero a fray Gómez, que si él lo quiere, mendicante y pobre como es, medio encontrará para sacarte del apuro.[17] Y es el caso que aquí estoy y le pido y ruego que me preste esa suma insignificante por seis meses.

—¿Cómo ha podido imaginarse, hijo, que en esta triste celda encontraría ese caudal?[18]

—Es el caso, padre, que no acertaría a responderle;[19] pero tengo fe en que no me dejará ir desconsolado.

—La fe lo salvará, hermano. Espere un momento.

Y paseando los ojos por las desnudas y blanqueadas paredes[20] de la celda, vió un alacrán que caminaba tranquilamente sobre el marco de la ventana.[21] Fray Gómez arrancó[22] una página de un libro viejo, dirigióse a la ventana, cogió con delicadeza a la sabandija, la envolvió en el papel,[23] y tornándose hacia el castellano viejo le dijo:

—Tome, buen hombre, y empeñe esta alhajita;[24] no olvide, sí, devolvérmela dentro de seis meses.

El buhonero se deshizo en frases de agradecimiento,[25]

13. come to the rescue, i.e. helps
14. hasn't heard me, and is slow in coming to my help
15. loan for $500
16. cheer up!
17. he'll find some way to get you out of trouble
18. wealth
19. I wouldn't know how to answer
20. whitewashed walls
21. window-frame
22. tore
23. carefully picked up the insect, wrapped it in the paper
24. pawn this little jewel
25. outdid himself with words of gratitude, i.e. could hardly find words to express his gratitude

se despidió de fray Gómez y más que de prisa se encaminó a la tienda de un usurero.[26]

La joya era espléndida, verdadera alhaja de reina morisca, por decir lo menos.[27] Era un prendedor figurando[28] un alacrán. El cuerpo lo formaba una magnífica esmeralda engarzada sobre oro,[29] y la cabeza un grueso brillante con dos rubíes por ojos.[30]

El usurero, que era hombre conocedor, vió la alhaja con codicia, y ofreció al necesitado adelantarle[31] dos mil duros por ella; pero nuestro español se empeñó[32] en no aceptar otro préstamo que el de quinientos duros por seis meses, y con un interés exorbitante. Se extendieron y firmaron los documentos, acariciando el prestamista la esperanza de que a la postre el dueño de la prenda acudiría por más dinero, que con el recargo de intereses lo convertiría en propietario de joya tan valiosa[33] por su mérito intrínseco y artístico.

Pero con este capitalito le fué a Jerónimo tan prósperamente en su comercio, que a la terminación del plazo pudo desempeñar la prenda, y, envuelta[34] en el mismo papel en que la recibiera, se la devolvió a Fray Gómez.

Este tomó el alacrán, lo puso sobre el alféizar de la ventana, le echó una bendición[35] y dijo:

—Animalito de Dios, sigue tu camino.

Y el alacrán echó a andar libremente por las paredes de la celda.

26. like a flash [lit. more than fast] found his way to a pawnbroker's shop
27. truly the gem of a Moorish queen, to say the least
28. a brooch in the shape of
29. a magnificent emerald set in gold
30. a large diamond, with two rubies for eyes
31. greedily examined the jewel and offered to advance the needy man
32. insisted
33. The documents were drawn up and signed, and the moneylender cherished the hope that in the end the owner of the brooch would come back for more money, and that the accumulated compound interest would make him the owner of a jewel so valuable
34. at the expiration of the time limit, he was able to redeem the brooch and wrapped
35. window sill, blessed it

ESTANISLAO DEL CAMPO

b. Buenos Aires, February 7, 1834

d. Buenos Aires, November 6, 1880

Son of the Chief of the High Command, del Campo was sent to the Academia Porteña, and by the age of nineteen was committed to the cause of the Unitarians during the civil wars which followed the Rosas' tyranny, fighting later for the State of Buenos Aires at the battles of Cepeda (1859) and Pavón (1861) as a staunch adherent and defender of General Mitre. After 1867, when the Republic was finally consolidated, he was elected national deputy for the Province of Buenos Aires, later serving as Chief Officer in the Ministerio de Gobierno of Buenos Aires province. However, literature was equally important to him. An admirer of the gaucho poet Hilario Ascasubi (1807-1875), better known as "Aniceto el Gallo," del Campo had begun writing as "Anastasio el Pollo" in the periodical *Los Debates* in 1857.

His most felicitous inspiration came to him when he attended Gounod's opera *Faust* on August 24, 1866 at the Teatro Colón of Buenos Aires. Del Campo imagined a gaucho present there avidly taking it all in and later describing what he saw in his own words to another gaucho. Before the end of the month and under the title *Fausto,* del Campo published a first draft of his delightful tour de force in the periodical *Correo del Domingo,* reprinted a few days later in *La Tribuna,* and finally in book form, somewhat enlarged, by November 8. Because of its verve and imaginative charm *Fausto* has since become an Argentine classic.

BEST EDITION: *Fausto,* with facsimile of original manuscript, studies by Emilio Ravignani and Amado Alonso, Buenos Aires: Peuser, 1951; *Poesía gauchesca,* 2 vols., edited by Jorge Luis Borges and Adolfo Bioy Casares, Mexico: Fondo de Cultura Económica, 1955, Vol. II, pp. 300-330.

ABOUT DEL CAMPO: Amado Alonso: study of the manuscript in del Campo's *Fausto.* Buenos Aires: Peuser, 1951; Angel J. Battistesa: "Génesis periodística del *Fausto,*" *Anales del Instituto Popular de Conferencias* (Buenos Aires), XXVIII (1942), 309-321; José Mármol: introduction to del Campo's *Poesías,* Buenos Aires, 1870; Manuel Mujica Láiñez: *Vida de Anastasio el Pollo (Estanislao del Campo),* Buenos Aires, Emecé, 1948; F.M. Page: "*Fausto,* a Gaucho Poem," *PMLA,* XI (1896), 1-62; Emilio Ravignani: introduction to Del Campo's *Fausto,* Buenos Aires, Peuser, 1951; Ricardo Rojas: "Estanislao del Campo y su *Fausto,*" in his *Historia de la literatura argentina.* 9 vols., Part I, Vol. 2 *Los gauchescos,* Buenos Aires, Kraft, 1957 (4th ed.) ; Eleuterio P. Tiscornia: *Poetas gauchescos,* Buenos Aires, Losada, 1940, pp. 21-37, 251-348, 359-362; Amaro Villanueva: *Crítica y pico,* Santa Fe: Ed. Colmegna, 1945.

FAUSTO

Part 1

[The gaucho Anastasio el Pollo is returning from Buenos Aires where, through some far-fetched circumstance, he had attended a performance of Gounod's opera *Faust*. While watering his horse on the river-bank he meets his friend Don Laguna: they chat cordially, drink gin, smoke, and then — mention is made of the Devil. This reminds El Pollo of the opera, which in his candor he had taken for real life, and proceeds to tell Don Laguna of his having met the Devil in the flesh, and all about Faust and Marguerite.]

Part 2

—Como a eso de la oración
aura cuatro o cinco noches,
vide una fila de coches
contra el tiatro de Colón.[1]

La gente en el corredor,
como hacienda amontonada,[2]
pujaba desesperada
por llegar al mostrador.[3]

Allí a juerza de sudar
y a punta de hombro y de codo,
hice, amigaso, de modo
que al fin me pude arrimar.[4]

---

1. At sunset (lit. at about the hour of the Angelus) four or five nights ago (**aura=ahora hace**) I saw (**vide=vi**) a long string of carriages near the Colon Theatre (**tiatro=teatro**) [This was Buenos Aires' first opera house, from 1857 to 1888, when it became the National Bank]
2. herded together like cattle
3. struggled desperately to reach the counter [Pollo takes the box office of the theatre for the counter of a **pulpería**, the grocery store-and-bar of the pampas]
4. after much sweating (**a juersa de = a fuerza de**) and with the help of shoulders and elbows I managed, my good friend, to get near

Cuando compré mi dentrada
y di güelta . . . ¡Cristo mío!
estaba pior el gentío
que una mar alborotada.[5]

Era a causa de una vieja
que le había dao el mal . . .[6]
—Y si es chico ese corral,
¿a qué encierran tanta oveja?

—Ahí verá: por fin, cuñao,
a juerza de arrempujón,
salí como mancarrón
que lo sueltan trasijao.[7]

Mis botas nuevas quedaron
lo propio que picadillo,
y el fleco del calzoncillo
hilo a hilo me sacaron.[8]

Ya para colmo, cuñao,
de toda esta desventura,
el puñal, de la cintura
me lo habían refalao.[9]

—Algún gringo como luz
para la uña, ha de haber sido,[10]
—¡Y no haberlo yo sentido!
En fin, ya le hice la cruz.[11]

---

5. After buying my ticket (**dentrada = entrada**) I looked around (**di güelta=di vuelta**) — Holy smokes! the crowd was worse (**pior=peor**) than high seas
6. **le había dado el mal,** had fainted
7. finally, brother (**cuñao=cuñado,** partner, pal, comrade, lit. brother-in-law), by rough showing I came out from it like an old nag which had been let loose [to graze] because it was too skinny (**trasijao= trasijado**
8. in tatters (lit. just like míncemeat) and they uncorded the fringe of my drawers thread by thread
9. And the worse of it, brother, of all this misadventure, was that they stole (**refalao=refalado**) my knife from my belt
10. Some Italian, swift as light in the art of stealing (**uña,** theft)
11. I give it up as lost

288

Medio cansao y tristón
por la pérdida, dentré
y una escalera trepé
con ciento y un escalón.

Llegué a un alto, finalmente,
ande va la paisanada,
que era la última camada
en la estiba de la gente:[12]

Ni bien me había sentao,
rompió de golpe la banda,[13]
que detrás de una baranda
la habían acomodao.

Y ya también se corrió
un lienzo grande, de modo
que a dentrar con flete y todo
me aventa,[14] créameló.

Atrás de aquel cortinao
un dotor apareció,
que asigún oí decir yo,
era un tal Fausto, mentao.[15]

—¿Dotor dice? Coronel
de la otra banda, amigaso;

12. I climbed [one hundred and one steps] to a high place (**alto** is equivalent to **loma**, hillock; of course here it refers to the galleries, to second balcony) where the poor people go (**paisanada**, lit. peasantry, farmhands), the top layer of the stowage
13. the orchestra started to play [however the gaucho acquainted mostly with brass bands refers to it as **banda**, band]
14. a big tarpaulin opened up [this is the curtain which El Pollo confuses with the tarpaulin used to separate the sheep at the time of branding or shearing], so that if I had gone in (**dentrar=entrar**) with horse and all I would have been knocked down
15. behind the curtained area there appeared a doctor (**dotor=doctor**) who, from what (**asigún=según**) I heard, was named (**mentao=mentado**) Faust

289

lo conozco a ese criollaso
porque he servido con él.[16]

—Yo también lo conocí
pero el pobre ya murió.
¡Bastantes veces montó
un saino[17] que yo le di!

Dejeló al que está en el cielo[18]
que es otro Fausto el que digo,
pues bien puede haber, amigo,
dos burros del mesmo pelo.

—No he visto gaucho más quiebra
para retrucar ¡ahijuna!...
—Déjemé hacer, don Laguna
dos gárgaras de giñebra.[19]

Pues como le iba diciendo,
el Dotor apareció
y, en público, se quejó
de que andaba padeciendo.

Dijo que nada podía
con la cencia[20] que estudió,
que él a una rubia quería,
pero que a él la rubia no.

Que, al ñudo, la pastoriaba
dende el nacer de la aurora,[21]

16. [Laguna corrects El Pollo, confusing Faust with one of the few
   Faustos in that area: Colonel Fausto Aguilar, from Uruguay ("de
   la otra banda", i.e. the Banda Oriental, former name of the Republic of Uruguay)]
17. zaino, chestnut horse
18. leave him alone for he is dead
19. "By golly! I never saw a sharper gaucho when it came to clever
   answers." "Don Laguna let me have a couple of swigs of gin."
   (giñebra=ginebra)
20. ciencia
21. that fruitlessly he kept an eye on her from the break of dawn

pues de noche y a toda hora
siempre tras de ella lloraba.

Que de mañana a ordeñar
salía muy currutaca,
que él le maniaba la vaca,
pero pare de contar.[22]

Que cansado de sufrir,
y cansado de llorar,
al fin se iba a envenenar[23]
porque eso no era vivir.

El hombre allí renegó,
tiró contra el suelo el gorro
y, por fin, en su socorro
al mesmo Diablo llamó.

¡Nunca lo hubiera llamao!
¡Viera sustaso, por Cristo!
¡Ahí mesmo jediendo a misto,
se apareció el condenao![24]

Hace bien: persínesé
que lo mesmito hice yo.
—¡Y cómo no disparó?[25]
—Yo mesmo no sé por qué.

¡Viera al Diablo! Uñas de gato,
flacón, un sable largote,
gorro con pluma, capote
y una barba de chivato.[26]

---

22. That she came out all dolled up for milking and that he hobbled
for her the cow and — that was all
23. he was going to take poison
24. You should have seen — what a shock! (**sustaso**=**sustazo**, augmentative of **susto**) stinking of sulphur (**jediendo a misto**=**hediendo
a mixto**) the devil showed up right then and there
25. "That's right, cross yourself (**persínesé** = **persígnese**), I did the
same." "But how come you didn't beat it?"
26. You should have seen the Devil! Cat's nails, very skinny, a very
long sword, a cap with a feather on it, a cape and a goatee

Medias hasta la verija,
con cada ojo como un charco,
y cada ceja era un arco
para correr la sortija.[27]

"Aquí estoy a su mandao,[28]
cuente con un servidor,"
le dijo el Diablo al Dotor,
que estaba medio asonsao.[29]

"Mi Dotor, no se me asuste
que yo lo vengo a servir:
pida lo que ha de pedir
y ordenemé lo que guste."

El Dotor, medio asustao,
le contestó que se juese...[30]
—Hizo bien: ¿no le parece?
—Dejuramente, cuñao.[31]

Pero el Diablo comenzó
a alegar gastos de viaje
y a medio darle coraje
hasta que lo engatusó.[32]

—¿No era un Dotor muy projundo?[33]
¿Cómo se dejó engañar?
—Mandinga es capaz de dar
diez güeltas a medio mundo.[34]

---

27. Stocking up to the groins, each eye like a pool, each eyebrow an arch suitable for a hoop in the ring game [the gauchos used to suspend a hoop from a cord and the riders passing by at full speed tried to put their lances through the ring]
28. a su **mandado**, at your command
29. medio **azonzado** (from **zonzo**, stupid), somewhat stupefied
30. **que se fuese**, to go away
31. **seguramente**, sure thing, partner!
32. tricked him
33. **profundo**
34. "The Devil is capable of turning the world upside down ten times" (**güeltas=vueltas**)

El Diablo volvió a decir:
"Mi Dotor, no se me asuste,
ordenemé en lo que guste,
pida lo que ha de pedir.

"Si quiere plata,[35] tendrá:
mi bolsa siempre está llena,
y más rico que Anchorena,[36]
con decir 'quiero,' será."

"No es por la plata que lloro,"
don Fausto le contestó,
"otra cosa quiero yo
mil veces mejor que el oro."

"Yo todo le puedo dar,"
retrucó el Rey del Infierno,
"Diga: ¿quiere ser Gobierno?
pues no tiene más que hablar."

"No quiero plata ni mando,"
dijo don Fausto, "yo quiero
el corazón todo entero
de quien me tiene penando."

No bien esto el Diablo oyó,
soltó una risa tan fiera,
que toda la noche entera
en mis orejas sonó.

Dió en el suelo una patada,
una paré se partió,
y el Dotor, fulo, miró
a su prenda idolatrada.[37]

---

35. money
36. [the richest family in nineteenth century Argentina]
37. He stamped on the ground, a wall (**paré**=**pared**) cracked, and, flab-
bergasted, the Doctor saw his darling in the flesh

—¡Canejo! ... ¿Será verdá?
¿Sabe que se me hace cuento?[38]
—No crea que yo le miento:
lo ha visto media ciudá.

¡Ah, don Laguna! ¡si viera
qué rubia!... Créameló:
creí que estaba viendo yo
alguna virgen de cera.

Vestido azul, medio alzao,
se apareció la muchacha:
pelo de oro, como hilacha
de choclo recién cortao.[39]

Blanca como una cuajada,
y celeste la pollera;[40]
don Laguna, si aquello era
mirar a la Inmaculada.[41]

Era cada ojo un lucero,[42]
sus dientes, perlas del mar,
y un clavel al reventar
era su boca, aparcero.[43]

Ya enderezó como loco[44]
el Dotor cuando la vió,
pero el Diablo lo atajó[45]
diciéndole: —"Poco a poco.

---

38. Caramba! Is it possible? You know it all sounds like a yarn to me?
39. The girl made her appearance in a blue dress above her ankles
    (**medio alzao=medio alzado**); she had golden hair, like the threads
    of green corn freshly cut
40. White as curds of milk, and her skirt, blue
41. the Holy Virgin; the Immaculate Conception
42. a star
43. and, partner, a carnation bursting open was her mouth
44. rushed towards her like a madman
45. intercepted him

"Si quiere hagamos un pato:[46]
usté su alma me ha de dar
y en todo lo he de ayudar.
¿Le parece bien el trato?"

Como el Dotor consintió,
el Diablo sacó un papel
y le hizo firmar en él
cuanto la gana le dió.[47]

—¡Dotor, y hacer ese trato!
—¿Qué quiere hacerle, cuñao,
si se topó ese abogao
con la horma de su zapato?[48]

Ha de saber que el Dotor
era dentrao en edá,
ansina es que estaba ya
bichoco para el amor.[49]

Por eso, al dir[50] a entregar
la contrata consabida,
dijo:—"¿Habrá alguna bebida
que me pueda remozar?"[51]

Yo no sé qué brujería,
misto, mágica o polvito[52]
le echó el Diablo y... ¡Dios bendito!
¡Quién demonios lo creería!

---

46. **pacto,** agreement
47. whatever he want him to
48. "What are you to expect, brother? — that lawyer (**abogao**=**aboga-do**) [i.e. Fausto] had met with his match [based on the old Spanish saying: he found the last [i.e. a shoemaker's last] of his shoe]
49. **entrado en edad,** well along in years, so that (**ansina**=**así**) he was not very apt for love-making [the adjective **bichoco** applies to a horse too old for racing]
50. **ir**
51. capable of rejuvenating me?
52. I know not what witchcraft, potion, magic, or powder the Devil administered him

¿Nunca ha visto usté a un gusano
volverse una mariposa?[53]
Pues allí la mesma cosa
le pasó al Dotor, paisano.

Canas, gorro y casacón
de pronto se vaporaron,
y en el Dotor ver dejaron
a un donoso mocetón.[54]

—¿Qué dice?... ¡barbaridá!...
¡Cristo padre!.. ¿Será cierto?
—Mire: que me caiga muerto
si no es la pura verdá.

El Diablo entonces mandó
a la rubia que se juese,
y que la paré se uniese,
y la cortina cayó.

A juerza de tanto hablar
se me ha secao el garguero:
pase el frasco, compañero.[55]
—¡Pues no se lo he de pasar!

53. Have you ever seen a worm turn into a butterfly?
54. Gray hair, cap, long loose coat [the gaucho's interpretation of cap and gown], suddenly disappeared into thin air (**se vaporaron** = **se evaporaron**) and the Doctor turned into a handsome lad
55. **se me ha secado la garganta**, my throat is parched — brother let's have the bottle

[For a short while the gauchos admire "the sea" in front of them — it is really the mouth of the Platte River which is a wide estuary in the vicinity of Buenos Aires. Then El Pollo goes on with his story.]

El lienzo otra vez alzaron
y apareció un bodegón,
ande se armó una reunión
en que algunos se mamaron.[1]

Un don Valentín, velay,
se hallaba allí en la ocasión,
capitán muy guapetón
que iba a dir al Paraguay.[2]

Era hermano, el ya nombrao,
de la rubia y conversaba
con otro mozo que andaba
viendo de hacerlo cuñao.[3]

Don Silverio[4] o cosa así,
se llamaba este individuo,
que me pareció medio ido
o sonso cuando lo vi.

Don Valentín le pedía
que a la rubia le sirviera
en su ausencia...[5]
                —¡Pues, sonsera!
¡El otro qué más quería!

1. The tarpaulin went up again and a saloon was shown [El Pollo is referring to Auerbach's Cellar] where a party was in progress and some guys were already pie-eyed
2. [Indeed Valentín (Margaret's brother) was going to war, only that El Pollo assumes it to be to the war against Paraguay (1865-1869)]
3. trying to become his brother-in-law (**cuñao**=**cuñado**)
4. [i.e. Siebel, a role usually sung by a woman dressed as a man, which may explain El Pollo's remarks about Siebel being scatterbrained (**medio ido**) and quite a boob (**sonso**=**zonzo**)
5. Don Valentín begged Don Silverio to take good care of his sister (**la rubia,** the blonde) during his absence

—El Capitán, con su vaso,
a los presentes brindó,
y en esto se apareció
de nuevo el Diablo, amigaso.

Dijo que si lo almitían
también echaría un trago,
que era por no ser del pago
que allí no lo conocían.⁶

Dentrando en conversación
dijo el Diablo que era brujo:
pidió un ajenjo, y lo trujo
el mozo del bodegón.⁷

"No tomo bebida sola,"
dijo el Diablo; se subió
a un banco y vi que le echó
agua de una cuarterola.⁸

Como un tiro de jusil
entre la copa sonó,
y a echar llamas comenzó
como si juera un candil.⁹

Todo el mundo reculó,
pero el Diablo sin turbarse
les dijo: "No hay que asustarse,"
y la copa se empinó.¹⁰

---

6. He said that if they allowed it (**lo almitían=lo admitían**) he would
   have a drink with them; that since he was not from that region
   no one knew him [and therefore he had no drinking companions]
7. the Devil said he was a magician: he asked for an absinthe and
   the waiter brought it (**lo trujo=lo trajo**)
8. The Devil said he didn't drink the stuff straight; he stood up on
   a bench and I saw how he poured into it water from a quarter cask
9. It sounded like a shot from a rifle (**jusil=fusil**) inside (**entre=dentro
   de**) his wine glass and it began to flame up as if it were (**juera=
   fuera**) a kitchen lamp
10. Everybody pulled back, but the Devil, quite cool (lit. without getting
    upset), told them: 'Don't be scared,' and gulped down the stuff.

—¡Qué buche! ¡Dios soberano!
—Por no parecer morao
el Capitán jué, cuñao,
y le dió al Diablo la mano.[11]

Satanás le registró
los dedos con grande afán
y le dijo: "Capitán,
pronto muere, créaló."[12]

El Capitán, retobao,
peló la lata, y Lusbel
no quiso ser menos que él
y peló un amojosao.[13]

Antes de cruzar su acero,
el Diablo el suelo rayó:
¡Viera el juego que salió!...
—¡Qué sable para yesquero![14]

—¿Qué dice? ¡Había de oler
el jedor que iba largando[15]
mientras estaba chispiando[16]
el sable de Lucifer!

No bien a tocarse van
las hojas, créameló,

11. "God almighty, some stomach!" "To prove to him that he was not chicken (**morao**=**morado**, cowardly), the Captain went (**jué**=**fue**) up to him and shook hands
12. So Satan took a good look at the palm of the Captain's hand (lit. at the Captain's fingers — but what Satan does is read his fortune), and told him: "Captain, you'll die soon! — do believe me!"
13. Exasperated (**retobao**=**retobado**), the Captain drew his sword, and the Devil (**Lusbel**=**Luzbel**, **Lucifer**), wanting to show that he wasn't his inferior, pulled out his rusty blade (**amojosao**=**enmohecido**)
14. "Before they crossed swords the Devil drew a line on the ground: You should have seen the fire (**juego**=**fuego**) that flared up!" "A fine tinder-box that saber would make!" [The **yesquero** — tinder, flint and steel — is still used in rural areas for lighting cigarettes, etc.: the equivalent of our modern lighters].
15. **el hedor,** the stench it was giving out
16. **chispeando,** while it was sparking

la mitá al suelo cayó
del sable del Capitán.[17]

"¡Este es el Diablo en figura
de hombre!" el Capitán gritó,
y, al grito, le presentó
la cruz de la empuñadura.[18]

¡Viera al Diablo retorcerse
como culebra, aparcero![19]
—¡Oiganlé!...[20]
            —Mordió el acero
y comenzó a estremecerse.

Los otros se aprovecharon
y se apretaron el gorro:
sin duda a pedir socorro
o a dar parte dispararon.[21]

En esto don Fausto entró
y conforme al Diablo vido,[22]
le dijo: "¿Qué ha sucedido?"
Pero él se desentendió.[23]

El Dotor volvió a clamar
por su rubia, y Lucifer,
valido de su poder,[24]
se la volvió a presentar.

---

17. No sooner the blades touched, half (la mitá = la mitad) of the
    Captain's saber fell to the ground
18. right away (al grito) he held up to the Devil) the cross of the hilt
    [and of course at the sight of the Cross the Devil lost his power]
19. writhing like a snake, my friend!
20. Oigánle! listen to him! (exclamation, somewhat like "You don't say!)
21. tightened their caps [in order to run away]: they fled to ask for
    help no doubt or to report the happening to the police
22. as soon as he saw (vido=vio) the Devil
23. But he paid no attention [affected ignorance]
24. availing himself of his (demonic) powers

y don Fausto le pidió
que lo acompañase a un cielo.
Pues que golpiando en el suelo
en un baile apareció[25]

No hubo forma que bailara:[26]
la rubia se encaprichó;
de balde el Dotor clamó
por que no lo desairara.[27]

Cansao ya de redetirse[28]
le contó al Demonio el caso;
pero él le dijo: "Amigaso,
no tiene por qué afligirse.

"Si en el baile no ha alcanzao
el poderla arrocinar,
deje, le hemos de buscar
la güelta por otro lao.[29]

"Y mañana, a más tardar,
gozará de sus amores,
que a otras, mil veces mejores,
las he visto cabrestiar..."[30]

"¡Balsa general!" gritó
el bastonero mamao;
pero en esto el cortinao
por segunda vez cayó.

25. For stamping his foot on the ground [he conjured up] a dance at
    which she was present
26. [Don Fausto asked her] to dance a **cielito** with him [**Cielos** and
    cielitos are the most popular songs and square dances of Argentina]
27. There was no way of getting her to dance: the blonde persisted
    in refusing (lit. persisted in her whims); the Doctor beg her in vain
    (**de valde=en balde**) not to snub him
28. Already tired of melting away (**redetirse=derretirse**) [i.e. of being
    so hopelessly in love]
29. If you have not succeeded (**alcanzao=alcanzado**) in taming her at
    the dance — never mind, we'll find some other way out (**güelta=
    vuelta; lao=lado**)
30. **cabestrear,** to be lead easily by the halter
31. "Everybody waltz now!" (**balsa=waltz**), shouted the drunken cotil-
    lion leader, but just then the curtain fell for the second time.

Part 4

[Once again the gauchos pause for a smoke and a few swigs from the gin bottle. They decide to have something more substantial at an inn later on. El Pollo goes on spinning his yarn.]

—Pues entonces allá va.
Otra vez el lienzo alzaron
y hasta mis ojos dudaron
lo que vi... ¡barbaridá!

¡Qué quinta!¹ ¡Virgen bendita!
¡Viera, amigaso, el jardín!
Allí se veía el jazmín,
el clavel, la margarita,

el toronjil, la retama,²
y hasta estatuas, compañero;
al lao de ésa, era un chiquero
la quinta de don Lezama.³

Entre tanta maravilla
que allí había y, medio a un **lao**,
que habían edificao
una preciosa casilla.

Allí la rubia vivía
entre las flores como ella,
allí brillaba esa estrella
que el pobre Dotor seguía.

---

1. What a beautiful country house!
2. one saw there jasmines, carnations, daisies, balm-gentle, broom
3. by comparison (**al lao de esa** = **al lado de esa**), Don Lezama's country house looked like a pigsty [José Gregorio Lezama had in his estate the most beautiful park in Buenos Aires]

Y digo *pobre Dotor,*
porque pienso, don Laguna,
que no hay desgracia ninguna
como un desdichado amor.

—Puede ser; pero, amigaso,
yo en las cuartas no me enriedo,
y, en un lance en que no puedo,
hago de mi alma un cedaso.[4]

Por hembras yo no me pierdo:
la que me empaca su amor
pasa por el cernidor
y... si te vi, no me acuerdo.[5]

Lo demás es calentarse
el mate, al divino ñudo...[6]
—¡Feliz quien tenga ese escudo
con que poder rejuardarse![7]

Pero usté habla, don Laguna,
como un hombre que ha vivido
sin haber nunca querido
con alma y vida a ninguna.

Cuando un verdadero amor
se estrella en un alma ingrata,
más vale el fierro que mata,
que el fuego devorador.[8]

---

4. It may well be, but pal, I don't get myself tangled up (**no me enriedo = no me enredo**) in the traces [like inexperienced oxen do when first yoked to a cart] — when in a pickle I turn my soul into a sieve [i.e. I let affairs with which I can't cope pass by]
5. I don't lose my head over females: any who persists in not reciprocating my love is sifted through the sieve (**cernidor = cernedor**) and — if I saw you, I don't remember you
6. The rest is but warming up the tea (i.e. preparing) for the divine yoke (i e. for marriage)
7. Lucky the guy who has a shield like that to protect his skin (**rejuardarse = resguardarse**)
8. When a real love is shattered because of a cruel girl, the knife (**el fierro = el hierro**) is preferable to the devouring fire

Siempre ese amor lo persigue
a donde quiera que va:
es una fatalidá
que a todas partes lo sigue.

Si usté en su rancho se queda,
o si sale para un viaje,
es de balde: no hay paraje
ande olvidarla usté pueda.[9]

Cuando duerme todo el mundo,
usté sobre su recao
se da güelta, desvelao,[10]
pensando en su amor profundo.

Y si el viento hace sonar
su pobre techo de paja,
cree usté que es ella que baja
sus lágrimas a secar.[11]

Y si en alguna lomada
tiene que dormir al raso,[12]
pensando en ella, amigaso,
lo hallará la madrugada.

Allí acostao sobre abrojos
o entre cardos,[13] don Laguna,
verá su cara en la luna,
y en las estrellas, sus ojos.

9. wherever you go you remember her
10. when every one is asleep, you keep awake, tossing and turning over
    your riding outfit [when on a long jjourney the gaucho often slept
    on his saddle blanket and used his saddle for a pillow, etc.]
11. and if the wind rustles the straw over your miserable thatched roof,
    you believe that she is coming to wipe your tears
12. and if you have to sleep on the open, by the foot of some hillock
13. Laying down (**acostao**=**acostado**) there upon thorns, surrounded by
    thistles

¿Qué habrá que no le recuerde
al bien de su alma querido,
si hasta cree ver su vestido
en la nube que se pierde?

Ansina sufre en la ausiencia[14]
quien sin ser querido quiere:
aura verá cómo muere
de su prenda en la presencia.

Si en frente de esa deidad
en alguna parte se halla,
es otra nueva batalla
que el pobre corazón da.

Si con la luz de sus ojos
le alumbra la triste frente,
usté, don Laguna, siente
el corazón entre abrojos.

Su sangre comienza a alzarse
a la cabeza, en tropel,[15]
y cree que quiere esa cruel
en su amargura gozarse.

Y si la ingrata le niega
esa ligera mirada,
queda su alma abandonada
entre el dolor que la aniega.[16]

Y usté, firme en su pasión...
y van los tiempos pasando,
un hondo surco[17] dejando
en su infeliz corazón.

14. **así sufre en la ausencia**
15. tumultuously
16. between the grief that floods it (**la aniega**=**la anega**)
17. [leaving] a deep furrow

—Güeno, amigo, así será,
pero me ha sentao el cuento...[18]
—¡Qué quiere! Es un sentimiento...
tiene razón, allá va:

Pues, señor, con gran misterio,
traindo en la mano una cinta,[19]
se apareció entre la quinta
el sonso de don Silverio.

Sin duda alguna saltó
las dos zanjas de la güerta,[20]
pues esa noche su puerta
la mesma rubia cerró.

Rastriándolo[21] se vinieron
el Demonio y el Dotor
y trás del árbol mayor
a aguaitarlo se escondieron.[22]

Con las flores de la güerta
y la cinta, un ramo armó
don Silverio, y lo dejó
sobre el umbral[23] de la puerta.

—¡Que no cairle una centella![24]
—¿A quién? ¿Al sonso?
                    —¡Pues digo!...
¡Venir a osequiarla,[25] amigo,
con las mesmas flores de ella!

18. O.K., friend, it may be [as you say] but your tale has come to a standstill
19. **trayendo,** bringing in his hand a ribbon
20. he jumped over the two ditches circling the garden (**güerta=huerta**)
21. **rastreándolo,** trailing him
22. they hid to spy on him
23. threshold
24. A pity that lightning didn't strike him!
25. **obsequiarla,** to treat her to, to make a gift of

—Ni bien acomodó el guacho
ya rumbió...²⁶
                    —¡Miren qué hazaña!
Eso es ser más que lagaña
y hasta da rabia, caracho!²⁷

—El Diablo entonces salió
con el Dotor y le dijo:
"Esta vez priende de fijo
la vacuna, créaló."²⁸

Y, el capote haciendo a un lao,
desenvainó allí un baulito
y jué y lo puso juntito
al ramo del abombao.²⁹

—¡No me hable de ese mulita!³⁰
¡Qué apunte para una banca!³¹
¿A que era mágica blanca
lo que trujo en la cajita?³²

—Era algo más eficaz
para las hembras, cuñao;
verá si las ha calao
de lo lindo Satanás.³³

Tras del árbol se escondieron
ni bien cargaron la mina,³⁴

---

26. no sooner the sissy arranged them   [i.e. fixed up the flowers into a bouquet], he started on his way
27. That's a stinker for you! It makes any one sore, damn him! [**Caracho** is an eupheuism for the stronger **carajo**]
28. This time it will work, believe me, (lit. the vaccine is going to take)
29. he uncovered a little casket [of jewels] and went (**jué=fue**) and placed it next to the dumbbell's flowers .
30. nitwit (comparing his shyness to that of the armadillo, **mulita**)
31. What a stake for a game!
32. I bet what was inside the little box had to do with white magic?
33. you'll see for yourself how well Satan sizes up the females
34. no sooner they planted the treasure (lit. no sooner they loaded the explosive)

y, más que nunca divina,
venir a la rubia vieron.

La pobre, sin alvertir,
en un banco se sentó,
y un par de medias sacó
y las comenzó a surcir.[35]

Cinco minutos por junto,
en las medias trabajó,
por lo que carculo yo
que tendrían sólo un punto.[36]

Dentró a espulgar un rosal
por la hormiga consumido,
y entonces jué cuando vido
caja y ramo en el umbral.[37]

Al ramo no le hizo caso,
y enderezó a la cajita,
y sacó... ¡Virgen bendita!
¡Viera qué cosa, amigaso!

¡Qué anillo, qué prendedor!
¡Qué rosetas soberanas!
¡Qué collar! ¡Qué carabanas![38]
—¡Vea al Diablo tentador!

—¿No le dije, don Laguna?
La rubia allí se colgó
las prendas, y apareció
más platiada que la luna.[39]

---

35. she took out a pair of stockings and began to darn them
36. which I reckon (**carculo**=**cálculo**) had only one hole
37. she began (**dentró a**=**entró a**) to inspect a rosebush eaten up by the ants and then it was (**jué**=**fue**) when she saw (**vido**=**vio**) the casket and the bouquet at the threshold
38. what a ring, what a breast-pin, what magnificent buckles, what necklace, what earrings!
39. more silver-plated (**platiada**=**plateada**) than the moon

En la caja, Lucifer
había puesto un espejo...
—¿Sabe que el Diablo, canejo,[40]
la conoce a la mujer?

—Cuando la rubia gastaba
tanto mirarse en la luna,[41]
se apareció, don Laguna,
la vieja[42] que la cuidaba.

¡Viera la cara, cuñao,
de la vieja al ver brillar
como reliquias de altar
las prendas del condenao!

"¿Diáonde este lujo sacás?"
la vieja, fula, decía,
cuando gritó: "¡Avemaría!"
en la puerta, Satanás.[43]

"¡Sin pecao! ¡Dentre, señor!"
"¿No hay perros?"—"¡Ya los ataron!"[44]
Y ya también se colaron[45]
el Demonio y el Dotor.

El Diablo allí comenzó
a enamorar a la vieja
y el Dotorcito a la oreja
de la rubia se pegó.

40. **caramba!**
41. in the mirror
42. [this **vieja**, equivalent to the duenna of classical plays, is the much-hated, rather obsolete chaperone of our own days]
43. **De dónde?** wherefrom did you get these jewels? astonished asked the old woman, just as Satan shouted at the door: "Ave María!" [this **Hail Mary** is a form of greetings, which is answered to by **"Sin pecado concebida"**]
44. [In rural communities there were always fierce watch dogs, so Satan is playing safe when he asks: "Any dogs?" — in this case the reply was: "They are tied up."]
45. and by then [the Devil and the Doctor] had sneaked in

—¡Vea el Diablo haciendo gancho!⁴⁶
—El caso jué que logró
reducirla y la llevó
a que le amostrase un chancho.⁴⁷

—¿Por supuesto, el Dotorcito
se quedó allí mano a mano?
—Dejuro, y ya verá, hermano,
la liendre que era el mocito.⁴⁸

Corcobió⁴⁹ la rubiecita
pero al fin se sosegó
cuando el Dotor le contó
que él era el de la cajita.

Asigún lo que presumo,
la rubia aflojaba laso,
porque el Dotor, amigaso,
se le quería ir al humo.⁵⁰

La rubia lo malició
y por entre las macetas
le hizo unas cuantas gambetas
y la casilla ganó.⁵¹

El Diablo tras de un rosal,
sin la vieja apareció...
—¡A la cuenta la largó
jediendo entre algún maizal!⁵²

---

46. playing the role of a go-between
47. **que le mostrase,** to show him [**a pig**]
48. **seguro,** of course he did and you will see, brother, how clever the young fellow was
49. **corcoveo,** [the little blonde] cut some capers (i.e. got upset)
50. **según,** according to my way of thinking, the blonde was loosening rope (i.e. trying to keep him at a distance), for the Doctor, my friend, wanted to jump on her right away
51. The blonde suspected him of evil intentions, and dodging him between the flower pots, entered quickly her house
52. I'll bet he murdered her and she's by now rotting away (**jediendo=hediendo**) in some cornfield!

—La rubia, en vez de acostarse,
se lo pasó en la ventana
y allí aguardó la mañana
sin pensar en desnudarse.

Ya la luna se escondía
y el lucero se apagaba,
y ya también comenzaba
a venir clariando el día.

El Diablo dentró a retar
al Dotor y, entre el responso,
le dijo: "¿Sabe que es sonso?
¿Pa qué la dejó escapar?[53]

"Ahí la tiene en la ventana:
por suerte no tiene reja
y antes que venga la vieja
aproveche la mañana."

Don Fausto ya atropelló
diciendo: "¡Basta de ardiles!"
La cazó de los cuadriles
y ella... ¡también lo abrazó![54]

—¡Oiganlé a la dura!
          —En esto
Bajaron el cortinao.
Alcance el frasco, cuñao.
—A gatas le queda un resto.[55]

---

53. The Devil began to scold the Doctor and in the course of his rebuke he told him: "Don't you realize what a fool you are? Why (**pa que = para que**) did you let her escape?"
54. Don Fausto rushed at her saying "Enough of your tricks!", threw his arms around her hips [**cuadriles** refers to the rump of a horse] and she — well, she returned the embrace!
55. "So that's how it was with our aloof female!" "Just then the curtain fell. Pass on the jug [of gin], brother." "There's hardly any left."

Part 5

—Al rato el lienzo subió
y, deshecha y lagrimiando,
contra una máquina hilando
la rubia se apareció.[1]

La pobre dentró a quejarse
tan amargamente allí,
que yo a mis ojos sentí
dos lágrimas asomarse.

—¡Qué vergüenza!
       —Puede ser:
pero, amigaso, confiese
que a usted también lo enternece
el llanto de una mujer.

Cuando a usté un hombre lo ofiende,
ya, sin mirar para atrás,
pela el flamenco y ¡sas! ¡tras!
dos puñaladas le priende.[2]

Y cuando la autoridá
la partida le ha soltao,
usté en su overo rosao
bebiendo los vientos va.[3]

Naides de usté se despega
porque se haiga desgraciao,
y es muy bien agasajao
en cualquier rancho a que llega.[4]

---

1. In a short while the curtain went up and the blonde appeared by (**contra=junto a**) her spinning wheel, all fagged out and tearful (**lagrimiando=lagrimeando,** weeping)
2. you whip out your knife (**flamenco**) and Zip, bing! — two stabs will take care of him
3. and when the authorities send out the cops after you, you dash away, real fast (**bebiendo los vientos**), on your dappled horse
4. No one (**naides=nadie**) is going to turn the back on you because you have disgraced yourself [i.e. by having killed some one], on the contrary you are showered with attentions (**agasajao=agasajado**) at every hut you stop

Si es hombre trabajador,
ande quiera[5] gana el pan:
para eso con usté van
bolas, lazo y maniador.[6]

Pasa el tiempo, vuelve al pago
y cuanto más larga ha sido
su ausiencia,[7] usté es recebido
con más gusto y más halago.

Engaña usté a una infeliz
y, para mayor vergüenza,
va y le cerdea la trenza
antes de hacerse perdiz.[8]

La ata, si le da la gana,
en la cola de su overo,
y le amuestra al mundo entero
la trenza de ña Julana.[9]

Si ella tuviese un hermano,
y en su rancho miserable
hubiera colgao un sable
juera otra cosa, paisano.[10]

Pero sola y despreciada
en el mundo, ¿qué ha de hacer?
¿A quién la cara volver?
¿Ande llevar la pisada?[11]

---

5. **dondequiera**
6. for along with you go your bolas, your lasso and your hopple rope
7. **ausencia,** absence
8. you go and cut off her braid before clearing out [**cerdear, to cut**
   a horse's mane or hair of the tail]
9. You tie it, if you wish, to your horse's tail and show (**amuestra**=
   muestra) the whole wide world Miss So-and-So's braid (**ña Julana** =
   Seña, Señora or **Doña Fulana**)
10. If she had a brother who had hung a sword somewhere in her
    miserable hut, that would have been different, my friend
11. Where is she going to go?

Soltar al aire su queja
será su solo consuelo,
y empapar con llanto el pelo
del hijo que usté le deja.[12]

Pues ese dolor projundo
a la rubia la secaba[13]
y por eso se quejaba
delante de todo el mundo.

Aura, confiese, cuñao,
que el corazón más calludo
y el gaucho más entrañudo
allí habría lagrimiao.[14]

—¿Sabe que me ha sacudido
de lo lindo el corazón?
Vea, si no, el lagrimón
que al óirlo se me ha salido!

—¡Oiganlé!
        —Me ha redotao.[15]
¡No guarde rencor, amigo!
—Si es broma que le digo...
—Siga su cuento, cuñao.

—La rubia se arrebozó
con un pañuelo cenisa,
diciendo que se iba a misa
y puerta ajuera salió.[16]

12. to wet with her tears the hair of the child you have left behind with her
13. Such deep (projundo=profundo) sorrow was wearing the blonde away
14. Now you must admit, brother, that even the most calloused heart, the most hard boiled gaucho would have wept there (lagrimao= lagrimeado)
15. derrotado, you have broken me down
16. the blonde covered her head with a gray-colored kerchief (cenisa= color ceniza) saying she was on her way to mass and out she went (ajuera=afuera)

Y crea usté lo que guste
porque es cosa de dudar...
¡Quién había de esperar
tan grande desbarajuste![17]

Todo el mundo estaba ajeno
de lo que allí iba a pasar,
cuando el Diablo hizo sonar
como un pito de sereno.[18]

Una iglesia apareció
en menos que canta un gallo.[19]
—¡Vea si dentra a caballo!
—¡Me larga, créameló![20]

Creo que estaban alzando[21]
en una misa cantada,
cuando aquella desgraciada
llegó a la puerta llorando.

Allí la pobre cayó
de rodilas sobre el suelo,
alzó los ojos al cielo
y cuatro credos rezó.

Nunca he sentido más pena
que al mirar a esa mujer;
amigo, aquello era ver
a la mesma Magdalena.[22]

---

17. Who could have expected such a frightful confusion!
18. the Devil blew something that sounded like the whistle of a night watchman (**sereno**)
19. in an instant (lit. sooner than a rooster can crow)
20. "Suppose you had gone in (**dentra=entra**) on horseback!" "They would have thrown me off, that's for sure!"
21. they were elevating [the Host]
22. it was like seeing Mary Magdalene in person [the Biblical harlot restored to purity and sainted by reverence and faith]

De aquella rubia rosada
ni rastro había quedao:
era un clavel marchitao,
una rosa deshojada.[23]

Su frente que antes brilló
tranquila como la luna,
era un cristal, don Laguna,
que la desgracia enturbió.[24]

Ya de sus ojos hundidos
las lágrimas se secaban
y entretemblando rezaban
sus labios descoloridos.[25]

Pero el Diablo la uña afila,[26]
cuando está desocupao,
y allí estaba el condenao
a una vara de la pila.[27]

La rubia quiso dentrar
pero el Diablo la atajó
y tales cosas le habló
que la obligó a disparar.

Cuasi[28] le da el acidente
cuando a su casa llegaba;
la suerte que le quedaba
en la vedera de enfrente.[29]

---

23. a withered (**marchitao=marchitado**) carnation, a rose stripped of its petals
24. clouded by misfortune
25. her faded lips, quivering (**entretemblando=temblando**), were praying
26. sharpens his nails [sharpens his wits]
27. [although] the infamous wretch (**condenao=condenado**) was only a few feet away from the holy-water basin
28. **casi le da el accidente,** she almost collapsed
29. fortunately her home was right across the street (**vereda,** sidewalk)

Al rato el Diablo dentró
con don Fausto muy del brazo,
y una guitarra, amigaso,
ahí mesmo desenvainó.

—¿Qué me dice, amigo Pollo?
—Como lo oye, compañero;
el Diablo es tan guitarrero
como el paisano más criollo.

El sol ya se iba poniendo,
la claridá se ahuyentaba[30]
y la noche se acercaba
su negro poncho tendiendo.

Ya las estrellas brillantes
una por una salían,
y los montes parecían
batallones de gigantes.

Ya las ovejas balaban
en el corral prisioneras,
y ya las aves caseras
sobre el alero ganaban.[31]

El toque de la oración
triste los aires rompía
y entre sombras se movía
el crespo sauce llorón.[32]

Ya sobre el agua estancada
de silenciosa laguna,
al asomarse, la luna
se miraba retratada.

30. the day was coming to an end (**claridá**=**claridad**)
31. The sheep already were bleating in their enclosure; the chickens
had gone into the barnyard
32. the churchbells were ringing the Angelus (**toque de la oración**) [lit.
sadly were shattering the air] and in the darkness [the branches of]
a curly weeping willow were moving

Y haciendo un estraño ruido
en las hojas trompezaban
los pájaros que volaban
a guarecerse en su nido.[33]

Ya del sereno brillando
la hoja de la higuera estaba,
y la lechuza pasaba
de trecho en trecho chillando.[34]

La pobre rubia, sin duda,
en llanto se deshacía,
y, rezando, a Dios pedía
que le emprestase[35] su ayuda.

Yo presumo que el Dotor,
hostigao[36] por Satanás,
quería otras hojas más
de la desdichada flor.

A la ventana se arrima
y le dice al condenao:
"Déle no más, sin cuidao,
aunque reviente la prima."[37]

El Diablo a gatas tocó
las clavijas y, al momento,
como un arpa, el istrumento
de tan bien templao sonó.[38]

---

33. the birds seeking their nests for shelter ran into (**trompezaban**=**tro-pezaban**) the leaves
34. Already the leaves of the figtree shone with dew, and the owl kept flying back and forth, screeching all the while
35. **prestase**
36. driven, spurred on
37. He draws up to the window and tells the wretch: "Go to it, my boy, and don't worry, even if the top string were to break"
38. Scarcely had the Devil touched the keys when right away the instrument (**istrumento** = **instrumento**) sounded like a harp, so well tempered it was

—Tal vez lo traiba templao
por echarla de baquiano...[39]
—Todo puede ser, hermano,
pero ¡óyesé al condenao![40]

Al principio se florió
con un lindo bordoneo
y en ancas de aquel floreo
una décima cantó.[41]

No bien llegaba al final
de su canto, el condenao,
cuando el Capitán, armao,[42]
se apareció en el umbral.

—Pues yo en campaña lo hacía...
—Daba la casualidá
que llegaba a la ciudá
en comisión, ese día.[43]

—Por supuesto, hubo fandango...
—La lata ahí no más peló
y al infierno le aventó
de un cintaraso el changango.[44]

—¡Lindo el mozo!
                              —¡Pobrecito!
—¿Lo mataron?
                              —Ya verá:

---

39. to show off (lit. in order to pose as an expert)
40. listen to the wretch!
41. at first he played a flourish (se **florió**=se **floreó**) and immediately
    sang a **décima**
42. **armado**, armed, [he showed up at the threshold]
43. "I reckoned he was on campaign duty." "It so happened that
    through sheer coincidence (**casualidá**=**casualidad**) he was on leave
    that day and came to the city
44. "Of course, there must have been a brawl!" "Indeed, he drew his
    sword right then and there (**ahí no más**) and with one blow sent the
    old guitar (**changango**) to hell'

Peló un corbo el Dotorcito
y el Diablo... ¡barbaridá!

desenvainó una espadita
como un viento; lo embasó
y allí no más ya cayó
el pobre...
                    —¡Anima bendita!

—A la trifulca y al ruido
en montón la gente vino...[46]
—¿Y el Dotor y el asesino?
—Se habían escabullido.[47]

La rubia también bajó
¡y viera aflición, paisano,
cuando el cuerpo de su hermano
bañao en sangre[48] miró!

A gatas medio alcanzaron
a darse una despedida,
porque en el cielo, sin vida,
sus dos ojos se clavaron.

Bajaron el cortinao,
de lo que yo me alegré...
—Tome el frasco, priendalé.[49]
—Sírvase no más, cuñao.

---

45. The Doctor pulled a curved sword and the Devil — horrors! — whipped out a little sword and ran him through (**le embasó=le envasó**)
46. lots of people rushed out to see the fight
47. they slipped away
48. all gory
49. **préndale**, grab it

Part 6

—¡Pobre rubia! Vea usté
cuánto ha venido a sufrir:
se le podía decir:
¡Quién te vido y quién te ve![1]

—Ansí es el mundo, amigaso;
nada dura, don Laguna,
hoy nos ríe la fortuna,
mañana nos da un guascaso.[2]

Las hembras en mi opinión
train un destino más fiero[3]
y si quiere, compañero,
le haré una comparación.

Nace una flor en el suelo,
una delicia es cada hoja,
y hasta el rocío la moja
como un bautismo del cielo.[4]

Allí está ufana[5] la flor,
linda, fresca y olorosa;
a ella va la mariposa,
a ella vuela el picaflor.[6]

Hasta el viento pasajero
se prenda al verla tan bella,[7]
y no pasa por sobre ella
sin darle un beso primero.

1. To think what you were then and what you are now!
2. **guascazo** or **huascazo**, a beating (lit. to be whiplashed with a **huasca** or rope)
3. **traen**, have a tougher life than men (lit. a crueler fate)
4. and even the dew drenches it like a baptism from heaven
5. proud
6. hummingbird
7. Even the passing wind is charmed by her beauty

¡Lástima causa esa flor
al verla tan consentida![8]
Cree que es tan larga su vida
como fragante su olor.

Nunca vió el rayo que raja
a la renegrida nube,
ni ve el gusano que sube,
ni el fuego del sol que baja.[9]

Ningún temor en el seno
de la pobrecita cabe,
pues que se hamaca, no sabe,
entre el fuego y el veneno.[10]

Sus tiernas hojas despliega
sin la menor desconfianza,
y el gusano ya la alcanza...
y el sol de las doce llega...

Se va el sol abrasador[11]
pasa a otra planta el gusano,
y la tarde... encuentra, hermano,
el cadáver de la flor.[12]

Piense en la rubia, cuñao,
cuando entre flores vivía
y diga si presumía
destino tan desgraciao.

8. One feels pity for that flower, so spoiled!
9. Never did she see the thunderbolt that cleaves open the dark clouds,
    nor the worm climbing, nor the sun's fires descending
10. for she knows not that she is rocking herself between fire and poison
11. the burning sun
12. the corpse of the flower

Usté, que es alcanzador,
afíjese en su memoria
y diga: ¿Es igual la historia
de la rubia y de la flor?[13]

—Se me hace tan parecida
que ya más no puede ser.
—Y ha más: le falta que ver
a la rubia en la crujida.[14]

—¿Qué me cuenta? ¡Desdichada!
—Por última vez se alzó
el lienzo y apareció
en la cárcel encerrada.

—¿Sabe que yo no colijo
el por qué de la prisión?
—Tanto penar, la razón
se le jué y mató al hijo.[15]

Ya la habían sentenciao
a muerte, a la pobrecita,
y en una negra camita
dormía un sueño alterao.[16]

Ya redoblaba el tambor
y el cuadro ajuera formaban.
cuando al calabozo entraban
el Demonio y el Dotor.[17]

---

13. You, who are really smart, search (**afíjesé=fíjese**) your memory and
    tell me: Is not the story of the blonde similar to the flower's?"
14. But there's more to this: you'll see the blonde landing in jail.
15. "You know, I can't figure out why she was locked up." "With so
    much suffering she went crazy (**se le jué la razón = se le fue la
    razón**) and she killed her child."
16. **alterado**, troubled
17. Already the drum was rolling and the shooting squad was lining
    up when the Devil and the Doctor entered her cell

—¡Véaló al Diablo si larga
sus presas así no más!
¿A que andubo Satanás
hasta oír sonar la descarga?[18]

—Esta vez se le chingó
el cuete, y ya lo verá...
—Priéndalé al cuento, que ya
no lo vuelvo a atajar yo.[19]

—Al dentrar hicieron ruido,
creo que con los cerrojos;
abrió la rubia los ojos
y allí contra ellos los vido.[20]

La infeliz, ya trastornada,[21]
a causa de tanta herida,
se encontraba en la crujida
sin darse cuenta de nada.

Al ver venir al Dotor
ya comenzó a disvariar[22]
y hasta le quiso cantar
unas décimas de amor.

La pobrecita soñaba
con sus antiguos amores
y créia mirar sus flores
en los fierros que miraba.

---

18. Of course the Devil does not let go of his prey any too easily! I bet he hanged around until he heard the volley from the firing squad?
19. "This time his rocket didn't go off [i.e. his scheme failed] — you'll see why..." "Go on with the tale, I promise not to interrupt again."
20. On entering they made some noise — the bolts, I guess [i.e. the bolts and sliding bars for locking her cell door]; the blonde opened her eyes and saw them (**les vido** = **les vio**) there near them (i.e. near the bolts)
21. already insane
22. **desvariar,** began to rave

Ella créia que, como antes,
al dir a regar su güerta,[23]
se encontraría en la puerta
una caja con diamantes.

Sin ver que en su situación
la caja que la esperaba,
era la que redoblaba
antes de la ejecución.[24]

Redepente se afijó
en la cara de Luzbel:
sin duda al malo vió en él,
pues allí muerta cayó.[25]

Don Fausto al ver tal desgracia
de rodillas cayó al suelo
y dentro a[26] pedir al cielo
le recibiese en su gracia.

Allí el hombre arrepentido
de tanto mal que había hecho,
se daba golpes de pecho
y lagrimiaba afligido.

En dos pedazos se abrió
la paré de la crujida,
y no es cosa de esta vida
lo que allí se apareció.

23. upon going (**al dir**=**al ir**) to water her garden (**güerta**=**huerta**)
24. the box awaiting her, was the drum [**caja** means both **box** and **drum**]
   that was rolling, announcing her execution
25. **De repente se fijó,** suddenly she noticed Lucifer's face and realized
   no doubt he was the Devil (**el malo**) for she died right then and there
26. **entró a,** began to

Y no crea que es historia:
yo vi entre una nubecita,
la alma de la rubiecita
que se subía a la gloria.[27]

San Miguel, en la ocasión,
vino entre nubes bajando
con su escudo y revoliando
un sable tirabuzón.[28]

Pero el Diablo que miró
el sable aquel y el escudo,
lo mesmito que un peludo
bajo la tierra ganó.[29]

Cayó el lienzo finalmente,
y ahí tiene el cuento contao...
Prieste el pañuelo, cuñao:
me está sudando la frente.[30]

—Lo que almiro es su firmesa
al ver esas brujerías.[31]
—He andao cuatro o cinco días
atacao de la cabeza.[3]

27. **ascending** to Heaven
28. **revoleando,** flourishing a sword with a curled blade (i.e. resembling a corkscrew, **tirabuzón**)
29. [behaving] exactly like an armadillo, the Devil went into hiding underground
30. Lend me (**prieste = présteme**) your handkerchief, brother, for my forehead is in a sweat [to conceal that he, a gaucho, was crying bitter tears]
31. What I admire most was your steadiness (**firmesa = firmeza,** poise) at the sight of so much witchcraft
32. For the last four or five days I've been going around (**he andao = he andado**) with a violent headache

Ya es güeno dir ensillando...[33]
—Tome ese último traguito
y eche el frasco a ese pocito
para que quede boyando.[34]

Cuando los dos acabaron
de ensillar sus parejeros,
como güenos compañeros,
juntos al trote agarraron.
En una fonda se apiaron
y pidieron de cenar.
Cuando ya iban a acabar,
don Laguna sacó un róllo
diciendo: "El gasto del Pollo
de aquí se lo han de cobrar."

33. We may as well saddle the horses now
34. and throw the [empty] jug [of gin] into that little hole (**pocito**=
    pozito) so it stays afloat
35. they trotted away together, dismounted at an inn and ordered some-
    thing to eat
36. Don Laguna took out a roll of bills and said: "Take from here El
    Pollo's expense."

JOSE HERNANDEZ

b. Pedriel, township of San Isidro, Buenos Aires,
November 10, 1834

d. Buenos Aires, October 1, 1886

Born in a farm not far from Buenos Aires, José Hernández lived the rugged life of the pampa and its gauchos. His schooling did not go farther than the elementary grades. Because of ill health he was sent to the southern "frontier" where he had occasion to see at close range the Indians, participating now and then in the warfare the gauchos were waging against them. During the civil wars he fought on the side of the Federalists and at their defeat (1872) was forced to flee to Brazil. Later he returned to Argentina to organize a rebellion against Sarmiento's government, but this failed and he had to take refuge in Montevideo.

Back again in Buenos Aires at the end of Sarmiento's regime, Hernández occupied positions in the Council of Education and the National Bank. But all in all his life was rather opaque and he is remembered today only because of his *Martín Fierro* (Part I, 1872; Part II, 1879), a long narrative poem depicting the cruel though inevitable extermination of the gauchos as Argentina unleashed its socio-economic forces.

Henríquez Ureña has summarized Hernández contribution so pithily that his resumé is worth quoting in its entirety: "His *Martín Fierro* is a plea and a criticism of public life. The gauchos, he thought, were unfairly treated by the government; in the name of order and progress, and under the belief that they were lawless and lazy vagabonds and their shiftless freedom the main source of political anarchy and economic backwardness, many of them were enrolled by force in the army and sent to fight wild Indians on the frontier. The country was reorganized and developed without them — against them, we might say. The consequence, for them, has been called 'an ethnic shipwreck.' The European immigration which then began to flood the country cut asunder the body of the population, the unity bred by three centuries of living together. The most fortunate class of *criollos,* the men of property and education, who lived mostly in the cities, reaped the benefits of the new situation, which was the crown of their own efforts. But the hapless country folk who were used to living on horseback and feeding on wild cattle, with nothing to hinder them in their perpetual roaming, were suddenly confined to narrow paths by the barbed wire of the *estancias* where the wealthy *criollos* fenced in their cows and the *chacras* where the industrious immigrants grew their vegetables. The government offered to the gauchos its schools and a few other advantages; it had no plan that might entice them to compete with the ambitious newcomer from Europe. A number of them patiently submitted and became peons in the estancias — growing vegetables they deemed below manly dignity; many were caught by conscription. And the government did not bother to be very scrupulous in its recruiting methods. Hernández makes his Martín Fierro a good gaucho, who worked every day; probably there were a number like him. The poem is written as an autobiography: the hero, a *payador,* tells his own story in verse. He describes a sort of golden age of the gauchos, who were happy in their toil . . . Then he is drafted by compulsion as if he were an idler and had no family to support, merely because they find him improvising poetry in a tavern; he is taken away from his family, his horses, and his cows. In the army the officers treat him harshly (he had never known any master), they give him little food (food had never been a problem for him) and no pay (although he was entitled to it by law); finally, he has to face the merciless savages. After years of such misery, he deserts the army, becomes an outlaw and falls into the worst habits of the gauchos *matreros* — drinks, gambles, gets into brawls and even kills two men. He is free, but always fleeing from persecution. At last he decides to join the Indians. Even so, on going away, when he looked at the last villages of the whites, two big tears ran down his cheeks." (Pedro Henríquez Ureña: *Literary Currents in Hispanic America,* Harvard University Press, 1945, pp. 145-146).

BEST EDITIONS: *Martín Fierro,* 2 vols., edited by Eleuterio F. Tiscornia, Buenos Aires, Coni, 1925, Universidad de Buenos Aires, 1930, Losada, 1953; *El gaucho Martín Fierro,* edited by Santiago M. Lugones, Buenos Aires, Centurión, 1926; *Martín Fierro,* edited by Carlos Alberto Leumann, Buenos Aires, Estrada, 1947; *Poesía gauchesca,* 2 vols., edited by Jorge Luis Borges and Adolfo Bioy Casares, Mexico, Fondo de Cultura Económica, 1955, Vol. II, pp. 571-751; *Martín Fierro,* edited by Angel F. Battistesa, Buenos Aires, Peuser, 1958; *Martín Fierro,* edited by Jorge Becco, Buenos Aires, Ed. Huemul, 1962; *El gaucho Martín Fierro y la Vuelta de Fierro,* edited by Walter Rela, Montevideo, Síntesis, 1963.

ABOUT HERNANDEZ: Angel Hector Azeves: *La elaboración literaria del Martín Fierro,* La Plata, Universidad Nacional, 1960; Arturo Berenguer Carisomo: "La estilística de la soledad en el *Martín Fierro,*" *Revista de la Universidad de Buenos Aires,* April-June 1950, pp. 315-389; Jorge Luis Borges and Margarita Guerrero: *El "Martín Fierro,"* Buenos Aires, Editorial Columba, 1960 (3rd ed.); Carlos Octavio Bunge: Prologue to his edition of *Martín Fierro,* Buenos Aires, Claridad, 1940; Francisco I. Castro: *Vocabulario y frases de Martín Fierro,* Buenos Aires, G. Kraft, 1957 (2nd ed.); Hector Adolfo Cordero: *Valoración de Martín Fierro,* Buenos Aires, Rossi, 1960; Enrique Espinoza: "El sentido social de *Martín Fierro,*" *Revista de las Indias* (Bogotá), September 1942, pp. 70-104; Henry A. Holmes: *Martín Fierro, an Epic of the Argentina,* New York, Instituto de las Españas, 1923; Pedro Inchauspe: *Diccionario de Martín Fierro,* Buenos Aires, C. Dupont Farre, 1955; Carlos Alberto Leumann: *El poeta creador,* Buenos Aires, 1945; Leopoldo Lugones: *El Payador* [Vol. I, *Hijo de la pampa*], Buenos Aires, Otero, 1916; Julio Manfred: *Contenido social del Martín Fierro,* Buenos Aires, Americalee, 1961; Ezequiel Martínez Estrada: *Muerte y transfiguración de Martín Fierro,* 2 vols., Mexico, Fondo de Cultura Económica, 1958 (2nd ed.); José Carlos Maube: *Itinerario Bibliográfico y Hemerográfico del Martín Fierro,* Buenos Aires, El Ombú, 1943; Horacio Rego Molina: *Proyección social de Martín Fierro,* Buenos Aires, 1950; Rodolfo Senet: *La psicología gauchesca en el Martín Fierro,* Buenos Aires, Gleizer, 1927; Lucio R. Soto: "El *Martín Fierro* y su valorización," *Cuadernos Hispanoamericanos* (Madrid), April 1952, pp. 40-57: Eleuterio F. Tiscornia: *La vida de Hernández y la elaboración de Martín Fierro,* Buenos Aires, Cuaderno de la Asociación Folklórica, 1939; Amaro Villanueva: "Plana de Hernández," in his *Crítica y Pico,* Santa Fe, 1945, pp. 15.-102.

EL GAUCHO MARTIN FIERRO

CANTO I

Martín Fierro [1]

Aquí me pongo a cantar
al compás de la vigüela,[2]
que el hombre que lo desvela[3]
una pena estrordinaria,
como la ave solitaria
con el cantar se consuela.

Pido a los santos del cielo
que ayuden mi pensamiento:
les pido en este momento
que voy a cantar mi historia
me refresquen la memoria
y aclaren mi entendimiento.

Vengan santos milagrosos,
vengan todos en mi ayuda,
que la lengua se me añuda[4]
y se me turba la vista;
pido a mi Dios que me asista
en una ocasión tan ruda.

Yo he visto muchos cantores,
con famas bien otenidas,[5]
y que después de alquiridas[6]

---

1. The words **Martín Fierro** appear here to indicate that Martín is doing the talking, and he goes on all the way to Canto X, when another gaucho, Cruz, begins to talk, to be answered later by Martín, etc.
2. to the beat of my guitar (**vigüela**=**vihüela**)
3. for the man whom an extraordinary (**estraordinaria**=**extraordinaria**) suffering keeps awake (**lo desvela**)
4. for my tongue gets tied up into a knot (**se me añuda**=**se me anuda**)
5. **obtenidas:** with a well merited [reputation]
6. **adquiridas,** earned

no las quieren sustentar:
parece que sin largar
se cansaron en partidas.[7]

Mas ande[8] otro criollo pasa
Martín Fierro ha de pasar;
nada lo hace recular[9]
ni las fantasmas lo espantan,
y dende[10] que todos cantan
yo también quiero cantar.

Cantando me he de morir,
cantando me han de enterrar,
y cantando he de llegar
al pie del Eterno Padre;
dende el vientre de mi madre
vine a este mundo a cantar.

Que no se trabe mi lengua
ni me falte la palabra;[11]
el cantar mi gloria labra
y, poniéndome a cantar,
cantando me han de encontrar
aunque la tierra se abra.

Me siento en el plan de un bajo[12]
a cantar un argumento;
como si soplara el viento
hago tiritar los pastos.[13]
Con oros, copas y bastos[14]
juega allí mi pensamiento.

7. [reference to horse-races] that got tired from the trial heats and
were unable to run in the main race
8. **donde**
9. to give way, to fall back
10. **desde**
11. so let not my tongue trip, nor words fail me
12. I sit down in a grassy hollow
13. I cause the grass to quiver (**tiritar**)
14. i.e. with complete freedom, without any restriction, like one who
in a card game has several suits: **oros, copas, bastos,** equivalent to
diamonds, hearts, clubs

Yo no soy cantor letrao,[15]
mas si me pongo a cantar
no tengo cuándo acabar
y me envejezco cantando:
las coplas me van brotando
como agua de manantial.[16]

Con la guitarra en la mano
ni las moscas se me arriman;[17]
naides me pone el pie encima,[18]
y, cuando el pecho se entona,
hago gemir a la prima
y llorar a la bordona.[19]

Yo soy toro en mi rodeo
y torazo en rodeo ajeno;
siempre me tuve por güeno[20]
y si me quieren probar
salgan otros a cantar
y veremos quién es menos.

No me hago al lao de la güeya
aunque vengan degollando;[21]
con los blandos yo soy blando
y soy duro con los duros,
y ninguno en un apuro
me ha visto andar tutubiando.[22]

---

15. I am not a sophisticated singer (letrao=letrado, learned)
16. the stanzas will gush out from me like water [flows] from a spring
17. even flies will not dare come close to me [i.e. every one respects me]
18. naides=nadie, no one sings better than I
19. I make the treble string moan and the bass string weep [i.e. top and bottom strings, therefore the entire guitar, full range]
20. i.e. I am a bull in my own corral, and the prize bull in somebody else's corral; I always considered myself a good (güeno=bueno) [singer]
21. I step aside for no one (lao=lado; gueya=huella, trail), even if they come along cutting heads off [survival of an expression current during the time of the civil wars in Argentina and Uruguay]
22. titubeando, hesitating

En el peligro ¡qué Cristo!
el corazón se me enancha,[23]
pues toda la tierra es cancha,[24]
y de esto naides se asombre:
el que se tiene por hombre
donde quiera hace pata ancha.[25]

Soy gaucho, y entiendanló[26]
como mi lengua lo esplica:[27]
para mí la tierra es chica
y pudiera ser mayor;
ni la víbora me pica
ni quema mi frente el sol.[28]

Nací como nace el peje[29]
en el fondo de la mar;
naides me puede quitar
aquello que Dios me dio:
lo que al mundo truje yo
del mundo lo he de llevar.[30]

Mi gloria es vivir tan libre
como el pájaro del cielo;
no hago nido en este suelo
ande hay tanto que sufrir,
y naides me ha de seguir
cuando yo remuento el vuelo.[31]

23. **ensancha,** grows big (bold)
24. flat land set aside for horse races
25. stands firm in the face of danger
26. **entiéndalo**
27. **explica**
28. the earth is small for me and even if it were bigger [it would still be too small]; the snake does not strike at me, nor does the sun burn my brow
29. **pez**
30. what I brought (**truje**=**traje**) into the world, from the world I'll take away
31. no one (**naides**=**nadie**) shall follow me when I take flight (**remuento**=**remonto**)

Yo no tengo en el amor
quien me venga con querellas;[32]
como esas aves tan bellas
que saltan de rama en rama,
yo hago en el trébol[33] mi cama
y me cubren las estrellas.

Y sepan cuantos escuchan
de mis penas el relato
que nunca peleo ni mato
sino por necesidá,
y que a tanta alversidá
sólo me arrojó el mal trato.[34]

Y atiendan la relación
que hace un gaucho perseguido,
que padre y marido ha sido
empeñoso[35] y diligente,
y sin embargo la gente
lo tiene por un bandido.

CANTO II

Ninguno me hable de penas,
porque yo penando vivo,
y naides se muestre altivo
aunque en el estribo esté,
que suele quedarse a pie
el gaucho más alvertido.[1]

32. plaints
33. clover
34. I never fight nor kill save when compelled (**por necesidá**=**por necesidad**); to such extremes (**alversidá**=**adversidad**) I was driven only by ill treatment
35. devoted

1. even though he may have his feet in the stirrups [i.e. in an advantageous position which, as a result, will make him haughty], he may be left behind [Lines based on a song popular in Argentina, c. 1827: "Cielito, cielo que sí / Aunque en el estribo esté / Ninguno cante victoria, / Que puede quedarse a pie."

Junta esperencia en la vida
hasta pa dar y prestar
quien la tiene que pasar
entre sufrimiento y llanto;[2]
porque nada enseña tanto
como el sufrir y el llorar.

Viene el hombre ciego al mundo,
cuartiándolo la esperanza,[3]
y a poco andar ya lo alcanzan
las desgracias a empujones;
¡la pucha, que trae liciones
el tiempo con sus mudanzas![4]

Yo he conocido esta tierra
en que el paisano vivía
y su ranchito tenía
y sus hijos y mujer...
Era una delicia el ver
cómo pasaba sus días.

Entonces... cuando el lucero
brillaba en el cielo santo,
y los gallos con su canto
nos decían que el día llegaba,
a la cocina rumbiaba[5]
el gaucho... que era un encanto.

---

2. He who his life amid suffering and tears accumulates enough experience (**pa**=**para**) to lend out or give away (for free)
3. [but] hope helps him along (**cuartiandoló**=**cuarteándolo**)
4. By golly! (**la pucha!** exclamation of surprise, wonder, etc., eupheuism
for **puta,** whore) how time with its changes teaches us lessons! (**liciones**=**lecciones**)
5. headed for

338

Y sentao junto al jogón
a esperar que venga el día,
al cimarrón le prendía
hasta ponerse rechoncho,
mientras su china dormía
tapadita con su poncho.[6]

Y apenas la madrugada
empezaba a coloriar,
los pájaros a cantar
y las gallinas a apiarse,[7]
era cosa de largarse[8]
cada cual a trabajar.

Este se ata las espuelas,
se sale el otro cantando,
uno busca un pellón blando,
éste un lazo, otro un rebenque,
y los pingos relinchando
los llaman dende el palenque.[9]

El que era pion domador[10]
enderezaba[11] al corral,
ande estaba el animal
bufidos que se las pela...[12]
y más malo que su agüela
se hacía astillas el bagual.[13]

---

6. and seated round (**sentao**=**sentado**) the fire (**jogón**=**fogón**) waited
for daybreak, drinking his mate (**cimarrón**) till he was swollen (**rechoncho**), while his woman (**china**) was sleeping, wrapped up in his
poncho
7. and the hens to get off the roost
8. to get off (to work)
9. This one ties on his spurs, that one is off singing, another looks for
his soft saddle-cloth, another for a lasso, or a whip, and from
(**dende**=**desde**) the stockade the horses (**pingos**) neighing, call them
10. **peón domador**, the horse breaker
11. went
12. snorting like anything, full blast
13. and meaner than their grandmother (**agüela**=**abuela**), the broncos
were tearing themselves to splinters, i.e. bucking wildly [In Spanish
folklore grandmothers are as mean as the stepmothers of fairy tales,
or the mother-in-laws of modern times]

Y allí el gaucho inteligente
en cuanto el potro enriendó,
los cueros le acomodó,
y se le sentó en seguida,[14]
que el hombre muestra en la vida
la astucia[15] que Dios le dio.

Y en las playas corcoviando
pedazos se hacía el sotreta
mientras él por las paletas
le jugaba las lloronas
y al ruido de las caronas
salía haciéndose gambetas.[16]

¡Ah tiempos!... ¡Si era un orgullo
ver jinetear un paisano!
Cuando era gaucho baquiano,
aunque el potro se boliase,
no había uno que no parase
con el cabresto en la mano.[17]

Y mientras domaban unos,
otros al campo salían,
y la hacienda recogían,
las manadas repuntaban,[18]
y ansí sin sentir pasaban
entretenidos el día.

14. saddled him and in a flash jumped on him
15. craft, cleverness
16. bucking (**corcoviando**=**corcoveando**) all over the clearing (**playa**)
    the nag (**sotreta**, meaning here the opposite, a spirited colt) teared
    itself to pieces (**se hacía pedazos**) while the bronco buster repeated-
    ly dug his big spurs (**lloronas**) into its shoulder blades, and it capered
    away, the saddle pad swishing in the wind
17. even if the colt reared straight up [to fall on its back and squash
    the rider under it (**boliarse**=**volearse**)], the skillful gaucho (**baquia-
    no**) would land on its feet, halter in hand
18. rounded the cattle (**hacienda**) and gathered (**repuntaban**) the straying
    herds

Y verlos al cair la noche
en la cocina riunidos,
con el juego bien prendido[19]
y mil cosas que contar,
platicar muy divertidos
hasta después de cenar.

Y con el buche bien lleno[20]
era cosa superior
irse en brazos del amor
a dormir como la gente,
pa empezar al día siguiente
las fainas[21] del día anterior.

Ricuerdo[22] ¡qué maravilla!
cómo andaba la gauchada[23]
siempre alegre y bien montada
y dispuesta pa el trabajo;
pero hoy en el día... ¡barajo![24]
no se la ve de aporriada.[25]

El gaucho más infeliz
tenía tropilla de un pelo;[26]
no le faltaba un consuelo[27]
y andaba la gente lista...
Tendiendo al campo la vista
sólo vía hacienda y cielo.

19. and to see them at nightfall (**al cair**=**al caer la noche**) gathered in the kitchen, with the fire (**juego**=**fuego**) roaring (**bien prendido**) [in the fireplace]
20. stuffed to the gills (lit. with stuffed belly)
21. **faenas,** chores
22. **recuerdo**
23. the gauchos
24. damn it! [exclamation, eupheuism for the stronger **carajo**]
25. so wretched (lit. so beaten up, **aporriado**=**aporreado**) one would not notice them
26. a string (of horses) of the same color [because of the vastness of the pampa and the remoteness of towns and villages, the gaucho needed several horses when he went traveling and his pride and joy was to have all of them alike — all of the same color!]
27. consolation, i.e. a girl friend, or gin, or a good horse for the horse-races

341

Cuando llegaban las yerras,[28]
¡cosa que daba calor
tanto gaucho pialador
y tironiador sin yel![29]
¡Ah tiempo... pero si en él
se ha visto tanto primor!

Aquello no era trabajo,
más bien era una junción,[30]
y después de un güen tirón
en que uno se daba maña,
pa darle un trago de caña
solía llamarlo el patrón.[31]

Pues siempre la mamajuana
vivía bajo la carreta,
y aquél que no era chancleta
en cuanto el goyete vía,
sin miedo se le prendía
como güérfano a la teta.[32]

¡Y qué jugadas se armaban
cuando estábamos riunidos![33]
Siempre íbamos prevenidos,
pues en tales ocasiones
a ayudarles a los piones
caiban muchos comedidos.[34]

28. branding time
29. it warmed one's blood (i.e. it made one feel good) to see so many
   pialadores [the gauchos who lasso the steer's front legs as it runs]
   and so many impassive [**sin yel=sin hiel**] tironiadores [the gauchos
   who throw the steer flat on its side for branding]
30. **función,** a party, a show
31. and after a good throw, at which one had shown his skill, the boss
   would call him over for (**pa=para**) a drink of rum (**caña**)
32. for the demijohn (**mamajuana=damajuana**) used to live [then] under
   the wagon, and anyone who was not a sissy (**chancleta,** bedroom
   slipper, applied to women and, by extension, to men who didn't
   care for liquour) clung to the bottle (**goyete=gollete,** the bottle's
   neck) like an orphan (**güérfano=huérfano**) to a teat
33. what fun when we were together! (**riunidos=reunidos**)
34. many obliging guys would drop in (**caiban=caían**) to lend a helping
   hand to the peons (**piones=peones**)

Eran los días del apuro
y alboroto pa el hembraje,
pa preparar los potajes
y osequiar bien a la gente,
y ansí, pues, muy grandemente
pasaba siempre el gauchaje.[35]

Venía la carne con cuero,
la sabrosa carbonada,
mazamorra bien pisada,
los pasteles y el güen vino...[36]
pero ha querido el destino
que todo aquello acabara.

Estaba el gaucho en su pago[37]
con toda siguridá,[38]
pero aura[39]... ¡barbaridá![40]
la cosa anda tan fruncida,
que gasta el pobre la vida
en juir de la autoridá.[41]

Pues si usté pisa en su rancho[42]
y si el alcalde lo sabe
lo caza lo mesmo que ave
aunque su mujer aborte[43]...
No hay tiempo que no se acabe
ni tiento que no se corte.[44]

35. These were the days of worry and excitement for the womenfolk
    (**hembraje**), preparing the grub (**potajes**) and dishing it out (**osequiar**
    =**obsequiar**) to the guys — that's the way (**ansí**=**así**) the gauchos
    had a grand time
36. There was barbecued meat, roasted with the hide on; savory stew
    [of meat and rice]; corn meal, made from corn well ground, tarts
    and good (**güen**=**buen**) wine
37. in his home place, in his home district
38. **seguridad**
39. **ahora**
40. **barbaridad!**, horrors! [what a change for the worse!]
41. things got so rough that the poor guy spends his life fleeing
    (**juir**=**huir**) from the authorities
42. if you (**usté**=**usted**) step into your shack
43. miscarry
44. there's no day [so long] that it does not end, and no thong [**tiento**]
    that can't be cut

Y al punto dése por muerto
si el alcalde lo bolea,[45]
pues ahi no más se le apea
con una felpa de palos.[46]
Y después dicen que es malo
el gaucho si los pelea.

Y el lomo le hinchan a golpes,[47]
y le rompen la cabeza,
y luego con ligereza,
ansí lastimao y todo,
lo amarran codo con codo
y pa el cepo lo enderiezan.[48]

Ahi comienzan sus desgracias,
ahi principia el pericón;[49]
porque ya no hay salvación,
y que usté quiera o no quiera,
lo mandan a la frontera[50]
o lo echan a un batallón.

Ansí empezaron mis males
lo mesmo que los de tantos;
si gustan... en otros cantos
les diré lo que he sufrido.
Después que uno está perdido
no lo salvan ni los santos.

45. if the sheriff (lit. mayor) picks on you (lit. gets you with the bolas)
46. right then and there he'll beat you up
47. they drub his back blue and black
48. battered as he is, they tie him elbow to elbow and take him straight
   to the stocks [**pa**=**para; enderiezan**=**enderezan**]
49. the dance begins [**dance (pericón)** is used sarcastically for troubles
   misfortunes]
50. [The **frontera**, somewhat like the "frontier" in U.S. history, was the
   boundary line between the territory occupied by the Indians and
   the land of the "civilized" white population.]

Tuve en mi pago en un tiempo
hijos, hacienda y mujer,
pero empecé a padecer,
me echaron a la frontera
¡y qué iba a hallar al volver!
tan sólo hallé la tapera.[1]

Sosegao[2] vivía en mi rancho
como el pájaro en su nido;
allí mis hijos queridos
iban creciendo a mi lao...
Sólo queda al desgraciao
lamentar el bien perdido.

Mi gala en las pulperías[3]
era, cuando había más gente,
ponerme medio caliente,
pues cuando puntiao me encuentro[4]
me salen coplas de adentro
como agua de la virtiente.[5]

Cantando estaba una vez
en una gran diversión;
y aprovechó la ocasión
como quiso el juez de paz.
Se presentó, y ahi no más
hizo una arriada en montón.[6]

1. shell of an abandoned house, half in ruins, overgrown with weeds, etc.
2. **sosegado**, peacefully
3. [The **pulpería** is both general store and bar.]
4. to get lit up, and when I'm half druk (**puntiao**=**puntiado**)
5. like water [pouring] down a slope (**virtiente**=**vertiente**)
6. and right there made a haul of the whole lot

Juyeron los más matreros[7]
y lograron escapar.
Yo no quise disparar,[8]
soy manso y no había por qué;
muy tranquilo me quedé
y ansí me dejé agarrar.

Allí un gringo con un órgano
y una mona que bailaba
haciéndonos rair estaba
cuando le tocó el arreo.[9]
¡Tan grande el gringo y tan feo
lo viera cómo lloraba!

Hasta un inglés sanjiador
que decía en la última guerra
que él era de Inca-la-perra
y que no quería servir,
tuvo también que juir
a guarecerse en la sierra.[10]

Ni los mirones salvaron
de esa arriada de mi flor;
fue acollarao el cantor
con el gringo de la mona;
a uno solo, por favor,
logró salvar la patrona.[11]

7. the more slipperey guys (**matreros,** applied to gauchos who had escaped from jail or prison camps or who were running away from cops or troopers) got away (**juyeron=huyeron**)
8. to beat it, to run away
9. a gringo (applied here to Italians) was making us laugh (**rair=reir**) with his hurdy-gurdy and dancing monkey, when they arrested him
10. an English ditch-digger (**sanjiador=zanjeador**) [sarcastic distortion: he is from **Inca-la-perra** = Inglaterra, and he had refused to serve during the war of 1865-1870 between Paraguay and the triple alliance (Argentina, Brazil, Uruguay). Ditches were used in the pampas before the introduction of barbed wire; most of the ditch-diggers were Irish.] had to flee (**juir=huir**), seeking refuge in the sierra [i.e. in the Tandil hills, to the south of Buenos Aires province].
11. not even the bystanders escaped from that terrific (**de mi flor**) levy:

Formaron un contingente
con los que en el baile arriaron;
con otros nos mesturaron
que habían agarrao también:[12]
las cosas que aquí se ven
ni los diablos las pensaron.

A mí el Juez me tomó entre ojos
en la última votación:
me le había hecho el remolón
y no me arrimé ese día,
y él dijo que yo servía
a los de la esposición.[13]

Y ansí sufrí ese castigo
tal vez por culpas ajenas;
que sean malas o sean güenas
las listas, siempre me escondo:
yo soy un gaucho redondo
y esas cosas no me enllenan.[14]

Al mandarnos nos hicieron
más promesas que a un altar.
El Juez nos jue a ploclamar
y nos dijo muchas veces:
"Muchachos, a los seis meses
los van a ir a revelar."[15]

---

the singer was nabbed (lit. collared, from **acollarao=acollarado**)
together with the gringo of the monkey, and only one guy got out of
it, throught the intervention (**por favor**) of the storekeeper's wife
(**la patrona**)
12. with those they caught in the dance (i.e. at the levy), they mixed
(**mesturar=mixturar**) a whole lot of guys they had grabbed at some
other place
13. who had kept an eye on me since the last elections, for I had
stayed away on voting day and he claimed that I was for the other
party (**esposición=oposición**)
14. for whether the lists [of candidates] be bad or good, I always hide
[on election day]: I am every bit of a gaucho, and these things
[politics] do not appeal to me
15. in six months time you'll be relieved (**revelar=relevar**)

Yo llevé un moro de número.[16]
¡Sobresaliente el matucho![17]
Con él gané en Ayacucho
más plata que agua bendita:
siempre el gaucho necesita,
un pingo pa fiarle un pucho.[18]

Y cargué sin dar más güeltas
con las prendas que tenía:
jergas,[19] poncho, cuanto había
en casa, tuito lo alcé;[20]
a mi china la dejé
media desnuda ese día.

No me faltaba una guasca;[21]
esa ocasión eché el resto:
bozal, maniador, cabresto,
lazo, bolas y manea...[22]
¡El que hoy tan pobre me vea
tal vez no crerá todo esto!

Ansí en mi moro, escarciando,
enderecé a la frontera.
¡Aparcero, si usté viera

16. I took with me a first rate (**de número**) dark horse [dark colors were preferred by the gauchos]
17. a superb horse! (the word used means nag, but conveys here the opposite meaning: a fine horse)
18. With it I won [at the horse-races] in Ayacucho [a small town in Buenos Aires province, scene of periodic horse-races] more money than holy water: gauchos always need a horse (**pingo**) for winning small stakes [now and then]. (**Pucho** means a cigar or cigarette butt, and by extension, a little bit of something: here it means a few pennies).
19. saddle cloths
20. **todito** — I carried it all off
21. **huasca,** a rope or thong, and packed the rest
22. muzzle, grazing rope, halter, lasso, bolas and hobble. (The **bolas** or **boleadoras** were three stones or metal balls attached to each other by cords — adopted from the Indians who originally used them for hunting ostriches: "thrown at the legs of the running animal, the cords wrap themselves round the legs by the momentum of the balls and effectively truss it up."

348

lo que se llama cantón . . . !²³
Ni envidia tengo al ratón
en aquella ratonera.

De los pobres que allí había
a ninguno lo largaron;
los más viejos rezongaron,
pero a uno que se quejó
en seguida lo estaquiaron²⁴
y la cosa se acabó.

En la lista de la tarde
el jefe nos cantó el punto,
diciendo: "Quinientos juntos
llevará el que se resierte;
lo haremos pitar del juerte;
más bien dése por dijunto".²⁵

A naides le dieron armas,
pues toditas las que había
el coronel las tenía,
según dijo esa ocasión,
pa repartirlas el día
en que hubiera una invasión.

---

23. **escarceando,** bounding along, I headed for the frontier. Buddy, if you only saw what is called a cantonment! [**Cantón** refers to a **fortín** or garrison set up at the frontier to protect the towns of Buenos Aires province, from frequent Indian raids.]
24. None of the poor devils there was released; the old guys who had seen service for a long period complained, but one of them was staked out [i.e. his hands and feet brutally stretched out and tautly tied to stakes]
25. during the evening rollcall the chief told us in no uncertain terms: "Five hundred consecutive (**juntos**) lashes to any one who tries to desert (**resierte**=**desierte**): he'll be severely punished (lit. we'll make him smoke strong [**juerte**=**fuerte**] tobacco); he might as well consider himself a corpse (**dijunto**=**difunto**)

Al principio nos dejaron
de haraganes criando sebo,[26]
pero después... no me atrevo
a decir lo que pasaba.
¡Barajo![27]... si nos trataban
como se trata a malevos.[28]

Porque todo era jugarle
por los lomos con la espada,
y, aunque usted no hiciera nada,
lo mesmito que en Palermo
le daban cada cepiada[29]
que lo dejaban enfermo.

¡Y qué indios, ni qué servicio,
si allí no había ni cuartel![30]
Nos mandaba el coronel
a trabajar en sus chacras,[31]
y dejábamos las vacas
que las llevara el infiel.[32]

Yo primero sembré trigo
y después hice un corral,
corté adobe pa un tapial,
hice un quincho, corté paja...[33]
¡La pucha, que se trabaja
sin que le larguen ni un rial![34]

26. fattening up from so much loafing around
27. Shucks! [eupheuism for the stronger **carajo**]
28. common criminals
29. It was whack with the flat of the sword just for fun — such a trussing for doing nothing at all, just as in Palermo (Buenos Aires suburb, barracks, of the tyrant Rosas: things were as bad with us as those condemned during the Rosas regime)
30. there wasn't even a barrack there
31. farms
32. we let the heathen (i.e. the Indians) steal the cows
33. I cut adobes for a wall, made a stockade, cut straw
34. without collecting even a **real** (a coin of the period worth a few cents)

Y es lo pior de aquel enriedo
que si uno anda hinchando el lomo
ya se le apean como plomo...[35]
¡Quién aguanta aquel infierno!
Si eso es servir al gobierno,
a mí no me gusta el cómo.

Más de un año nos tuvieron
en esos trabajos duros,
y los indios, le asiguro,
dentraban cuando querían:[36]
como no los perseguían
siempre andaban sin apuro.

A veces decía al volver
del campo la descubierta
que estuviéramos alerta,
que andaba adentro la indiada;[37]
porque había una rastrillada
o estaba una yegua muerta.[38]

Recién entonces salía
la orden de hacer la riunión
y cáibamos al cantón
en pelos y hasta enancaos,
sin armas, cuatro pelaos
que íbamos a hacer jabón.[39]

---

35. the worst of that mess (**enriedo=enredo**) [was] that if you kicked (lit. if you go around with your back up [like a cat]), they'll fall on you like a ton of bricks (lit. like lead)
36. I assure you (**le asiguro=le aseguro**) that the Indians invaded (**dentraban=entraban**) whenever they wished
37. the patrol would warn us to be on the alert, for the Indians were moving in
38. they had seen a lot of tracks (**rastrillada**), or a dead mare [which was a sure sign, since the Indians ate horse meat]
39. then at last the orders came to muster (**hacer la riunión=reunión**), and we fell upon (**cáibamos=caiamos**) the cantonment on bareback and even two on a horse (**enancaos=en ancas**); four poor devils (**pelaos**) on their way to making soap (i.e. to be frightened)

Ahi empezaba el afán,
se entiende, de puro vicio,
de enseñarle el ejercicio
a tanto gaucho recluta,[40]
con un estrutor[41] ¡qué... bruta!
que nunca sabía su oficio.

Daban entonces las armas
pa defender los cantones,
que eran lanzas y latones
con ataduras de tiento...
Las de juego no las cuento,
porque no había municiones.[42]

Y chamuscao[43] un sargento
me contó que las tenía
pero que ellos las vendían
para cazar avestruces;
y ansí andaban noche y día
déle bala a los ñanduces.[44]

Y cuando se iban los indios
con lo que habían manotiao,[45]
salíamos muy apuraos
a perseguirlos de atrás;
si no se llevaban más
es porque no habían hallao.

40. recruit
41. **instructor**
42. blades (latones) tied up with thong [to a pole]... but they didn't
    give us firearms (las [armas] **de juego**=**armas de fuego**) since there
    was no ammunition
43. when drunk (**chamuscao**=**chamuscado**)
44. to hunt ostriches (**avestruces**), and thus they went around night and
    day shooting ostriches (**ñanduces**)
45. **manoteado,** looted

Allí sí se ven desgracias
y lágrimas y afliciones,
naides le pida perdones
al indio, pues donde dentra[46]
roba y mata cuanto encuentra
y quema las poblaciones.

No salvan de su juror[47]
ni los pobres angelitos:
viejos, mozos y chiquitos
los mata del mesmo modo;
que el indio lo arregla todo
con la lanza y con los gritos.

Tiemblan las carnes al verlo
volando al viento la cerda,[48]
la rienda en la mano izquierda
y la lanza en la derecha;
ande enderiesa abre brecha
pues no hay lanzaso que pierda.[49]

Hace trotiadas tremendas[50]
dende el fondo del desierto;
ansí llega medio muerto
de hambre, de sé[51] y de fatiga;
pero el indio es una hormiga
que día y noche está dispierto.[52]

---

46. **entra**
47. **furor,** madness
48. Your flesh quivers on seeing him riding along, his hair [loose] in
    the wind
49. **adonde endereza,** wherever he heads, he opens up a breach, for he
    never misses a single thrust of the lance
50. **troteadas,** trots, i.e. long trips at a trot
51. **sed,** thirst
52. the Indian is [like] an ant, awake (**dispierto**=**despierto**) night and
    day

Sabe manejar las bolas
como naides las maneja;
cuanto[53] el contrario se aleja
manda una bola perdida
y si lo alcanza, sin vida
es siguro que lo deja.[54]

Y el indio es como tortuga
de duro para espichar;
si lo llega a destripar
ni siquiera se le encoge:
luego sus tripas recoge
y se agacha a disparar.[55]

Hacían el robo a su gusto
y después se iban de arriba,[56]
se llevaban las cautivas
y nos contaban que a veces
les descarnaban los pieses
a las probrecitas, vivas.[57]

¡Ah, si partía el corazón
ver tantos males, canejo![58]
Los perseguíamos de lejos
sin poder ni galopiar.
¡Y qué habíamos de alcanzar
en unos bichocos viejos![59]

53. **en cuanto,** as soon as
54. he throws a loose bola and if he strikes [the enemy] it surely kills
    him
55. the Indian is tough as a turtle when it comes to dying (**espichar**=
    expirar): if some one rips open his belly he doesn't even flinch but
    right away stuffs back his guts and goes on fighting
56. scotch free
57. they flay the feet (**pieses**=**pies**) of the poor things (**probecitas**=**pobreci-**
    tas i.e. women captives) [The Indians used to skin the soles of the
    captives to prevent them from escaping]
58. exclamation, equivalent to **caramba!**
59. old nags

Nos volvíamos al cantón
a las dos o tres jornadas
sembrando las caballadas;⁶⁰
y pa que alguno la venda,
rejuntábamos la hacienda
que habían dejao rezagada.⁶¹

Una vez entre otras muchas,
tanto salir al botón,
nos pegaron un malón
los indios y una lanciada,
que la gente acobardada
quedó dende esa ocasión.⁶²

Habían estao escondidos
aguaitando atrás de un cerro.⁶³
¡Lo viera a su amigo Fierro
aflojar como un blandito!
Salieron como maiz frito
en cuanto sonó un cencerro.⁶⁴

Al punto nos dispusimos
aunque ellos eran bastantes;
la formamos al istante
nuestra gente que era poca;
y golpiándose en la boca
hicieron fila adelante.⁶⁵

60. sowing dead horses, i.e. leaving behind a bunch of fagged out or
   dead horses
61. we rounded up (**rejuntábamos=juntabamos**) the livestock that they
   left behind (**dejao=dejado**), so that someone else might sell it [at
   a profit]
62. on one occasion, after many a futile sally, the Indians sprang a
   raid (**malón**) on us and gave us such a beating that since then
   (**dende=desde**) our men became terrorized
63. waiting in ambush, hidden behind a hill
64. You should have seen your friend Fierro frightened away like any
   softy (**blandito**)! When the gong (lit. cowbell) sounded, [the Indians]
   popped out like pop-corn
65. Right away (**al istante=al instante**) we drew up in line, though we
   were few, while the Indians charged as they whooped (lit. as they
   hit their mouths with their hands [to utter battle cries])

355

Se vinieron en tropel
haciendo temblar la tierra.
No soy manco pa la guerra
pero tuve mi jabón,
pues iba en un redomón
que había boliao en la sierra.[66]

¡Qué vocerío, qué barullo,
qué apurar esa carrera!
La indiada todita entera
dando alaridos cargó.
¡Jue pucha!... y ya nos sacó
como yeguada matrera.[67]

¡Qué fletes traiban los bárbaros,
como una luz de ligeros!
Hicieron el entrevero
y en aquella mescolanza,
éste quiero, ésto no quiero,
nos escogían con la lanza.[68]

Al que le dan un chuzaso[69]
dificultoso es que sane:
en fin, para no echar panes,
salimos por esas lomas
lo mesmo que las palomas
al juir de los gavilanes.[70]

66. Though I'm not maimed (**manco**) when it comes to fighting, I got scared; I was riding a half-tamed horse which I had balled (**boleado,** caught with the boleadoras) up the hills
67. What howls, what noise! what mad rush! A whole lot of Indians shouting away, the whole bunch of them going for us. Jiminy crickets! they made us flee like a herd of wild mares. [During the 1850's there were thousands upon thousands of mares running wild on the pampas.]
68. What horses (**fletes**) the barbarians brought along (**traiban=traían**) — streaks of light, so fast [were these animals]! The Indians charged on us and in the mix-up (**mescolanza**) they picked up the guys they wanted from among us, spitting them with their lances.
69. lance-thrust
70. in short, not to fabricate pretty stories about heroic deeds [and stick to the unvarnished truth, let me say that] we fled to the hills like doves fleeing from the hawks (**juir=huir**)

Es de almirar[71] la destreza
con que la lanza manejan.
De perseguir nunca dejan
y nos traiban apretaos.
¡Si queríamos, de apuraos,
salirnos por las orejas![72]

Y pa mejor de la fiesta
en esta aflición tan suma,
vino un indio echando espuma[73]
y con la lanza en la mano
gritando: "Acabau, cristiano,
metau el lanza hasta el pluma".[74]

Tendido en el costillar,
cimbrando[75] por sobre el brazo
una lanza como un lazo,
me atropeyó dando gritos:
si me descuido... el maldito
me levanta de un lanzaso.

Si me atribulo o me encojo,
siguro que no me escapo;
siempre he sido medio guapo
pero en aquella ocasión
me hacía buya el corazón
como la garganta al sapo.[76]

---

71. **admirar**
72. they pressed so hard on us that in our hurry to get away we nearly went over our horses' ears
73. foaming at the mouth (enraged)
74. [In pidgin Spanish the Indian said:] "Me end Christian, I stick lance up to feathers." [The lance was usually a bamboo stick, some eighteen feet long, tipped with a blade a foot long, and adorned with ostrich feathers.]
75. Lying along the horse's ribs, brandishing [a lance]
76. If I show fright or hesitate, I surely (**siguro**=**seguro**) wouldn't have got away; I've been always pretty tough myself but on that occasion my heart was throbbing away (**hacía buya**=**bulla**) like the throat of a toad.

Dios le perdone al salvaje
las ganas que me tenía.
Desaté las tres marías
y lo engatusé a cabriolas.[77]
¡Pucha!... si no traigo bolas
me achura[78] el indio ese día.

Era el hijo de un cacique
sigún yo lo avirigüé;[79]
la verdá del caso jue
que me tuvo apuradazo,[80]
hasta que, al fin, de un bolazo
del caballo lo bajé.

Ahi no más me tiré al suelo
y lo pisé en las paletas;
empezó a hacer morisquetas
y a mezquinar la garganta...
pero yo hice la obra santa
de hacerlo estirar la jeta.[81]

Allí quedó de mojón[82]
y en su caballo salté;
de la indiada disparé,
pues si me alcanza me mata,
y, al fin, me les escapé
con el hilo en una pata.[83]

77. I let the three Marys fly and I fooled him as I capered about [The gauchos called their bolas the three Marys after the three stars which form the belt of Orion, the most prominent constellation in the sky of the pampas].
78. he would have ripped my guts out
79. **sigún yo lo averigüé**, as I found out [later]
80. the truth (**verdá=verdad**) of the matter is that he had me very hard pressed (**apuradazo**)
81. I planted my foot on his shoulder bone; he began to grimace and cover his throat... but I did the saintly job of finishing him up (lit. of making him stretch out his snout)
82. he remained there as a boundary-mark [**mojón** means both landmark and turd]
83. finally I did escape with tremendous difficulties and almost miraculously (lit. with a thread on one of my legs, like a chicken that has broken up the string with which it was tied and walked away with it still hanging from one of its legs.

[Martín Fierro admits that his tale, or *chorizo* (sausage) as he calls it, is getting too long and tedious, yet he goes on complaining about his misfortunes. During his two years at the *fortín* (garrison) no salary has been paid him; his belongings have found their way to the *pulpería* (general store), which functions also as pawnshop; his few clothes have turned to rags; the food is abominable; the dangers constant — in short "una vida perra." "Solíamos ladrar de pobres," he declares: we barked out of poverty. Poverty turned the wretched gauchos into dogs, and they barked not only from hunger but because they could no longer endure the squalor, the corruption, the injustices. And so Martín decides to escape:]

CANTO VI

Una noche que riunidos
estaban en la carpeta
empinando una limeta
el jefe y el juez de paz,
yo no quise aguardar más
y me hice humo en un sotreta.[1]

Para mí el campo son flores
dende que libre me veo;
donde me lleva el deseo
allí mis pasos dirijo
y hasta en las sombras, de fijo
que a dondequiera rumbeo.[2]

---

1. One night when the Chief and the Justice of the Peace were at the gambling table (**carpeta**), drinking away from a flask (**limeta**), I decided to wait no longer, and so got away on a nag (lit. faded away into smoke)
2. even in the dark, you may be sure, I head in any direction I may choose

Entro y salgo del peligro
sin que me espante el estrago;
no aflojo al primer amago
ni jamás fi gaucho lerdo:
soy pa rumbiar como el cerdo
y pronto cai a mi pago.[3]

Volvía al cabo de tres años
de tanto sufrir al ñudo,[4]
resertor,[5] pobre y desnudo,
a procurar suerte nueva,
y lo mesmo que el peludo
enderecé pa mi cueva.[6]

No hallé ni rastro del rancho;
¡sólo estaba la tapera!
¡Por Cristo, si aquello era
pa enlutar el corazón:[7]
yo juré en esa ocasión
ser más malo que una fiera!

¡Quién no sentirá lo mesmo
cuando ansí padece tanto!
Puedo asigurar que el llanto
como una mujer largué.[8]
¡Ay mi Dios, si me quedé
más triste que Jueves Santo!

Sólo se oiban los maullidos
de un gato[9] que se salvó;
el pobre se guareció

---

3. without fear of consequences, I didn't turn tail at the sign of danger;
   I never was a stupid gaucho; I'm as good as the pigs for finding
   my way [according to old Spanish lore, pigs seem to have a fine
   sense of direction], and soon I reached (**cái**=**caí**) my home district
4. for nothing
5. **desertor**
6. and just as an armadillo, I headed for my lair
7. it was enough to make one dress his heart in mourning
8. I shed tears like a woman
9. Only the meowings of a cat were heard (**se oiban**=**se oían**)

cerca, en una vizcachera;[10]
venía como si supiera
que estaba de güelta yo.

Al dirme[11] dejé la hacienda
que era todito mi haber;[12]
pronto debíamos volver,
según el juez prometía,
y hasta entonces cuidaría
de los bienes la mujer.

Después me contó un vecino
que el campo se lo pidieron,
la hacienda se la vendieron
pa pagar arrendamientos,
y qué sé yo cuántos cuentos;
pero todo lo fundieron.[13]

Los pobrecitos muchachos
entre tantas afliciones
se conchabaron de piones;[14]
¡mas qué iban a trabajar,
si eran como los pichones
sin acabar de emplumar![15]

Por ahi andarán sufriendo
de nuestra suerte el rigor:
me han contado que el mayor
nunca dejaba a su hermano;
puede ser que algún cristiano
los recoja por favor.

10. burrow of the **vizcacha** (a burrowing rodent of the pampas)
11. **Al irme**
12. my heads of cattle (**hacienda**) were my only wordly possessions
13. they had ruined everything
14. hired out as peons (**piones=peones**)
15. like unfledged birds, i.e. young birds without their full feathers

¡Y la pobre mi mujer
Dios sabe cuánto sufrió!
Me dicen que se voló
con no sé qué gavilán,[16]
sin duda a buscar el pan
que no podía darle yo.

No es raro que a uno le falte
lo que a algún otro le sobre;
si no le quedó ni un cobre
sino de hijos un enjambre,[17]
¿qué más iba a hacer la pobre
para no morirse de hambre?

Tal vez no te vuelva a ver,
prenda de mi corazón:
Dios te dé su proteción
ya que no me la dio a mí,
y a mis hijos dende aquí
les echo mi bendición.

Como hijitos de la cuna[18]
andaban por ahi sin madre.
Ya se quedaron sin padre
y ansí la suerte los deja,
sin naides que los proteja
y sin perro que los ladre.[19]

Los pobrecitos tal vez
no tengan ande abrigarse,
ni ramada ande ganarse,[20]

16. they say that she flew off with some hawk or other
17. she hadn't a single copper left [a copper was worth one or two
   cents], but she did have a swarm of [hungry] kids
18. like children from a foundling home (cuna=casa cuna or inclusa)
19. without even a dog to bark around them [an expression suggesting
   utter loneliness. It is based on an old Spanish saying: "Ni padre, ni
   madre, ni perro que le ladre."]
20. no thatched lean-to wherein (ende=en donde) to find shelter

ni un rincón ande meterse,
ni camisa que ponerse,
ni poncho con que taparse.

Tal vez los verán sufrir
sin tenerles compasión;
puede que alguna ocasión
aunque los vean tiritando
los echen de algún jogón
pa que no estén estorbando.[21]

Y al verse ansina espantaos[22]
como se espanta a los perros,
irán los hijos de Fierro
con la cola entre las piernas,
a buscar almas más tiernas
o esconderse en algún cerro.

Mas también en este juego
voy a pedir mi bolada;[23]
a naides le debo nada
ni pido cuartel ni doy,
y ninguno dende hoy
ha de llevarme en la armada.[24]

Yo he sido manso, primero,
y seré gaucho matrero[25]
en mi triste circustancia,
aunque es mi mal tan projundo;[26]
nací y me he criado en estancia,
pero ya conozco el mundo.

---

21. though they may see them shivering from the cold, they may drive
    them from the fireside (jogón=fogón), so they won't bother them
22. on seeing themselves driven away (espantaos=espantados, ahuyen-
    tados, alejados)
23. But I, too, will take a hand in this game, i.e. I will have something
    to say
24. no one, from this day on, will catch me in the noose of the lasso
25. an outlaw gaucho
26. **profundo**

Ya le conozco sus mañas,
le conozco sus cucañas,
sé cómo hacen la partida,
la enriedan y la manejan:
desaceré la madeja
aunque me cueste la vida.[27]

Y aguante el que no se anime
a meterse en tanto engorro,
o si no aprétese el gorro
o para otra tierra emigre;[28]
pero yo ando como el tigre
que le roban los cachorros.[29]

Aunque muchos cren que el gaucho
tiene un alma de reyuno,
no se encontrará ninguno
que no lo dueblen las penas;[30]
mas no debe aflojar[31] uno
mientras hay sangre en las venas.

CANTO VII

De carta de más me vía
sin saber adónde dirme;
mas dijieron que era vago
y entraron a perseguirme.[1]

27. I know already its tricks; I know its foul moves; I know how the
    game is played, its mixings and fixings, but I'll undo the tangle
    yet, even if it costs me my life
28. Let stand aside who is scared to face so much trouble, or run away
    fast (lit. press his cap on real tight), or leave for another country
29. cubs
30. Although many think (cren=creen) the gaucho without feeling (lit.
    to have the soul of a nag), you will not meet a single one of them
    who is not overwhelmed with troubles
31. weaken

 1. I saw myself (me vía=me veía) as if I were one card too many [in
    a pack of cards, i.e. as a superfluous man], not knowing where to
    go (dirme=irme); they called me a tramp and began to hound me.

Nunca se achican los males,
van poco a poco creciendo,
y ansina me vide pronto
obligao a andar juyendo.

No tenía mujer ni rancho,
y a más, era resertor;
no tenía una prenda güena
ni un peso en el tirador.[2]

A mis hijos infelices
pensé volverlos a hallar
y andaba de un lao al otro
sin tener ni qué pitar.[3]

Supe una vez por desgracia
que había un baile por allí,
y medio desesperao
a ver la milonga[4] fui.

Riunidos al pericón[5]
tantos amigos hallé,
que alegre de merme entre ellos
esa noche me apedé.[6]

Como nunca, en la ocasión
por peliar me dio la tranca,[7]
y la emprendí con un negro
que trujo una negra en ancas.[8]

2. and, besides, I was a deserter (**resertor**=**desertor**); I didn't have a
thing of value [a shirt to my name], or even one peso in my
money belt
3. with nothing to smoke (**pitar**)
4. dance
5. a figure dance involving four or more couples: a typical gaucho
dance
6. got tight
7. drunkenness (**la tranca**) made me want to pick a fight
8. I started it with a Negro who had brought (**trujo**=**trajo**) a Negro
woman on his horse's crupper

Al ver llegar la morena
que no hacía caso de naides
le dije con la mamúa:
"Va...ca...yendo gente al baile".[9]

La negra entendió la cosa
y no tardó en contestarme
mirándome como a perro:
"más *vaca* será su madre".

Y dentró al baile muy tiesa
con más cola que una zorra
haciendo blanquiar los dientes
lo mesmo que mazamorra.[10]

"Negra linda" . . . dije yo,
"me gusta . . . pa la carona";
y me puse a talariar
esta coplita fregona:[11]

"A los blancos hizo Dios,
a los mulatos San Pedro,
a los negros hizo el diablo
para tizón del infierno".[12]

Había estao juntando rabia
el moreno dende ajuera;[13]
en lo escuro le brillaban
los ojos como linterna.

---

9. in my drunkedness (**mamúa**), I told her:
   [A double-talk pun, showing gaucho humor: (1) innocent remark —]
   "Some people are coming to the dance" [(2) offensive remark —]
   "A cow is coming to the dance" wherein the cow's udders are
   equated with the woman's breasts
10. and she went off to the dance, stiffly, with the train of her gown
    longer than a vixen's tail, showing her gleeming teeth, whiter than
    corn meal [made from white maize]
11. I would like to saddle her. And I began to hum (**talariar**=**tararear**)
    this saucy song:
12. as coal for [the fire of] hell
13. **desde afuera**

Lo conocí retobao,[14]
me acerqué y le dije presto:
"Por... rudo... que un hombre sea
nunca se enoja por esto".[15]

Corcovió el de los tamangos
y creyéndose muy fijo:
"Más *porrudo* serás vos,
gaucho rotoso",[16] me dijo.

Y ya se me vino al humo
como a buscarme la hebra,
y un golpe le acomodé
con el porrón de giñebra.[17]

Ahi no más pegó el de hollín
más gruñidos que un chanchito,
y pelando el envenao
me atropelló dando gritos.[18]

Pegué un brinco y abrí cancha
diciéndoles: "Caballeros,
dejen venir ese toro;
solo nací... solo muero".[19]

El negro despúes del golpe
se había el poncho refalao[20]
y dijo: "Vas a saber
si es solo o acompañao".

14. I knew how angry he was
15. [Double talk again: (1) innocent remark —] "However coarse a
man may be, he should not get angry because of this" [(2) offensive
remark —] "However kinky a man may be, he should not get
angry because of this."
16. He pranced about in his rough boots, and feeling sure of himself,
replied: "More kinky you, stinky gaucho!"
17. He rushed at me as if wanting to hurt me, so I hit him with the
gin jug (**giñebra**=**ginebra**)
18. Right then, the sooty boy, emitting more grunts than a suckling pig,
peeled his knife and rushed at me howling away
19. I leaped back and cleared a space saying: "Gentlemen, let the bull
come on: lone I was born, lone shall I die." [This last line, which
echoes an old Spanish folksong, refers to a bullfighter].
20. slipped his poncho off

Y mientras se arremangó
yo me saqué las espuelas,
pues malicié que aquel tío
no era de arriar con las riendas.[21]

No hay cosa como el peligro
pa refrescar un mamao;[22]
hasta la vista se aclara
por mucho que haiga chupao.[23]

El negro me atropelló
como a quererme comer;
me hizo dos tiros seguidos
y los dos le abarajé.[24]

Yo tenía un facón con S
que era de lima de acero;[25]
le hice un tiro, lo quitó
y vino ciego el moreno.

Y en el medio de las aspas
un planazo le asenté
que lo largué culebriando
lo mesmo que buscapié.[26]

Le coloriaron las motas[27]
con la sangre de la herida,
y volvió a venir furioso
como una tigra parida.[28]

21. while he rolled up his sleeves, I took off my spurs for I had a hunch that this guy (tío) was a tough customer (lit. would need more than reins to drive him)
22. there's nothing like danger to clear your head (lit. to cool off) when you're drunk (mamao=mamado)
23. however much one has gulped down (haiga chupao=haya chupado) (lit. has sucked in)
24. he made two consecutive passes at me but I parried both
25. I had a knife, with an S-shaped guard, made from a steel file [The typical facón is about eighteen inches long, with point and double edge]
26. I gave him such a whack with the flat of my knife in the middle of his forehead (lit. between his horns) that I sent him wriggling, just like a serpent firecracker
27. his kinks grew red with blood
28. as furious as a tigress freshly-pupped (with young cubs)

Y ya me hizo relumbrar
por los ojos el cuchillo,
alcanzando con la punta
a cortarme en un carrillo.[29]

Me hirvió la sangre en las venas
y me le afirmé al moreno,
dándole de punta y hacha
pa dejar un diablo menos.[30]

Por fin en una topada
en el cuchillo lo alcé
y como un saco de güesos
contra el cerco lo largué.[31]

Tiró unas cuantas patadas
y ya cantó pa el carnero.[32]
Nunca me puedo olvidar
de la agonía de aquel negro.

En esto la negra vino
con los ojos como ají,[33]
y empesó la pobre allí
a bramar como una loba.[34]
Yo quise darle una soba
a ver si la hacía callar;[35]
mas pude reflesionar
que era malo en aquel punto,
y por respeto al dijunto[36]
no la quise castigar.

---

29. in front of my eyes I saw his knife shine and with its point he slashed my cheeck [considered a most serious matter among the gauchos, for such a scar makes of the wounded person a marked-man **marcado**)]
30. I closed in on the Negro, jabbing and slashing (lit. with point and edge), so as to leave one devil the less [in the world]
31. finally I lifted him up on the point of my knife and threw him, like a bag of bones (**güesos**=**huesos**), against a fence
32. He kicked a few times and then expired
33. with bloodshot eyes (lit. like red pepper)
34. howling like a she-wolf
35. I had a mind to beat her up to make her shut her mouth
36. **difunto**

Limpié el facón en los pastos,
desaté mi redomón,
monté despacio y salí
al tranco pa el cañadón.[37]

Despés supe que al finao
ni siquiera lo velaron
y retobao en un cuero
sin rezarle lo enterraron.[38]

Y dicen que dende entonces
cuando es la noche serena
suele verse una luz mala
como de alma que anda en pena.[39]

Yo tengo intención a veces,
para que no pene tanto,
de sacar de allí los güesos
y echarlas al camposanto.[40]

CANTO VII!

Otra vez que en un boliche
estaba haciendo la tarde;
cayó un gaucho que hacía alarde
de guapo y de peliador;[1]

37. I wiped my knife on the grass, untethered my horse, mounted slowly
   and then headed at a canter for the valley [Notice Martín's serenity.
   He believes to have fought and killed according to the rules and he
   does not seem conscience-stricken].
38. Later I learned that they didn't even hold a wake for the dead
   (**finao**=**finado**); that, wrapped (**retobao**=**retobado**) in a hide, they
   buried him without a prayer
39. a will-o'-the-wisp (lit. an evil light) that roams like a soul in pain
   [i.e. as a soul that comes from purgatory to beg people to pray for
   him]
40. Sometimes I've had in mind to dig up his bones and dump them
   in the cemetery, that he may not suffer so much

 1. On another occasion I was having a drink (**haciendo la tarde**) at a
   country store (**boliche**) when along came a gaucho who boasted of
   being a guy with guts and a good fighter

370

a la llegada metió
el pingo hasta la ramada,
y yo sin decirle nada
me quedé en el mostrador.

Era un terne de aquel pago
que naides lo reprendía,
que sus enriedos tenía
con el señor comendante;[2]
y como era protegido,
andaba muy entonao[3]
y a cualquiera desgraciao
lo llevaba por delante.[4]

¡Ah pobre, si él mismo creiba
que la vida le sobraba!
Ninguno diría que andaba
aguaitándolo la muerte;[5]
pero ansí pasa en el mundo,
es ansí la triste vida:
pa todos está escondida
la güena o la mala suerte.

Se tiró al suelo; al dentrar
le dio un empeyón a un vasco
y me alargó un medio frasco
diciendo: "Beba, cuñao".
"Por su hermana —contesté—
que por la mía no hay cuidao".[6]

---

2. He was a bully of that neighborhood, who no one dared criticize
   him because he was scheming some dirty business (**enriedos**=**enredos**)
   with the commandant (**comendante**=**comandante**)
3. puffed up (**entonao**=**entonado**)
4. he would sweep out of his path any poor guy
5. Alas, poor devil! he thought (**creiba**=**creía**) he had too long a life
   ahead of him: no one would have predicted that death was waiting
   for him in ambush (**aguaitándole**)
6. He dismounted, and, on entering, jostled (**le dió un empeyón**=**em-
   pellón**) a Basque, and shoved at me a half-filled flask, saying: "Have
   a drink, brother-in-law!" "To the health of **your** sister," said I, "and
   you need not worry about mine."

"¡Ah, gaucho! —me respondió—
¿de qué pago será criollo?
Lo andará buscando el hoyo,
deberá tener güen cuero;
pero ande bala este toro
no bala ningún ternero".[7]

Y ya salimos trenzaos,
porque el hombre no era lerdo;
mas como el tino no pierdo
y soy medio ligerón,
lo dejé mostrando el sebo
de un revés con el facón.[8]

Y como con la justicia
no andaba bien por allí,
cuanto pataliar lo vi,
y el pulpero pegó el grito,
ya pa el palenque salí
como haciéndome el chiquito.[9]

Monté y me encomendé a Dios,
rumbiando[10] para otro pago;
que el gaucho que llaman vago
no puede tener querencia,[11]
y ansí de estrago en estrago[12]
vive llorando la ausencia.

---

7. The grave must be looking for you — you must have tough hide
for where this bull bellows, no calf can bleat
8. And we were at it on the sport, for the guy was not slow; but
since I don't lose my head and I'm rather quick, I left him exposing
his fat (his guts showing): a back-hand slash of my knife had caught
him
9. as soon as I saw him kicking and the storekeeper gave the alarm, I
went to the hitching-post (palenque), playing the innocent
10. heading [for other parts]
11. home
12. from one trouble to another (from bad to worse)

El anda siempre juyendo,
siempre pobre y perseguido;
no tiene cueva ni nido,
como si juera maldito;
porque el ser gaucho... ¡barajo!
el ser gaucho es un delito.

Es como el patrio de posta:[13]
lo larga éste, aquél lo toma,
nunca se acaba la broma;
dende chico se parece
al arbolito que crece
desamparao en la loma.

Le echan la agua del bautismo
a aquél que nació en la selva,
"busca madre que te envuelva",[14]
le dice el flaire[15] y lo larga,
y dentra[16] a cruzar el mundo
como burro con la carga.

Y se cría viviendo al viento
como oveja sin trasquila[17]
mientras su padre en las filas
anda sirviendo al gobierno;
aunque tirite en invierno,
naides lo ampara ni asila.[18]

---

13. [Originally, wild horses in the public domain (hence belonging to the **patria**), but later used for stage coaches and posts (hence **de posta**); exploited and abused, the **patrio de posta** eventually became
14. "Get some mother to adopt you!" (**buscá**=buscad)
15. **fraile**, friar, and by extension, priest
16. **entra a**, begins
17. like a waif sheep which no one looks after or shears (**trasquila**=esquila)
18. though he shivers in winter no one (**naides**=nadie) helps or shelters him

Le llaman "gaucho mamao"
si lo pillan divertido,[19]
y que es mal entretenido
si en un baile lo sorprienden;
hace mal si se defiende
y si no, se ve... fundido.[20]

No tiene hijos, ni mujer,
ni amigos, ni protetores,
pues todos son sus señores
sin que ninguno lo ampare;
tiene la suerte del güey
¿y dónde irá el güey que no are?[21]

Su casa es el pajonal,
su guarida es el desierto;[22]
y si de hambre medio muerto
le echa el lazo a algún mamón,[23]
lo persiguen como a pleito,
porque es un "gaucho ladrón".

Y si de un golpe por ahi
lo dan güelta panza arriba,[24]
no hay un alma compasiva
que le rece una oración:
tal vez como cimarrón[25]
en una cueva lo tiran.

---

19. They call him "drunken gaucho" if they catch him slightly high
20. done for
21. where is the ox to go if he does not plough? [Spanish proverb from medieval times: the reply expected is — "to the slaughter house!" (a la carnicería)]
22. pajonal, a brake, [generally swampy land covered with brambles and tall grass]; his lair is the desert
23. a calf
24. if he's done to death (lit. if they stretch him belly-up)
25. wild dog

El nada gana en la paz
y es el primero en la guerra;
no le perdonan si yerra,
que no saben perdonar,
porque el gaucho en esta tierra
sólo sirve pa votar.

Para él son los calabozos,[26]
para él las duras prisiones;
en su boca no hay razones
aunque la razón le sobre;
que son campanas de palo
las razones de los pobres.[27]

Si uno aguanta, es gaucho bruto;[28]
si no aguanta, es gaucho malo.
¡Déle azote, déle palo,
porque es lo que él necesita!
De todo el que nació gaucho
ésta es la suerte maldita.

Vamos, suerte, vamos juntos
dende[29] que juntos nacimos,
y ya que juntos vivimos
sin podernos dividir,
yo abriré con mi cuchillo
el camino pa seguir.

---

26. the prison cells
27. for a poor man's arguments are like wooden bells [an old proverb implying that a poor man's arguments are as little listened to, as the sound of wooden bells — which of course do not ring and therefore are not heard]
28. if you stand for it, you're a dumb
29. since

CANTO IX

Matreriando lo pasaba[1]
y a las casas no venía;
solía arrimarme de día,
mas, lo mesmo que el carancho,[2]
siempre estaba sobre el rancho
espiando a la polecía.[3]

Viva el gaucho que ande mal
como zorro perseguido,[4]
hasta que al menor descuido
se lo atarasquen[5] los perros,
pues nunca le falta un yerro[6]
al hombre más alvertido.[7]

Y en esa hora de la tarde
en que tuito se adormece,
que el mundo dentrar parece
a vivir en pura calma,
con las tristezas de su alma
al pajonal enderiece .

Bala el tierno corderito
al lao de la blanca oveja
y a la vaca que se aleja
llama el ternero amarrao;[8]
pero el gaucho desgraciao
no tiene a quién dar su queja.

1. I was living like an outlaw (i e. roaming around, fleeing from the police)
2. vulture
3. **policía**
4. The outlaw gaucho must live like a hunted fox
5. bite
6. slip
7. **advertido,** smart
8. the cow that moves away is called by the tethered (**amarrao**= **amarrado**) calf

Ansí es que al venir la noche
iba a buscar mi guarida,
pues ande el tigre se anida
también el hombre lo pasa,
y no quería que en las casas
me rodiara la partida.[9]

Pues aun cuando vengan ellos
cumpliendo con sus deberes,
yo tengo otros pareceres,
y en esa conduta vivo:
que no debe un gaucho altivo
peliar entre las mujeres.

Y al campo me iba solito,
más matrero que el venao,[10]
como perro abandonao,
a buscar una tapera,[11]
o en alguna viscachera
pasar la noche tirao.[12]

Sin punto ni rumbo fijo
en aquella inmensidá,
entre tanta escuridá[13]
anda el gaucho como duende;[14]
allí jamás lo sorpriende
dormido, la autoridá.

Su esperanza es el coraje,
su guardia es la precaución,
su pingo es la salvación,[15]

---

9. I did not wish to be trapped in a house by the police patrol
10. wilder than a deer (venao = venado)
11. a ruined shack
12. or in some vizcacha's hole, to lie all night long [the vizcachas keep
    the environs of their lairs quite clean]
13. obscuridad, darkness
14. elf
15. his horse (pingo) is his only safety

y pasa uno en su desvelo
sin más amparo que el cielo
ni otro amigo que el facón.[16]

Ansí me hallaba una noche
contemplando las estrellas,
que le parecen más bellas
cuanto uno es más desgraciao
y que Dios las haiga criao
para consolarse en ellas.

Les tiene el hombre cariño
y siempre con alegría
ve salir las Tres Marías,[17]
que, si llueve, cuando escampa[18]
las estrellas son la guía
que el gaucho tiene en la pampa.

Aquí no valen dotores:[19]
sólo vale la esperencia;
aquí verían su inocencia
ésos que todo lo saben,
porque esto tiene otra llave
y el gaucho tiene su cencia.[20]

Es triste en medio del campo
pasarse noches enteras
contemplando en sus carreras
las estrellas que Dios cría,
sin tener más compañía
que su soledá y las fieras.

16. he keeps vigil; heaven for his sole support; his knife for his only
friend
17. [three stars on the belt of the constellation Orion]
18. when it clears (when it stops raining)
19. **doctores,** i.e. bookish scholars
20. **ciencia,** knowledge

Me encontraba, como digo,
en aquella soledá,
entre tanta escuridá,
echando al viento mis quejas
cuando el grito del chajá[21]
me hizo parar las orejas.[22]

Como lumbriz me pegué
al suelo para escuchar;[23]
pronto sentí retumbar
las pisadas de los fletes,
y que eran muchos jinetes
conocí sin vacilar.

Cuando el hombre está en peligro
no debe tener confianza;
ansí, tendido de panza,[24]
puse toda mi atención
y ya escuché sin tardanza
como el ruido de un latón.[25]

Se venían tan calladitos[26]
que yo me puse en cuidao;
tal vez me hubieran bombiao[27]
y me venían a buscar;
mas no quise disparar,
que eso es de gaucho morao.[28]

Al punto me santigüé
y eché de giñebra un taco,
lo mesmito que el mataco

21. [a bird, so named in Guaraní in imitation of its peculiar hoot. The
    chajá serves as sentinel, giving alarm as soon as it notices any
    intruding person or beast.]
22. made me prick up my ears
23. Flat as a worm (lumbriz=lombriz), I laid down on the ground
24. stretched out on my belly
25. right away I heard something like a sword (latón) rattling
26. so stealthily
27. perhaps they had spied me out (bombiao=bombeado=espiado)
28. morado, cowardly

me arrollé con el porrón:
"Si han de darme pa tabaco—
dije— ésta es güena ocasión".[29]

Me refalé las espuelas,
para no peliar con grillos;
me arremangué el calzoncillo
y me ajusté bien la faja
y en una mata de paja
probé el filo del cuchillo.[30]

Para tenerlo a la mano
el flete en el pasto até,
la cincha le acomodé,
y en un trance como aquél,
haciendo espaldas en él
quietito los aguardé.[31]

Cuando cerca los sentí,
y que ahi no más se pararon,
los pelos se me erizaron,[32]
y aunque nada vían mis ojos:
"No se han de morir de antojo"[33]
les dije, cuando llegaron.

29. At once I crossed myself and took a swallow of gin; exactly the
    way (lo mesmito=lo mismito) as an armadillo, I wrapped myself
    around that jug: "If they are going to finish me off (darme pa =
    darme para tabaco)," said I, "I might as well get drunk (lit. this
    is the time [to have a drink])" [it may also imply, drink it now
    and not leave it to the enemy]
30. I took off my spurs not to fight, as it were, with ball and chain
    (lit. handcuffs, the idea is that spurs impede quick action); I rolled
    up my drawers (a hindrance, too, since they are very wide and reach
    down to the ankles); tightened my sash; and tested the sharpness
    of my knife on some stalks of grass
31. To have it close at hand I tethered my horse (flete) to the grass,
    tightened its girth, and at this crucial moment, backed up against
    him, I quietly waited for them
32. my hair stood on end
33. "You need not die of unfulfilled desires" [sarcastic remark, compar-
    ing them to pregnant women full of whims and who may die if not
    fulfilled, and it may imply, too, "If you are spoiling for a fight,
    here's your opportunity."]

Yo quise hacerles saber
que allí se hallaba un varón;
les conocí la intención
y solamente por eso
es que les gané el tirón,
sin aguardar voz de preso.[34]

"Vos sos un gaucho matrero
—dijo uno, haciéndose el güeno—
Vos matastes un moreno
y otro en una pulpería,
y aquí está la polecía,
que viene a justar tus cuentas;
te va a alzar por las cuarenta
si te resistís hoy día".[35]

"No me vengan —contesté—
con relación de dijuntos:
esos son otros asuntos;
vean si me pueden llevar,
que yo no me he de entregar
aunque vengan todos juntos".

Pero no aguardaron más
y se apiaron en montón;
como a perro cimarrón
me rodiaron entre tantos;
yo me encomendé a los santos
y eché mano a mi facón.[36]

---

34. I wanted to get ahead and not wait for the order of surrender:
"¡Dése preso!"
35. and here's the police (**polecía**=**policía**) to settle (**justar**=**ajustar**)
accounts: you'll be the loser today if you resist [**las cuarenta** is
the highest bid at **brisca**, a card game, the winning bid for the
police, so Martín is the loser]
36. They didn't wait any longer but dismounted (**se apieron**=**se apea-
ron**) in a body and ringed me about (**me rodiaron**=**me rodearon**),
as though I were a wild dog; I called on the saints to help me and
whipped out my knife

Y ya vide el fogonazo
de un tiro de garabina,
mas quiso la suerte indina
de aquel maula, que me errase
y ahi no más lo levantase
lo mesmo que una sardina.[37]

A otro que estaba apurao
acomodando una bola
le hice una dentrada sola
y le hice sentir el fierro,
y ya salió como el perro
cuando le pisan la cola.[38]

Era tanta la aflicción
y la angurria[39] que tenían,
que tuitos se me venían
donde yo los esperaba:
uno al otro se estorbaba
y con las ganas no vían.[40]

Dos de ellos, que traiban sables,
más garifos y resueltos,
en las hilachas envueltos
enfrente se me pararon,
y a un tiempo me atropellaron
lo mesmo que perros sueltos.[41]

37. And right away I saw (**vide**=**vi**) the flash of a musket (**garabina**=
carabina) shot, but the coward's lousy luck made him to miss me
[according to the gauchos, only cowards use firearms instead of
knives], and so right them and there I spitted and lifted him on my
blade like a sardine (the gauchos never used forks)
38. Another was rushing to get in a blow with the bola but with a
single thrust I made him feel my steel, and he beat it as fast as
a dog when you step on its tail
39. eagerness
40. each one got in the other's way, and so wrought up they were that
they could not see (**no vían**=**no veían**)
41. two of them with swords (**que traiban sables**=**traían**), more cocksure
(**garifos**=**jarifos**) and resolute than the others, their ponchos rolled
round their arms [the gauchos always wrapped up their ponchos
round their left arm for a shield], stood up to me and attacked
together, just as unleashed dogs

Me fui reculando en falso
y el poncho adelante eché,
y en cuanto le puso el pie
uno medio chapetón,
de pronto le di el tirón
y de espaldas lo largué.[42]

Al verse sin compañero
el otro se sofrenó;
entonces le dentré yo,
sin dejarlo resollar,
pero ya empezó a aflojar
y a la pun... ta disparó.[43]

Uno que en una tacuara
había atao una tijera,
se vino como si juera
palenque de atar terneros,
pero en dos tiros certeros
salió aullando campo ajuera.[44]

Por suerte en aquel momento
venía coloriando el alba[45]
y yo dije: "Si me salva
la Virgen en este apuro,
en adelante le juro
ser más güeno que una malva".[46]

---

42. I feigned to give ground, trailing my poncho; and as soon as an inexperienced guy (**chapetón**) put his foot on it, I pulled it suddenly and sent him on his back
43. When the other guy found himself alone he stopped suddenly (**se sofrenó**): then I closed in (**le dentré=le entré**) before he could breathe, but he chickened out and beat it to the bitch of his mother (**punta=puta**)
44. A guy who had a scissor-blade fastened to a bamboo-stick rushed at me as if he were brandishing the yearling's hitching-rail: I made two clever thrusts and off he ran with a howl
45. the dawn began to color (the sky)
46. to be a nice fellow (lit. to be meeker than a mallow flower)

Pegué un brinco y entre todos
sin miedo me entreveré;
hecho ovillo me quedé
y ya me cargó una yunta,
y por el suelo la punta
de mi facón les jugué.[47]

El más engolosinao
se me apió con un hachazo;
se lo quité con el brazo,
de no, me mata los piojos;
y antes de que diera un paso
le eché tierra en los dos ojos.[48]

Y mientras se sacudía
refregándose la vista,
yo me le fui como lista
y ahi no más me le afirmé
diciéndole: "Dios te asista"
y de un revés lo voltié.[49]

Pero en ese punto mesmo
sentí que por las costillas
un sable me hacía cosquillas[50]
y la sangre se me heló.
Desde ese momento yo
me salí de mis casillas.[51]

---

47. Then I leaped and, unafraid, placed myself in their midst; I curled
    into a ball and allowed a couple of them (**una yunta**) to come at me
    as I began to scratch the ground with my knife [as a challenge or
    invitation to attack, or because he is crumbling the earth to throw
    dust into their eyes]
48. The more eager of the two tried to knock me down with an ax:
    but I parried his cut, otherwise (**de no**=**si no**) he would have killed
    my lice [i.e. cut my head open], and before he could take a step
    I threw dust in his eyes
49. While dusting himself off and rubbing his eyes (**la vista**) I closed
    on him in earnest and, telling him "God help you!", laid him out
    with a single back-handed cut
50. I felt a sword tickling me along my ribs
51. I went real mad

Di para atrás unos pasos
hasta que pude hacer pie,
por delante me lo eché
de punta y tajos a un criollo;
metió la pata en un hoyo
y yo al hoyo lo mandé.[52]

Tal vez en el corazón
lo tocó un santo bendito
a un gaucho, que pegó el grito
y dijo: "¡Cruz no consiente
que se cometa el delito
de matar ansí un valiente!".[53]

Y ahi no más se me aparió,
dentrándole a la partida;
yo les hice otra embestida
pues entre dos era robo;
y el Cruz era como lobo
que defiende su guarida.[54]

Uno despachó al infierno
de dos que lo atropellaron,
los demás remoliniaron,
pues íbamos a la fija,
y a poco andar dispararon
lo mesmo que sabandija.[55]

---

52. I moved back a few steps so as to get a firm footing; then I drove
the criollo with thrusts and cuts (point of the knife and adge); he
got his foot in a hole (**hoyo**) and I sent him to the hole (i.e. to his
grave)
53. Perhaps a blessed saint touched the heart of one gaucho, for he
shouted: "Cruz won't consent to the crime of killing like that (**ansí**
=**así**) such a brave man!"
54. And in a jiffy he came over to my side and fought against the cops.
I charged on them again, for with two of us it was a cinch; and
Cruz was like a wolf defending his lair
55. Of two that came at him, he sent one to hell — the others wheeled
off in disorder (**remoliniaron**=**remolinearon**): we were on our way
to sure victory, and in a short while they scuttled off like bugs

Ahi quedaban largo a largo
los que estiraron la jeta,
otro iba como maleta,
y Cruz, de atrás, le decía:
"Que venga otra polecía
a llevarlos en carreta".[56]

Yo junté las osamentas,
me hinqué y les recé un bendito;[57]
hice una cruz de un palito
y pedí a mi Dios clemente
me perdonara el delito
de haber muerto tanta gente.

Dejamos amontonaos
a los pobres que murieron;[58]
no sé si los recogieron,
porque nos fimos a un rancho,
o si tal vez los caranchos
ahi no más se los comieron.[59]

Lo agarramos mano a mano
entre los dos al porrón;
en semejante ocasión
un trago a cualquiera encanta,
y Cruz no era remolón
ni pijotiaba garganta.[60]

---

56. There lay, full length, those who stretched their muzzles out [i.e. those killed and, like slaughtered cattle, with muzzles stretched out]; another rode away [wounded and wobbling from side to side] like a valise; and Cruz shouted after them: "You'd better send out some more police to cart your dead away!"
57. I gathered together their remains, knelt down and said a prayer for them
58. We left the corpses in a heap (amontonaos=amontonados)
59. or whether the vultures didn't perhaps finish them up right away [caranchos is a species of carrion-eating hawks]
60. Between the two we passed the jug [of gin] (porrón), for at times like that a drink is a delight to anybody, and Cruz was not shy or niggard at moistening his throat

Calentamos los gargueros
y nos largamos muy tiesos,
siguiendo siempre los besos
al pichel y, por más señas,
íbamos como cigüeñas
estirando los pescuesos.[61]

"Yo me voy —le dije—, amigo,
donde la suerte me lleve,
y si es que alguno se atreve
a ponerse en mi camino,
yo seguiré mi destino,
que el hombre hace lo que debe.

"Soy un gaucho desgraciado,
no tengo dónde ampararme,
ni un palo donde rascarme,
ni un árbol que me cubije;[62]
pero ni aun esto me aflige.
porque yo sé manejarme.

"Antes de cair al servicio,
tenía familia y hacienda,
cuando volví, ni la prenda
me la habían dejado ya:
Dios sabe en lo que vendrá
a parar esta contienda".[63].

61. We warmed up our gullets and off we rode very tight, continuing
to kiss the jug (**pichel**) — we looked like a couple of storks as we
stretched out our necks (**pescuesos**=**pescuezos**) [to get to our jug]
62. no stake to scratch myself on, nor a tree to shelter me (**cubije**=
cobije)
63. Before they took me for the army I had family and cattle but when
I returned not even my wife was there — only God knows how
this strife will end up

[Cruz narrates at length his tale of woes, which mirrors the same abominable social conditions, the same corruption and injustices, as those in Martín's. No doubt Hernández wanted to point out the fact that Martín's plight was not exceptional. Cruz's happy marriage did not last for the simple reason that an elderly officer took a fancy to his wife and made her adulterous. In his rage Cruz kills a bootlicker who rushes to the officer's defense. So that "Fate" once again (i.e. just as in Martín's case) made of him a *gaucho malo.* However, because of his bravery and fine character he is not sent to a fortín but, instead, he is made to join the police force, getting to be a sargeant. But deep at heart he remained gaucho: this explains why when Martín is in critical trouble Cruz changed sides and came to his aid.]

CANTO XIII

MARTIN FIERRO

Ya veo que somos los dos
astillas del mesmo palo:[1]
yo paso por gaucho malo
y usté anda del mesmo modo,
y yo, pa acabarlo todo,
a los indios me refalo.[2]

Pido perdón a mi Dios,
que tantos bienes me hizo;
pero dende que es preciso
que viva entre los infieles,
yo seré cruel con los crueles:
ansí mi suerte lo quiso.

---

1. chips of the same block
2. I am off to the Indians [i.e. to the zone inhabited by the Indians]

Dios formó lindas las flores,
delicadas como son,
les dio toda perfeción
y cuanto él era capaz,
pero al hombre le dio más
cuando le dio el corazón.

Le dio claridá a la luz,
juerza en su carrera al viento,
le dio vida y movimiento
dende la águila al gusano,[3]
pero más le dio al cristiano
al darle el entendimiento.

Y aunque a las aves les dio,
con otras cosas que inoro,
esos piquitos como oro
y un plumaje como tabla,[4]
le dio al hombre más tesoro
al darle una lengua que habla.

Y dende que dio a las fieras
esa juria tan inmensa,
que no hay poder que las venza
ni nada que las asombre[5]
¿qué menos le daría al hombre
que el valor pa su defensa?

Pero tantos bienes juntos
al darle, malicio yo
que en sus adentros pensó
que el hombre los precisaba,
pues los bienes igualaba
con las penas que le dio.[6]

3. from (dende=desde) the eagle to the worm
4. those little beaks of gold, and a plumage [brilliant] as a painting
5. and since he gave wild animals a fierceness so great that no power
   [on earth] can tame them, nor anything frighten them
6. But when he bestowed [on man] so many gifts all at once, I
   suspect he figured out that man needed every one of them, for
   he matched the gifts with the woes he bestowed on him

Y yo empujao por las mías
quiero salir de este infierno;
ya no soy pichón muy tierno
y sé manejar la lanza
y hasta los indios no alcanza
la facultá del gobierno.[7]

Yo sé que allá los caciques
amparan a los cristianos,
y que los tratan de "hermanos"
cuando se van por su gusto.
¿A qué andar pasando sustos?
Alcemos el poncho y vamos.[8]

En la cruzada hay peligros[9]
pero ni aun esto me aterra;
yo ruedo sobre la tierra
arrastrao por mi destino
y si erramos el camino...
no es el primero que lo erra.[10]

Si hemos de salvar o no
de esto naides nos responde.
Derecho ande el sol se esconde
tierra adentro hay que tirar;
algún día hemos de llegar...
después sabremos adónde.[11]

---

7. And driven by mine [i.e. by my misfortunes] I want to get out of
   this hell. I'm no tender chick and can handle a lance and the
   government's arm (**facultá**=**facultad**, power) does not reach all the
   way to the Indian [settlement]
8. Why keep on living on the run [in a constant state of fear]? Let's
   pick up our ponchos and beat it
9. It's dangerous to cross over [the frontier]
10. if we miss the way we won't be the first to miss it
11. If we are to keep alive or not no one can be sure. We must head
    inland (**tierra adentro**) toward the setting sun [i.e. west] and some
    day we'll arrive — and then we'll know where

No hemos de perder el rumbo,
los dos somos güena yunta;
el que es gaucho va ande apunta,
aunque inore ande se encuentra;
pa el lao en que el sol se dentra
dueblan los pastos la punta.[12]

De hambre no pereceremos,
pues según otros me han dicho
en los campos se hallan bichos
de los que uno necesita...
gamas, matacos, mulitas,
avestruces y quirquinchos.[13]

Cuando se anda en el disierto
se come uno hasta las colas;[14]
lo han cruzao mujeres solas
llegando al fin con salú,[15]
y ha de ser gaucho el ñandú
que se escape de mis bolas.[16]

Tampoco a la sé[17] le temo,
yo la aguanto muy contento,
busco agua olfatiando al viento,
y dende que no soy manco
ande hay duraznillo blanco
cabo y la saco al momento.[18]

---

12. the two of us make a good pair (lit. a good yoke, as of oxen); one who is a [real] gaucho always gets to the spot he aims for, even if he doesn't know (**inore**=**ignore**) what place he is in; grasses bend their tips toward the rising sun
13. deer, armadillos [**matacos, mulitas** and **quirquinchos** are varieties of armadillo] and ostriches
14. When travelling in the desert (**disierto**=**desierto**) one eats even the tails [of the animals]
15. **con salud,** safely
16. and the ostrich who can escape from my bolas will have to be clever [**gaucho** is used as an adjective, meaning cunning, smart]
17. **sed,** thirst
18. I search for water by sniffing (**olfatiando**=**olfateando**) the wind, and since (**dende que**=**puesto que**) I'm not one-arm, I dig (**cabo**=**cavo**) wherever there is a peach tree [since it grows only in very wet soil], and get it in a minute

Allá habrá siguridá
ya que aquí no la tenemos,
menos males pasaremos
y ha de haber grande alegría
el día que nos descolguemos
en alguna toldería.[19]

Fabricaremos un toldo,[20]
como lo hacen tantos otros,
con unos cueros de potro,
que sea sala y sea cocina.
¡Tal vez no falte una china
que se apiade de nosotros![21]

Allá no hay que trabajar,
vive uno como un señor;
de cuando en cuando un malón,[22]
y si de él sale con vida
lo pasa echao panza arriba
mirando dar güelta el sol.[23]

Y ya que a juerza de golpes
la suerte nos dejó a flús,[24]
puede que allá véamos luz
y se acaben nuestras penas.
Todas las tierras son güenas:
vámosnos, amigo Cruz.

---

19. the day we reach [unexpectedly] some Indian village [called **tolde-ría** because of the **toldos**, tents]
20. We will make a tent
21. It may be that some Indian woman will pity our lot!
22. raid
23. spend the time lying belly-up, watching the sun go round (**dar güelta**=**dar vuelta**)
24. and now that fate with so many hard blows (**a juerza de**=**a fuerza de**, by dint of) has left us stripped bare [in a game of cards, the last resort, forcing to a flux and total loss]

El que maneja las bolas,
el que sabe echar un pial,
o sentarse en un bagual
sin miedo de que lo baje,[25]
entre los mesmos salvajes
no puede pasarlo mal.

El amor como la guerra
lo hace el criollo con canciones;
a más de eso, en los malones
podemos aviarnos de algo;[26]
en fin, amigo, yo salgo
de estas pelegrinaciones.[27]

* * * [1]

En este punto el cantor
buscó un porrón pa consuelo,
echó un trago como un cielo,[2]
dando fin a su argumento,
y de un golpe al istrumento
lo hizo astillas contra el suelo.[3]

"Ruempo —dijo— la guitarra,
pa no volverla a templar;
ninguno la ha de tocar,

---

25. [a man] who can throw the lasso, who can seat on a wild colt
(**bagual**) and not fear being thrown down
26. besides, in a raid we may secure some plunder
27. I'm through with this wandering life (**pelegrinaciones**=**peregrina-
ciones**)

1. "'Desde aquí hasta el final de esta primera parte del poema habla
el autor." [Hernandez' footnote]
2. At this point the singer [Martín Fierro] grabbed a liquor jug for
consolation, took a huge (**como un cielo**) drink
3. with one blow he smashed his guitar

por siguro tenganló,
pues naides ha de cantar
cuando este gaucho cantó".[4]

Y daré fin a mis coplas
con aire de relación;
nunca falta un preguntón
más curioso que mujer,
y tal vez quiera saber
cómo fue la conclusión

Cruz y Fierro, de una estancia
una tropilla se arriaron;[5]
por delante se la echaron
como criollos entendidos
y pronto, sin ser sentidos,
por la frontera cruzaron.

Y cuando la habían pasao,
una madrugada clara
le dijo Cruz que mirara
las últimas poblaciones;
y a Fierro dos lagrimones
le rodaron por la cara.[6]

Y siguiendo el fiel del rumbo[7]
se entraron en el desierto.
No sé si los habrán muerto
en alguna correría,[8]
pero espero que algún día
sabré de ellos algo cierto.

---

4. "I break (**ruempo**=**rompo**) my guitar, never to tune it again; none may play on it, you can be sure (**por siguro tenganló**=**tengánlo por seguro**), for no one (**naides**=**nadie**) will sing after this gaucho has sung
5. Cruz and Fierro lifted (**se arriaron**=**se arrearon**) a little string of horses from a ranch
6. and two big tears rolled down Fierro's cheeks
7. and following the line of travel
8. I don't know whether they were killed in some foray

Y ya con estas noticias
mi relación acabé;
por ser ciertas las conté,
todas las desgracias dichas:
es un telar de desdichas
cada gaucho que usté ve.[9]

Pero ponga su esperanza
en el Dios que lo formó;
y aquí me despido yo,
que he relatao a mi modo
MALES QUE CONOCEN TODOS
PERO QUE NAIDES CONTÓ.

---

9. Every gaucho you see is a loom of troubles [i.e. loom on which
only misfortunes are woven]

IGNACIO MANUEL ALTAMIRANO

b. Tixtla, Mexico, December 12, 1834
d. San Remo, Italy, February 13, 1893

Born of Indian parents in a village located in what is now the State of Guerrero, Altamirano spent his childhood in dire poverty. At the age of fourteen he knew no word of Spanish but after a short period in a local school he did so well that he qualified to be sent, with other promising Indian boys, to study at the Instituto of Toluca. There he continued his Spanish and took up Latin, French and philosophy. A prodigy, he immediately attracted the attention of one of his teachers: th Romantic poet Ignacio Ramírez, better known to readers of Mexican poetry as "El Nigromante." Under him Altamirano wrote his first poems and articles. Before long the cultured Indian boy found himself teaching French in Toluca private schools and elsewhere. He succeeded in saving enough money to get to Mexico City where he enrolled at the Colegio de San Juan de Letrán, continuing philosophy and starting law. His room became a center of literary and especially political activity, for the young people were violently antagonistic to the despotic regime. At the outbreak of the Ayutla revolution (1854) most of them, including Altamirano, joined the insurgents, helping thus to overthrow Santa Anna. On his return to Mexico City Altamirano completed his law studies and was elected deputy to the Congress of the Union. Soon thereafter the French invaded Mexico, and the War of Intervention broke out, lasting some five years (1862-1867) . Through it all Altamirano was most active as eloquent orator, perceptive journalist, courageous soldier. With the triumph of Juárez and the Republic Altamirano settled down in Mexico City and started a veritable cultural renaissance. His first step in that direction was the founding of a literary weekly, symbolically entitled *El Renacimiento*, which rallied together the best writers of that period. Generously Altamirano invited even his worst enemies: the Conservative-clerical-classicist Roa Bárcena, Montes de Oca, Pagaza. To discover and encourage young writers, Altamirano taught at the Escuela Normal and the Preparatoria, and founded several literary and scientific societies. The last years of his fruitful life were spent as Mexican consul in Spain and France. A serious illness sent him for relief to San Remo, Italy, where he died at the age of fifty-nine.

Although a Romantic writer, often cloyingly sentimental, Altamirano mirrored adroitly the Mexican life of the mid-nineteenth century. Among his achievements were *Clemencia* (1869), a novel depicting the period of French intervention, the rural idyl *La navidad en las montañas* (1870), and the posthumous *El Zarco*, which he wrote in 1888. By omitting some repetitive matter and some extravagantly romantic passages — as has been done here — *El Zarco* proves to be an engrossingly vivid picture of Mexico in the wake of the War of Reform, especially the years 1861-1863, when President Juárez undertook the persecution of banditry. But in addition to its socio-historical authenticity, *El Zarco* is a dramatic tale filled with conflicts and characters of strong human quality.

EDITIONS: *Obras literarias completas*, edited by Salvador Reyes Nevares, Mexico, Ediciones Oasis, 1959; *Aires de México*, edited by Antonio Acevedo Escobedo, Mexico, Ediciones de la Universidad Nacional Autónoma, 1955 (2nd ed.) ; *Clemencia*, edited by Elliott B. Scherr and Nell Walker, Boston, D.C. Heath & Co., 1948; *La navidad en las montañas*, edited by Edith A. Hill and Mary J. Lombard, Boston, D.C. Heath & Co., 1917; *El Zarco*, edited by Raymond L. Grismer and Miguel Ruelas, New York, W.W. Norton, 1933; *El Zarco*, Buenos Aires & Mexico, Espasa-Calpe, 1950 (Colección Austral).

ABOUT ALTAMIRANO: Fernando Alegría: *Breve historia de la novela hispanoamericana,* Mexico, Ediciones de Andrea, 1959, pp. 59-65; Mariano Azuela: *Cien años de novela mexicana,* Mexico, Botas, 1947, pp. 113-177; Clementina Díaz y de Ovando: "La visión histórica de I.M. Altamirano," *Instituto de Investigaciones Estéticas,* (Mexico) No. 22 (1954), 33-53; Manuel Pedro González: *Trayectoria de la novela en México,* Mexico, Botas, 1951; Luis González Obregón: *Biografía de I.M. Altamirano,* Mexico, Tip. del Sagrado Corazcn de Jesús, 1893; *Homenaje a I.M. Altamirano, Mexico,* Imprenta Universitaria, 1935; José Luis Martínez: "Altamirano novelista," *Universidad* (Monterrey), No. 10 (December 1951), pp. 61-69; J. Lloy Read: *The Mexican Historical Novel 1826-1910,* New York, Instituto de las Españas, 1939; Francisco Sosa: "Prólogo" to *El Zarco,* Barcelona, Tip. Salvat, 1901; Rafael H. Valle: *Bibliografía de Manuel Ignacio (sic* Altamirano, Mexico, D.A.P.P., 1939; Ralph E. Warner: *Bibliografía de Ignacio Manuel Altamirano,* Mexico, Imprenta Universitaria, 1955; Ralph E. Warner: *Historia de la novela mexicana* en el siglo XIX, Mexico, Robredo, 1953, pp. 47-55.

EL ZARCO

(*Abridged*)

1.

EL TERROR

Apenas acaba de ponerse el sol,[1] un día de agosto de 1861, y ya el pueblo de Yautepec[2] parecía estar envuelto en las sombras de la noche.[3] Tal era el silencio que reinaba en él. Los vecinos, que regularmente en estas bellas horas de la tarde, después de concluir sus tareas diarias, acostumbraban siempre salir a respirar el ambiente fresco de las calles, o a tomar un baño en el río o a discurrir por la plaza o por las huertas,[4] hoy no se atrevían a traspasar los umbrales de su casa[5] y, por el contrario, antes de que sonara en el campanario de la parroquia el toque de oración,[6] hacían sus provisiones de prisa y se encerraban en sus casas, como si hubiese epidemia, palpitando de terror a cada ruido que oían.

Y es que a esas horas, en aquel tiempo calamitoso,[7] comenzaba para los pueblos en que no había una fuerte guarnición,[8] el peligro de un asalto de bandidos con los horrores consiguientes de matanza, de raptos, de incendio y de exterminio.[9] Los bandidos de la tierra caliente eran sobre todo crueles.

El carácter de aquellos *plateados*[10] (tal era el nombre que se le daba a los bandidos de esa época) fue una cosa

1. The sun had hardly set
2. Yautepec is a picturesque village near Cuernavaca, considered by Altamirano typical of **tierra caliente** (hotlands): orange and lemon trees grew everywhere in riotous profusion
3. seemed already wrapped in the shadows of night
4. to take a stroll in the square or the orchards
5. did not dare to show themselves outside of their homes
6. before the church bell had rung the evening angelus
7. troubled times
8. with no strong garrison [to defend them]
9. with its consequent horror of murder, kidnapping, fire and pillage
10. **silvermen,** so called because of the silver decorations on their ornate dress and on the trappings of their horses

extraordinaria y excepcional, una explosión de vicio, de crueldad y de infamia que no se había visto jamás en México.

Así, pues, el vecindario de Yautepec, como el de todas las poblaciones de la tierra caliente, vivía en esos tiempos siempre medroso,[11] tomando durante el día la precaución de colocar vigías[12] en las torres de sus iglesias, para que diesen aviso oportuno de la llegada de alguna partida de bandoleros a fin de defenderse en la plaza, en alguna altura, o de parapetarse[13] en sus casas. Pero durante la noche, esa precaución era inútil, como también lo era el apostar escuchas en las afueras de la población,[14] pues se habría necesitado ocupar para ello a numerosos vecinos que, aparte del riesgo que corrían de ser sorprendidos, eran insuficientes para vigilar los muchos caminos y veredas que conducían al poblado y que los bandidos conocían perfectamente.

Además, hay que advertir que los *plateados* contaban siempre con muchos cómplices y emisarios dentro de las poblaciones y de las haciendas, y que las pobres autoridades, acobardadas por falta de elementos de defensa, se veían obligadas, cuando llegaba la ocasión, a entrar en transacciones con ellos, contentándose con ocultarse o con huir para salvar la vida.[15]

Los bandidos, envalentonados,[16] en esta situación, fiados en la dificultad que tenía el gobierno para perseguirlos, ocupado como estaba en combatir la guerra civil, se habían organizado en grandes partidas de cien, doscientos y hasta quinientos hombres, y así recorrían impunemente toda la comarca,[17] viviendo sobre el país, imponiendo fuertes contribuciones a las haciendas y a los pueblos, estableciendo por su cuenta peajes en los caminos y poniendo en práctica

11. terror-stricken
12. to place look-outs
13. barricade themselves
14. the posting of sentries in the outskirts of the village
15. cowed and lacking the means of defense, were forced, when the occasion arose, either to negotiate, to hide or to flee for their lives
16. emboldened
17. overran the district with impunity

todos los días, el plagio, es decir, el secuestro de personas, a quienes no soltaban sino mediante un fuerte rescate.[18]

A veces los *plateados* establecían un centro de operaciones, una especie de cuartel general,[19] desde donde uno o varios jefes ordenaban los asaltos y los plagios y dirigían cartas a los hacendados y a los vecinos acomodados pidiendo dinero, cartas que era preciso obsequiar so pena de perder la vida sin remedio.[20] Allí también solían tener los escondites en que encerraban a los *plagiados*,[21] sometiéndolos a los más crueles tratamientos.

Por el tiempo de que estamos hablando, ese cuartel general de bandidos se hallaba en Xochimancas, hacienda antigua y arruinada, no lejos de Yautepec y situada a propósito para evitar una sorpresa.

Semejante vecindad hacía que los pueblos y haciendas[22] del distrito de Yautepec se encontrasen por aquella época bajo la presión de un temor constante.

2.

LAS DOS AMIGAS

En el patio interior de una casita de pobre pero graciosa apariencia, que estaba situada a las orillas de la población y en los bordes del río, con su respectiva huerta de naranjos, limoneros y platanares,[1] se hallaba tomando el fresco una familia compuesta de una señora de edad y de dos jóvenes muy hermosas, aunque de diversa fisonomía.

18. living off the land, levying heavy tribute from the estates and villages, exacting tolls (**peajes**), and kidnapping (**plagio**) those they could hold to ransom (**rescate**)
19. headquarters
20. which had to be attended to — for the penalty for refusal was death
21. the hideouts where they locked their kidnapped victims (**los plagiados**)
22. It was so close that the towns and estates (lit. Such proximity caused the towns and estates ...)

1. orange and lemon trees and banana plants

La una, como de veinte años, blanca, con esa blancura un poco pálida de las tierras calientes, de ojos obscuros y vivaces y de boca encarnada y risueña, tenía algo de soberbio y desdeñoso que le venía seguramente del corte ligeramente aguileño de su nariz, del movimiento frecuente de sus cejas aterciopeladas,[2] de lo erguido de su cuello robusto y bellísimo o de una sonrisa más bien burlona[3] que benévola. Estaba sentada en un banco rústico y muy entretenida en enredar en las negras y sedosas madejas de sus cabellos una guirnalda de rosas blancas y de caléndulas rojas.[4]

La otra joven tendría dieciocho años; era morena, con el tono suave y delicado de las criollas que se alejan del tipo español, sin confundirse con el indio, y que denuncia a la hija humilde del pueblo. Pero en sus ojos grandes, y también obscuros, en su boca, que dibujaba una sonrisa triste siempre que su compañera decía alguna frase burlona, en su cuello inclinado, en su cuerpo frágil y que parecía enfermizo, en el conjunto todo de su aspecto, había tal melancolía, que desde luego podía comprenderse que aquella niña tenía un carácter diametralmente opuesto al de la otra. Esta colocaba también, lentamente y como sin voluntad, en sus negras trenzas una guirnalda de azahares,[5] sólo de azahares, que se había complacido en cortar entre los más hermosos de los naranjos y limoneros, por cuya operación se había herido las manos, lo que le atraía las chanzonetas[6] de su amiga.

—Mira, mamá —dijo la joven blanca, dirigiéndose a la señora mayor que cosía sentada en una pequeña silla de paja, algo lejos del banco rústico—,[7] mira a esta tonta, que

2. something of arrogance and scorn revealed, to be sure, in the slightly aquiline curve of the nose, in the frequent movement of her velvety eyebrows
3. mocking
4. engrossed in twining a chaplet of white roses and red marigolds into the silky black locks of her hair
5. she too was plaiting slowly and listlessly into her black tresses a garland of orange blossoms
6. jokes
7. turning to the older woman who was sitting sewing on a wicker stool some distance from the bench

no acabará de poner sus flores en toda la tarde; ya se lastimó las manos por el empeño de no cortar más que los azahares frescos y que estaban más altos, y ahora no puede ponérselos en las trenzas... Y es que a toda costa quiere casarse, y pronto.

—¿Yo? —preguntó la morena alzando tímidamente los ojos como avergonzada.

—Sí, tú —replicó la otra—, no lo disimules; tú sueñas con el casamiento; no haces más que hablar de ello todo el día, y por eso escoges los azahares de preferencia. Yo no, yo no pienso casarme todavía, y me contento con las flores que más me gustan. Además, con la corona de azahares parece que va una a vestirse de muerta. Así entierran a las doncellas.[8]

—Pues tal vez así me enterrarán a mí —dijo la morena—, y por eso prefiero estos adornos.

—¡Oh!, niñas, no hablen de esas cosas —exclamó la señora en tono de represión—. Estar los tiempos como están y hablar ustedes de cosas tristes es para aburrirse.[9] Tú, Manuela —dijo dirigiéndose a la joven altiva—, deja a Pilar que se ponga las flores que más le cuadren[10] y ponte tú las que te gustan. Al cabo, las dos están bonitas con ellas... y como nadie las ve —añadió, dando un suspiro...

—¡Esa es la lástima! —dijo con expresivo acento Manuela— Esa es la lástima —repitió—, que si pudiéramos ir a un baile o siquiera asomarnos a la ventana[11]... ya veríamos...

—Bonitos están los tiempos —exclamó amargamente la señora—, lindos para andar en bailes o asomarse a las ventanas. ¿Para qué queríamos más fiesta?[12] ¡Jesús nos ampare! ¡Con qué trabajos tenemos para vivir escondidas y sin que sepan los malditos *plateados* que existimos! No veo la hora que venga mi hermano[13] de México y nos lleve aunque sea

8. as if dressed like a corpse. That's the way they bury unmarried girls
9. is annoying
10. let Pilar wear whatever flowers she prefers (lit. suit her best)
11. or even look out of the window
12. "These are fine times," exclaimed the old lady bitterly, "fine times to be going to balls and looking out of windows! What do we want with fiestas?"
13. I can't wait for my brother to come.

404

a pie. No puede vivirse ya en esta tierra. Me voy a morir de miedo un día de éstos. Ya no es vida, Señor, ya no es vida la que llevamos en Yautepec. Por la mañana, sustos si suena la campana, y a esconderse en la casa del vecino o en la iglesia. Por la tarde, apenas se come de prisa, nuevos sustos si suena la campana o corre la gente; por la noche, a dormir con sobresaltos, a temblar a cada ruido, a cada pisada que se oye en la calle, y a no pegar los ojos en toda la noche si suenan tiros o gritos.[14] Es imposible vivir de esta manera; no se habla más que de robos y asesinatos: "que ya se llevaron al monte a don Fulano";[15] "que ya apareció su cadáver en tal barranca o en tal camino";[16] "que ya se fue el señor cura a confesar a Fulano, que está mal herido"; "que esta noche entra Salomé Plasencia"; "que se escondan las familias, que ahí viene el *Zarco* o *Palo seco*"; y después: "que ahí viene la tropa del gobierno, fusilando y amarrando a los vecinos". Díganme ustedes si esto es vida; no: es el infierno . . . ; yo estoy mala del corazón.[17] Estoy sin consuelo, sin saber que hacer . . . , sola . . . , sin más medios de qué vivir que esta huerta de mis pecados, que es la que me tiene aquí, y sin más amparo que mi hermano, a quien ya acabo a cartas, pero que se hace el sordo.[18] Ya ves, hija mía, cuál es la espina[19] que tengo siempre en el corazón y que no me deja ni un momento de descanso. Si mi hermano no viniera, no nos quedaría más que un recurso para libertarnos de la desgracia que nos está amenazando.

—¿Cuál es, mamá? —preguntó Manuela sobresaltada.

—El de casarte, hija mía —respondió la señora con acento de infinita ternura.

—¿Casarme? ¿Y con quién?

14. we lie down to sleep in fear, trembling at the slightest sound, at every footstep in the street, and unable to close our eyes the whole nightlong if the sound of firing or shouts are heard.
15. They've carried off so-and-so into the hills
16. They've found his body in such-and-such a ravine or on such-and-such a road
17. it has affected my heart
18. whom I bombard with letters, but he turns a deaf ear
19. thorn (in my heart), i.e. the anxieties which weigh on me

—¿Cómo con quién? —replicó la madre, en tono de dulce reconvención—.[20] Tú sabes muy bien que Nicolás te quiere, que se consideraría dichoso si le dijeras que sí, que el pobrecito hace más de dos años que viene a vernos día con día, sin que le estorben ni los aguaceros, ni los peligros, ni tus desaires[21] tan frecuentes y tan injustos, y todo porque tiene esperanzas de que consientas en ser su esposa...

—¡Ah!, en eso habíamos de acabar,[22] mamacita —interrumpió vivamente Manuela, que desde las últimas palabras de la señora no había disimulado su disgusto—; debí haberlo adivinado desde el principio; siempre me hablas de Nicolás; siempre me propones el casamiento con él, como el único remedio de nuestra mala situación, como si no hubiera otro...

—Pero, ¿cuál otro, muchacha?

—El de irnos a México con mi tío, el de vivir como hasta aquí, escondiéndonos cuando hay peligro.

—Pero, ¿tú no ves que tu tío no viene, que nosotras no podemos irnos solas a México, que confiarnos a otra persona es peligrosísimo en estos tiempos en que los caminos están llenos de *plateados,* que podrían tener aviso y sorprendernos..., porque se sabría nuestro viaje con anticipación?

—Pues entonces, mamá, seguiremos como hasta aquí, que éstas no son penas del infierno; algún día acabarán, y mejor que me quedaré para vestir santos...[23]

—¡Ojalá que ese fuera el único peligro que corrieras, el de quedarte para vestir santos! —contestó la señora con amargura—; pero lo cierto es que no podemos seguir viviendo así en Yautepec. Estas no son penas del infierno, efectivamente, para nosotras. Mira —añadió bajando la voz con cierto misterio—, me han dicho que desde que los *plateados* han venido a establecerse en Xochimancas,[24] han visto mu-

---

20. reproach
21. he has been coming to see us every day — nothing puts him off, not even rain squalls, danger, or your sulks (**desaires=rebuffs**)
22. I knew it would come to this! (i.e. So, that's what you had on your mind!)
23. It's far better for me to stay unmarried (lit. I'd rather be an old maid)
24 bandit stronghold near Yautepec

406

chas veces a algunos de ellos, disfrazados, rondar nuestra calle de noche;[25] que ya saben que tú estás aquí, aunque no sales ni a misa; que han oído mencionar tu nombre entre ellos; que los que son sus amigos aquí han dicho varias veces: *Manuelita ha de parar*[26] *con los plateados. Un día de estos, Manuelita ha de ir a amanecer en Xochimancas;* con otras palabras parecidas.

—Pero, mamá, si esos son chismes con que quieren asustar a usted.[28] Yo no he visto ningún bulto en nuestra calle de noche, una que otra vez que suelo asomarme, y eso de que vinieran los *plateados* a robarme alguna vez, ya verá usted que es difícil. Desengáñese usted; no contando conmigo, me parece imposible. Sólo que me sorprendieran en la calle, pero como no salgo, ni siquiera voy a misa, ¿dónde me habían de ver?

—¡Ay! ¡No, Manuela! Tú eres animosa porque eres muchacha, y ves las cosas de otro modo; pero yo soy vieja, tengo experiencia, veo lo que está pasando y que no había visto en los años que tengo de edad; y creo que estos hombres son capaces de todo.

—Bueno —replicó Manuelita, no dándose por vencida—; y aun suponiendo que así sea, mamá, ¿qué lograríamos casándome con Nicolás?

—¡Ay, hija mía!, lograríamos que tomaras estado y que te pusieras bajo el amparo de un hombre de bien.[30]

—Pero si ese hombre de bien no es más que el herrero[31] de la hacienda de Atlihuayán, y si el mismo dueño de la hacienda, que está en México, y que es un señorón,[32] no puede nada contra los *plateados,* ¿qué había de poder el herrero, que es un pobre artesano? —dijo Manuela, alargando un poco su hermoso labio inferior con un gesto de desdén.

---

25. walking at night, disguised, through our street
26. will end up with
27. will wake up in
28. these are just tales to scare you
29. what shall we gain if I marry Nicolás?
30. an assured position and the protection of an honest man
31. blacksmith
32. a big shot (an important person)

—Pues aunque es un pobre artesano, ese herrero es todo un hombre. En primer lugar, casándote, ya estarías bajo su potestad, y no es lo mismo una muchacha que no tiene otro apoyo que una débil vieja como yo, de quien todos pueden burlarse, que una mujer casada que cuenta con su marido, que tiene fuerzas para defenderla, que tiene amigos, muchos amigos armados en la hacienda, que pelearían a su lado hasta perder la vida. En segundo lugar, si tú no querrías estar por aquí, Nicolás ha ganado bastante dinero con su trabajo, tiene ahorros;[33] su maestro, que es un extranjero que lo dejó encargado de la herrería de la hacienda, está en México, lo quiere mucho, y podríamos irnos a vivir allá mientras que pasan estos malos tiempos.

—¡No!, ¡nunca, mamá! —interrumpió bruscamente Manuela—; estoy decidida; no me casaré nunca con ese indio horrible a quien no puedo ver... Me choca de una manera espantosa, no puedo aguantar su presencia... Prefiero cualquier cosa a juntarme con ese hombre... Prefiero a los *plateados* —añadió con altanera resolución.

—¿Sí? —dijo la madre, arrojando su costura, indignada—,[34] ¿prefieres a los *plateados*? Pues mira bien lo que dices, porque si no quieres casarte honradamente con un muchacho que es un grano de oro de honradez, y que podría hacerte dichosa y respetada, ya te morderás las manos de desesperación cuando te encuentres en los brazos de esos bandidos, que son demonios vomitados del infierno. Yo no veré semejante cosa, no, Dios mío, yo me moriré antes de pesadumbre y de vergüenza —añadió derramando lágrimas de cólera.

Manuela se quedó pensativa. Pilar se acercó a la pobre vieja para consolarla.

—Mira tú —dijo ésta a la humilde joven morena que había estado escuchando el diálogo de madre e hija, en silencio—; tú, que eres mi ahijada, que no me debes tanto como esta ingrata, no me darías semejante pesar.[35]

33. savings
34. throwing down her sewing angrily
35. You're only my godchild and don't owe me as much as this ungrateful girl, but I'm sure you wouldn't treat me so shamefully (lit. bring me such grief)

Pilar iba quizá a responder, pero en ese instante llamaron a la puerta de un modo.tímido.

—Es Nicolás —dijo la señora—; ve a abrirle, Pilar.

La humilde joven, todavía confusa y encarnada,[36] quitó apresuradamente de sus cabellos la guirnalda de azahares y la colocó en el banco.

—¿Por qué te quitas esas flores? —le preguntó Manuela, arrojando a su vez apresuradamente las rosas y caléndulas que se había puesto.

—Me las quito porque son flores de novia, y yo no soy aquí la novia. Y tú, ¿por qué te quitas las tuyas?

—Yo, porque no quiero parecer bonita a ese indio.

3.

NICOLAS

El hombre que, después de atravesar las piezas de habitación de la casa, penetró hasta el patio en que hemos oído la conversación de la señora mayor y de las dos niñas, era un joven trigueño, con el tipo indígena bien marcado, pero de cuerpo alto y bien proporcionado.[1] Los ojos negros y dulces, su nariz aguileña,[2] su boca grande, provista de una dentadura blanca y brillante, sus labios gruesos, que sombreaba apenas una barba naciente y escasa, daban a su aspecto algo de melancólico, pero de fuerte y varonil al mismo tiempo. Se conocía que era un hombre culto, embellecido por el trabajo y que tenía la conciencia de su fuerza y de su valer.[3]

Después de los saludos de costumbre, Nicolás fue a sentarse junto a la señora en otro banco rústico, y notando que

36. still confused and blushing

1. a swarthy young man, clearly of Indian descent, tall and well-proportioned
2. aquiline
3. hard working and confident of his own strength and worth

409

a los pies de Manuela estaban regadas en desorden las rosas que ésta había desprendido de sus cabellos, le preguntó:

—Manuelita, ¿por qué ha tirado usted tantas flores?

—Estaba yo haciendo un ramillete —respondió secamente Manuela—, pero me fastidié.[4]

—¡Y tan lindas! —dijo Nicolás inclinándose para recoger algunas, lo que Manuelita vio hacer con marcado disgusto—. ¡Usted siempre descontenta! —añadió tristemente.

—¡Pobre de mi hija! Mientras estemos en Yautepec y encerradas —dijo la madre— no podremos tener un momento de gusto.

—Tiene usted razón —replicó Nicolás—. ¿Y su hermano de usted ha escrito?

—Nada, ni una carta; ya me desespero... Y, ¿qué nuevas noticias nos trae usted ahora, Nicolás?

—Ya sabe usted, señora —dijo Nicolás con aire sombrío—, las de siempre... plagios, asaltos, crímenes por dondequiera, no hay otra cosa.

—¡Misericordia de Dios! —exclamó la señora—; si no es posible vivir ya en este rumbo.[5] Si estoy desesperada y no sé cómo salir de aquí.

—A propósito —continuó Nicolás—; si usted insiste, señora, en su deseo de irse a México y ya que ha rehusado usted mis servicios para acompañarla,[6] pronto se le ofrecerá a usted oportunidad.

—¿Sí? ¿Cómo? —preguntó con ansiedad la señora.

—Hemos sabido que debía haber llegado aquí esta mañana una fuerza de caballería del gobierno, porque salió de Cuernavaca con esta dirección ayer en la tarde, y durmió en Xiutepec; pero al amanecer recibió orden de ir a perseguir a una partida de bandidos que en la misma noche asaltó a una familia rica extranjera, que se dirigía a Acapulco, acompañada de algunos mozos armados. Parece que, precisamente para ver si escapaba de los ladrones, esa familia salió de Cuernavaca ya de noche y caminando aprisa

4. I grew tired (of it)
5. in this place
6. since you won't let me accompany you

410

para llegar hoy temprano a Puente de Ixtla o San Gabriel. Pero cerca de Alpuyeca la estaba esperando una partida de *plateados.* Los extranjeros que iban con la familia se defendieron, pero los mozos hicieron traición y se pasaron con los bandidos, de modo que los pobres extranjeros quedaron allí muertos con su familia, que también pereció. Ahí tienen ustedes el por qué la fuerza del gobierno, que venía para acá, recibió orden de dirigirse, en combinación con otra que salió de Cuernavaca en persecución de los bandidos.

—¡Ay Dios, Nicolás —dijo con interés la señora—, y usted que se arriesga todas las tardes para venir de Atlihuayán, sólo por vernos![7] Yo le ruego a usted que no lo haga ya.

—¡Ah!, no, señora —respondió Nicolás sonriendo tranquilamente—; en cuanto a mí, pierda usted cuidado. Yo soy pobre, nada tienen que robarme. Además, la distancia de Atlihuayán a acá es muy corta, nada arriesgo verdaderamente con venir. Pero a todo esto, lo que más me importa es tratar de la salida de ustedes. Decía yo que la fuerza que venía a Yautepec se entretiene hoy en seguir a los asaltantes del camino de Alpuyeca, que ya estarán en sus guaridas.[8] Por consiguiente, la fuerza regresará a Cuernavaca y saldrá después para acá. Es tiempo de aprovechar la ocasión y pueden ustedes prepararse para la marcha.

—Ya se ve —dijo la señora— y desde luego vamos a alistarnos.[9] Gracias, Nicolás, por la noticia, y espero que usted vendrá a vernos como siempre para comunicarnos algo nuevo y para que me haga usted el favor de quedarse con mis encargos...; no tengo hombre de confianza más que usted.[10]

¡Adiós! —dijo estrechando la mano de Nicolás, que fue a despedirse en seguida de Manuela, que le alargó la mano fríamente, y de Pilar, que lo saludó con su humilde timidez de costumbre.

---

7. to think that every night you risk your life coming from Atlihuayán, just to see us!
8. hideouts
9. we'll get ready right away
10. to look after my affairs [while I am away]: you are the only person I can trust

Cuando se oyó en la calle el trote del caballo que se alejaba, la señora, que se había quedado triste y callada, suspiró dolorosamente.

—La única pena que tendré —dijo— alejándome de este rumbo, será dejar en él a este muchacho, que es el solo protector que tenemos en la vida. ¡Con qué gusto lo vería yo como mi yerno![11]

—¡Y dale en el yerno,[12] mamá! —dijo Manuela acercándose a la pobre señora y abrazándola cariñosamente—. ¡No pienses en eso! Ya vamos a salir de aquí y tendrás otro mejor.

—Dios quiera que nunca te arrepientas de haberlo rechazado.[13]

—No, mamá, de eso sí puede usted estar segura. Nunca me arrepentiré. ¡Si el corazón se va adonde quiere.... no adonde lo mandan! —añadió lentamente y con risueña gravedad ayudando a la señora a levantarse de su taburete.[14]

La noche había cerrado, en efecto; el rocío,[15] tan abundante en las tierras calientes, comenzaba a caer; las sombras de la arboleda de la huerta se hacían más intensas a causa de la luz de la luna, que comenzaba a alumbrar, y la familia entró en sus habitaciones.

4.

EL ZARCO [1]

A la sazón que[2] esto pasaba en Yautepec, a un costado de la hacienda de Atlihuayán, y por un camino pedregoso y empinado[3] que bajaba de las montañas y que se veía flan-

---

11. I should have liked so much to have him as a son-in-law!
12. Forget the son-in-law!
13. I only hope you'll never regret having refused him.
14. stool
15. dew

1. The Blue-Eyed One, nickname of the bandit leader, so called on account of his blue eyes
2. while
3. by a precipitous stony path

queado por altas malezas y coposos árboles,[4] descendía poco a poco y cantando, con voz aguda y alegre, un gallardo jinete montado en brioso alazán.[5]

El jinete lo contenía a cada paso, y en la actitud más tranquila parecía abandonarse a una silenciosa meditación, cruzando una pierna sobre la cabeza de la silla,[6] mientras que entonaba, repitiéndola distraído, una copla de una canción extraña,[7] compuesta por bandidos y muy conocida entonces en aquellos lugares:

> *Mucho me gusta la plata,*
> *pero más me gusta el lustre,*[8]
> *por eso cargo mi reata*[9]
> *pa' la mujer que me guste.*

Por fin, al dar vuelta un recodo del camino,[10] los árboles fueron siendo más ralos, las malezas más pequeñas,[11] el sendero se ensanchaba y era menos áspero, parecía que la colina ondulaba suavemente y todo anunciaba la proximidad de la llanura. Luego que el jinete observó este aspecto menos salvaje que el que había dejado atrás de él, se detuvo un instante, alargó la pierna que traía cruzada, se estiró perezosamente, se afirmó en los estribos,[12] examinó con rapidez las dos pistolas que traía en la cintura y el mosquete que colgaba en la funda de su silla,[13] al lado derecho y atrás, como se usaba entonces; después de lo cual desenredó cuidadosamente la banda roja de lana que abrigaba su cuello, y volvió a ponérsela, pero cubriéndose con ella el rostro hasta cerca de los ojos.[14] Después se desvió un poco

---

4. flanked by dense undergrowth and overhanging trees
5. a handsome horseman riding a spirited sorrel horse
6. with one leg thrown over the pommel
7. while he sang, repeating the same verse over and over, absent-mindedly, of a strange song
8. a good time
9. lariat
10. as he rounded a bend
11. the trees and bushes thinned
12. he stretched lazily, stood up in the stirrups
13. the musket that rested on the leather saddlecloth
14. untied a red woolen scarf which he wore round his neck, and re-arranged it to cover the lower half of his face

del camino y se dirigió a una pequeña explanada que allí había, y se puso a examinar el paisaje.

Ese aspecto tranquilo y apacible de la naturaleza y ese santo rumor de trabajo y de movimiento, que parecía un himno de virtud, no parecieron hacer mella ninguna en el ánimo del jinete,[15] que sólo se preocupaba de la hora, porque después de haber permanecido en muda contemplación por espacio de algunos minutos, se apeó del caballo, estuvo paseándolo un rato en aquella meseta, después apretó el cincho,[16] montó, e interrogando de nuevo a la luna y a las estrellas, continuó su camino cautelosamente y en silencio. A poco estaba ya en la llanura y entraba en un ancho sendero que conducía a la tranca de la hacienda; pero al llegar a una encrucijada[17] tomó el camino que iba a Yautepec, dejando la hacienda a su espalda.

Apenas acababa de entrar en él andando al paso, cuando vio pasar a poca distancia, y caminando en dirección opuesta, a otro jinete que también iba al paso, montado en un magnífico caballo osbcuro.

—¡Es el herrero de Atlihuayán! —dijo en voz baja, inclinando la ancha faja de su sombrero para no ser visto.[18]

Volvió ligeramente la cabeza para ver al jinete, que se alejaba con lentitud:

—¡Qué buenos caballos tiene este indio...! Pero no se deja... ¡Ya veremos! —añadió con acento amenazador.

Y continuó marchando hasta llegar cerca de la población de Yautepec.

Era un joven como de treinta años, alto, bien proporcionado, de espaldas hercúleas[19] y cubierto literalmente de plata. Estaba vestido como los bandidos de esa época, y como nuestros *charros,* los más *charros* de hoy [20] Llevaba

15. left unmoved the horseman
16. tightened his saddle girth
17. to the gates of the estate, but on reaching a fork
18. and pulling the wide brim of his hat down so as to hide his face (lit. not to be seen)
19. broad-shouldered
20. like the most gaudy horsemen today [as an adjective **charro** means showy, gaudy; as a noun, it means a characteristically Mexican horseman dressed in a fancy riding outfit overloaded with trimmings of silver braid, buttons, etc.]

chaqueta de paño obscuro con bordados de plata, calzonera con doble hilera de *chapetones* de plata, unidos por cadenillas y agujetas del mismo metal. Cubríase con un sombrero de lana obscura, de alas grandes, y que tenían tanto encima como debajo de ellas una ancha y espesa cinta de galón de plata bordada con estrellas de oro. Rodeaba la copa redonda y achatada una doble toquilla de plata, sobre la cual caían a cada lado dos chapetas también de plata, en forma de bulas rematando en anillos de oro. Por dondequiera, plata: en los bordados de la silla, en los arzones, en las tapafundas, en las chaparreras de piel de tigre que colgaban de la cabeza de la silla, en las espuelas, en todo.[21]

El jinete estuvo examinando durante algunos segundos el lugar. Todo se hallaba tranquilo y silencioso. El llano y los campos de caña se dilataban a lo lejos, cubiertos por la luz plateada de la luna.[22] Los árboles de las huertas estaban inmóviles. Yautepec parecía un cementerio. Ni una luz en las casas, ni un rumor en las calles. Los mismos pájaros nocturnos parecían dormir, y sólo los insectos dejaban oir sus leves silbidos en los platanares.[23]

La luna estaba en el cenit y eran las once de la noche.

Anduvo al paso y como recatándose por algunos minutos, hasta llegar junto a las cercas de piedra[24] de una huerta extensa y magnífica. Allí se detuvo al pie de un zapote colosal[25] cuyos ramajes cubrían como una bóveda toda la anchura del callejón,[26] y procurando penetrar con la vista en la sombra densísima que cubría el cercado, se contentó con

---

21. he wore a jacket of dark cloth worked with silver, his trousers slit at the seam, were fastened with a double row of silver buttons linked with silver chains and silver-tipped thongs. His dark felt hat, with wide brim, had a silver chinstrap extending across the crown, studded with gold stars. Round the flattened crown itself was a double band of silver, and on each side hung two silver tassels. There was silver everywhere; the saddle was encrusted with silver, the saddle tree, the holsterflap, on the tigerskin leggings hooked to the pommel, the spurs [were of silver], everything.
22. the canefields stretched out under the silvery light of the moon
23. Even the night birds seemed to sleep and only the insects sent out a faint chirping from the banana groves
24. stone walls
25. at the foot of a huge sapota tree
26. whose branches formed a canopy across the lane

articular dos veces seguidas una especie de sonido de llama-
miento: "¡Psst... psst...!" Al que respondió otro de igual
naturaleza, desde la cerca, sobre la cual no tardó en aparecer
una figura blanca.

—¡Manuelita! —dijo en voz baja el *plateado*.

—¡Zarco mío, aquí estoy! —respondió una dulce voz de
mujer.

5.

LA ENTREVISTA [1]

La cerca no era alta; estaba formada de grandes piedras,
entre las cuales habían brotado centenares de trepadoras,[2]
formando un muro espeso, cubierto con una cortina de
verdura. Sobre esta cerca, bajo las sombrías ramas del zapote, Manuelita se había improvisado un asiento para hablar
con el Zarco en sus frecuentes entrevistas nocturnas.

El bandido no se bajaba en ellas de su caballo. Desconfiado hasta el extremo, como todos los hombres de su especie, prefería estar siempre listo[3] para la fuga o para la pelea,
aun cuando hablaba con su amada en las altas horas de la
noche, en la soledad de aquella callejuela desierta y cuando
la población dormía sobresaltada sin atreverse nadie a asomar la cara después de la queda.[4]

Así, bajo aquel secreto profundo, que nadie se hubiera
atrevido a adivinar, Manuela salía a hablar con su amante
con toda la frecuencia que permitían a éste sus arriesgadas
excursiones de asalto y de pillaje.[5]

—Tenía yo miedo de que no vinieras esta noche y te
esperaba ya con ansia —dijo Manuela, palpitante de pasión
y de zozobra.[6]

1. the interview, i.e. secret meeting, in this case
2. creepers
3. ready [to make a quick getaway or to fight]
4. curfew
5. dangerous forays, with murder and plunder
6. anxiety

—Pues por poco no vengo, mi vida[7] —respondió el Zarco, arrimándose a la cerca y tomando entre las suyas las manos trémulas de la joven—. Hemos tenido pelea anoche; por poco me mata un *gringo* maldito...[8] ¿Pero, qué tienes? ¡Estás temblando! ¿Por qué me esperabas con ansia?

—Dime, ¿estuviste tú en lo de Alpuyeca?

—Sí, precisamente yo mandaba la fuerza. ¿Por qué me preguntas eso? ¿Cómo lo has sabido tan pronto?

—Pues ahora verás: estuvo, como siempre, hoy en la tarde el fastidioso herrero.[9] Le contó a mamá que una tropa de caballería del gobierno había salido ayer de Cuernavaca con dirección a Yautepec, pero que hoy por la mañana recibió orden para perseguir a una partida que había matado a unos extranjeros en Alpuyeca, anoche, y que se fue para allá...

—Ya lo sabíamos... diz que nos van a cargar fuerzas...,[10] figúrate, ¡doscientos hombres a lo más!... y, ¿qué más?

—Bueno; pues que siguió diciendo que esa caballería del gobierno no cogerá a ninguno, y que volverá a tomar la dirección de Yautepec para continuar su marcha. Que entonces podríamos aprovechar la oportunidad para irnos con la tropa.

—¿Ustedes?

—Sí, nosotras, y mi madre dijo que le parecía buena la idea; que nos íbamos a disponer para irnos.[11]

—¡Imposible! —exclamó el bandido con violencia—, ¡imposible! Se irá ella, pero tú no; primero me matan.[12]

—Pero, ¿cómo hacemos entonces?

—Niégate.[13]

—¡Ah!, sería inútil, Zarco, tú no conoces a mi mamá; cuando dice una cosa, la cumple; cuando manda algo, no se le puede replicar. Hartos disgustos tengo todos los días

---

7. I nearly didn't, my darling
8. I was nearly killed by a damned gringo
9. The boring blacksmith has been here as usual
10. they think they can crush us!
11. that we should get ready to leave
12. only over my dead body (lit. they shall kill me first)
13. Refuse (to go)!

porque me quiere casar a fuerza con el indio, y por más que le manifiesto mi resolución de no unirme a ese hombre, por más que le hago desaires a éste, y que le he dicho en su cara muchas veces que no le tengo amor, mi madre sigue en su porfía. Pero en esto puedo desobedecer porque alego mi falta de cariño, pero en lo de irnos...[14] ya tú ves que es imposible.

—Pues, déjame pensar —dijo el Zarco poniéndose a reflexionar.

—Si tienes otro medio... el de casarnos por ejemplo —insinuó ella.

—¿Casarnos?

—Sí, y, ¿por qué no?

—Pero para eso sería preciso que te sacara yo de aquí, que te robara yo, que te fueras conmigo a Xochimancas mientras..., y después emprenderíamos el viaje a otra parte.

—Pues bien —replicó la joven resueltamente, después de reflexionar un momento—; puesto que no queda más que ese remedio, sácame de aquí, me iré contigo adonde quieras.

—Pero, ¿te avendrás[15] a la vida que llevo, siquiera por estos días? Tengo miedo de que te enfades, de que llores, acordándote de tu mamá y de Yautepec..., de que me eches la culpa de tu desgracia, de que me aborrezcas.

—Eso nunca, Zarco, nunca; yo pasaré cuantos trabajos vengan,[16] yo también sé montar a caballo, y ayunaré y me desvelaré,[17] y veré todo sin espantarme con tal de estar a tu lado. Yo quiero, en efecto, mucho a mi mamá, aunque de pocos días a esta parte me parezca que la quiero menos; sé que le voy a causar tal vez la muerte, pero te prometo no llorar cuando me acuerde de ella, con la condición de que tú estes conmigo, de que me quieras siempre, como yo te quiero, de que nos vayamos pronto de este rumbo.

14. when it comes to going (with her to Mexico City)
15. will you be able to adjust yourself [or be reconciled]
16. I'm capable of enduring all sorts of hardships
17. I can go without food and sleep

Así es que tan pronto como el Zarco estuvo seguro de que la joven se hallaba resuelta a arrostrarlo todo con tal de seguirlo,[18] se sintió feliz, y toda la sangre de sus venas afluyó[19] a su corazón en aquel momento supremo.

—Bueno —dijo, separándose de los brazos de Manuela—; entonces no hay más que hablar, te sales conmigo y nos vamos...

—¿Ahora? —preguntó ella con cierta indecisión.

—No, no ahora —contestó el bandido—; ahora es tarde y no podrías prepararte. Mañana; vendré por ti a la misma hora, a las once. No des en qué sospechar para nada a tu madre; estate en el día como si tal cosa, con mucho disimulo;[20] no saques más ropa que la muy necesaria. Allá tendrás toda la que quieras; pero saca tus alhajas[21] y el dinero que te he dado; guardas todo eso aparte, ¿no es verdad?

—Sí, lo tengo en un baulito, enterrado.[22]

—Pues bien; sácalo y me aguardas aquí mañana, sin falta.

—Y, ¿si por casualidad llegara la tropa del gobierno? —preguntó Manuela con inquietud.

—No, no vendrá, estáte segura. La tropa del gobierno habrá andado todo el día de hoy buscándonos; luego, como tienen esos soldados una caballada tan flaca y tan miserable, descansarán todo el día de mañana, y a lo sumo volverán a Cuernavaca pasados cuatro días. Así es que tenemos tiempo. Tú puedes alistar[23] tus baúles con tu mamá como preparándote para el viaje a México, y no dejas fuera más que la ropa que te has de traer. Si por desgracia ocurriese alguna dificultad que te impida salir a verme, me avisarás luego con la vieja, que me ha de aguardar donde sabe, para darme aviso. Toma —añadió, sacando de los bolsillos de su chaqueta unas cajitas y entregándoselas a la joven.

—¿Qué es esto? —preguntó ella recibiéndolas .

18. to face [any hardship] as long as she be allowed to follow him
19. flowed
20. Don't let your mother suspect anything — act during the day as if nothing were happening, hiding your feelings
21. jewels
22. I keep everything in a little trunk, [which I] buried
23. to get ready

—Ya las verás mañana y te gustarán... ¡Son alhajas! Guárdalas con las otras —dijo el bandido abrazándola y besándola por último—. Ahora me voy, porque ya es hora; apenas llegaré amaneciendo a Xochimancas; hasta mañana, mi vida.

6.

LA ADELFA [1]

Tan pronto como la joven perdió de vista a su amante, se apresuró a bajar del cercado por la escalinata natural que formaban las raíces del zapote,[2] y se encaminó apresuradamente hacia un sitio de la huerta en que un grupo de arbustos y de matorrales formaban una especie de pequeño soto espeso y obscuro a orillas de un remanso que hacían allí las aguas tranquilas del *apantle*.[3] Luego sacó de entre las plantas una linterna sorda[4] y se dirigió en seguida, abriéndose paso por entre los arbustos, hasta el pie de una vieja y frondosa adelfa que, cubierta de flores aromáticas y venenosas, dominaba por su tamaño las pequeñas plantas del soto. Allí, en un montón de tierra cubierto de grama,[5] la joven se sentó, y alumbrándose con la linterna, abrió con manos trémulas y palpitando de impaciencia las tres cajitas que acababa de regalarle el bandido.

—¡Ah, qué lindo! —exclamó con voz baja, al ver un anillo de brillantes, cuyos fulgores la deslumbraron—.[6] ¡Eso debe valer un dineral![7] —añadió sacando el anillo y colocándolo sucesivamente en los dedos de su mano izquierda, y haciéndolo brillar a todos lados—. ¡Si esto parece el sol!

1. The Oleander Tree
2. using the natural ladder formed by the roots of the sapota tree
3. formed a sort of small dense and dark grove beside a quiet backwater of the irrigation ditch
4. dark lantern
5. grassy mound
6. a diamond ring whose brilliance dazzled her
7. This must be worth a fortune

Luego, dejándose puesto el anillo, abrió la segunda caja. Eran dos pulseras en forma de pequeñas serpientes, todas cuajadas de brillantes, y cuyos anillos de oro esmaltados de vivos colores[8] les daban una apariencia fascinadora.

Después abrió la tercera caja. Esta contenía dos pendientes, también de gruesos brillantes.[9]

—¡Ah, qué hermosos aretes![10] —dijo—. ¡Parecen de reina![11] —y cuando los hubo contemplado en la caja, los sacó y se los puso en las orejas, habiéndose quitado antes sus humildes zarcillos de oro.[12]

Pero al guardar éstos, reparó[13] en una cosa que no había visto y que la hizo ponerse lívida. Acababa de ver dos gotas de sangre fresca que manchaban el raso blanco de la caja, y que debían haber salpicado[15] también los pendientes. Además, la caja estaba descompuesta; no cerraba bien.[16]

Manuela permaneció muda y sombría durante algunos segundos; hubiérase dicho que en su alma se libraba un tremendo combate entre los últimos remordimientos de una conciencia ya pervertida y los impulsos irresistibles de una codicia desenfrenada y avasalladora.[17] Triunfó ésta, como era de esperarse, y la joven, en cuyo hermoso semblante se retrataban entonces todos los signos de la vil pasión que ocupaba su espíritu, cerró la caja prontamente, la apartó con desdén, y no pensó más que en ver el efecto que hacían los ricos pendientes en sus orejas.

Entonces tomó su linterna, y levantándose así adornada como estaba con su anillo, pulseras y aretes, se dirigió a la orilla del remanso, y allí se inclinó, alumbrándose con la

---

8. two bracelets shaped like small serpents, encrusted with diamonds, and whose gold links, enamelled in brilliant colors
9. earrings, also in huge diamonds
10. earrings
11. fit for a queen
12. her own simple gold earrings
13. she noticed
14. that stained the white satin
15. bespattered
16. the box was broken and did not shut properly
17. within her raged a fierce struggle between the last remorse of a conscience already perverted and the irresistible impulse of uncontrolled, overwhelming greed

linterna el rostro,[18] procurando sonreir, sin embargo, presentando en todas sus facciones la especie de dureza altanera que es como el reflejo de la codicia y de la vanidad, y que sería capaz de afear[19] el rostro ideal de un ángel.

Manuela aún permaneció algunos momentos mirándose en el remanso y recatándose a cada ruido[20] que hacía el viento entre los árboles, y luego volvió al pie de la adelfa, se quitó sus joyas y las guardó cuidadosamente en sus cajas; hecho lo cual lanzó una mirada en torno suyo, y viendo que todo estaba tranquilo, sacó de entre las matas una pequeña pala,[21] y removiendo con ella la tierra, en cierto sitio cubierto de musgo,[22] puso al descubierto un saco de cuero, que se apresuró a abrir con una llavecita[23] que llevaba guardada. Luego introdujo en la boca la linterna, para cerciorarse de si estaba allí su tesoro, que consistía en alhajas envueltas en papeles, y cintos de cuero llenos de onzas de oro y de pesos de plata.[24]

Después metió cuidadosamente en el saco las cajas que acababa de darle el Zarco, y enterró de nuevo el tesoro, cubriéndolo con musgo y haciendo desaparecer toda señal de haber removido el suelo.

7.

QUIEN ERA EL ZARCO

Entre tanto, y a la sazón que Manuela examinaba sus nuevas alhajas, el Zarco, después de haber dejado las orillas de Yautepec, y de haber atravesado el río con la misma

---

18. she went to the bank of the irrigation ditch and leant over the water, letting the light from the lantern illumine her face
19. to distort, to make ugly
20. starting at every sound
21. a small shovel
22. moss-covered spot
23. she uncovered a leather bag which she hurried to unlock with a little key
24. leather belts heavy with gold and silver coins

precaución que había tenido al llegar, se dirigió por el amplio camino de la hacienda de Atlihuayán al montañoso donde había descendido y que conducía a Xochimancas.

Era la medianoche, y la luna, entre espesos nubarrones,[1] dejaba envuelta la tierra en sombras. La calzada[2] de Atlihuayán estaba completamente solitaria, y los árboles que la flanqueaban por uno y otro lado proyectaban una obscuridad siniestra y lúgubre, que hacían más densa los fugaces arabescos que producían los cocuyos.[3]

El bandido conocedor de aquellos lugares, acostumbrado a ver un poco en la obscuridad, y más que todo, fiado de su caballo, que al más insignificante ruido aguzaba las orejas[4] marchaba paso a paso, con entera tranquilidad, pensando en la próxima dicha que le ofrecía la posesión de Manuela.

Jamás desde que, siendo niño todavía, abandonó el hogar de su familia, había sentido la necesidad imperiosa de unirse a otro ser, como la sentía ahora de unirse a aquella mujer, tan bonita y tan apasionada, que encerraba para él un mundo de inesperadas dichas.

Así repasando en su memoria todas las escenas de su niñez y de su juventud, encontraba que su carácter bravío y duro había rechazado siempre todo cariño,[5] no habiendo cultivado sino aquellos de que había sacado provecho. Hijo de honrados padres, trabajadores en aquella comarca, que habían querido hacer de él un hombre laborioso y útil, pronto se había fastidiado del hogar doméstico,[6] en que se le imponían tareas diarias o se le obligaba a ir a la escuela, y aprovechándose de la frecuente comunicación que tienen las poblaciones de aquel rumbo con las haciendas de caña de azúcar, se fugó, yendo a acomodarse al servicio del caballerango[7] de una de ellas.

1. thick, threatening clouds
2. highway
3. the fleeting arabesques that the glowworms produce
4. confident that his horse would prick up its ears at the slightest sound
5. had always spurned all affection
6. he soon tired of home life
7. he offered his services to the owner

Allí permaneció algún tiempo, logrando después, cuando ya estaba bastante diestro en la equitación y en el arte de cuidar caballos, colocarse en varias haciendas, en las que duraba poco, a causa de su conducta desordenada, pues haragán por naturaleza, consagraba sus largos ocios al juego.[8]

El no había amado a nadie, pero en cambio odiaba a todo el mundo: al hacendado rico cuyos caballos ensillaba,[9] al obrero que recibía cada semana buenos salarios por su trabajo, al labrador acomodado,[10] que poseía tierras y buena casa, a los comerciantes de las poblaciones cercanas, que poseían tiendas bien abastecidas,[11] y hasta a los criados, que tenían mejores sueldos que él. Era la codicia, complicada con la envidia impotente y rastrera,[12] la que producía este odio singular y esta ansia frenética de arrebatar aquellas cosas a toda costa.[13]

El era joven, no tenía mala figura: su color blanco impuro, sus ojos de ese color azul claro que el vulgo llama *zarco,* sus cabellos de un rubio pálido y su cuerpo esbelto y vigoroso, le daban una apariencia ventajosa; pero su ceño adusto, su lenguaje agresivo, su risa aguda y forzada, le habían hecho poco simpático a las mujeres.[14] Además, él no había encontrado una bastante hermosa a quien ser agradable.

Por fin, cansado de aquella vida de servidumbre, de vicio y de miseria, el Zarco huyó de la hacienda en que estaba, llevándose algunos caballos para venderlos en la tierra fría.[15] Como era de esperarse, fue perseguido; pero ya en este tiempo, al favor de la guerra civil, se había desatado en la tierra fría cercana a México una nube de bandidos que no tardó en invadir las ricas comarcas de la tierra caliente.

---

8. for he was unruly and idle by nature and devoted much of his long periods of leisure to gambling
9. whose horses he saddled
10. rich farmer
11. well-stocked shops
12. base
13. frantic desire to grab those things at all cost
14. his sullen expression and coarse language, his strident, forced laughter, made little appeal to women
15. highlands

El Zarco se afilió[16] en ella inmediatamente, y desde luego, y como si no hubiera esperado más que esa oportunidad para revelarse en toda la plenitud de su perversidad, comenzó a distinguirse entre aquellos facinerosos[17] por su intrepidez,[18] por su crueldad y por su insaciable sed de rapiña.[19]

El Zarco era uno de los jefes más renombrados,[20] y las noticias de sus infames proezas,[21] de sus horribles venganzas en las haciendas en que había servido, de su fría crueldad y de su valor temerario[22] le habían dado una fama espantosa.

Obligadas las tropas liberales, por un error lamentable y vergonzoso, a aceptar la cooperación de estos bandidos en la persecución que hacían al faccioso reaccionario[23] Márquez en su travesía[23] por la tierra caliente, algunas de aquellas partidas se presentaron formando cuerpos irregulares, pero numerosos , y uno de ellos estaba mandado por el Zarco. Entonces, y durante los pocos días que permaneció en Cuernavaca, fue cuando conoció a Manuela, que se había refugiado con su familia en esa ciudad. El bandido ostentaba[25] entonces un carácter militar, sin dejar por eso los arreos vistosos[26] que eran como característicos de los ladrones de aquella época y que les dieron el nombre de *plateados*, con el que fueron conocidos generalmente.

El general González Ortega, conociendo el grave error que había cometido dando cabida[27] en sus tropas a varias partidas de *plateados*, que no hicieron más que asolar las poblaciones[28] que atravesaba el ejército y desprestigiarlo,[29] no tardó

16. joined
17. gangsters
18. daring
19. lit. insatiable thirst for plundering
20. notorious
21. infamous deeds
22. reckless bravery
23. rebellious reactionary leader
24. passage, i.e. who ranged across the tierra caliente
25. who, with her family, had taken refuge in that city. The bandit showed
26. gaudy trappings
27. in recruiting
28. whose sole aim was to plunder the villages
29. to bring it into disrepute

en perseguirlas, fusilando[30] a varios de sus jefes. Para salvarse de semejante suerte, el Zarco se escapó una noche de Cuernavaca con sus bandidos y se dirigió al sur de Puebla, donde estuvo por algunos meses ejerciendo terribles depredaciones.[31]

Por fin, los *plateados* establecieron su guarida principal en Xochimancas, y el Zarco no tardó en saber que Manuela había vuelto a Yautepec, donde residía con su familia. Naturalmente, procuró desde luego reanudar[32] sus relaciones apenas interrumpidas y pudo cerciorarse[33] de que Manuela la amaba todavía.

Entre tanto, sus crímenes aumentaban de día en día; sus venganzas sobre sus antiguos enemigos de las haciendas eran espantosas y el pavor que inspiraba su nombre[34] había acobardado a todos. Los mismos hacendados, sus antiguos amos, habían venido temblando a su presencia a implorar su protección y se habían constituido en sus humildes y abyectos servidores, y no pocas veces, él, antiguo mozo de estribo,[35] había visto tener la brida[36] de su caballo al arrogante señorón de la hacienda a quien antes había servido humilde.

8.

EL BUHO [1]

El Zarco se hallaba, pues, en la plenitud de su orgullo satisfecho.[2] Había realizado parte de sus aspiraciones. Era temido, se había vengado;[3] sus numerosísimos robos le habían producido un botín cuantioso;[4] disponía a discreción del bol-

---

30. executing
31. pillaging, most atrociously [the countryside]
32. to renew
33. to find out
34. frightful, and the terror his name inspired
35. stirrup boy
36. holding the bridle

1. The Owl
2. at the height of his glory (lit. of his satisfied pride)
3. He was feared, he was avenged
4. he had amassed a huge fortune

sillo de los hacendados. Cuando necesitaba una fuerte cantidad de dinero, se apoderaba de un cargamento de azúcar o de aguardiente o de un dependiente rico, y los ponía a rescate;[5] cuando quería imponer contribución a una hacienda, quemaba un campo de cañas, y cuando quería infundir pavor a una población, asesinaba al primer vecino infeliz a quien encontraba.

Pero satisfecha su sed de sangre y de rapiña, sentía que aún le faltaba alguna cosa. Eran los goces del amor, la pasión de una mujer hermosa, joven, de una clase social superior a la suya, y que lo amara sin reserva y sin condición.

Manuela habría sido para él una mujer imposible cuando en la comitiva servil del rico hacendado atravesaba los domingos las calles de Yautepec. Entonces, era seguro que la linda hija de una familia acomodada, vestida con cierto lujo aldeano, y que recibía sonriendo en su ventana las galantes lisonjas[7] de los ricos dueños de hacienda, de los gallardos dependientes que caracoleaban en briosos caballos, llenos de plata,[8] para lucirse delante de ella, no se habría fijado ni un instante en aquel criado descolorido y triste, mal montado en una silla pobre y vieja, y en un caballo inferior, y que se escurría silenciosamente en pos de sus amos.

Y ahora que él montaba los mejores caballos del rumbo, que iba vestido de plata, que era temido, que veía a sus pies a los ricos de las haciendas; ahora que él podía regalar alhajas que valían un capital; ahora, esa joven, la más hermosa, de Yautepec, lloraba por él, lo esperaba palpitante de amor todas las noches, iba a bandonar por él a su familia y a entregarse sin reserva; la iba a mostrar a sus compañeros, a pasearla por todas partes a su lado y a humillar con ella a los antiguos dependientes.

5. brandy (**aguardiente**), or kidnap a rich manager and hold him to ransom
6. among the servants of the rich ranch owner
7. gallantries
8. the elegant managers who rode (lit. cavorted) past her window on richly caparisoned horses
9. who slinked silently after his master

427

Tal consideración daba al amor que el Zarco sentía por Manuela un acre y voluptuoso sabor de venganza,[10] sobre la misma joven y sobre los demás, juntamente con un carácter de vanidad insolente.

El Zarco llegaba aquí en sus cavilaciones[11] cuando le detuvo sobresaltado el canto repentino y lúgubre de un búho, que salía de las ramas frondosas de un *amate* gigantesco,[12] frente al cual estaba pasando.

—¡Maldito *tecolote!*[13] —exclamó en voz baja, sintiendo circular en sus venas un frío glacial—. ¡Siempre le ocurre cantar cuando yo paso! ¿Qué significa esto? Quedó sumergido un momento en negras reflexiones, pero repuesto a poco, espoleó su caballo, con ademán despreciativo:[14]

—¡Bah! ¡Esto no le da miedo más que a los indios, como el herrero de Atlihuayán; yo soy blanco y güero...;[15] a mí no me hace nada.

Y se alejó al trote para la montaña.[16]

9.

LA FUGA [1]

Al día siguiente, Nicolás, el herrero de Atlihuayán vino, como de costumbre, en la tarde, a hacer su visita a la madre de Manuela y la encontró preocupada[2] y triste. La joven estaba durmiendo y la señora se hallaba sola en el pequeño patio en que la encontramos la tarde anterior...

10. a keen, voluptuous flavor of revenge
11. cavilling
12. he was startled by the sudden, mournful hooting of an owl which flew out of the leafy branches of a huge fig-tree
13. Curse that owl! [**tecolote,** derives from the Aztec **tecolotl,** an owl. According to Aztec superstitions an owl's hooting is a summons to death]
14. but recovering himself, he spurred on his horse
15. blond
16. he set off for the mountains at a gallop

1. The Elopement
2. worried

—¿Hay alguna noticia nueva? —preguntó doña Antonia al joven artesano.

—Sí, señora —respondío éste—; parece que la caballería del gobierno llegará, por fin, mañana. Es preciso que estén ustedes dispuestas, porque sé que no permanecerá ni un día y que se va pasando para Cuautla y de allí se dirige a México.

—Yo estoy lista ya enteramente —respondió doña Antonia—. Todo el día nos hemos pasado arreglando los baúles y recogiendo mi poco dinero. Además, he ido a ver al juez para que extendiera un poder, que voy a dejar a usted[3] —añadió, tomando de su cesto de costura[4] un papel que dio a Nicolás—. Usted se encargará, si me hace favor, de vender esta huerta, lo más pronto posible, o de arrendarla, pues según están las cosas, no podemos volver pronto y estoy aburrida de tanto sufrir aquí. Si usted se va a México, allá nos encontrará como siempre y quizá entonces se habrá cambiado el ánimo de Manuela.[5]

—No lo creo, señora —se apresuró a responder Nicolás—. Yo he acabado por conocer que es imposible que Manuelita me quiera. Le causo una repugnancia que no está en su mano remediar. Así es que me parece inútil pensar ya en eso. ¡Cómo ha de ser![6] —añadió suspirando—, uno no puede disponer de su corazón. Dicen que el trato engendra el cariño. Ya ve usted que esto no es cierto, porque si del trato dependiera, yo me he esmerado en ser agradable a la niña, pero mis esfuerzos siempre han encontrado por recompensa su frialdad, su alejamiento, casi su odio..., porque yo temo hasta que me aborrezca.[7]

—No, Nicolás, eso no; ¡aborrecerlo a usted!, ¿por qué? ¿No ha sido usted nuestro protector desde que murió mi marido? Lo que sucede es que esta muchacha es tonta, es caprichosa; yo no sé a quién ha sacado,[8] pero su carácter me

3. to draw up the power of attorney I'm leaving you
4. sewing basket
5. as much your friends as ever, and by then Manuela may have changed her mind
6. It can't be helped!
7. I fear she even hates me
8. whom she takes after

parece extraño, particularmente desde hace algunos meses. No quiere hablar con nadie, cuando antes era tan parlanchina[9] y tan alegre. No quiere rezar, cuando antes era tan piadosa; no quiere coser, cuando antes se pasaba los días discurriendo la manera de arreglar los vestidos o de hacerse nuevos;[10] no quiere nada. Hace tiempo que noto en ella no sé qué cosa tan extraña[11] que me da en qué pensar. Hoy mismo ha pasado una cosa rara; luego que le anuncié que era necesario disponer[12] los baúles para irnos a México; tan pronto como vió que esto era de veras, que volví trayendo un dinerito y que comencé a arreglar todas mis cosas, primero se puso alegre y me abrazó diciéndome que era una dicha, que por fin iba a conocer a México; que había sido su sueño; que allí iba a estar alegre, pues que su tristeza tenía por causa la situación horrorosa que guardamos, hace tantos meses. Como es natural, yo me había figurado lo mismo, y por eso no había hecho tanto reparo en el cambio de su carácter, pues era de suponerse que una muchacha como ella, que está en la edad de divertirse, de pasear, debía estar fastidiada de nuestro encierro. Así que también yo me puse alegre de verla contenta, pensando en el viaje. Pero luego ha vuelto a su tristeza, y al sentarnos a comer, observé que ya estaba de mal humor, que casi no quería probar bocado[13] y que aún tenía deseos de llorar. Luego, no he podido distraerla, y después de componer su ropa en un baúl, al ir a verla la encontré dormida en su cama. ¡Ha visto usted cosa igual! Pues si fuera porque nos vamos de Yautepec, ¿por qué ha estado triste viviendo aquí?

—Señora —preguntó Nicolás, que había escuchado atento y reflexivo—, ¿no tendrá aquí algún amor?, ¿no dejará aquí alguna persona a quien haya querido o a quien quiera todavía, sin que se lo haya dicho a usted?

—Esto me he preguntado algunas veces, pero no creo que haya nada de lo que usted dice. Algunos jóvenes del

9. talkative
10. figuring out how to alter her dresses or making new ones
11. something so strange
12. to make ready
13. she wouldn't eat a thing

pueblo suelen pasar por aquí y la ven con algún interés, pero ella les muestra mucho desprecio y cierra la ventana tan luego como los ha visto acercarse. No han vuelto ya. Manuela encuentra fastidiosos a los pocos que conoce. En fin, yo estoy segura de que no quiere a ninguno del pueblo, y por eso al principio de este año, cuando comenzó usted a visitarnos, creí que iba inclinándose a usted y que arreglaríamos fácilmente lo que teníamos pensado.

—Pues ya ve usted, señora —contestó Nicolás amargamente—, que no era cierto, y que Manuelita me ha considerado más fastidioso que a los muchachos de Yautepec. Yo no soy ingrato, señora, y crea usted que mientras viva yo me portaré con usted como un hijo reconocido y cariñoso, sin interés de nada y siempre que no sirva de obstáculo a la felicidad de Manuelita.

—¡Ah, Nicolás!, ¡qué bueno es usted y qué noble! —dijo la señora con ternura—; acepto todo lo que usted me ofrece, y a mi vez le aseguro que en mí tendrá siempre una segunda madre.

Luego al sentir que se alejaba, exclamó llorando:

—¡Oh!, ¡qué desgraciada soy en no tener a este hombre por yerno![14]

Manuelita se despertó cuando ya estaba anocheciendo, y a la luz de la bujía, doña Antonia observó que tenía los ojos encarnados...[15]

—¿Estás mala, hija? —le preguntó afectuosamente.

—Me duele mucho la cabeza, mamá —contestó la joven.

—¿Tendrás calentura? —dijo la madre inquieta.

—No —replicó Manuelita, tranquilizándola—; no es nada, me levanté esta mañana muy temprano y, en efecto, he comido poco. Voy a tomar algo y volveré a acostarme, porque lo que siento es sueño; pero tengo apetito y esa es buena señal.

La pobre madre, ya muy tranquila, dispuso la cena, que Manuela tomó con alegría y apetito, después de lo cual re-

14. son-in-law
15. in the light of the candle, Doña Antonia noticed that her eyes were red

zaron las dos sus devociones, y tras de una larga conversación sobre sus arreglos de viaje[16] y sus nuevas esperanzas, la señora se retiró a su cuarto, contiguo al de Manuela y apenas dividido de éste por un tabique.[17]

A la sazón caía un aguacero terrible, uno de esos aguaceros de las tierras calientes, mezclados de relámpagos y truenos.[18] La lluvia producía un ruido espantoso en el tejado[19] y los árboles de la huerta, azotados por aquel torrente, parecían desgajarse.[20]

Inútil es decir que la joven no cerró los ojos. Aquella era la noche de la fuga concertada con el Zarco; él debía venir infaliblemente[21] y ella tenía que esperarlo ya lista con su ropa y el saco que contenía el tesoro, que era preciso ir a sacar al pie de la adelfa.

Esta tempestad repentina contrariaba mucho a Manuela. Si no cesaba antes de medianoche, iba a hacer un viaje molestísimo,[22] y aun cesando a esa hora, iba a encontrar la huerta convertida en charco y a bañarse completamente debajo de los árboles.[23]

Cuando ella conoció que era aproximadamente la hora señalada, se levantó de puntillas, con los pies desnudos,[24] bien cubierta la cabeza y espaldas con un abrigo de lana y alzando su enagua hasta la rodilla,[25] abrió la puerta de su cuarto, quedito,[26] y se lanzó al patio, alumbrándose con su linterna sorda, que cubría cuidadosamente.

Era la última vez que salía de la casa materna, y apenas concedió un pensamiento a la pobre anciana que dormía descuidada y confiando en el amor de su hija querida.

16. the arrangements for their journey
17. adjoining Manuela's and separated from hers only by a thin partition
18. a terrible cloudburst accompanied by thunder and lightning [typical of the tropical storms of the tierra caliente]
19. roof
20. lashed by that torrent, seemed to be shorn of branches
21. without fail
22. If the rain did not stop before midnight she would have a very uncomfortable journey
23. the orchard would have become a puddle and she would get completely soaked under the trees
24. on tiptoe, barefooted
25. a woolen shawl, and tucking up her skirt to her knees
26. stealthily

Atravesó rápidamente el patio, se internó entre la arboleda, pasó el *apantle* que rodeaba el soto de la adelfa, y allí, escarbando[27] de prisa, sin preocuparse de la lluvia que la había empapado completamente, y sólo cuidando de que la linterna no se apagase, extrajo el saco del tesoro, lo envolvió en su rebozo[28] y se dirigió a la cerca, trepando[29] por las raíces del amate hasta el lugar en que solía esperar al Zarco.

Apenas acababa de llegar, cuando oyó el leve silbido con que su amante se anunciaba,[30] y a la luz de un relámpago pudo distinguirlo, envuelto en su negra capa de hule y arrimándose al cercado.[31]

Pero no venía solo. Acompañábanle otros tres jinetes, envueltos como él en sendas capas y armados hasta los dientes.[32]

—¡Maldita noche! —dijo el Zarco, dirigiéndose a su amada—. Temí que no pudieras salir, mi vida, y que todo se malograra hoy.[33]

—¡Cómo no, Zarco! —respondió ella—; ya has visto siempre que cuando doy mi palabra la cumplo.[34] Era imposible dejar esto para otra ocasión, pues mañana llega la tropa y tal vez tendríamos que salir inmediatamente.

—Bueno; ¿ya traes todo?

—Todo está aquí.

—Pues ven; cúbrete con esta capa —dijo el Zarco alargando una capa de hule a la joven.

—Vámonos, vámonos —dijo ella palpitante—. ¿Quiénes son esos?

Son mis amigos, que han venido a acompañarme por lo que se ofreciera...[35] Vamos, pues; adelante, muchachos,

27. digging
28. she wrapped it up in her shawl
29. climbing
30. She had only barely arrived when she heard her lover's low whistle
31. wrapped in a black oilskin, drawing toward the wall
32. wrapped each one in oilskin and heavily armed (lit. armed to the teeth)
33. everything would be spoilt today
34. Of course! (i.e. You shouldn't have worried), you know that when I give my word I keep it
35. in case of trouble

y antes de que crezca el río —dijo el Zarco, picando su caballo, en cuya grupa había colocado a la hermosa joven.[36]

Y el grupo de jinetes se dirigió apresurado a orillas del pueblo, atravesó el río, que ya comenzaba a crecer, y se perdió entre las más espesas tinieblas.

10.

¡ROBADA!

Doña Antonia había dormido mal. Después de su primer sueño, que fue tranquilo y pesado, los múltiples ruidos de la borrasca[1] acabaron por despertarla. Agitada después por diversos pensamientos y preocupaciones a causa de su viaje próximo, comenzó a revolverse en su lecho.[2]

Parecíale haber escuchado a través de los lejanos bramidos del trueno,[3] y de los ruidos de la lluvia y del viento entre los árboles, algunos rumores extraños; pero atribuyó esto a aprensión suya. De buena gana se habría levantado para ir al cuarto de Manuela a fin de conversar o rezar un momento en su compañía; pero temió interrumpir el sueño de la niña.

Así es que, después de haber pasado largas horas en aquella situación penosísima, luchando con ideas funestas y atormentadoras,[4] y con el calor sofocante que había en su cuarto oyó que el temporal cesaba, que los árboles parecían quedarse quietos, y que los gallos comenzaban a cantar. Acabó por quedarse dormida de nuevo, para no despertar sino muy tarde y cuando los primeros rayos del sol penetraron por las rendijas del cuarto.[5]

---

36. before the river rises, said El Zarco spurring his horse, on the rump of which he had placed the beautiful girl.

1. storm
2. to toss and turn on her bed
3. distant claps (lit. roars) of thunder
4. fighting back her dark borebodings (lit. struggling with dreadful and tormenting ideas)
5. through the crevices of her room

Entonces se levantó apresuradamente y corrió al cuarto de su hija.

No la encontró, vio la cama deshecha,[6] pero supuso que se habría levantado mucho antes que ella y que estaría en el patio o en la cocina. La buscó allí, y no hallándola, todavía creyó que andaría recorriendo la huerta, examinando sus flores y viendo los estragos del temporal,[7] y aun se dijo que Manuela hacía mal en exponerse así a la humedad de la mañana, después de haber estado indispuesta el día anterior, y en andar en la huerta de ese modo.

Manuela no aparecía.

—Pero, Dios mío, ¿qué es de mi hija? —exclamó, deteniéndose y apoyándose en un árbol, pues sentía que las piernas le flaqueaban.[8]

Pasado un momento de angustiosa parálisis, hizo un esfuerzo desesperado y se arrastró hasta el centro de la huerta. Allí tuvo otra idea; cruzando el *apante* que rodeaba como un pozo[9] el soto de la adelfa, que era como una rotunda de arbustos en medio de la cual descollaba la vieja y florida planta, se dirigió hacia ésta,[10] y al llegar a ella se detuvo sorprendida. Allí, junto al tronco, había un pozo que se había llenado de agua, y sobre la grama estaba tirada una tarecua,[11] la pequeña tarecua con que Manuela solía cavar la tierra del jardín.

Luego observó que, a pesar de la lluvia, la maleza y los arbustos aún permanecían doblados, como si alguna persona se hubiese abierto paso por ellos.[12]

Miró con cuidado el suelo, y en parte que no estaba cubierta por la grama distinguió huellas de pisadas.[13] Siguió la dirección que ellas marcaban, lo cual era difícil en aquella capa de verdura espesa y áspera que cubría el suelo, y

---

6. the bed unmade
7. the damage caused by the storm
8. feeling suddenly faint, she leant against a tree [for support]
9. pool, hole
10. making her way towards the clump (**rotunda**) of bushes over which the oleander towered
11. on the grass lay a shovel
12. she noticed that despite the rain, the brambles and shrubs were bent back as though someone had forced their way through
13. footprints

435

pudo reconocerla hasta el *apantle*. En los bordes cenagosos[14] de éste la huella se marcaba mejor; era la huella de pies pequeños y desnudos que se habían enterrado profundamente en el cieno.[15] ¿Quién podía haber andado por ahí esa mañana, si no era Manuela? ¿Y quién podía tener esos pies pequeños, sino la joven? Pero, ¿por qué había venido descalza, y habiendo tenido resfrío el día anterior? Vio entonces allí, precisamente al pie del lugar en que se hallaba, las huellas bien distintas de pezuñas de caballos,[16] que parecían haberse detenido algún rato y que debieron haber sido varios, porque el lodo estaba señalado y removido por numerosas huellas repetidas y agrupadas.[17]

No comprendía nada. ¡Su hija, atravesando la huerta en aquella noche, dirigiéndose a la cerca, aquellos caballos deteniéndose allí! ¿Había huido Manuela con algún hombre? ¿Había sido robada? ¿Quién podía ser el raptor?[18]

Doña Antonia apenas pudo dirigirse confusamente tales preguntas. Se sentía aterrada, aniquilada, permaneciendo ahí como idiota, con los ojos clavados en el lado de la calle, los cabellos erizados, con el corazón palpitante hasta ahogarla,[19] muda, sin lágrimas, sin fuerzas, viva imagen de la angustia y del dolor.

Pero una última esperanza pareció hacerla volver en sí. Pensó que eso era imposible, que era un sueño todo lo que estaba mirando o que nada tenía que ver con su hija aquel conjunto de circunstancias; que Manuela debía haber vuelto a su cuarto, y que, si se hubiera fugado, debía haberse llevado su ropa, sus alhajas, algo.

Doña Antonia, bajándose precipitadamente de la cerca, se dirigió hacia la casa. El cuarto de Manuela estaba como antes, solitario, la cama deshecha, un baúl abierto.[20] No cabía duda, la joven se había escapado; faltaba su mejor

14. muddy banks
15. that had sunk deeply into the mire
16. marks of horses' hoofs
17. i.e. for the mud was heavily trampled
18. abductor
19. her hair dishevelled, her heart beating as though it would choke her
20. the bed unmade, a trunk open

vestido, faltaban sus camisas bordadas,[21] sus alhajas, su calzado nuevo de raso,[22] sus rebozos. Se había llevado lo que podía caber en una pequeña maleta.[23]

Entonces la infeliz anciana, convencida ya de su desdicha, cayó desplomada y rompió a llorar, dando alaridos.[24] Pasado al fin este arranque de dolor supremo, salió de la casa como una insensata,[25] sin cuidarse de cerrarla, y se dirigió a la de su ahijada[26] Pilar, que vivía por ahí cerca, en casa de unos tíos, porque era huérfana. Apenas pudo hablarles unas cuantas palabras para explicarles que Manuela haba desaparecido y para rogarles que fuesen con ella a su casa.

11.

LA CARTA

El examen de la calle y de la huerta, hecho por los tíos y Pilar misma, no hicieron más que confirmar las sospechas de doña Antonia. Manuela se había escapado en los brazos de un amante.

—Será preciso avisar a la autoridad[1] —dijo el tío de Pilar.

En este momento entró en la casa un muchacho, un trabajadorcito de las cercanías,[2] y dijo que unos hombres que iban a caballo con una señora lo habían encontrado muy de madrugada y lo habían detenido, y que la señora, que era muchacha, le había dicho que viniera a Yautepec a traer una carta a su mamá, dándole las señas de la casa.[3]

---

21. her embroidered blouses
22. her new satin shoes
23. she had taken all that could be packed into a small valise
24. collapsed and broke into tears, screaming away [desperately]
25. madwoman
26. godchild

1. We'll have to notify the authorities
2. a young peasant who worked nearby
3. giving him the address of the house

Doña Antonia abrió apresuradamente el papel, que estaba escrito con lápiz y que no contenía más que estas breves palabras:

"*Mamá*:
"*Perdóname, pero era preciso que hiciera lo que he hecho. Me voy con un hombre a quien quiero mucho, aunque no puedo casarme con él por ahora. No me llores porque soy feliz, y que no nos persigan, porque es inútil.*
MANUELA"

Al oir estas palabras, todos se quedaron asombrados y mudos.[4] La pobre madre dejó caer el papel de las manos y quedó un momento con la cabeza inclinada.

—Veremos al prefecto —dijo el tío de Pilar—. Es necesario que la autoridad tome sus providencias.[5]

—Pero, ¿qué providencias? —repuso la anciana—, cuando ven ustedes que las autoridades mismas no se atreven a salir de la población ni tienen tropas ni manera de hacerse respetar... ¡Si estamos abandonados de Dios! —añadió desesperada.

—Pero, ¿quién podrá ser, pues, el hombre que se la ha llevado? —dijo Pilar—, porque yo no atino absolutamente y es preciso tener siquiera una sospecha que sirviera de indicación...

—Yo voy a ensillar en un instante y corro a Atlihuayán[6] para traer a Nicolás —exclamó el tío de Pilar—. Es necesario que nos ayude siquiera a indagar esto.

El anciano se levantaba para cumplir su oferta cuando se oyó el ruido de un caballo en la calle y un hombre se apeó[7] en la puerta de la casa.

Era el herrero de Atlihuayán. Todos se levantaron para correr hacia él; doña Antonia se adelantó y apenas pudo tenderle los brazos y decirle sollozando:

—¡Nicolás, Manuela ha huido![8]

4. dazed and speechless
5. take steps
6. I'll saddle my horse right away and ride to Atlihuayán
7. dismounted
8. Manuela's run away

El joven se puso pálido y murmuró tristemente:

—¡Ah!, ¡sí, mis sospechas se confirman!

—¿Qué sospechas? —preguntaron todos.

El herrero condujo a la señora al cuarto y, todavía de pie, dijo:

—Esta mañana muy temprano un guardacampo[9] vino a decirnos, al administrador y a mí, que en la madrugada, recorriendo los campos que están al pie del monte, y cuando ya había cesado el aguacero, encontró en su casita, en la que no había dormido, a un grupo que se preparaba a salir y a montar a caballo, y que seguramente se había guarecido allí del temporal.[10] Recelando[11] de que fuese gente mala, no se acercó por el camino, sino que se metió entre las cañas para observarlo bien. En efecto, eran plateados; cuatro hombres y una joven, muy hermosa, que llevaba sombrero de alas angostas, muy lleno de plata, al que estaba atando un pañuelo blanco,[12] antes de montar. Por esta detención pudo reconocerlos bien. A la niña se figuró haberla visto algunas veces en esta población, y el hombre, que parecía jefe de los otros, era el Zarco.

—¡El Zarco! —exclamaron aterrados.

—Preferiría yo verla muerta a saber que está en brazos de un ladrón y un asesino como ése —dijo resuelta doña Antonia—. No es ahora sólo dolor lo que siento, es vergüenza, es rabia... Quisiera ser hombre y fuerte, y les aseguro a ustedes que iría a buscar a esa desdichada aunque me mataran; ¡mejor para mí! ¡Un *plateado!* ¡Un *plateado!* —murmuró convulsa de ira.[13]

—Sus derechos de usted como madre[14] no pueden ser representados sino por la autoridad en este caso —dijo el tío de Pilar—. Nosotros ayudaremos a la autoridad, pero es

---

9. watchman
10. they had obviously sheltered there from the rain
11. suspecting
12. who wears a narrow-brimmed hat, heavily decorated with silver, which she was tying on with a white scarf
13. trembling with rage
14. mother's rights, i.e. parents have rights over their children as long as they are minors — she can forbid Manuela from running away, but as far as El Zarco is concerned only the **autoridad** (the prefect) can do anything

necesario que ella sea quien ordene. ¿Y cree usted que se atreverá con[15] esos bandoleros, cuando apenas puede hacerse obedecer en la población?

—Pero si quisiera...; hoy llega la caballería del gobierno.

—Veremos al prefecto —replicó el anciano—, para decirle que hable al jefe de esa fuerza; pero no olvide usted que esta fuerza no ha podido continuar la persecución del Zarco, que fue quien cometió los asesinatos de Alpuyeca.

En este momento se oyeron trompetas resonando en la plaza. La caballería del gobierno entraba en la población.

Doña Antonia, enloquecida de ira y de dolor,[16] salió apresuradamente de la casa con intención de hablar al prefecto.

12.

EL COMANDANTE

El pobre prefecto se hallaba en la casa del Ayuntamiento,[1] vestido con su traje dominguero[2] para recibir a la tropa con los honores debidos, en el momento en que llegó doña Antonia, acompañada del tío de Pilar y de Nicolás, que la había seguido por deferencia y se entretenía en ver a aquella fuerza mal vestida y peor montada, que se formaba en la placita para pasar lista. Mandábala un comandante de mala catadura,[3] vestido de una manera singular, con uniforme militar desgarrado,[4] y cubierto de un sombrero viejo y sucio.

—¿Qué tal, comandante —preguntó el prefecto—, ayer y antier han tenido ustedes una buena tarea con los plateados?

15. that he will dare show authority
16. crazed with wrath and with grief

1. Town Hall
2. all dressed up (lit. in Sunday clothes)
3. sour-faced
4. torn

—Fuerte, señor prefecto —respondió el comandante atusándose los bigotes[5]—, muy fuerte; no hemos descansado ni de día ni de noche.

—¿Y lograron ustedes algo?

—¡Oh!, les dimos una *correteada* a los plateados, terrible.[6] Estoy seguro de que en muchos días no volverán a aparecer en la cañada de Cuernavaca. Han quedado escarmentados.[7]

—Cogieron ustedes algunos, ¿eh?

—Sí; y los hemos dejado colgados, por ahí, de los árboles, en donde se estarán campaneando...[8] a esta hora.

—Pero, ¿cayeron todos?

—Todos, no, usted sabe que eso es difícil. Esos cobardes no atacan más que a la gente indefensa, pero luego que ven la tropa organizada, como la mía, corren, se dispersan.

—Pero el Zarco..., porque dicen que fue el Zarco el que mandaba la gavilla.[9]

—Sí, él fue, pero es el más *correlón* de todos.[10] En vano quisimos darle alcance. Luego que hizo su robo, apenas se detuvo a recoger sus heridos y se largó precipitadamente, y no fue posible dar ni con su rastro. En ningún pueblo ni rancho de los que atravesamos en su persecución pudieron darnos razón de él, sea que no hubiera pasado por allí o sea que tenga en todas partes cómplices, lo cual es más probable. El caso es que no pudimos continuar con mi caballería en aquellos montes tan escabrosos.[11]

—Pero, entonces, señor comandante —preguntó el prefecto con malignidad[12]—, ¿a quién cogieron ustedes por fin, porque acaba usted de decirme que dejaron algunos colgados en los árboles?

—¡Oh, amigo prefecto —contestó el militar sin desconcertarse—, tomamos algunos sospechosos de quienes estoy

5. twirling his moustache
6. a tremendous run for their money
7. they will not dare show up again near Cuernavaca valley. They have learned their lesson.
8. we left them hanging there, swinging from the trees
9. they say that it was El Zarco who commanded the gang
10. he runs the fastest of the lot
11. in those rugged mountains
12. cunningly

441

seguro que eran sus cómplices; yo los conozco bien a estos pícaros, no pueden disimular su delito; corren de nosotros cuando nos divisan, se ponen descoloridos cuando les hablamos, y a la menor amenaza se hincan, pidiendo misericordia.[13]

El valiente militar había fusilado a algunos infelices campesinos y aldeanos, por simples sospechas, a fin de no presentarse ante su jefe, en Cuernavaca, con las manos limpias de sangre.

El prefecto lo comprendió así, y por tal motivo respondió insistiendo:

—Sí, señor comandante, eso estuvo bueno siempre; pero, por fin, ¿y el Zarco?[14]

—El Zarco, señor prefecto, debe hallarse ahora muy lejos de aquí; tal vez en el distrito de Matamoros o cerca de Puebla, para repartirse el robo con toda seguridad. ¡Bonito él para haberse quedado en este rumbo![15]

—Pero dicen —objetó el prefecto— que tiene su madriguera[16] en Xochimancas, a pocas leguas de aquí, y que cuenta con más de quinientos hombres. Al menos es lo que se dice por aquí, y lo que sabemos, porque frecuentemente se desprenden de allí partidas para asaltar las haciendas y los pueblos.[17]

—Ya sé, ya sé —replicó el comandante con cierto enfado—;[18] pero usted conoce lo que son las exageraciones del vulgo. Todo eso son cuentos; habrán buscado allí refugio alguna vez, habrán permanecido allí dos o tres días, habrán hecho tocar dos o tres clarines, y el miedo de los pueblos ha inventado lo demás, porque no me negará usted, señor prefecto, que ustedes viven muertos de miedo y que ni parecen hombres los que habitan estas comarcas.

---

13. at the least threat they kneel down begging for mercy
14. That's all fine and good — but how about El Zarco?
15. He's not such a fool to have stayed around here
16. hideout (lit. den, lair)
17. because raiding parties often start from there to attack farms and towns
18. rather testily

—Pero, con razón, señor comandante —dijo el prefecto, picado en lo vivo—,[19] con muchísima justicia; si todo eso que usted dice que son cuentos nos parecen a nosotros realidades; si vemos atravesar por nuestros caminos partidas de de cien y de doscientos hombres, bien armados y montados; si se llevan al cerro todos los días a los vecinos de los pueblos y a los dependientes de las haciendas; si se meten dondequiera como en su casa, ¿cómo no hemos de creer?

—Pues bien, y ustedes, ¿por qué no se defienden?, ¿por qué no se arman?

—Porque no tenemos con qué; porque estamos desarmados.[20]

—Pues, hombre —replicó el militar reflexionando—, eso sí está malísimo, porque así cualquiera puede burlarse de ustedes.[21] ¿Y qué hacen entonces?

—Lo único que hacemos es huir o escondernos. Tenemos un vigilante en la torre, durante el día. Cuando toca la campana, dando la alarma, las familias se esconden en el curato[22] o donde pueden, en lo más oculto de las huertas...

En el instante en que el prefecto acababa de hablar, doña Antonia, cansada de esperar que concluyese la conversación, se hizo anunciar por conducto del secretario de la oficina, diciendo que tenía un negocio muy urgente que comunicar al prefecto como al comandante.

—Que entre —dijo el prefecto.

Doña Antonia se presentó llorando y desesperada.

—¿Qué le pasa a usted, doña Antonia? —preguntó el prefecto con interés.

—¡Qué me ha de pasar,[23] señor prefecto, una gran desgracia!; que mi hija ha sido robada anoche.[24]

—¿Y quién, vamos, diga usted?

—¡El Zarco! —exclamó furiosa doña Antonia—, ¡ese gran ladrón y asesino!

19. touched on the raw
20. because we haven't any weapons
21. anyone could take advantage of you (lit. could make fun of you)
22. parish house
23. what should be happening to me?
24. was kidnapped last night

—¿Ya ve usted, señor comandante? —dijo el prefecto, sonriendo con malicia—. No anda tan lejos como usted creía; todavía está por aquí robándome muchachas, después de haber robado y asesinado en la Cañada.

—Pero, ¿cómo ha sido eso...?, diga usted pronto, señora —dijo el militar levantándose.

Doña Antonia refirió los hechos. Nicolás fue llamado a declarar lo que sabía, y no hubo ya duda de que, en efecto, el Zarco había sido el raptor.

—Y bien; ¿qué quiere usted ahora que se haga?

—Señor —respondió la anciana en actitud suplicante—, que usted haga perseguir a ese bandolero, que le quiten a mi hija, y yo daré lo poco que tengo si lo logran. Que la traigan viva o muerta, pero ha de ser pronto, señor.[25]

—¿Qué dice usted, comandante? —preguntó el prefecto.

—¡Imposible, señor prefecto, imposible! —repitió con resolución—; yo tengo orden de continuar mi marcha para Cuautla. Ya usted comprenderá que no he de entretenerme en ir a buscar una muchacha por esos andurriales...[26] Además yo no conozco bien estos terrenos.

—Pero yo sí los conozco —dijo Nicolás—, y si el señor prefecto lo dispusiera, algunos amigos míos y yo acompañaríamos a la tropa del gobierno para guiarla y ayudarla en sus pesquisas.[27]

—Pues si este muchacho tiene algunos amigos que lo acompañen, supongo que armados, ¿por qué no va él a hacer la persecución? —preguntó el comandante.

—Porque sería lo mismo que sacrificarnos inútilmente —respondió Nicolás—. Mis amigos y yo seremos a todo rigor[28] diez, y los bandidos a quienes podemos encontrar en Xochimancas pasan de quinientos o por lo menos trescientos; ¿qué podríamos hacer diez contra trescientos? Moriríamos estérilmente.[29]

25. bring her back, dead or alive, but hurry, sir!
26. rescuing a girl in these godforsaken places
27. in the search
28. at the most
29. Our deaths wouldn't achieve anything

444

—Pero, ¿toda esa pelotera y ese empeño por una muchacha?[30] —dijo el comandante, que no se dejaba convencer.

—No, señor —repuso indignado Nicolás—; no sería solamente por la muchacha. Se lograría acabar con esa guarida
de malhechores, se lograría tal vez matar o coger a los asesinos a quienes persiguió el señor comandante ayer y antier
inútilmente; se les quitaría el robo,[31] se libertaría a los
hombres que tienen plagiados hace tiempo,, y el señor comandante cumpliría con su deber, restableciendo la seguridad en todo este rumbo. Yo creo que hasta el Supremo Gobierno[32] se lo agradecería.

—A mí nadie me enseña mis deberes como soldado —respondió el comandante con los ojos centellantes de cólera,[33]—.
Yo sé lo que debo hacer, y para eso tengo superiores que me
ordenan lo que crean conveniente. ¿Quién es usted, amigo,
para venir aquí a hablarme con ese tono?

—Señor —dijo Nicolás con dignidad—, yo soy un vecino
honrado del distrito; soy el encargado de la herrería de la
hacienda de Atlihuayán, y el señor prefecto sabe que he
prestado no pocos servicios[34] cuando la autoridad los ha necesitado de mí. Además, soy un ciudadano que sabe perfectamente que usted es un jefe de seguridad pública,[35] que la
tropa que usted trae está pagada para proteger a los pueblos.
Ahora precisamente le estamos proporcionando a usted la
oportunidad de cumplir con su comisión .

—¡Usted qué sabe de eso, don cualquiera, ni qué tiene
usted que gritarme aquí ni que leerme la cartilla, ni quién
le ha dado a usted facultades para hablarme en ese tono![36]
¿Quién es ese hombre, señor prefecto? —preguntó el comandante en el paroxismo del furor, con los bigotes erizados y

---

30. But why all this fuss and upset just for a girl?
31. booty
32. the central government
33. his eyes flashing with rage
34. I have often given my services
35. public safety
36. What do you know about that, Don what's-your-name? How dare
    you shout at me and tell me what to do, and, anyway, who has
    given you authority to speak to me in that tone?

poniendo mano en el puño de su pistola que llevaba ceñida a la cintura.[37]

—Este muchacho —respondió el prefecto palideciendo, este señor es, en efecto, un vecino muy honrado y muy apreciable, que ha prestado muy buenos servicios a los pueblos y que es muy estimado de todos.

—Pues no le valdrá todo eso de nada para evitar que yo lo fusile —dijo el comandante—; yo le enseñaré a faltar al respeto a los militares.

Y saliendo precipitadamente de la pieza, gritó a varios soldados que estaban por ahí:

—¡Hola, sargento, préndame usted a ese pícaro y téngalo en el cuartel con centinela de vista! Si se mueve, mátenlo.[38]

—¡Bonita manera de arreglar las cosas hombre a hombre! —murmuró Nicolás, mirando al comandante con profundísimo desdén.[39]

—¡Ahora verá usted si me echa bravatas, insolente![40]

—Pero, señor comandante —dijo el pobre prefecto, interponiéndose en actitud suplicante—, dispense usted a este muchacho; es un exaltado,[41] pero es un hombre de bien, incapaz de cometer el más mínimo delito.

—¡Cállese usted, señor prefecto del demonio —replicó el militar, furioso como un energúmeno—; cállese usted o también me lo llevo! Para eso nada más sirven ustedes, las autoridades de aquí. Llévenselo, llévenselo —dijo a los soldados que se apoderaron de Nicolás, el cual no hizo ninguna resistencia, contentándose con decir al prefecto:

—No ruegue usted, señor prefecto; deje usted que hagan lo que quieran, pero no humille usted su autoridad.

El infeliz magistrado de Yautepec no pudo hacer otra cosa que reunir al Ayuntamiento,[42] que se reunió, en efecto,

---

37. in a paroxysm of fury, his whiskers standing on end, one hand on the butt of the pistol in his belt
38. Hey, sergeant, seize this wretch and put him under close guard! If he tries to escape, kill him!
39. glancing at the captain scornfully
40. Now you'll see whether you can talk big, you insolent fool!
41. he's a hot-head
42. to call a meeting of the village council

con gran temor, no sabiendo qué deliberar. Además, el prefecto envió inmediatamente aviso al administrador de la hacienda de Atlihuayán, quien en el acto montó a caballo y se dirigió al galope a Yautepec, acompañado de los dependientes principales de la hacienda, con el objeto de procurar la libertad del honrado herrero.

13.

PILAR

Cuando los soldados se llevaron a Nicolás preso, la pobre doña Antonia ni aun fuerzas tuvo para levantarse y seguirlo, contentándose con gemir[1] en un banco de la Prefectura. Por fin, cuando el prefecto salió, ella también, acompañada del tío de Pilar y de varios vecinos, se dirigió a la casa, en donde la esperaban aquella joven, y algunos vecinos.

Refirióles en pocas palabras lo que acababa de suceder, y agotadas sus fuerzas por tantos sufrimientos, débil, extenuada, pues no había tomado alimento alguno desde la mañana,[2] se arrojó en la cama temblando de fiebre.

La noticia de la prisión de Nicolás había sido para Pilar un rayo. Se sintió trastornada, pero disimuló cuanto pudo su ansiedad y su congoja[3] en presencia de sus tíos y de aquellas gentes extrañas, tomó su rebozo, y pretextando que iba a traer algunas medicinas, se lanzó a la calle.

En otras circunstancias, ella, dulce, resignada por carácter, tímida y ruborosa,[4] habría muerto antes que revelar el secreto que hacía al mismo tiempo su delicia y el tormento de su corazón. Pero en aquellos momentos, cuando la vida del joven estaba peligrando, la joven no tuvo en cuenta

1. moaning
2. i.e. exhausted by suffering and weak from lack of food
3. appalled Pilar (lit. was a thunderbolt to Pilar). She felt terribly upset but she concealed her anxiety and anguish as much as she could
4. bashful

447

su edad ni su sexo; no temió para nada el qué dirán de la gente;[5] no pensó más que en la salvación de Nicolás, y por conseguirla se dirigió apresuradamente al cuartel.

Nicolás había sido puesto en un portal que daba a la calle, y allí lo guardaban dos centinelas.[6] Adelantándose hacia el prisionero, que reparó[7] en ella en el instante, y que se levantó en ademán de recibirla,[8] no pudo pronunciar más que esta palabra, entre ahogados sollozos:[9]

—¡Nicolás!

Y cayó de rodillas en el suelo, muda de dolor y anegada en llanto.[10]

Nicolás iba a hablarla, pero el sargento de la guardia se interpuso, y algo compadecido[11] de la joven, le dijo:

—Sepárese, señorita, porque el reo está incomunicado[12] y no puede hablarle.

—¡Una palabra nada más!; ¡por compasión, déjeme usted hablarle una sola palabra!

—No se puede, niña —dijo el sargento—; retírese usted; si viene el comandante puede que la maltrate, y es mejor que se vaya...

—¡Que me mate —dijo ella—, pero que se salve él!

Estas palabras, que llegaron a los oídos de Nicolás, muy claras y perceptibles, le revelaron toda la verdad de lo que pasaba en el alma de la hermosa joven. ¡Pilar le amaba!

¡Qué dicha la suya en saberlo!, pero, ¡qué horrible desventura la de saberlo en aquel momento, tal vez el último de su existencia, porque Nicolás no dudaba de que el comandante ejercería su venganza en el camino aquella misma tarde! Pilar, empujada suavemente por el sargento, se alejaba del cuartel, pero volvía frecuentemente la cabeza buscando a Nicolás. En una de esas veces, Nicolás le dio las gracias poniendo la mano sobre su corazón y le hizo seña

5. gave no thought to people's gossip
6. in a vestibule facing the street, guarded by two sentries
7. recognized her
8. stood up as though to welcome her
9. stifled sobs
10. drenched with tears
11. sympathetic
12. the prisoner is in solitary confinement

de que se alejara. ¡Hubiera querido expresarla cuánto gozaba sabiendo que era amado por ella, y asegurarla que, en aquel momento, un amor profundo y tierno acababa de germinar en su corazón!

Pero aquella gente curiosa, aquellos soldados le habían impedido tal expansión. Así, pues, volvió a caer desplomado en el banco de piedra[13] en que le habían permitido sentarse y se abandonó a profundas y amargas reflexiones.

Pilar, entre tanto, no descansó un instante. Fue a ver al prefecto, a quien encontró precisamente con los regidores y dependientes de la hacienda,[14] que deliberaban acerca de lo que debía hacerse para evitar que Nicolás fuese llevado preso. La joven se presentó a ellos llorando, les suplicó que a toda costa no abandonasen a Nicolás, y que si era posible le acompañaran en la marcha, porque tal vez eso evitaría que se cometiera un crimen en el camino, y no se retiró sino cuando todos le aseguraron que, si no conseguían libertarlo inmediatamente, acompañarían a la tropa.

Un rato después trajeron a Nicolás un caballo flaco y mal ensillado,[15] y lo obligaron a montar en él y a colocarse entre las filas. Luego se formó la caballería,[16] y el comandante casi ebrio,[17] y poniéndose a la cabeza de la tropa, salió de la población, mirando con ceño[18] a los numerosos grupos de gente que se agolpan en las calles para manifestar su interés en favor del joven herrero.

Nicolás buscaba con anhelo[19] entre aquellos grupos a la bella niña, y no encontrándola, su frente se nubló.[20] Pero al llegar la tropa a la orilla del pueblo, y entrando en el camino que conduce a Cuautla por las haciendas, se encontró un gran grupo de gente a caballo, compuesto del prefecto, de los regidores, del administrador de Atlihuayán, de sus dependientes y de otros particulares muy bien armados.

13. slumped unto the stone bench
14. with the village council and men from the estate
15. a poorly saddled, skinny horse
16. the cavalry formed up
17. half drunk
18. glancing angrily
19. anxiously
20. clouded

Junto a ellos y en la puerta de una cabaña, al extremo de una gran huerta, se hallaba Pilar y sus tíos. La hermosa joven tenía los ojos encarnados,[21] pero se mostraba tranquila y procuró sonreir al descubrir a Nicolás.

Nicolás, al verla, ya no pensó más en su situación, sintió solamente el vértigo del amor, el golpe de la sangre que afluía a su corazón, y que ofuscaba sus ojos con un dulce desvanecimiento.[22] Saludó a Pilar con apasionado cariño, y volvió varias veces la vista para fijar en ella una mirada de adoración y de gratitud.

Por su parte, Pilar no ocultaba ya sus sentimientos. Salvarlo era ahora todo su objeto, y poco le importaba lo demás.

El famoso comandante, se alarmó al ver aquella cabalgata que parecía esperarlo en actitud amenazadora, y picando su caballo[23] se dirigió al prefecto.

—¡Hola, señor prefecto!, ¿qué hace tanta gente aquí?

—Esperándolo a usted —respondió el funcionario.

—¿A mí?; ¿y para qué?

—Para acompañarlo, señor, hasta Cuautla.

—¿Acompañarme?; ¿y con qué objeto?

—Con el de responder de la conducta de ese muchacho[24] a quien lleva usted preso, ante la autoridad a quien va usted a presentarlo.

—¿Y qué autoridad es ésa, señor prefecto?

—Usted debe saberlo —respondió secamente el prefecto, que parecía más resuelto, apoyado como estaba por numerosos vecinos bien armados.

—Pues entonces es inútil que ustedes me acompañen, porque mis jefes no están en Cuautla, sino en México.

—Pues iremos a México —insistió el prefecto, secundado por el administrador de Atlihuayán, que también repitió—: ¡Sí, señor, iremos a México!

—Y, ¿si no lo permito?

21. [her] eyes were red [from weeping]
22. dimmed his eyes with sweet dizziness
23. alarmed at the sight of that cavalcade, waiting for him threateningly, he spurred his horse
24. to vouch for the conduct of this young man

—Usted no puede impedir que sigamos a la tropa de usted. Yo soy el prefecto de Yautepec, conmigo vienen el Ayuntamiento y varios vecinos honrados y pacíficos; ¿con qué derecho nos podía usted evitar que fuésemos adonde usted va?

El comandante estaba furioso. Mandó hacer alto a su caballería y conferenció un momento con sus capitanes. Tal vez hubiera querido cometer una arbitrariedad, pero no era fácil que ella quedara impune.[25] El prefecto estaba allí acompañado del Ayuntamiento, de los dependientes de la hacienda de Atlihuayán y de numerosos vecinos bien montados y armados. En un momento podían reunirse otros vecinos, aunque sin armas, y tomar aquello un aspecto formidable.[26]

El comandante decidió, pues, soportar aquella afrenta,[27] pero no soltar a Nicolás. Volvió hacia el grupo en que se hallaba el prefecto, y le dijo:

—¡Era bueno que ustedes mostraran[28] esta resistencia contra los bandidos, como la muestran contra las tropas del gobierno!

—Sí, la mostraríamos —replicó indignado el prefecto— si las tropas del gobierno en lugar de perseguir a esos bandidos, pues para eso se les paga, no se emplearan en perseguir a los hombres de bien. Se le ha ofrecido a usted el auxilio de hombres de aquí para perseguir a los *plateados* y usted no ha querido, y precisamente ése es el delito[29] por el que lleva usted preso a ese honrado sujeto.

—Bueno, bueno —dijo en comandante—; pues ya veremos quién tiene razón; síganme ustedes adonde quieran que lo mismo da . . .

Y mandó continuar la marcha.

---

25. to commit some injustice (lit. some arbitrary act) but it was unlikely it would have gone unpunished
26. the situation might become ugly
27. affront
28. It would be a good thing if you would show [a sarcastic remark implying: It's a pity you don't stand up to the bandits as you do to government forces!]
29. crime

Así caminaron toda la tarde, y ya bien entrada la noche llegaron a Cuautla, en donde el prefecto de Yautepec fue a hablar a su colega del distrito de Morelos de lograr la libertad del herrero.

El comandante puso un extraordinario[30] a Cuernavaca, acusando al joven como hombre peligroso para la tranquilidad pública, presentando lo acaecido en Yautepec como rebelión. El prefecto de Yautepec y el Ayuntamiento, así como las autoridades de Cuautla, se dirigieron al gobernador del Estado y al gobierno federal, y el administrador de Atlihuayán, al dueño de la hacienda y a sus amigos en México, relatando lo ocurrido. Cruzáronse numerosos oficios, informes,[31] recomendaciones y se gastó tinta y dinero para aclarar aquel asunto. Al tercer día llegó una directa del Ministro de la Guerra para poner en libertad al joven herrero, mandando que el comandante se presentase en México a responder de su conducta.

14.

EL AMOR BUENO

Nicolás, apenas libre, voló a Yautepec. ¿Qué había pasado allí durante su corta ausencia? ¡Temblaba de pensar en ello! Incomunicado rigurosamente desde que salió de aquella población hasta que fue puesto en libertad, nada había podido saber acerca de la suerte de doña Antonia, ni de Pilar; pero apenas pudo comunicarse con algunos vecinos de Yautepec, que habían acudido a hablarle, cuando supo que la infeliz madre de Manuela, demasiado débil para resistir tantos golpes, había caído en cama, atacada de un violento acceso de fiebre cerebral. Era muy posible que la pobre señora hubiese sucumbido. ¿Y Pilar?

30. an urgent report
31. official memoranda, reports

Doña Antonia y Pilar eran su preocupación única, y no ver a estas dos personas, que para él encerraban el mundo entero, causaba su impaciencia, una impaciencia que llegaba a la desesperación.

En cuanto a Manuela... se había desvanecido[1] completamente en su memoria... había visto surgir ante sus ojos una nueva imagen, más bella y dulce que la que había desaparecido, y había sentido, había comprendido que ese sí era el ángel bueno de su existencia. Ni podía menos; el amor de Pilar se había descubierto en un momento solemne y decisivo, sin interés y sin esperanzas, con todos los caracteres de abnegación, de generoso sacrificio, de resolución heroica que deben ser las cualidades del afecto extraordinario. ¿Cómo no sentirse subyugado en el instante por un amor tan poderoso? Nicolás, no sólo sintió penetrar en su alma, como un torrente de fuego, aquel amor nuevo y luminoso, sino que experimentó algo como un remordimiento, como vergüenza de no haber abierto antes los ojos a la dicha, de no haber adivinado el afecto que inspiraba y que seguramente había vivido oculto cerca de él, protegiéndolo, envolviéndolo en una atmósfera de simpatía y de cariño. ¡Y él, cómo habría hecho sufrir a la bella y modesta joven con su aparente galantería para Manuela!

Tales reflexiones ocuparon el ánimo de Nicolás durante el camino de Cuautla a Yautepec, que recorrió impaciente y a todo galope de su caballo, atravesando el bosque y las haciendas de Cocoyoc, de Calderón y de San Carlos, que bordean aquella llanura pintoresca. Por fin pasó el río, atravesó las callejuelas, palpitándole el corazón, y se apeó en la puerta de la casa de doña Antonia.

Obscurecía ya cuando Nicolás penetró en las piezas de la casa de doña Antonia. Al ruido de sus pasos, una mujer se adelantó a su encuentro, y apenas le reconoció, a la débil luz crepuscular que aún permitía distinguir los objetos, cuando se echó en sus brazos sollozando.[2]

1. vanished
2. threw herself sobbing into his arms

453

Era Pilar.

Nicolás, al sentir contra su seno aquella mujer, hoy intensamente amada, sintió como un vértigo de pasión y de placer. Era la primera vez de su vida que conocía toda aquella dicha que antes no se hubiera atrevido siquiera a soñar.

Por fin, después de haber estrechado a la joven con un arrebato[3] amoroso más significativo que diez declaraciones, le dijo, besándola en la frente:

—Pilar mía, ahora sí ya nada ni nadie nos separará. Lo que siento es no haber conocido antes dónde estaba mi dicha; pero, en fin, bendigo hasta los peligros que acabo de pasar, puesto que por ellos he podido encontrarla.

—¿Pero es cierto, Nicolás? ¿Me quiere usted como a Manuela?

—¿Como a Manuela? —interrumpió Nicolás, con vehemencia—. ¡Oh, Pilar!, no me haga usted esa pregunta, que me lastima. ¿Cómo puede usted comparar el amor que hoy le manifiesto, y que siento, con el afecto que tuve a aquella desgraciada? Aquel fue un sentimiento del que hoy tengo vergüenza. Ni sé cómo pude engañarme tan miserablemente ni alcanzo a explicar a usted lo que me pasaba. Quizá sus desaires, su frialdad, me exaltaban y me hacían obstinarme; pero si he de decir a usted la verdad de lo que sentía, cuando a mis solas, y lejos de aquí me ponía a reflexionar, examinando el estado de mi corazón, le confieso que aquello no era amor, no era este cariño puro y apasionado que usted me hace sentir ahora, sino como una enfermedad de la que yo quería librarme, y como un capricho en que estaba interesado mi amor propio, pero no mi felicidad... En cuanto a usted, Pilar, ¿debo decirlo?, ni me atrevía a soñar siquiera en ser amado por usted; ya había comprendido cuán dichoso sería el hombre amado por usted; ya había levantado hasta usted mis ojos llenos de esperanza, pero los había vuelto a bajar con tristeza, pensando en que usted tampoco había de quererme. Me parecía usted más alta que Manuela para mí. Y luego pensar en usted, decirle a usted algo, después

3. rapture

454

de los desaires de Manuela, sufridos en presencia de usted, me parecía indigno. ¡Si hubiera yo adivinado...! Conque ya ve usted que no ahora, mucho antes, aquel afecto para Manuela había acabado. ¿Duda usted todavía?

—Ya no dudo, Nicolás, ya no dudo —dijo la joven estrechando las manos del herrero entre las suyas—. Y aunque dudara —añadió suspirando—, mi felicidad consiste en este amor que siento por usted hace mucho tiempo, que he guardado en el fondo de mi corazón, sin esperanza entonces, aumentado cada día por el dolor y los celos, y que sólo ha podido revelarse en el momento en que corría usted peligro y que yo estaba próxima a perder el juicio. Yo no podía esperar que usted me amase. Al contrario, estaba segura de que usted amaba a Manuela más que nunca.

—Pero, niña, usted me juzgó mal, quizá porque no conocía bien mi carácter. Para amar todavía a Manuela, a pesar de lo que había hecho, se necesitaba, en primer lugar, haberla amado de veras, y acabo de decir a usted que no era así, y después se necesitaba ser un hombre vulgar, y yo, aunque humilde, aunque obrero rudo, aunque indio sin educación, y sin otros ejemplos, puedo asegurar a usted que no soy vulgar, que me siento incapaz de estimar un objeto indigno, y que para mí la estimación es precisamente la base del amor... ¿Está usted convencida?

—Sí, Nicolás —dijo apresuradamente la joven—, perdóneme usted; pero a pesar de que conocía su carácter, mi cariño, mi pobre cariño, nacido en medio de los celos, me hacía ciega y desconfiada... ¡No me guarde usted rencor...!

—No, lo que guardo a usted, buena y hermosa niña, es un amor santo y eterno... ¿Quiere usted ser mi esposa, luego?

—¡Oh! —dijo llorando Pilar—, será mi felicidad; pero hemos hablado largamente, nos hemos extraviado, hemos olvidado el mundo, Nicolás, y estamos hablando cerca de una moribunda[4]..., mi madrina...

—¡Oh, sí, la señora...!

4. a dying woman

—Mi madrina se muere —exclamó Pilar con abatimiento—; hace dos días que no toma alimento ninguno, su debilidad es muy grande, la fiebre violenta, y todos dicen que no tiene remedio.

En efecto, los dos jóvenes, en su éxtasis amoroso, habían olvidado un momento a la pobre doña Antonia, que yacía moribunda en la pieza cercana.

Inútiles habían sido los cuidados que se le habían prodigado por las personas caritativas y amigas que la asistían, particularmente por Pilar, que, como una hija amorosa, no se había separado un instante de su lado. La experiencia de aquellas buenas gentes, a falta de médico, y todos sus esfuerzos, se habían estrellado contra la gravedad del mal. La señora se moría, y Nicolás llegaba precisamente en los momentos en que la agonía tocaba a su término.

Pilar, que le había precedido, se acercó al lecho de su madrina, y llamándola varias veces, la dijo que Nicolás estaba cerca de ella y que deseaba hablarla. La anciana, como si despertara de un profundo letargo, procurando reunir las pocas fuerzas que le quedaban, levantó la cabeza, se fijó en el herrero, que le alargaba las manos cariñosamente, y entonces, reconociéndole, lanzó un débil grito, tomó aquellas manos entre las suyas, las besó repetidas veces, murmurando: "¡Nicolás! ¡Nicolás! ¡Hijo mío!" y luego cayó desplomada, como si aquel esfuerzo supremo hubiera agotado[5] su existencia.

Doña Antonia aún vivió algunas horas, pero la agonía había sido demasiado prolongada, la vida se había extinguido bajo el peso de tantos sufrimientos, y antes de concluir la noche, aquella anciana virtuosa e infortunada exhaló el último suspiro en los brazos de su ahijada Pilar y junto al hombre a quien había amado como un hijo.

El dolor de la pobre niña fue inmenso. La muerte de su madrina, por esperada que hubiese sido, le produjo un abatimiento indecible, y si, afortunadamente para ella, el

5. had exhausted

456

amor de Nicolás, confesado ya de una manera tan firme y tan resuelta, no hubiera venido a consolarla y fortalecerla, como un rayo de sol, seguramente el alma de la buena y sensible joven habría visto el mundo como noche sombría y pavorosa. Pero Nicolás estaba allí, su futuro esposo. Pilar se echó en sus brazos llorando; los circunstantes, conmovidos ante aquella escena, procuraron también consolar a la joven, y Nicolás salió inmediatamente para preparar los funerales de doña Antonia. Como la anciana poseía algunos intereses, era preciso asegurarlos, puesto que no había dejado testamento, y que la única hija que tenía había abandonado la casa materna.

15.

ENTRE LOS BANDIDOS

Manuela, apasionada del Zarco y por lo mismo ciega, no había previsto enteramente la situación que la esperaba.[1]

Su fantasía de mujer enamorada e inexperta le representaba la existencia en que iba a entrar como una existencia de aventuras, peligrosas, es verdad, pero divertidas, romancescas,[2] originales, fuertemente atractivas para un carácter como el suyo, irregular, violento y ambicioso.

Con el impulso irresistible de su pasión, y por otra, convencida por todas las razones que le daba su amante y el temor de las gentes que la habían rodeado, acabó por confiarse resueltamente a su destino, segura de que iba a ser tan feliz como en sus sueños malsanos lo había concebido.

Pero, en resumen, Manuela, que no había hecho más que pensar en los *plateados* desde que amaba al Zarco, no conocía realmente la vida que llevaban esos bandidos, ni aun conocía personalmente de ellos más que a su amante.

---

1. i.e. blinded as she was by her love for El Zarco, Manuela had little idea of what was in store for her
2. dangerous, really, but amusing, romantic [lit. out of a novel]

Pensaba que el terror de las gentes exageraba los crímenes de los *plateados;* que con la mira de[3] inspirar mayor
horror hacia ellos, sus enemigos los pintaban como a mons-
truos verdaderamente abominables y que no tenían de humano más que la figura.

Ella creía que el Zarco y sus compañeros eran ciertamente bandidos, es decir, hombres que habían hecho del
robo una profesión especial. Ni esto le parecía tan extraordinario en aquellos tiempos de revuelta, en que varios
jefes de los bandos políticos que se hacían la guerra habían
apelado muchas veces a ese medio para sostenerse. Ni el
plagio, que era el recurso que ponían más en práctica los
plateados, le parecía tampoco una monstruosidad, puesto
que, aunque inusitado antes,[4] y por consiguiente nuevo en
nuestro país, había sido introducido precisamente por facciosos[5] políticos y con pretextos también políticos.

De manera que, a sus ojos, los plateados eran una especie de facciosos en guerra con la sociedad, pero por eso
mismo interesantes; feroces, pero valientes; desordenados en
sus costumbres, pero era natural, puesto que vivían en medio de peligros y necesitaban de violentos desahogos[6] como
compensación de sus tremendas aventuras.

Razonando así, Manuela acababa por figurarse a los bandidos como una casta de guerreros audaces[7] y por dar al
Zarco las proporciones de un héroe legendario.

Así es que la noche de la fuga ella esperaba entrar en
un mundo desconocido. De pronto, la noche tempestuosa,
la lluvia, la emoción consiguiente al abandono de su casa y
de su pobre madre, a pesar de su pasión y de su perversidad,
al verse ya entregada en alma y cuerpo al Zarco, todo esto
le impidió comparar su situación con sus sueños anteriores
y examinar a los compañeros de su amante. Por otra parte,
nada había aún de extraordinario en aquellos momentos. Se

---

3. with the [avowed] purpose of
4. although [kidnapping, **plagio**] was previously unknown
5. rebels
6. violent reaction [lit. relief]
7. a race of fearless warriors

escapaba de su casa con el elegido de su corazón;[8] éste, caballero y bandido, había tenido que acompañarse de algunos amigos que afrontasen el peligro con él y que le guardasen la espalda;[9] he ahí todo. Ella no los conocía, pero le simpatizaban ya por el solo hecho de contribuir a lo que juzgaba su dicha.

Cuando obligados por la tempestad, tanto ella como el Zarco y sus compañeros, se refugiaron en la cabaña del guardacampo de Atlihuayán, todos permanecieron en silencio y no echaron abajo sus embozos,[10] de modo que así, en la obscuridad y sin hablar, Manuela no pudo distinguir sus fisonomías ni conocer el metal de su voz.[11] Algunas palabras en voz baja, cruzadas con el Zarco, fueron las únicas que interrumpieron aquel silencio.

Pero cuando a las primeras luces del alba, y calmada ya la lluvia,[12] el Zarco dio orden de montar, Manuela pudo examinar a los compañeros de su amante: embozados en sus jorongos, siempre cubiertos hasta los ojos con sus bufandas, no dejaban ver el rostro; pero su mirada feroz produjo un estremecimiento involuntario en la joven.[13] Entonces fue cuando Manuela, en un pedazo de papel que le dio el Zarco, escribió con lápiz aquella carta dirigida a doña Antonia en la que le daba parte de su fuga.

Después, echáronse a andar con dirección a Xochimancas. De vez en cuando, Manuela, que iba delante con el Zarco, escuchaba ciertas risas ahogadas[14] de los bandidos, a las que contestaba el Zarco volviéndose y guiñando.[15]

Por fin, poco antes de mediodía se divisaron por entre una abra, formada por dos colinas, las ruinas de Xochimancas.[16]

8. she was eloping with the man of her choice
9. who would face danger with him and guard him on all sides
10. no one unmasked
11. the timbre of their voice
12. at the first light of dawn, when the rain had slackened
13. muffled up in their ponchos, each with a scarf concealing the lower half of his face, their grim and fierce glances sent a shudder through the girl
14. stifled laughs
15. winking
16. they caught sight of the ruins of Xochimancas through a gap in the mountains

Pocos momentos después, el Zarco dijo a Manuela, con tono amoroso:

—Ya estamos en Xochimancas, mi vida, ahí están todos los muchachos.

En efecto, por entre las viejas y derruidas paredes,[17] así como en los portales derrumbados y negruzcos[18] de la casa de la hacienda, Manuela vio asomarse numerosas cabezas, todas cubiertas con los sombreros plateados.

Al atravesar la comitiva,[19] gritaban continuamente:

—¡Miren al Zarco! ¡Qué maldito...! ¡Qué buena garra se trae![20]

—¿Dónde te has encontrado ese buen trozo, Zarco de tal?[21] —preguntaban otros riendo.

—Esta es para mí no más —contestaba el Zarco en el mismo tono.

—¿Para ti no más...? Pos ya veremos...[22] —replicaban aquellos bandidos—. ¡Adios, güerita, es usted muy chula para un hombre solo![23]

—¡Si el Zarco tiene otras! ¿Pa' qué quiere tantas? —gritaba un mulato horroroso que tenía la cara vendada.[24]

El Zarco, enfadado al fin, se volvió, y dijo:

—¡Se quieren callar, grandísimos...![25]

Un coro de carcajadas[26] le contestó; el Zarco le dijo a Manuela, inclinándose y abrazándola por el talle:

—No les hagas caso, son muy chanceros.[27] ¡Ya los verás qué buenos son!

Pero Manuela se sentía profundamente contrariada.[28] Vanidosa, como era, y aunque sabiendo que se entregaba a un forajido,[29] ella esperaba que este forajido, que ocupaba

17. demolished walls
18. broken down, blackish doorways
19. As the group moved forward
20. The old devil, what a fine catch he's made!
21. Where did you find that number, you lucky Zarco?
22. We'll soon see about that
23. So long, blondie — you're too pretty for just one man!
24. a hideous-looking mulatto, his face swathed in bandages
25. Shut up, you great big —!
26. boisterous laughter
27. they're big teasers
28. deeply vexed
29. knowing full well that she had surrendered to an outlaw

460

un puesto entre los suyos semejante al que ocupa un general entre sus tropas, tuviese sus altos fueros[30] y consideraciones. Creía que los capitanes de bandoleros eran alguna cosa tan temible que hacían temblar a los suyos con sólo una mirada, o bien que eran tan amados, que no veían en torno suyo más que frentes respetuosas y no escuchaban más que aclamaciones de entusiasmo. Y aquella recepción de los plateados la había dejado helada. Más aún: se había sentido herida en su orgullo de mujer, y puede decirse en su pudor de virgen, al oir aquellas chanzonetas malignas.[31]

Sintió, pues, que el semblante se le encendía de cólera;[32] pero cuando el Zarco se volvió hacia ella, risueño, para decirla: "¡No les hagas caso!", su amante le pareció, no solamente tan cínico como sus compañeros, sino cobarde y despreciable.

La intensa palidez que sucedió al rojo de la indignación[33] en el semblante de la joven, debió ser notable, porque el Zarco la advirtió, e inclinándose de nuevo hacia ella, le dijo con tono meloso:[34]

—¡No te enojes, mi alma, por lo que dicen esos muchachos! Ya te he dicho que tienen modos muy diferentes de los tuyos. Nosotros tenemos nuestros dichos aparte,[35] pero es necesario que te vayas acostumbrando, porque vas a vivir con nosotros, y ya verás que todos esos chanceros son buenos sujetos y que te van a querer mucho. ¡Te lo dije, Manuelita, te dije que no extrañaras, y tú me has prometido hacerte a nuestra vida![36]

Este *te lo dije* del Zarco resonó como un latigazo.[37] Comenzaba Manuela a sentir la indiscreción de su promesa y los extravíos y ceguedades de la pasión. Inclinó la cabeza y no contestó.

30. privileges
31. coarse jests
32. She felt her face grow hot with anger
33. The pallor which succeeded the flush of anger
34. sweet
35. We have our own way of saying things
36. I told you not to be shocked, and you promised to adjust yourself to our ways
37. cut like a lash (lit. sounded like a whiplash)

Entre tanto, habían llegado ya a la capilla arruinada que servía de alojamiento al Zarco, pues las habitaciones de la antigua casa de la hacienda estaban reservadas a otros jefes de aquellos bandoleros.

En la puerta, y a la sombra de algunos arbolillos que habían arraigado en las paredes llenas de grietas o entre las baldosas desunidas y cubiertas de zacate,[38] estaban dos grupos de bandidos jugando a la baraja[39] en torno de un sarape tendido, que servía de tapete y contenía las apuestas, los naipes y algunas botellas de aguardiente de caña y vasos.[40]

—¿Quiénes son éstos? —preguntó curiosa al Zarco.

—¡Ah! —contestó éste—, son mis mejores amigos, mis compañeros, los jefes... Félix Palo Seco, Juan Linares, el Lobo, el Coyote, y ese güerito que se levanta es el principal... es Salomé.

Salomé se adelantó a recibir al Zarco y a su comitiva.

—¿Qué hay, Zarco? —le dijo con voz aflautada y alargándole la mano—. ¡Caramba! —añadió mirando a Manuela—, ¡qué bonita muchacha te has sacado! —y luego, tocándose el sombrero y saludando a Manuela le dijo—: ¡Buenos días, güerita..., bien haya la madre que la parió tan linda...![41]

Los otros bandidos se habían levantado también y rodeaban a los recién llegados, saludándolos y dirigiendo requiebros a la joven.[42] El Zarco se apeó, riendo a carcajadas, y fue a bajar a Manuela, que se hallaba aturdida[43] y no acertaba a sonreir ni a responder a tales hombres. No estaba acostumbrada a semejante compañía y le era imposible imitar sus modales y su fraseología cínica y brutal.

—¡Vamos, aquí hay refresco! —dijo uno de los del grupo, trayendo un vaso de aguardiente.

---

38. which had taken root in the crevices of the walls and between the uneven moss-covered paving stones
39. playing cards
40. on a sarape stretched out and serving as a rug lay the stakes, cards, bottles of brandy and several glasses
41. i.e. your mother is to be congratulated for having produced so beautiful a daughter
42. showering compliments on the girl
43. bewildered

—No —dijo el Zarco, apartando el vaso—, esta niña no toma, no está acostumbrada; lo que queremos es almorzar, porque hemos andado casi toda la noche y toda la mañana, y no hemos probado bocado.[44]

—A ver, mujeres —gritó a las gentes que había dentro de la capilla, de la cual se exhalaba, juntamente con el humo de la leña, cierto olor de guisados campesinos—,[45] háganos de almorzar, y tomen esto —añadió alargando la maleta que contenía la ropilla de Manuela; ésta sólo conservó su saco de cuero, en que guardaba las alhajas.

Un grupo de mujerzuelas, desarrapadas y sucias,[46] se apresuró a recibir la maleta, y los recién llegados penetraron en aquel pandemónium.[47]

En el fondo de la capilla, junto al altar mayor, y dividida de la nave por una cortina de petate,[48] se hallaba la alcoba del Zarco, que contenía un catre de campaña, colchones tirados en el suelo, algunos bancos de madera y algunos baúles forrados de cuero.[49]

La joven se sentó en uno de los bar.:os y allí cubierta con la cortina, sintiéndose a solas, dejó caer la cabeza entre las manos, desfallecida, abismada;[50] y oyendo las risotadas de los bandidos ebrios, sus blasfemias, las voces agudas de las mujeres, aspirando aquella atmósfera pesada, pestilente como la de una cárcel, no pudo menos que mesarse los cabellos[51] y derramando dos lágrimas que abrasaron sus mejillas como dos gotas de fuego, murmuró con voz enronquecida:

—¡Jesús...!, ¡lo que he ido a hacer![52]

44. without eating a thing
45. a smell of cooking mingled with wood smoke
46. a group of slatternly women, ragged and filthy
47. chaotic place
48. separated from the nave by a curtain of matting
49. a folding cot, mattresses thrown on the floor, a few wooden benches and several leather trunks
50. exhausted and despairing
51. to tear her hair
52. what have I done!

16.

EL PRIMER DIA

El primer día fue horrible para Manuela. La sorpresa que le causó el espectáculo de aquel campamento de malhechores; la extrañeza que naturalmente la produjeron aquellos hábitos repugnantes, que no tenían ni siquiera la novedad de la vida salvaje; la ausencia de los seres que había amado, de su madre, de Pilar, de algunas personas amigas, hasta la falta de esas sensaciones a que se está habituado y que en la vida normal pasan inadvertidas,[1] pero cuando desaparecen producen un vacío inmenso; las faenas del día, los toques de las campanas,[2] el ruido de los animales domésticos, el rumor lejano de las gentes del pueblo, el rezo[3] a ciertas horas, todo, todo aquel sistema de vida sencillo, común, poco variable en una población pequeña, pero que podría decirse que amolda el carácter y forma la disciplina de la existencia, todo aquello había desaparecido en pocas horas.

Ella suponía que el Zarco iba a llevarla a alguna cabañita[4] salvaje, escondida entre los bosques, o a alguna gruta abierta entre las rocas que solía divisar a lo lejos entre los picos de la sierra. Ese, ese escondite era digno de la querida de un bandido, de un enemigo de la sociedad. Allí estarían solos, allí serían felices, allí ocultarían sus amores criminales, pero libres. Allí ella lo esperaría preparando la comida, y palpitante de pasión y de inquietud. Allí, en un lecho[5] rústico y sentada sobre el musgo,[6] ella acariciaría[7] aquella frente querida que acababa de exponerse al peligro de un combate, besaría aquellos ojos fatigados por la vigilia de la emboscada o del asalto nocturno, o reclinándolo sobre su

1. so familiar that they pass unnoticed
2. the day's chores, the ringing of church bells
3. prayers
4. little cabin
5. bed
6. moss
7. she would caress

seno, velaría por su amante mientras dormía.[8] Cuando el peligro fuese terrible, cuando hubiera necesidad de huir por la aproximación de las tropas del gobierno, allí vendría el Zarco a buscarla para ponerla a la grupa de su caballo, y escapar, o le ordenaría ocultarse en lo más recóndito del bosque mientras que podía volver a buscarla.[9] Allí tendría también un lugarcito, sólo de ella conocido, para guardar sus valiosas alhajas.

En vez de encontrar ese retiro misterioso y agreste, el Zarco la llevaba a esa especie de cárcel para hacerla vivir mezclada con mujeres ebrias y haraposas, con bandidos osados[10] que no respetaban a las queridas de sus compañeros.

Con semejante impresión, aun las caricias del Zarco que naturalmente redoblaron en esas horas en que se encontraban, por fin, unidos, fueron ineficaces para tranquilizarla y devolverle la ilusión perdida. Ahora le veía de cerca, vulgar, grosero, hasta cobarde, puesto que soportaba riendo las insultantes chanzas[11] de sus compañeros que lastimaban hondamente a la mujer amada. Ella suponía que aun entre los ladrones, la mujer del jefe debía ser un objeto sagrado, algo como la mujer de un general entre los soldados. Lejos de eso, se la trataba como una mujerzuela.[12]

Decididamente, Manuela sentía que ya no amaba al Zarco, que se había engañado acerca de los sentimientos que la habían obligado a escapar de su casa. Habíanle bastado algunas horas para comprender todo lo execrable de su pasión y todo lo irremediable de su desventura.

El castigo de su falta no se había hecho esperar mucho tiempo.

Entre tanto, el Zarco le prodigaba[13] mil cuidados, la llenaba de atenciones. Acompañado de los bandidos y de las mujeres, componía el departamento que le estaba destinado

8. she would keep watch for her lover while he slept
9. to lift her onto the rump of his horse, or order her to hide in the thickest part of the wood until he could return to fetch her
10. with drunken, ragged women and unscrupulous bandits
11. humiliating jests
12. a woman of no account
13. lavished

en la capilla, trayendo esteras nuevas, tendiendo jorongos, colgando algunas estampas de santos,[14] y, sobre todo, mostrándole sus baúles, en los que había algunas talegas de pesos, alguna vajilla de plata, mezclada con arreos de caballos, vestidos de seda,[15] y mil otros objetos extraños. Hubiérase dicho que aquellas arcas eran verdaderos nidos de urraca,[16] en los que todo lo robado estaba revuelto confusamente.

—Todo esto es tuyo, Manuelita, tuyo nada más; aquí tienes las llaves y yo traeré más.

Manuela sonreía tristemente.

El Zarco, al verla así, creía que estaba extrañando el cambio de vida;[17] pero ni un momento pudo sospechar el cambio que se había efectuado en el ánimo de su amada, de cuya pasión estaba cada vez más seguro.

Llegó la noche, la noche pavorosa y lúgubre de aquel campamento de bandidos. Manuela fue a asomarse a la puerta de la capilla, deseosa de respirar aire puro y de contemplar el aspecto de semejante lugar que comenzaba a parecerle peligrosísimo.

La noche era sombría y amenazaba tempestad.[18] Las luces que brillaban por entre las ventanas y las grietas[19] de las ruinas le daban un aspecto todavía más espantoso.[20]

Acá y aculla cruzaban patrullas a caballo. Reinaba un silencio sepulcral.[21] La noche es para los malhechores[22] favorable, pero está llena de terrores y de peligros también para ellos si descansan en la guarida.[23] Así que su sueño nunca es tranquilo y está turbado por cada rumor de la arboleda, por cada galope que se oye a lo lejos, por cada silbido del viento, por todo ruido extraño.

14. laying new matting, spreading blankets, hanging up pictures of saints
15. bags filled with pesos, silverware, harnesses, silk gowns
16. magpies' nest
17. she could not adjust herself to the change in her life
18. The night was dark and a storm threatened
19. cracks
20. terrifying
21. Here and there patrols passed on horseback. A deathly silence reigned supreme.
22. evildoers
23. should he relax his vigilance in his den

Entonces tenían un motivo más para estar alerta. El rapto de Manuelita debía haber causado gran alboroto[24] en Yautepec. El herrero de Atlihuayán, hombre peligroso para los *plateados,* y que los odiaba a muerte, pretendiente desdeñado de la joven, debía haber puesto en alarma a los vecinos y a sus amigos de la hacienda. Era gran conocedor de aquellos terrenos, y muy audaz y muy valiente. Además, ese día había llegado a Yautepec la caballería que había ido a perseguir a los asaltantes de Alpuyeca, y aunque los *plateados* sabían a qué atenerse respecto de la bravura de esa tropa,[25] nada extraño sería que, animada por el odio del herrero y por la resolución de los vecinos, se hubiera determinado a atacarlos.

Así es que la vigilancia se redobló en Xochimancas.

Salomé, el principal jefe de los *plateados,* había dicho, al obscurecer, al Zarco:

—Dios quiera, Zarco, que tu güera no nos vaya a traer algún perjuicio. Es necesario estar con cuidado; tú vete con ella, y estáte muy tranquilo, y diviértete, *vale*[26] —añadió, guiñándole el ojo y riéndose maliciosamente—, que yo quedo velando. He avanzado a los muchachos por todos los caminos, y Félix se ha adelantado hasta cerca de Atlihuayán, por si hay algo. Conque, anda, vete y que duermas bien.

Salomé montó a caballo y, seguido de una veintena de jinetes, se fue a hacer ronda.[27] El Zarco se dirigió a la capilla, donde todos dormían ya, menos Manuela, que lo esperaba sentada en un banco, ceñuda y llorosa.[28]

24. undoubtedly caused a great outcry
25. although the plateados knew how much these troops were worth
26. pal
27. followed by a score of horsemen he set off on his rounds
28. sullen and tearful

467

17.

Pasaron así algunos días que parecieron siglos a Manuela, siglos de aburrimiento[2] y de tristeza. A medida que el Zarco la trataba con mayor intimidad, siendo ya su querida, sentía mayor despego[3] hacia él, despego complicado con una especie de miedo o de horror al hombre que había podido arrastrarla hasta aquel abismo.[4] Por una necesidad de su nueva vida, Manuela había tenido que entablar relaciones, sino de amistad, al menos de familiaridad[5] con aquellas mujeres que habitaban la capilla con ella, y aun con las queridas de los otros bandidos que vivían en otra parte.

Entre ellas hacía distinción de una,[6] la Zorra, no porque fuese menos perversa, sino porque conocía muy bien a Yautepec, donde había residido muchos años, y le hablaba siempre de personas que le eran conocidas, de doña Antonia, de Pilar, de Nicolás, sobre todo de Nicolás, a quien conocía mucho.

—¡Ay, Manuelita! —le había dicho esta mujer el primer día en que trabaron conversación—, yo me alegro mucho de que esté usted con nosotras, porque es usted tan bonita y tan graciosa, y porque quiero al Zarco y mi hombre le quiere también, pero no por eso dejaré de decir a usted que ha hecho una gran tontería[7] en venirse aquí con él. Si le hubiera puesto a usted casa en alguno de los pueblos, o haciendas, o ranchos donde tenemos amigos, habría hecho mejor y estaría usted más segura y más contenta. Pero aquí, mi alma, va usted a padecer[8] mucho. Para nosotras, que hemos seguido a nuestros hombres en todas las guerras, y que hemos corrido con ellos la Ceca y la

1. orgy
2. boredom
3. aversion
4. to drag her down into that abyss
5. to establish relations, if not of friendship, at least of civility
6. [in particular] she picked out one of them
7. you have done a very foolish thing
8. to suffer

Meca,[9] esta vida ya no es pesada, y al contrario, nos gusta, porque, en fin, estamos acostumbradas, y las aventuras que nos suceden son divertidas algunas veces. Es cierto que pasamos también buenos sustos,[10] y que hay días en que no comemos y noches en que no dormimos, y nuestros hombres nos pegan y nos maltratan,[11] pero, ya digo, estamos acostumbradas y nada nos hace.[12] Pero usted, una niña que ha estado tan recogida siempre, tan metidita en su casa,[13] tan cuidada por su mamá, que tiene usted la carita tan fina y el cuerpecito tan delicado y que no está hecha a pasar trabajos, la verdad, mi alma, me temo mucho que se vaya a enfermar o que le suceda alguna desgracia. Ahora ya ve usted, está muy triste, se le echa de ver luego en la cara que no está usted contenta, ¿verdad?

Manuela respondió sólo derramando un mar de lágrimas.[14]

—¡Pobrecita! —continuó la Zorra—, yo la conocí a usted hace dos años, allá en Yautepec, ¡tan hermosa!, ¡tan decente!, ¡tan bien vestida! Parecía usted una virgen, y que la querían a usted mucho los gachupines[15] de la tienda y todos los muchachos bien parecidos de la población, aunque le hablaré a usted francamente, ninguno de ellos valía nada en comparación de don Nicolás el herrero. Eso es hablarle a usted la verdad, y Dios me libre de que oyera el Zarco, porque me sacaba los ojos,[16] pero es la verdad. El Zarco es cierto que es buen mozo y simpático, y bueno para la pelea y tiene mucha fortuna; pero le diré a usted, tiene su mal genio,[17] y si la sigue viendo a usted triste se va a enojar, y puede que...

—¡Qué! —interrumpió Manuela con vivacidad—, ¿que me pegue?[18]

9. from one place to another
10. there are times when we are scared stiff
11. our men beat us and ill-treat us
12. and we don't mind
13. so closely kept at home
14. Manuela's only reply was to weep bitterly
15. Spaniards [often the owners of stores in Mexico]
16. he would tear my eyes out
17. bad temper
18. beat me?

—¡Pues... vea usted, Manuelita, no sería difícil! El la quiere a usted mucho, pero yo le digo a usted, tiene muy mal genio...

—¡Pues eso sólo me faltaba![19] —replicó Manuela. Y luego añadió con amargura—: No, no lo hará, y, ¿por qué lo había de hacer?, ¿qué motivo le doy?

—Ya se ve que ninguno, y al contrario, está muy enamorado de usted; y si la ve a usted triste, va a creer tal vez que usted no le quiere, que está usted arrepentida de haberle seguido, y sería capaz de matarla.[20] Yo le aconsejo a usted que se muestre más alegre, que le dé a conocer al Zarco que está usted contenta.

Manuela comprendió fácilmente que aquella mujer tenía razón, y que, aunque amarga y desagradable, le había pintado la existencia que tenía que llevar con la verdad propia de la experiencia.

A esta consideración, Manuela sentía circular en su cuerpo un calofrío de muerte,[21] y se apoderaba de ella un fuerte deseo de escaparse, de volar, al que sucedían luego un desmayo y un desaliento indecibles.[22]

¡Fingir!, ¡disimular![23] Esto era horroroso, y, sin embargo, no le quedaba otro camino.[24] Se propuso, pues, seguirlo; cambiar de conducta enteramente y engañar[25] al Zarco para inspirarle confianza, a fin de aprovechar la primera oportunidad para escaparse de sus garras.[26]

Así es que, aunque se había propuesto seguir los consejos que se le habían dado, no pudo hacerlo, y se encerró en un silencio[27] y en una tristeza más obstinados todavía que los de los días anteriores.

El Zarco se manifestó enojado, al fin, y la riñó.[28]

19. That's all I need!
20. he might kill you
21. shuddered violently
22. an intense longing to escape, to fly away, followed by an indescribable helplessness and despair
23. Pretend [to be happy]!
24. she had no choice
25. to deceive
26. the first opportunity of escaping from his clutches
27. shut herself up in a silence
28. El Zarco grew angry and scolded her

—Si sigues triste, vas a hacer que yo cometa una barbaridad[29] —le dijo.

Manuela se encogió de hombros.[30]

Pero una tarde llegó el Zarco a caballo y muy contento. Durante el día había hecho una expedición en unión de varios compañeros. Saltó del caballo a la puerta de la capilla y corrió a ver a Manuela, que, como siempre, se hallaba encerrada en la alcoba.

—Toma —le dijo el bandido—, para que ya no estés triste.

Y puso en sus manos una talega con onzas de oro.[31]

—¿Qué es esto? —preguntó Manuela con disgusto.

—Mira lo que es —contestó el Zarco, vaciando las onzas en la cama—. Cien onzas de oro —añadió—, que me acaban de traer, y mañana me traerán otras cien, o le corto el gaznate al francés.[32]

—¿Qué francés? —preguntó Manuela horrorizada.

—Pues un francés que me fueron a traer los muchachos hasta cerca de Chalco, figúrate, hasta cerca de México. ¡Es rico y aflojará la mosca o se muere![33] Ya mandó la familia cien onzas, pero si no manda quinientas, la lleva.[34] Por ahí le tengo comiendo una tortilla cada doce horas.

—¡Jesús! —exclamó Manuela espantada.[35]

—¡Qué! ¿Te espantas, soflamera? ¡Pues vaya que estás lucida! En lugar de que te alegraras, porque con ese dinero vamos a ser ricos.[36]

Manuela, sin darse por entendida por este reproche,[37] después de haber mirado el oro con indiferencia, le contestó:

—Oye, Zarco, aunque no me traigas más dinero, te ruego que sueltes a ese hombre.[38]

29. you will force me to harm you
30. Manuela shrugged her shoulders
31. a bag filled with gold pieces
32. or I'll cut the Frenchman's throat
33. he's rich, and he'll either give up his money or die
34. he'll get it (i.e. I'll make an end of him)
35. frightened
36. Are pou scared, little idiot? That's just fine! You should be pleased, because this money will make us rich.
37. without showing that she had understood this reproach
38. I beg you to set this man free!

471

—¿Qué es lo que estás diciendo? —preguntó el Zarco—, ¿Estás loca, Manuela, para decirme eso? Por ti, por ti no más, ingrata, he arriesgado a los muchachos[39] para que vayan a traerme a ese rico, para que nos dé dinero, para que te compres alhajas, vestidos de seda, todo lo que quieras, y ahora me sales con esta compasión y con estos ruegos.[40] Tú eres muy buena, Manuelita, y te has criado entre gente muy escrupulosa y muy santa; pero tú sabías quién era yo, y si no te creías capaz de acomodarte a mi modo,[41] ¿para qué te saliste de tu casa? Si tu modo era diferente, ¿por qué no te casaste con el indio de Atlihuayán? ¡Ese no es ladrón! Pero conmigo, o te conformas con la vida que llevo o te mueres, Manuela.

Acabando de decir esto el Zarco, se oyó un gran ruido de voces, mezclado al rasgueo de guitarras,[42] y entraron en la capilla Salomé, Palo Seco, el Tigre, Linares y otros veinte bandoleros más, que parecían regocijados y estaban ebrios.

—¡Zarco! —gritaron—, ahora estás rico, hermano, y vamos a hacer un baile para que se alegre la chata que te has traído de Yautepec y que se está muriendo de tiricia.[43]

—¡A ver! ¡Sácala, y que venga a bailar con nosotros!

—Ven, Manuelita, y cuidado con disgustar a mis compañeros —dijo el Zarco, tomando de la mano a la joven, que se dejó arrastrar como una víctima y que procuró fingir una sonrisa.[44]

—Güerita —dijo Salomé que traía una botella en la mano—. Nos va a acompañar al baile que vamos a hacer para celebrar las hazañas de su querido, el Zarco. Véngase para acá y deje de estar allí tan triste.

—Bueno, bueno —dijo el Zarco—; vamos a disponer el baile y a preparar los licores, que ya vendré por Manuela

---

39. I risked the lives of the boys
40. and now you reproach me with your pity and your pleas
41. if pou didn't think you could get used to my ways
42. mixed with the twanging of guitars
43. the girl [slang, lit. flat-nosed] you brought from Yautepec and who's dying of sadness
44. tried to summon up a smile; feigned to be smiling

para llevarla. Vístete, mi vida, y componte para el baile,[45] que ya vengo por ti.

—Zarco, tú eres celoso —dijo Salomé, dándole una palmada en el hombro, con tono de burla—; eres celoso, y tú sabes que entre nosotros eso no se usa. Por ahora te consentimos esas tarugadas,[46] pero no sigas con ellas mucho tiempo, hermano, porque no convienen.

Manuela, ya vestida y compuesta para el baile, y muy bella, a pesar de su palidez, se dejó conducir por el bandido.

Al entrar Manuela con el Zarco, se alzó una gritería espantosa: vivas, galanterías, juramentos, blasfemias, todo eso salió de cien bocas torcidas por la embriaguez y la crápula.[47] Todos los bandidos famosos estaban allí, cubiertos de plata, siempre armados, cantando unas canciones obscenas, abrazando otros a las perdidas[48] que les hacían compañía. Manuela se estremeció; apenas acababa de soltarse del brazo del Zarco, cuando se acercó a ella el mulato colosal y horroroso.

—Ora va usted a bailar conmigo, güerita —dijo a Manuela, cogiendo con una de sus manazas[49] el brazo blanco y delicado de la joven.

Por un movimiento irresistible, Manuela retrocedió asustada y procuró seguir al Zarco[50] para refugiarse con él. Pero el mulato la siguió, riéndose, y la ciñó el talle.[51]

—Mira, Zarco, a tu chata, que corre de mí y no quiere bailar.

—Hombre, ¿qué es eso, Manuela? ¿Por qué no quieres bailar con mi amigo el Tigre? Ya te dije que has de bailar con todos, para eso has venido.

Manuela se resignó, y fingiendo una sonrisa lastimosa, se dejó conducir por aquel monstruo de fealdad y de insolencia.

45. get yourself ready for the ball
46. we put up with all that nonsense
47. distorted by drunkenness and debauchery
48. prostitutes
49. huge hands
50. shrank back frightened and tried to follow El Zarco
51. grabbed her round the waist

473

Después de haber dado algunas vueltas en aquel salón infecto,[52] atropellando y empujando[53] a cincuenta parejas de bandoleros y de mujeres ebrios, el Tigre dejó de bailar, pero inclinándose hacia su compañera le dijo con voz ahogada por los deseos y apretándola brutalmente el brazo:[54]

—Chatita, desde que la vi llegar con el Zarco me gustó y le encargué a la Zorra, la mujer del Amarillo, que se lo dijera,[55] no para que usted me correspondiera luego lueguito,[56] sino para que lo supiera de una vez; no sé si se lo habrá dicho.

Manuela no contestó.

—Pues si no se lo ha dicho, ahora se lo digo yo francamente; usted me ha de llegar a querer.[57]

—¡Yo...? —exclamó la joven asustada.

—¡Usted! —replicó el Tigre—, ¡ya verá usted...! El Zarco no es constante y le ha de pagar a usted mal, como le ha pagado a todas... Pero yo estoy aquí, mi alma, para que cuando le dé el desengaño[58] se acuerde usted de mí, y entonces sabrá usted quién es el Tigre; usted no me conoce y no conoce todavía al Zarco.

Manuela parecía ser presa de una pesadilla y se sintió desfallecer.[59]

—¡Pues yo se lo voy a decir al Zarco para que esté prevenido![60]

—¡Pues dígaselo usted, linda, dígaselo usted! —respondió el Tigre, con una risa desdeñosa—.[61] Ya el Zarco me conoce —añadió— y verá usted si es verdad lo que le digo; el Zarco, de quien se ha enamorado usted porque lo ha creído hombre, no es más que un lambrijo.[62] Conque díga-

---

52. dreadfull (lit. infected)
53. pushing and trampling his way among
54. squeezing brutally Manuela's arm
55. I told La Zorra to tell you so
56. right away
57. you'll get around [sooner or later] to love me
58. throws you over
59. Manuela felt herself caught up in some dreadful nightmare and she grew faint
60. so that he would be on the alert
61. laughing scornfully (lit. with a scornful laughter)
62. he's nothing but a worm

selo usted, y para que sea pronto, la voy a sentar y me quedo aguardando.

Manuela fue a sentarse aterrada.[63] Seguramente iba a producirse allí una catástrofe; el Tigre deseaba provocarla a toda costa para matar al Zarco, y ella estaba destinada a ser el botín del vencedor.[64]

Cuando ella buscaba con angustia a su amante, a quien, a pesar del horror que ya le inspiraba, creía su único apoyo,[65] le vio dirigirse hacia ella, ceñudo, lívido de cólera.[66]

Manuela creyó que estaba celoso del Tigre y pensó que por fin había llegado el momento de la riña que estaba temiendo.

Pero el Zarco, con una sonrisa satánica, le dijo:

—¡Conque ya sé cuál es el motivo de tus tristezas y de tu aburrimiento en estos días, ya me lo han contado, y ya no me la volverás a pegar, arrastrada...![67]

—Pero, ¿qué es? Qué es? ¿Qué te han contado, Zarco? —preguntó Manuela, tan asombrada como despavorida[68] al oír estas palabras.

—Sí, ya me dijo la Zorra que lo que hay es... que te has arrepentido de haberte largado conmigo,[69] que has conocido que no me querías... de veras...; que el único hombre a quien amabas era el indio Nicolás; que sientes haberlo dejado; y que en la primera ocasión que se te ofrezca me has de abandonar.[70]

—¡Pero yo no he dicho....! —interrumpió temblando Manuela.

El Zarco no la dejó acabar.

—¡Sí, tú se lo has dicho, falsa y embustera; no quieras negarlo! Tú no querías más que alhajas y dinero...[71] Pero,

---

63. sat down terrified
64. she was to be the booty of the victor
65. now seemed to be her only protection
66. she saw him approaching her, grim, livid with rage
67. and you won't fool me again, you creep!
68. as much aghast as terrified
69. that you regret having come with me
70. and that you're going to escape at the first opportunity
71. all you wanted was money and jewels

mira —añadió cogiéndola de un brazo y apretándoselo bestialmente—,[72] lo que es de mí no te burlas, ¿me entiendes? Ya te largaste conmigo y ahora ves para qué naciste. ¡En cuanto al indio herrero, yo he de tener el gusto de traerte su cabeza y después te morirás tú, pero no te has de quedar riendo de mí!

Manuela apenas pudo decir al Zarco, en actitud suplicante:

—¡Zarco, hazme el favor de sacarme de aquí, estoy enferma...![73]

—¡No te saco, muérete! —contestó el bandido con furia.

No bien acababan de decir estas palabras cuando hubo un gran ruido en la puerta de la sala, y varios bandidos, cubiertos de polvo y con el traje desordenado por una larga caminata,[74] se precipitaron adentro con aire azorado[75] y preguntando por Salomé, por el Zarco y por los demás jefes.

Salomé y los otros fueron a su encuentro.

—¿Qué hay? —preguntó aquél, mientras que todos los *plateados* iban formando círculo en torno suyo.

—Novedad —respondió uno de los recién llegados, sofocándose—.[76] Hemos corrido diez leguas para avisarles... Martín Sánchez Chagollan, el de Acapixtla, con una fuerza de cuarenta hombres, ha sorprendido a Juan el Gachupín y a veinte compañeros y los ha colgado en la catzahuatera de Casasano.[77]

—¿Y cuándo? —preguntaron en coro los bandidos aterrados.

—Anoche, a cosa de las diez los sorprendió. Estaban emboscados esperando un cargamento que iba a pasar, cuando Martín Sánchez les cayó, los acorraló[78] y apenas pudieron escaparse cinco o seis, que vinieron a buscarnos y que se han quedado heridos y no han podido venir hasta acá.

---

72. seizing her arm and squeezing it brutally
73. please take me away from here, I am ill
74. dusty and dishevelled from a long ride
75. excitedly
76. replied one of the newly-arrived breathlessly
77. hanged them in the **calzahuate** wood at Casasano
78. fell on them and surrounded them

—¿Pero... qué...?, ¿no pelearon esos muchachos? —preguntó Salomé.

—Sí, pelearon, pero los otros eran más y traían muy buenas armas.

—¿Y qué, no tuvieron aviso?[79]

—Eso es lo que extrañamos, pero creo que la gente comienza a ayudar a Martín Sánchez y a faltarnos a nosotros.[80]

—Pues es preciso vengar a nuestros compañeros y meter miedo a las gentes. Mañana, amaneciendo, todos vamos a salir de aquí, y vamos a buscar a Martín Sánchez y a ver si es tan bueno contra quinientos hombres como contra treinta. Conque alístense para mañana.[81]

—¿Y qué hacemos con los presos? —preguntó uno.

—Pues esos que se mueran —dijo Salomé—, Tigre, anda y mátalos luego luego.

—Mira, Salomé —dijo el Tigre—, mejor dale esa comisión al Zarco; él sabe bien matar a los muertos.[82]

—¿Matar a los muertos dices, Tigre?

—¡Sí, matar a los muertos! —replicó el Tigre—; acuérdate de Alpuyeca.

—¡Pues ya verás si sé matar también a los vivos! —replicó el Zarco, lívido de cólera.

—¡Bueno, bueno —dijo Salomé, interponiéndose—; no queremos disputas; cualquiera es bueno para despachar a los presos! El caso es que no amanezcan; llévenle la orden al Amarillo y vámonos.[83]

—¡Ah!, ¡otra noticia! —añadió el otro de los recién llegados—. Esta mañana se enterró en Yautepec la madre de la muchacha que se trajo el Zarco.

Entonces se oyó un grito que hizo volver la cara a todos aquellos hombres.

—¡Mi madre! —exclamó Manuela, y se dejó caer desfallecida en el suelo.[84]

79. Didn't they have any warning?
80. We wondered about that, but it seems that the peasants (lit. the folks) are beginning to turn against us and to help Martín Sánchez
81. You'd all better go and get yourselves ready
82. he's good at killing the dead
83. tell Amarillo to do it, and let's go
84. fell fainting to the ground

—Levántala, Zarco, y llévatela y que se conforme, porque si no nos va a estorbar.[85]

El Zarco, ayudado de algunas mujeres, levantó a Manuela, la cargó y se la llevó a la capilla, donde la recostó en su cama.

La joven estaba moribunda.[86] Tantas emociones seguidas, tantos peligros, tantas amenazas,[87] tantos horrores, habían abatido[88] aquella naturaleza débil y estaban obscureciendo aquel espíritu. Manuela parecía idiota y no hacía más que llorar en silencio.

El Zarco, preocupado también con mil pensamientos diversos, no sabía que hacer.

Por fin, se acercó a la joven y con acento frío y seco le dijo:

—Ya eso no tiene remedio; deja de llorar,[89] y prepárate para que marchemos mañana de aquí y ayúdame a hacer ilas maletas.[90] Guarda bien tus alhajas; eso es lo que te importa.[91]

18.

MARTIN SANCHEZ CHAGOLLAN

¿Quién era el hombre temerario que se había atrevido a colgar a veinte *plateados* en los lugares mismos de su dominio, y que así había causado aquel movimiento en el cuartel general de los bandidos?

El nombre de Martín Sánchez Chagollan no era enteramente desconocido en Xochimancas, de modo que no causó sorpresa, pero sí la causó, y muy grande, saber lo que había hecho.

85. or else she'll just get in the way
86. she lay there as though dead
87. threats
88. shocked
89. stop crying
90. help me to pack the valises
91. and that's all that matters to you

Martín Sánchez tenía unos cincuenta; sólo que contaba con una de esas robustas y vigorosas naturalezas que sólo se ven en el campo y en la montaña, fortificadas por el aire puro, la sana alimentación, el trabajo y las buenas costumbres. Así es que, aunque cincuentón, parecía un hombre en toda la fuerza de la virilidad.[1]

De estatura pequeña, de cabeza redonda, y que parecía encajada en los hombros[2] por lo pequeño del cuello, sus anchas espaldas, sus brazos hercúleos y sus piernas torcidas y nervudas,[3] revelaban en él al trabajador infatigable y al consumado jinete.[4]

Vivía Martín Sánchez tranquilamente consagrado a sus labores, como lo hemos dicho, cuando, estando ausente él y su esposa, cayó en su rancho[5] una gran partida de *plateados.*

El anciano padre de Martín y sus hijos se defendieron heroicamente, pero fueron dominados por el número, asesinado el anciano, así como uno de los hijos, saqueada la casa e incendiada después, y destruido todo lo que constituía el patrimonio del honrado labrador.[6]

Cuando Martín Sánchez regresó de México, donde había ido, no encontró en su casa más que cenizas,[7] y entre ellas los cadáveres de su padre y de su hijo, que no habían sido sepultados aún porque los otros hijos, heridos y ocultos en el monte, no habían podido venir al rancho.

Martín Sánchez no dijo nada. Fue a buscar a sus hijos al monte; con ellos dio sepultura a los cadáveres de su padre y de su hijo,[8] y despidiéndose de su pobre rancho, se llevó a su mujer y a su familia al pueblo de Ayacapixtla.

Entonces vendió lo poco que le había quedado, y con el dinero que reunió, compró armas y caballos para equipar una partida de veinte hombres.[9]

1. although in his fifties, he seemed in the prime of life
2. which seemed to be sunk between his shoulders
3. bow-legged and muscular
4. expert horseman
5. fell upon their farm
6. all the possessions of the house and farm
7. he found his home in ruins (lit. found nothing but ashes)
8. they dug a grave and buried his father and his son
9. to equip a band of twenty men

Después, ya sanos sus hijos, los armó, habló con algunos parientes y les decidió a acompañarle, pagándoles de su peculio,[10] y una vez lista esta pequeña fuerza, fue a hablar con el prefecto de Morelos y le comunicó su resolución de lanzarse a perseguir *plateados*.[11]

El prefecto, alabándole su propósito, le hizo ver, sin embargo, los terribles peligros[12] a que iba a quedar expuesto en medio de aquella situación. Pero como Martín Sánchez le respondió que estaba enteramente decidido a llevar a cabo su propósito, le ofreció los auxilios que estaban en su poder, y lo autorizó para perseguir ladrones, en calidad de jefe de seguridad pública, y con la condición de someter a los criminales que aprehendiera al juicio correspondiente.[13]

Así autorizado, Martín Sánchez partió con su pequeña fuerza. Huyendo y caminando de noche, y pagando emisarios, y haciendo jornadas fabulosas,[14] poco a poco fue derrotando algunas partidas de bandoleros, y proveyéndose de armas, municiones y caballos. Tenía que vencer día a día tremendas dificultades, pero su sed de venganza le dio fuerzas superiores.[15]

Esa sed fue su resorte.[16]

* * *

La Calavera era una venta del antiguo camino carretero[17] de México a Cuautla de Morelos, más famosa todavía que por ser paraje de recuas, de diligencias y de viajeros pedestres, por ser lugar de asaltos.[18]

---

10. paying them out of his own pocket
11. he told him of his intention of tracking down the **plateados**
12. Although praising his plan, the Prefect pointed out the terrible dangers
13. under the title of Chief of Public Security, on the condition that he handed over for trial all those he took prisoner
14. paying informers and making incredible forced marches
15. his thirst for revenge endowed him with tremendous strength [to overcome difficulties]
16. the driving force (lit. the prime motive)
17. an inn on the old highway
18. reputed far more as a place of ambush than as a stopping place for drovers, coaches and travelers

En efecto, no en la venta propiamente, pero sí un poco más acá o un poco más allá, siempre había un asalto en aquella época. Y es que por allí las curvas del camino, y la proximidad de los bosques espesos y de las barracas ofrecían grandes facilidades a los ladrones para ocultarse, emboscarse o escapar.[19]

Allí, pues, una tarde de otoño, ya declinando el sol, se hallaba delante de la venta una fuerza de caballería formada, y compuesta de cuarenta hombres.[20] Estaban éstos uniformados de un modo singular: llevaban chaqueta negra con botones de acero pintados de negro; pantalones negros, con grandes botas fuertes de cuero amarillo, y acicates de acero, sombrero negro de alas muy cortas, sin más adorno que una cinta blanca con este letrero:[21] *Seguridad Pública.* Y en cuanto a las armas, eran: mosquete terciado a la espalda, sable de fuerte empuñadura negra y vaina de acero.[22] Cada soldado llevaba un canana llena de cartuchos en la cintura.[23] Los caballos magníficos, casi todos de color obscuro, las sillas y todo el equipo de una extrema sencillez y sin ningún adorno. Los ponchos negros, atados en la grupa.[24]

El que seguramente era el jefe se hallaba de pie a tierra, teniendo su caballo de la brida,[25] y parecía interrogar el horizonte en que se perdía el camino, en espera seguramente de alguno.

A pocos momentos salió de una venta un sujeto ya de edad y bien vestido, que, dirigiéndose a este jefe, le preguntó:

—¿No aparecen todavía, don Martín?

19. the twists of the road and the proximity to thick woods and ravines made it easy for the bandits to hide, to take ambush, of for a quick getaway
20. a group of forty horsemen lined up in front of the inn
21. they wore black jackets with steel buttons painted black, black trousers, strong leather boots with steel spurs, and narrow-brimmed black hats with a white band on which was written (lit. with a sign [reading]):
22. a carbine slung over his shoulder, a sword with a black hilt and steel scabbard
23. a cartridge belt, filled with cartridges, round their waists
24. the black ponchos were slung over the cruppers
25. on foot, holding his horse (lit. the bridle of his horse)

—¡Nada, ni su luz!²⁶ —respondió éste.

Aquel jefe era Martín Sánchez Chagollan, y aquella era su tropa, uniformada, según los propósitos de su jefe, de color obscuro, y ningún adorno, por odio a los *plateados*. También por odio a éstos había determinado que los sombreros de sus soldados no tuviesen las faldas anchas,²⁷ sino, al contrario, muy cortas y sin ningún galón.²⁸

El sujeto que acababa de dirigirle la palabra y que parecía ser un rico hacendado o comerciante, viendo que no venían las personas a quienes esperaban, dijo:

—Pues, don Martín, supuesto que estos señores no aparecen, si usted no dispone otra cosa, seguiremos nuestra marcha,²⁹ porque se nos hace tarde y no llegaremos a Morelos a buena hora. Además, el cargamento se ha adelantado mucho, y podía ocurrirle algún accidente.³⁰

—Yo creo —respondió Martín— que no hay cuidado por esa parte.³¹ Saben que estoy por aquí, y no se han de atrever.³² Pero este don Nicolás sí me tiene con inquietud.³³ Algo le ha de haber pasado, puesto que no llega. Me escribió que saldría de Chalco a la madrugada; debe haber almorzado en Tenango, y ya era hora de que estuviera con nosotros. Y figúrese usted que el pobre va a casarse, y que ha ido a México a emplear una buena cantidad de dinero en las *donas*;³⁴ de modo que los malditos, además de matarlo, cogerán una buena suma en alhajas. En fin, dejaré a unos muchachos aquí por si viniere,³⁵ y nos adelantaremos, porque, en efecto, el cargamento ya ha de ir lejos.

Entonces Martín Sánchez montó a caballo y desfiló con su tropa, acompañado de aquel comerciante y de sus mozos,

26. not a sign of them
27. wide brims
28. without any trimmings
29. seeing that these people have failed to turn up, we'll move on, unless you have some other orders for us
30. besides our pack mules (lit. load or shipment) have got a long way ahead and might be attacked (lit. might meet with some accident)
31. in that direction
32. they won't dare do anything
33. but I'm worried about Don Nicolás
34. presents for the bride
35. in case he may come

y dejando unos diez hombres, con orden de acompañar a Nicolás, que venía de México.

No bien habían caminado casi una media hora, cuando oyeron tiros,[36] y un arriero corría para encontrarlos, gritándoles que los *plateados* estaban robando el cargamento. Martín, a la cabeza de su fuerza, avanzó a escape,[37] y momentos después caía sobre los bandidos, que lo recibieron con una lluvia de balas y con una gritería insolente, diciéndole que ese era su último día.

Los jinetes negros hacían prodigios de valor, lo mismo que su jefe, que se lanzaba a lo más fuerte del combate. Pero los *plateados* eran numerosos y estaban mandados por jefes principales; la tropa de Martín estaba literalmente sitiada:[38] ya seis u ocho de aquellos bravos soldados habían caído y otros comenzaban a cejar;[39] se había empezado la pelea al arma blanca,[40] y Martín, rodeado de enemigos, se defendía herido, desesperadamente, y procurando vender cara su vida, cuando un socorro inesperado[41] vino a salvarlo.

Era Nicolás, que con los diez soldados que le había dejado Martín en La Calavera, y con otros diez hombres que traía, habiendo oído el tiroteo,[42] se adelantó a toda carrera y llegó justamente en los momentos de mayor apuro[43] para Martín Sánchez. Aquel valiente y aquella tropa de refresco, produjeron un momento de confusión entre los *plateados;* aun así, eran éstos muy superiores en número y siguieron combatiendo.

El Zarco y el Tigre eran los que rodeaban a Martín, pero al ver a Nicolás retrocedieron y procuraron huir. El herrero, al reconocer al Zarco, no pudo contener un grito de odio y de triunfo. ¡Por fin lo tenía enfrente!

36. they heard shots
37. full speed
38. was literally surrounded
39. to falter, to retreat
40. a hand-to-hand fight was in progress (**arma blanca** - "cold steel," i.e. swords, daggers, etc.)
41. unexpected help (lit. succour, which means a fresh supply of men)
42. having heard the firing
43. urgency, tight fix, dire straits

Partió sobre él como un rayo;[44] el bandido, perdido de terror, se salió del combate y se dirigió a un bosquecillo, donde estaban algunas mujeres de los bandidos, a caballo, pero ocultas.

Nicolás alcanzó al Zarco, precisamente al acercarse éste al grupo de mujeres, y allí, al mismo tiempo en que el bandolero disparaba sobre él su mosquete, le abrió la cabeza de un sablazo[45] y le dejó tendido en el suelo, después de lo cual volvió al lugar de la pelea, no sin gritar:

—¡Ya está vengada doña Antonia![46]

La pelea, después de esto, duró poco, porque los bandidos huyeron despavoridos,[47] dejando libre el cargamento.

El sol se había puesto ya enteramente. Avanzaban las sombras, y a la luz crepuscular, Martín Sánchez recogió sus muertos y heridos, lo mismo que los de los *plateados,* operación que le hizo detenerse algunas horas hasta que anocheció completamente.

Entonces, temiendo que los *plateados* se rehicieran y volvieran sobre él[48] con todas las ventajas que les daban el número y la obscuridad, determinó que alguno avanzara rápidamente hasta Morelos y pidiera a la autoridad el auxilio de fuerza y las camillas[49] que se necesitaban.

La comisión era peligrosísima;[50] los bandidos no debían estar lejos, y era de temerse una emboscada en el camino. Sólo un hombre podía desempeñarla,[51] y Martín Sánchez, en aquella angustia,[52] no vaciló en pedir tal sacrificio a Nicolás.

—Señor don Nicolás —le dijo—, sólo usted es capaz de exponerse a ese riesgo, pero acabe usted su obra. Ya nos salvó usted hace un rato. Usted conoce los caminos y tiene buen caballo. Se lo ruego...

44. rushed towards him like thunderbolt
45. laid open his head with a blow from his sword
46. Now Doña Antonia is avenged!
37. fled in terror
48. might re-form and attack again
49. stretchers and reinforcements
50. it was an extremely dangerous assignment
51. Only one man can undertake it
52. in that predicament

Nicolás partió inmediatamente. Cuando Martín le vio perderse entre las sombras:

—¡Yo no he visto nunca —dijo— un hombre tan valiente como éste!

—Pero en un descuido lo van a matar[53] por ahí —dijo el comerciante.

—¡Dios ha de querer que no! —replicó Martín Sánchez—. ¿Pero qué quiere usted que hagamos para salir de aquí? No hay más que este recurso. ¡No le ha de suceder nada, ya verá usted! Don Nicolás tiene fortuna.[54]

Entre tanto, los soldados que observaban las cercanías de aquel lugar para ver si había algunos heridos, volvieron diciendo que cerca, en unos matorrales, estaba llorando una mujer junto a un cadáver.[55]

Don Martín fue en persona a reconocer a esa mujer, que no era otra que Manuela, que no había querido huir con sus compañeras, no por amor al Zarco, a quien creyó muerto al principio, sino por miedo al Tigre, que la hubiera tomado por su cuenta.[56]

Martín, examinando el cuerpo, se cercioró de que aún respiraba.[57] La herida que recibió el Zarco fue terrible, pero no mortal.[58] El bandido estaba bañado en sangre y era difícil reconocerle,[59] pero por Manuela se supo que era el Zarco.

Martín Sánchez se estremeció de gozo.[60] Aquel bandido temible y renombrado había caído en su poder.

Iba a colgarlo tan pronto como amaneciera.[61] Desgraciadamente, a la madrugada llegó la autoridad de Morelos con la fuerza y las camillas. Martín le entregó los bandidos prisioneros y heridos, juntamente con aquella mujer. Nicolás apenas los vio, y Manuela, por su parte, no quiso dar

53. if he does not watch out, they'll kill him
54. Luck is on Don Nicolás' side
55. a woman was weeping over a corpse
56. who would have seized her for himself
57. upon examining the body, Sánchez found that [the man] was still alive (lit. was breathing)
58. i.e. the wound was not fatal
59. was covered in blood and almost unrecognizable
60. was overjoyed
61. He was going to hang him as soon as it was light

la cara de vergüenza y se cubrió la cabeza completamente con su rebozo.[62]

Así marcharon a Morelos, Martín para curarse de sus heridas, que eran graves, lo mismo que sus soldados, continuando Nicolás a Yautepec a fin de preparar su matrimonio. Manuela, como era natural, presa con su amante, permaneció en la cárcel, incomunicada.

19.

EL PRESIDENTE JUAREZ [1]

Martín Sánchez estaba indignado.[2] El partido de los bandoleros aún era muy fuerte y contaba con grandes influencias, tanto en México como en la tierra caliente.

El Zarco ya restablecido,[3] había logrado, por medio de sus protectores, que se le sometiera a juicio y que se le trasladase a Cuernavaca, so pretexto de que[4] en ese distrito había cometido crímenes.

Juzgarlo y trasladarlo era salvarle la vida; encontraría defensores y quizá podría evadirse.[5] La población de Morelos estaba escandalizada,[6] pero como hechos de esta naturaleza no habían sido, por desgracia, sino muy frecuentes, no pasó de ahí.[7]

Martín Sánchez pensó en dar un paso decisivo: ir a México, para apersonarse[8] con el presidente Juárez, darle cuenta con verdad del estado en que se hallaba la tierra

---

62. Manuela hid her head with her shawl, too ashamed to show her face

1. Benito Juárez (1806-1872), Mexico's national hero, the Indian who became President of the Republic
2. was very angry
3. recovered
4. to be taken to Cuernavaca for trial, on the pretex that
5. could run away
6. the people of Morelos were outraged
7. but as this sort of thing happened only too frequently, the matter went no further
8. to have an interview with (lit. to see in person)

caliente, decidirlo en favor de la buena causa y pedirle armas y apoyo.[9]

Esa resolución se hizo más urgente aún cuando Martín Sánchez supo que, al ser conducido el Zarco con su querida y sus compañeros a Cuernavaca, escoltados por una fuerza pequeña y mala, los plateados se habían emboscado en el estrecho y escabroso paso llamado *Las Tetillas,* y atacando a la escolta, la desbarataron y libraron a los presos.[10]

Así, pues, el Zarco había vuelto con sus antiguos compañeros para sembrar de nuevo el terror con sus crímenes en aquella comarca.

Martín Sánchez se dirigió a México, y con algunas cartas de amigos del presidente Juárez, se presentó a éste tan pronto como pudo.

Sánchez pensó encontrar en el presidente a un hombre ceñudo y tal vez predispuesto contra él,[11] y se encontró con un hombre frío, impasible, pero atento.[12]

El jefe campesino lo abordó con resolución y le presentó las cartas que traía. El presidente, las leyó, y fijando una mirada profunda y escrutadora[13] en Martín Sánchez, le dijo:

—Me escriben aquí algunos amigos que usted es un hombre de bien y el más a propósito para perseguir a esos malvados que infestan el sur del Estado de México.[14]

—¿Qué desea usted para ayudar al gobierno?

Entonces, animado[15] Martín Sánchez por esas frases del presidente, lacónicas como todas las suyas, pero firmes y resueltas, le dijo:

—Lo primero que yo necesito, señor, es que me dé el gobierno facultades para colgar a todos los bandidos que yo coja, y prometo a usted, bajo mi palabra de honor, que no mataré sino a los que lo merezcan. Conozco a todos los

---

9. weapons and help
10. had ambushed them in a craggy, narrow pass, attacked and scattered the escort and set the prisoners **free**
11. supercilious gentleman, perhaps prejudiced against him
12. polite
13. scrutinizing, i.e. staring hard at him
14. the criminals who are marauding the southern part of Mexico State
15. encouraged

malhechores,[16] sé quiénes son y los he sentenciado ya, pero después de haber deliberado mucho en mi conciencia. Mi conciencia, señor, es un juez muy justo. No se parece a esos jueces que libran a los malos por dinero o por miedo. Yo ni quiero dinero ni tengo miedo. Lo segundo que yo necesito, señor, es que usted no dé oídos a ciertas personas que andan por ahí abogando por los *plateados*.[17] Desconfíe usted de esos patrones, señor presidente, porque reciben parte de los robos[18] y se enriquecen con ellos.

—Bueno —replicó Juárez— ¿Qué más desea usted?

—Armas, nada más que armas, porque yo no tengo sino unas cuantas.[19] No necesito muchas, porque yo se las quitaré a los bandidos, pero para empezar, necesitaré unas cien.

—Cuente usted con ellas. Mañana venga usted al Ministerio de la Guerra y tendrá todo. Pero usted me limpiará de los ladrones ese rumbo.[20]

—Lo dejaré, señor, en orden.

—Bueno, y hará usted un servicio patriótico, porque hoy es necesario que el gobierno no se distraiga para pensar sólo en la guerra extranjera y en salvar la independencia nacional.

—Confíe usted en mí, señor presidente.

—Y mucha conciencia, señor Sánchez; usted lleva facultades extraordinarias, pero siempre con la condición de que usted debe obrar con justicia, la justicia ante todo. Sólo la necesidad puede obligarnos a usar de estas facultades, que traen tan grande responsabilidad, pero yo sé a quién las doy. No haga usted que me arrepienta.[21]

—Me manda usted fusilar si no obro con justicia[22] —dijo Martín.

Juárez se levantó y le alargó la mano.

---

16. evildoers, i.e. the bandits
17. don't listen to certain people who support the **plateados**
18. don't trust those landlords (or politicos), Mister President, for they share their loot
19. for I have only a few [weapons]
20. only rid us of the bandits in that area
21. Don't let me regret it
22. Have me shot against the wall whenever you feel that I have not acted justly

20.

EL ALBAZO [1]

A pocos días de esta entrevista y en una mañana de diciembre, templada y dulce en la tierra caliente como una mañana primaveral,[2] el pueblo de Yautepec se despertaba alborozado[3] y alegre, como para una fiesta.

Nicolás, el honradísimo herrero de Atlihuayán se casaba con la buena y bella Pilar, la perla del pueblo por su carácter, por su hermosura y sus virtudes.

Desde muy temprano, desde que la luz del alba había extendido en el cielo, limpio de nubes, y sobre las montañas, las huertas y el caserío, su manto aperlado[4] y suave, los repiques a vuelo, en el campanario de la iglesia parroquial, habían despertado a los vecinos;[5] la música del pueblo tocaba alegres sonatas, y los petardos y las cámaras habían anunciado la misa nupcial.[6]

Nicolás era humilde y no había deseado tanto ruido, pero las autoridades, el cura, los vecinos, habían querido demostrar así al estimable obrero y a su bella esposa el amor con que los veían. La iglesia, los altares, y especialmente el altar mayor, en que iba a celebrarse el casamiento, estaban llenos de arcos y de ramilletes de flores. Todos los naranjos y limoneros de Yautepec, habían dado su contribución de azahares.[7]

El rubor[8] natural causado por aquel momento y por ser el objeto de las miradas de todos,[9] la timidez, el amor, aquel concurso, aquel altar lleno de cirios[10] y de flores, la voz del órgano, el murmullo de los rezos, el incienso que llenaba

1. military term implying an assault at daybreak (**alba**)
2. warm and gentle as a spring morning
3. in a festive mood (lit. overjoyed, cheerful)
4. pearl-colored
5. the villagers had been woken by the soaring peals of the church bells
6. firecrackers and rockets were let off to announce the Nuptial Mass
7. every orange and lemon tree in Yautepec had yielded its share of blossom
8. bashfulness
9. at being the focus of all eyes
10. that crowd, that altar blazing with candles

la nave,[11] todo había producido en Pilar tan diversas emociones, que parecía como arrebatada a un mundo extraño, al mundo de los sueños y de la dicha.[12]

Con todo, y a pesar del aturdimiento que la embargaba,[13] la buena joven tuvo un pensamiento para Doña Antonia, la pobre anciana a quien había amado como a una madre. Una lágrima de ternura inundó sus mejillas[14] al recordarla, y al recordar también a la desdichada Manuela, por quien oró[15] en quel momento en que era tan feliz.

Por fin la misa acabó, y los novios, después de recibir los plácemes[16] de sus amigos, de todo el pueblo, se dispusieron a partir para la hacienda de Atlihuayán, donde tenían su casa, a la que habían invitado a muchas personas de su estimación para tomar parte en un modesto festín.[17]

Poco antes de llegar al lugar en que se alzaba el gran amate en que siempre cantaba el búho,[18] las noches en que pasaba el Zarco, cuando venía a sus entrevistas con Manuela, la comitiva se detuvo estupefacta.[19]

Al pie del corpulento árbol estaba formada una tropa de caballería, vestida de negro y con las armas preparadas.[20]

Era la tropa de Martín Sánchez Chagollan, como cien hombres y con el aspecto lúgubre y terrible que les conocemos.

Al descubrir el cortejo nupcial,[21] alegre y acompañado de la música, el comandante, es decir, Martín Sánchez, se adelantó y quitándose el sombrero respetuosamente, dijo a Nicolás:

—Buenos días, amigo don Nicolás; no esperaba usted verme por aquí, ni yo esperaba tener el gusto de saludar

---

11. the organ music, the murmur of prayers and the incense filling the nave
12. carried off to a strange world, a world of dreams and happiness
13. despite the bewilderment she was experiencing
14. a tear (of tenderness) ran down her cheeck
15. prayed
16. congratulations
17. party
18. where the big fig-tree (stood), from which the owl always hooted
19. the group stopped in amazement
20. their arms ready
21. wedding party (lit. nuptial escort)

a usted, de desearle mil felicidades, lo mismo que a la señora. Ya le explicaré el motivo de mi presencia aquí. Ahora mi tropa va a presentar las armas, en señal de respeto y de cariño, y yo le ruego a usted que continúe sin parar[22] hasta la hacienda. Allá iré yo después.

Pero en esto una mujer, una joven en quien todos reconocieron luego a Manuela, se abrió paso entre la fila de los jinetes y vino corriendo, desmelenada, temblando, pudiendo apenas hablar y asiéndose a las puertas del *guayín*, dijo, con una voz enronquecida:[24]

—¡Nicolás! ¡Nicolás! ¡Pilar, hermana . . . ! ¡Socorro! ¡Tengan piedad de mí . . . ! ¡Perdón! ¡Perdón![25]

Nicolás y Pilar se quedaron helados de espanto.[26]

—Pero, ¿qué es eso . . . ? ¿Que tienes? —gritó Pilar.

—Es que . . . —dijo Manuela— es que . . . ahorita van a fusilar al Zarco; allí está amarrado, tapado con los caballos . . ,[27] ¡lo van a matar delante de mí! ¡Perdón! ¡Perdón! ¡Perdón, don Martín! ¡Perdón, Nicolás . . . ! ¡Ah, me voy a volver loca . . . !

En efecto, la fila de jinetes enlutados ocultaba un cuadro estrecho[28] en el centro del cual, sentados en una piedra y bien amarrados,[29] estaban el Zarco y el Tigre, próximos a ser ejecutados.[30] Martín Sánchez, al ver la comitiva y previendo que podría ser el cortejo nupcial de Nicolás, había querido ocultar a los bandidos para ahorrar este espectáculo a los novios.[31]

—Si yo hubiese sabido que ustedes venían para acá, a esta hora, crea usted, don Nicolás, que me habría llevado a esos pícaros para otra parte; pero no lo sabía. Lo que sí sabía yo, y por eso me tiene usted aquí, es que le esperaban

22. without stopping (i e. don't stop until you get to the hacienda)
23. at this moment
24. dishevelled, trembling, scarcely able to speak, seizing hold of the carriage doors
25. Help! Have pity on me! Forgive me!
26. sat frozen in horror
27. he's over here. bound, hidden by the horses
28. hid a narrow patch of ground
29. sitting on a rock, tightly bound
30. awaiting execution (lit. about to be executed)
31. to prevent the couple from seeing him

a usted estos malvados con su gente, y que se ha escapado usted de buena.[32] Lo supe a tiempo, anduve dieciséis leguas, y les di un *albazo* esta mañana[33] por aquí cerca...; los he matado a casi todos, pero tengo que colgar a los capitanes en este camino;[34] al Zarco aquí, y al Tigre lo voy a colgar en Xochimancas.

—Pero, don Martín, yo le ruego a usted que perdone a ese hombre, siquiera por esta pobre mujer.[35]

—Don Nicolás —respondió el comandante—, doy la vida, pídamela usted y es suya, pero no me pida usted que perdone a ningún bandido y menos a estos dos...[36] Señor, usted sabe quiénes son...; asesinos como éstos y plagiarios no los hay en toda la tierra. ¡Si no pagan con una vida![37] ¡Y lo iban a matar a usted...! ¡Lo habían jurado![38] ¡Y se iban a robar a la señora, a su esposa de usted! Ese era el plan. ¡Conque dígame usted si es posible que yo los deje con vida! Señor don Nicolás, siga usted su camino con todos estos señores, y déjeme que yo haga justicia.

Pilar estaba temblando. En cuanto a Manuela, por un rapto de locura, había corrido ya al lado del Zarco y se había abrazado a él y seguía gritando palabras incoherentes.

—Siquiera nos llevaremos a Manuela —dijo Pilar.

—Si ustedes quieren, pueden llevársela, pero esa muchacha es una malvada;[39] acabo de quitarle un saco en que tenía las alhajas de los ingleses que mataron en Alpuyeca..., alhajas muy ricas; ¡no merece compasión![40]

Sin embargo, por orden de Martín Sánchez, un soldado procuró arrancar a la joven del lado del Zarco, a quien tenía

32. you've had a narrow escape
33. I heard about it in time, rode sixteen leagues (i.e. about 48 miles) this morning to surprise them (lit. to give them an **Albazo,** a surprise attack at daybreak)
34. I must hang the leaders on the road
35. if only for this poor woman's sake
36. ask for my life and it is ours, but don't ask me to pardon any bandit, least of all these two
37. i.e. the most notorious murderers and kidnappers in the entire world. They must pay for their misdeeds with their lives!
38. they'd sworn
39. a wicked woman
40. che deserves no pity

abrazado estrechamente, pero fue en vano. El Zarco le dijo:

—¡No me dejes, Manuelita, no me dejes!

—¡No —respondió Manuela—, moriré contigo...! Prefiero morir a ver a Pilar con su corona de flor de naranjo al lado de Nicolás.[41]

—Vámos —dijo el cura—. Esto no tiene remedio.

Pilar se puso a sollozar amargamente; Nicolás se despidió de Martín Sánchez.[42]

—Señor cura, usted puede quedarse. Estos han de querer confesarse, tal vez.

—Sí, me quedaré —dijo el cura—, es mi deber.

Y la comitiva nupcial, antes tan alegre, partió como una procesión mortuoria.[43]

Cuando se había perdido a lo lejos,[44] y no había quedado ya ningún rezagado[45] en el camino, Martín Sánchez preguntó al Zarco y al Tigre si querían confesarse.

El Zarco dijo que sí, y el cura lo oyó pronto y lo absolvió; pero el Tigre dijo a Martín:

—¿Pero, yo también voy a morir, don Martín?

—Tú también —respondió éste con terrible tranquilidad.

—¿Yo? —insistió el Tigre—, ¿yo que le di a usted el aviso para que viniera, y que le dije a usted las señas del camino que seguíamos, y que le avisé que tendría yo un pañuelo colorado en el sombrero para que me distinguiera?[46]

—Nada tengo que ver con eso[47] —respondió Martín—. Yo nada te prometí; peor para ti si fuiste traidor con los

---

41. I would rather die than see Pilar in her crown of orange blossom at Nicolás' side
42. Pilar began to sob bitterly: Nicolás bade farewell to Martín Sánchez
43. once so gay and now more like a funeral procession moved off
44. as soon as it was lost to sight
45. and no straggler was left behind
46. I who warned you to come, who told you which road we would take, and who gave notice that I would wear a colored scarf on my hat so that you would recognize me
47. That's none of my business (lit. I have nothing to do with this)

tuyos.[48] Vamos, muchachos, fusilen al Zarco y después cuélguenlo de esa rama...[49]

El Zarco apenas podía tenerse en pie.[50] Con todo, alzó la cara, y viendo la rama en que colgaban ya los soldados una reata,[51] murmuró:

—¡La rama en que cantaba el tecolote[52]...! ¡Bien lo decía yo...! ¡Adios, Manuelita!

Manuela se cubrió la cara con las manos. Los soldados arrimaron al Zarco junto al tronco y dispararon sobre él cinco tiros, y el de gracia. Humeó[53] un poco la ropa, saltaron los sesos,[54] y el cuerpo del Zarco rodó por el suelo con ligeras convulsiones.[55] Después fue colgado en la rama, y quedó balanceándose.[56] Manuela pareció despertar de un sueño.[57] Se levantó, y sin ver el cadáver de su amante, que estaba pendiente, comenzó a gritar como si aún estuviese frente a los desposados:[58]

—¡Sí, déjate esa corona,[59] Pilar; tú quieres casarte con el indio herrero; pero yo soy la que tengo la corona de rosas...; yo no quiero casarme, yo quiero ser la querida[60] del Zarco, un ladrón...!

En esto alzó la cabeza; vio el cuerpo colgado[61]...; después contempló a los soldados, que la veían con lástima, luego a don Martín, luego al Tigre, que estaba inclinado y mudo,[62] y después se llevó las manos al corazón, dio un grito agudo y cayó al suelo.[63]

48. so much the worse for you if you were a traitor to your own people
49. shoot El Zarco and then hang him from that branch
50. El Zarco could scarcely stand
51. from which the soldiers were already hanging a rope
52. owl
53. smoked
54. brains
55. twitchings
56. swinging
57. Manuela seemed to awaken from a dream
58. before the newly-married
59. keep that crown
60. mistress
61. At this moment she raised her head and saw the hanging body
62. hunched and silent
63. she let out a sharp scream and fell to the ground

494

—¡Pobre mujer —dijo don Martín—, se ha vuelto loca![64] Levántenla y la llevaremos a Yautepec.

Dos soldados fueron a levantarla, pero viendo que arrojaba sangre por la boca, que estaba rígida y que se iba enfriando,[65] dijeron al jefe:

—¡Don Martín, ya está muerta!

—Pues a enterrarla[66] — dijo con aire sombrío—, y vámonos a concluir la tarea.[67]

---

64. she has gone out of her mind
65. Two soldiers went to lift her, but seeing that the blood was pouring from her mouth. and [her body] was stiff and already growing cold
66. So — let's bury her

495

EUGENIO MARIA DE HOSTOS

b. Río Cañas, Puerto Rico, January 11, 1839
d. Santo Domingo, Dominican Republic, August
   11, 1903

Hostos was born of humble parents in the rural area
of Río Cañas, but they moved when he was two years old
to Mayagüez, the neighboring town. After his elementary
studies there he attended the Liceo in San Juan and then
was sent to Spain, finishing his secondary education at the
Instituto de Segunda Enseñanza of Bilbao. By the time he
was sixteen he was registered at the law school of the University of Madrid although he would have preferred to
become an artillery man. Disgusted with the obsolete educational methods — the formalistic emphasis, rigorous sched-
ules, unreadable textbooks — he finally dropped out, although he went on with his readings and succeeded in
educating himself the hard way. Both the Positivistic trends
of the day and the pedagogical ideas of Krause influenced
Hostos' intellectual development, but his obsessive, overwhelming ideal was to free Puerto Rico from the Spanish
yoke. Even in his first book, *La peregrinación de Bayoán*
(1863), a symbolic narrative couched in poetic language,
the union of the Antilles free and happy served as the main
thesis. Before long Hostos put all his strength and eloquence
into combatting the monarchists and their colonial policies.
In 1868 he was called by the republicans of Barcelona to
edit their liberal newspaper *El Progreso* which was promptly suspended by the authorities.

Constantly harassed, Hostos found no alternative but
to flee to Paris where, in spite of harrowing privations and
humiliations, he established contact with Spanish exiles and

497

carried on his political activities. Upon hearing of the republican victory in Spain (September 1868), he hurried back to plead for Puerto Rican autonomy, but the mentality of these Spanish liberals was not unlike that of the influential orator Castelar who once told him: "Sepa usted que primero soy español y después soy republicano." Deeply disappointed, Hostos returned to Paris (September 1869) and a month later sailed for New York to join the revolutionary Junta struggling there for the autonomy of the Antilles; he edited their organ *La Revolución*. But as usual the men behind the struggle with their petty rivalries and petty intrigues disgusted him and he left, a lonely pilgrim, for years of wanderings: Perú, Chile, Argentina, Santo Domingo, teaching and lecturing in every country, contributing philosophical and literary essays — *Lecciones de derecho constitucional* (1887), *Moral social* (1888), a critical study of Hamlet, a life of the Cuban poet Plácido — and, above all, untiringly publicizing the cause of Puerto Rico's independence. Although at the time of his death in 1903 Spain had ceased to be the oppressor of the Antilles, Cuba's sovereignty had been curtailed by the Platt Amendment, Santo Domingo was bleeding away in civil strife, and Puerto Rico had become a colony of the United States.

EDITIONS: *Obras completas,* Havana, Cultural, 1939-1954, 21 vols.; *Páginas escogidas,* edited by José D. Forgione, Buenos Aires, Estrada, 1952; *Antología,* edited by Eugenio C. de Hostos, Madrid, Imp. Juan Bravo, 1952.

ABOUT HOSTOS: Rufino Blanco-Fombona: *Grandes escritores de América,* Madrid, Renacimiento, 1917, pp. 173-221; Juan Bosch: *Hostos, el sembrador,* Havana, Editorial Trópico, 1939; Carlos N. Carreras: *Hostos, apóstol de la libertad,* Madrid, Imp. Juan Bravo, 1951; Antonio Caso: "La filosofía moral de Hostos," *Conferencias del Ateneo de la Juventud,* Mexico, Imp. Lacaud, 1910, pp. 11-31; Tulio M. Cestero: *Eugenio María de Hostos, hombre representativo de América,* Buenos Aires, Talleres Gráficos Rodríguez

Giles, 1940; Rafael Esténger: *Sociopatía Americana,* Havana, Molina & Cía., 1939; *Eugenio María de Hostos (1839-1903) Vida y obra,* New York, Hispanic Institute, 1940; Antonio S. Pedreira: *Hostos, ciudadano de América,* Madrid, Espasa-Calpe, 1932; Francisco E. de Tejada: *Las doctrinas políticas de Eugenio María de Hostos,* Madrid, Editorial Cultura Hispánica, 1949.

EL CHOLO[1]

El Nuevo Mundo es el horno donde han de fundirse todas las razas,[2] donde se están fundiendo. La obra es larga, los medios lentos; pero el fin será seguro. Fundir razas es fundir almas, caracteres, vocaciones, aptitudes. Por lo tanto, es completar. Completar es mejorar. La ciencia que se ocupa de las razas, Etnología, está dividida en dos campos: el de los pesimistas y el de los optimistas. Como de costumbre los pesimistas son tradicionalistas, autoritarios, protestantes del progreso.[3] Los optimistas son racionalistas, liberales, creyentes del progreso.[4] Los etnólogos pesimistas sostienen que fundir es pervertir; fusión de razas, perversión de razas. Se funden los elementos malos —dicen.

Los etnólogos optimistas afirman que fusión es progresión. Se funden los elementos buenos —aseguran.

El efecto producido fue de vivo interés.

Era indudable que aquel hombre era el tipo de un cruzamiento,[5] el ejemplar de una mezcla, el producto de dos razas.

¿En dónde estaban las razas productoras de él?

Me fijé en el alma de la cara; me fijé en los ojos. Perplejidad completa. El ojo negro es común a los indios y blancos. Pero si los ojos son el alma de la cara y el alma es expresión del individuo, en esos ojos, negros como los ibéricos[6] —me dije—, debe haber algún distintivo. Lo había; la mirada melancólica, como la vida soñadora de los pueblos primitivos, como las ideas de los pueblos conquistados, como los sentimientos de las naciones que lloran grandezas, ya

---

1. This article dealing with Spanish America's melting pot and entitled "The Half-breed" or mestizo first appeared in the periodical **La Sociedad** of Lima, on December 23, 1870.
2. the melting pot [lit. furnace] wherein all the races will be fused
3. authoritarians, adverse to progress
4. believers in progress
5. the result of cross-breeding
6. as dark as those of the Iberians

pasadas, era símbolo vivo de la raza indígena. Aquella mirada contaba, sin saberlo, la historia desesperante de los indios. La raza india predominaba en los ojos. Los primeros argumentan en hechos arbitrarios.[7] Hacen abstracción de circunstancias sociales y políticas, aíslan[8] al hombre de las influencias físicas, morales e intelectuales que pesan[9] sobre él, y triunfan de la irreflexión, gritando: "Los mestizos son débiles de cuerpo y alma dondequiera que hay mestizos".

Un etnólogo racionalista argumenta con la razón. Prescinde[10] del hecho del momento, lo atribuye[11] a las circunstancias que lo determinan, lo liga[12] a las influencias sociales, políticas, económicas, morales que lo crean, y triunfan de la reflexión diciendo: "Los mestizos serán, aunque hoy no sean, el conjunto[13] de fuerzas físicas y morales de las razas madres".

América deberá su porvenir a la fusión de razas; la civilización deberá sus adelantos futuros a los cruzamientos. El mestizo es la esperanza del progreso.

Y al primero que vi, lo contemplé con aquella reverencia cariñosa que tiene mi alma para todo lo que puede ser un bien.

El primero que vi era un cholo recién exportado de la sierra.[14]

Era un hombre como los mil que se ven por esos valles. Estatura regular, musculatura enérgica, cráneo desarrollado, frente ancha, ojos intensamente negros, pómulos salientes, nariz aguileña,[15] boca grande, cabellera abundante, barba rara, color bronceado,[16] actitud indecisa entre humilde y soberbia;[17] aspecto agradable. No era bello pero era sano.

7. base their arguments on arbitrary facts
8. detach
9. weigh
10. Disregards
11. attributes
12. ties it up
13. the ensemble
14. who recently had come down from the mountains
15. high cheekbones, hooked nose
16. sparse beard, bronze-colored skin
17. haughty

501

¿Cuál de las dos predominaba en la frente? La raza europea. El ángulo facial del indio es más agudo, los senos de su frente menos bastos, la depresión de sus sienes es mayor.[18] El indio reaparecería en los pómulos. En la nariz, el europeo. El color denunciaba[19] la raza americana; el contorno del cráneo, a la caucásica.[20] Estaba inquieto.

En todo problema social busco yo el triunfo de la justicia: no concibo el triunfo de la justicia en el Nuevo Continente sino mediante la rehabilitación de la raza abrumada por la conquista, envilecida por el coloniaje, desamparada por la independencia,[21] y esa rehabilitación me parece imposible en tanto que la fusión no dé por resultado una raza que, poseedora de la inteligencia de los conquistadores, tenga también la sensibilidad de los conquistados y aquella voluntad intermedia, enérgica para el bien, pasiva para el mal, producto de una gran inteligencia y una gran sensibilidad que puede darse por la fusión de los caracteres definitivos de las razas europeas y la americana.

Para mí, el cholo no es un hombre, no es un tipo, no es el ejemplar de la raza; es todo eso, más una cuestión social de porvenir.

Si el cholo, en el cual predominan las cualidades orgánicas de la raza india, la gran cualidad moral de esa noble raza, abatida pero no vencida por la conquistadora, abrumada pero no sometida[22] por el coloniaje, desenvuelve[23] la fuerza intelectual que ha recibido de la raza europea, el cholo será un miembro útil, activo, inteligente, de la sociedad peruana; mediador natural entre los elementos de las dos razas que

18. the bump of his forehead less noticeable, and more pronounced the recess of his temples
19. proclaimed
20. the skull's outlines, the Caucasian race
21. the rehabilitation of the race crushed by the Conquest, debased during the Colonial period, forsaken during the period of Independence
22. humbled but not vanquished by the Conquerors [lit. by the conquering race], overwhelmed but not subjugated
23. develops

representa, las atraerá, promoverá aún más activamente su fusión, y la raza intermedia que él anuncia, heroicamente pasiva como la india, activamente intelectual como la blanca, alternativamente melancólica y frívola como una y otra, artística por el predominio del sentimiento y de la fantasía en ambas razas, batalladora[24] como las dos, como las dos independiente en su carácter, formará en las filas del progreso humano, y habrá reparado providencial las iniquidades[25] cometidas con una de sus razas madres.

Entonces, los cholos, sin dejar de ser aptos para la guerra justa, dejarán de ser instrumento de guerra; sin dejar de ser sencillos, dejarán de ser esclavos de su ignorancia y candor.

Entonces no se regalarán cholos como se regalan chotos,[26] y el hijo de un hombre será más respetado que el de un toro.

Para eso ¿qué debe hacerse?

Lo que siempre, seguir a la naturaleza.

Ella ha mezclado las cualidades orgánicas, morales y mentales, de tal modo y en tales proporciones, que el producto de las razas cruzadas tenga todos los elementos buenos de ambas; pero el carácter interior y el aspecto exterior de la raza que más ha padecido.

Educar, desarrollar por la educación esas cualidades, secundar los esfuerzos de la naturaleza,[27] preparar para su próximo destino al que ha de ser pueblo de esta sociedad, ése es el deber.

Hoy no se cumple.

---

24. battling
25. would have providentially made amends for the iniquities
26. lambs
27. to help along Nature's efforts

LAS TRADICIONES PERUANAS[1]

I

Agradecido al espontáneo esfuerzo que usted ha hecho por buscar y enviarme el único ejemplar[2] que, según usted me escribe, le quedaba de sus preciosas *Tradiciones*, hurté tiempo[3] a la necesidad de otras lecturas, y me puse a saborear[4] la de su libro. Al principio me propuse leer tradición por tradición, hasta acabar. Pero, a no mucho, creí descubrir en el pensamiento fundamental de la obra un enlace[5] tan íntimo con la misma materia prima[6] de su trabajo literario, que hice del índice mi guía, y leí de modo que apareciera a mi vista el pensamiento reflexivo de la obra. Así sucedió en cuanto hube leído varias de las narracioncitas[7] que figuran en las seis series de su libro, y que abarcan[8] todo el período colonial.

Es en vano tratar de describirle la complacencia con que he leído lo que, hasta ahora, he podido y querido leer de su libro. Por el placer que usted habrá experimentado al escribirlo, induzca[9] el que está llamado a producir en sus lectores. Lo que sí debo tratar de explicarle, para así merecer el espontáneo y agradecido obsequio,[10] es la razón de los gratos efectos que en mí ha producido la lectura.

Ante todo, las *Tradiciones* me han presentado en forma accesible para el pueblo de la América latina (y en donde no tengamos pueblo, para el vulgo) aquella vida y costumbres del coloniaje que, en vano, Barros Arana, Amunátegui

---

1. Written in Santo Domingo in 1886, this is one of the earliest critiques of the first six volumes of short stories, **Tradiciones Peruanas, by** Ricardo Palma.
2. copy [of a book]
3. I stole time
4. to relish
5. connection, linkage
6. raw material
7. brief narratives
8. take in
9. you may be able to infer or deduce
10. gift

y Vicuña Mackenna[11] empezaron, en Chile, a revelar en estudios y exhumaciones históricas que sólo a lectores reflexivos es dado apreciar y comprender.

En segundo lugar, las *Tradiciones* están escritas en un lenguaje y un estilo que merecen concienzuda[12] admiración. Y no porque el lenguaje sea castizo,[13] que, en ese punto, opino hoy como opinaba en Madrid, cuando el bueno del dos veces gran Hartzenbusch[14] se imponía la benévola tarea de atraerme a su devoción[15] por el habla feliz del Siglo de Oro. Entonces decía al noble viejo lo que pienso todavía: pienso que cada edad, en individuo y sociedades, tiene su forma peculiar de expresión, forma que corresponde al fondo de sensibilidad en que el corazón ha penetrado, al fondo de actividad en que nos ha sumergido el propósito de nuestra vida.

No he admirado tampoco el estilo de las *Tradiciones* porque sea, espontánea y generalmente, feliz imitación del estilo personal de Cervantes, cuando expresamente lo imita, y del estilo picaresco[16] de todos los escritores del siglo XVI, siglo español por excelencia, en que satisfecha de su fortuna la sociedad hasta entonces incierta de sí misma, contempla el mundo como suyo, contempla asegurado para siempre el porvenir, y procediendo como proceden los afortunados, en todo confió por confiar en su fortuna, a todo sonreía por sonreír a su esperanza de perpetuo bien, se rió de todo porque estaba alegre de la suerte, y hablando como pensaba, sentía y quería, hacía de la palabra la expresión de ese estado psicológico de la sociedad.

El motivo crítico en que se funda· la complacencia con que he saboreado las narraciones que he leído de su libro, no es la imitación de lenguaje y estilo que me parecen fó-

---

11. Chilean historians of the nineteenth century who wrote about the Colonial period
12. thorough
13. pure, correct [language]
14. Spanish playwright and critic of the nineteenth century
15. imposed upon himself the pleasant task of making me an admirer of the felicitous style of the [Spanish] Golden Age
16. picaresque style [used especially in Spain by the writers of novels of roguery]

siles, sino la realmente admirable adecuación del lenguaje y estilo imitados, a la época y vida social a que las *Tradiciones* se refieren. El lenguaje, por sí mismo, y el estilo, cuando no es revelación de una personalidad intelectual, en nada contribuyen al placer estético o al mérito artístico de una obra literaria. Así el purismo de Ferrer del Río,[17] en su *Historia de Carlos III*, o el hacinamiento de arcaísmo de que tanto alarde hizo Amador de los Ríos[18] en su *Historia de la Literatura española*, lejos de ser elemento estético y merecimiento artístico, son violencias idiomáticas que infringen penosamente la ley general del lenguaje, exponente necesario del estado de cultura colectiva. Esos, y cuantos esfuerzos académicos se hacen en España y en la América latina, para estacionar[19] la lengua castellana en el que llaman "momento de su mayor esplendor", como si el momento de mayor esplendor para un idioma fuera el en que menos ha servido a la razón humana, lo doy de buen grado por uno solo de los discursos de Jovellanos[20] o por la *Historia de Venezuela* de Baralt y Díaz,[21] o por la de Chile de Barros Arana,[22] o por el *Derecho Internacional* de Bello,[23] o por los *Precursores de la Independencia* de Amunátegui.[24]

Pero las *Tradiciones peruanas*, que, desde el momento en que usted las descubrió, constituyeron una unidad literaria por la continuidad del espíritu que las anima, tenían como él su lengua propia, su estilo natural, su forma anexa al fondo social[25] que habían de revelar. Gran arte o admirable intuición ha sido el presentarlas en su forma necesaria, narrarlas en el lenguaje que les acomoda, ataviarlas[26] en el estilo de su tiempo.

Esta conformidad de fondo y forma que, en toda obra de arte, es condición esencial de buen éxito, me explica la

---

17. Spanish historian, nineteenth century
18. Spanish critic and literary historian, nineteenth century
19. to station
20. Spanish encyclopedist, eighteenth century
21. Rafael María Baralt (1810-1860), Venezuelan historian
22. Diego Barros Arana (1830-1907), Chilean historian
23. Andrés Bello (1781-1865), Venezuelan poet, grammarian and humanist
24. Miguel Luis Amunátegui (1828-1888), Chilean historian
25. its form dependent to social background
26. in the language that befits them, to dress them up

popularidad, la sana popularidad, que usted debe en la América latina, en España, y entre sus traductores, a sus fáciles narraciones. En alguna de ellas (¡*A Iglesia me llamo!* por ejemplo) la lengua inculca de tal modo el espíritu del tiempo, que producen lo que llamaría *ilusión acústica,* si con esa locución expresara, exacta o aproximadamente, el efecto producido en mí por el diálogo de la monja-alférez y de Mendo-Jiménez.[27] En otras (como la consagrada a representar las costumbres escolares del coloniaje) el estilo de la narración es tan picaresco que parece un episodio de *Guzmán de Alfarache* o de *Gil Blas.*[28] Algunas, como *el Caballero de la Virgen,* son donosísima[29] imitación del estilo de Cervantes.

Todos estos méritos literarios no darían, sin embargo, el valor artístico que el libro tiene, si no fuera tan sólido el pensamiento que, poco a poco, fué formándose a medida que fué usted cultivando el campo virgen que tuvo la fortuna de descubrir, la paciencia de cultivar y el talento de hacer productivo.

Muy probable es que, en los primeros esfuerzos de usted por dar a conocer la primera infancia de la sociedad peruana, no viera tanto un pensamiento serio, útil y patriótico, como un pasatiempo glorioso para quien lograra solazarse[30] con la transformación de tan abundante materia prima, como es la vida colonial, en un bello y ameno y placentero producto literario. Pero es seguro que, a medida que ha ido descifrando[31] manuscritos, ha ido usted descifrando el misterio del coloniaje,[32] y pensando que era obra buena el revelarnos el misterio. Las mismas abundantes pretericiones[33] en que el peruano de hoy echa de menos el Perú de ayer, me prueban que esas quejas del patriotismo

---

27. the dialogue between the nun-ensign and Mendo Jiménez [characters from Ricardo Palma's short story "¡A Iglesia me llamo!"]
28. picaresque novels, the former by Mateo Alemán; the latter by Lesage
29. extremely witty
30. for anyone wishing to have a good time
31. deciphering
32. colonial period
33. omissions

son ayes del que, aleccionado, comunica sollozando la lección.[34]

El patriota ha comparado dos momentos igualmente penosos de la misma sociedad nativa, ha tenido por necesidad que ver patentemente que esto viene de aquello, y para hacer manifiesta su tristeza, ha afectado echar de menos lo más malo.

De modo que, en el fondo, las aparentemente ligeras tradiciones del Perú, son, por la fuerza virtual del pensamiento que las une, una obra concienzuda de patriotismo o una obra de lastimado patriotismo.[35]

Y si ése no es el pensamiento fundamental de sus narraciones, de tal modo lo es para mí, que he leído las que expresamente he buscado con el fin de que correspondieran a la idea general que les atribuí, con la misma tristeza que sentí al pasear por las calles de Lima en la noche de mi llegada, a la ciudad que no se ve sin pena ni se deja sin dolor. En estas lecturas, como en aquella noche, el pasado colonial de nuestra América latina se me apareció como alma en pena que, no bien desterrada[36] todavía, intenta quedarse en el corazón y la memoria de las gentes ya que no puede violar la ley de la muerte y las leyes de la vida.

II

Lo que encuentro de malo en sus *Tradiciones,* es el dejo[1] de tristeza que me ha quedado en el espíritu. Esa resurrección artística de un pasado social tan sin base,[2] que no ha podido servir de asiento firme y seguro a la nueva sociedad que vino en pos,[3] haga reír al que se ría de todo

---

34. prove to me that those complaints about patriotism are the woes from one who well aware [of the past] teaches his lesson as he sobs.
35. hurt patriotism
36. exiled

1. aftertaste
2. without foundation
3. which came thereafter

508

y complazca sin remordimiento de razón, que son tan dolorosos como deben ser los remordimientos de conciencia, a los sibaritas de las letras,[4] que celebran a lo bello por el placer de lo bello y aplauden el arte por el mérito del arte. A mí, que contemplo en el pasado colonial la causa de nuestro anárquico presente cuanto más me haga reír el artista presentándome de relieve el doloroso ridículo de nuestra vida colonial, más me apenará el pensar en la inanidad[5] de aquel pasado.

Verdad es que no hay arte tan sólo, que también hay cierta recóndita moralidad en la reproducción de un cuadro social que si tiene un primer término risueño en las puerilidades, jocosidades, humoradas, caprichos, veleidades y antojadizo desarrollo de una sociedad infante, tiene por último término el vacío.[6] ¿Qué es una sociedad ahogada[7] por la más sabia colección de ineptos que pueda desear para sostenedor suyo el despotismo? ¿Qué es una vida colectiva que empieza en los crímenes públicos más abominables y que se desarrolla en la serie completa de las inmoralidades privadas?

¿Qué va a ser de ese pueblo, ahíto[8] de superstición y fanatismo, aterrado por la Inquisición, extraviado por las prácticas de una Iglesia de aparato, guiado por el ejemplo de cuatro mil (en sólo Lima) frailes y monjas, crapulosos ellos,[9] escandalosas ellas, cuando llegue el momento de ser pueblo?

¿Qué hay detrás de aquella riqueza de Pasco y Potosí, de aquella riqueza vegetal de Jauja y de Moquegua,[10] de aquella opulencia fundada en la servidumbre de quichuas y aymaraes,[11] de aquel boato oriental de virreyes, intenden-

---

4. dilettanti
5. inanity, emptiness
6. although it emphasizes a pleasing foreground of childishness, merriment, comic sallies, whimsies, velleities, and the capricious development of an infant society, it had under it all nothing but emptiness
7. stifled
8. surfeited
9. friars and nuns, the former licentious
10. Pasco and Potosí had mineral resources; Jauja and Moquegua, fertile valleys
11. based upon the servitude of quechua and aymara Indians

tes y corregidores,[12] cuando llegue la hora del balance social, y la Independencia busque productores en donde la colonia no ofrece más que ociosos consumidores de la industria de unos cuantos millones de aherrojados?[13] Aquella donosa genialidad intelectual, que desde temprano brilló en la sociedad naciente y que formó tres como zonas de intelectualidad, una en Lima, otra en Arequipa, otra en el Cuzco,[14] ¿qué fruto habrá de dar en el momento de aprovecharla para la patria nueva, malgastada[15] por el coloniaje como ha sido, en el cambio de fútiles ingenuidades y en la absoluta pérdida del tiempo oportuno para pensar y meditar?

Esa admirable mujer peruana (pues no es sólo admirable la limeña)[16] que desde el momento que la producen el clima y el cruzamiento,[17] resplandece con todos los fulgores de la gracia bella, del ingenio amable y de la dignidad sencilla ¿qué va a hacer después de la colonia, cuando ya no le sirvan para nada su educación de devocionario y rebocillo,[18] su vida de claustro y galanteo, su escenario de comedias de capa y espada,[19] sustituído por un teatro de tan múltiple actividad como la vida moderna?

A los millares de ociosos y ociosas que pululan[20] en los centenares de conventos del virreinato ¿en qué, y cómo, va a emplearlos el nuevo régimen social?

De los millones de indígenas que la Conquista subyugó y la colonia embruteció ¿qué va a hacer la nación independiente?

Con tales elementos, dominando los malos y combinando los buenos entre sí, una dirección social inteligente pudo hacer una sociedad singularmente apropiada a la civilización: que en ésa, como en todas las sociedades de origen

12. Oriental pomp of viceroys, intendants and magistrates
13. oppressed persons
14. Lima, capital city of Peru; Arequipa, important city of southern Peru; Cuzco, city in central Peru, ancient capital of the Inca Empire
15. squandered
16. a woman from Lima
17. cross-breeding
18. her religious education [lit. her prayer-book-and-mantilla education]
19. cloak-and-sword plays
20. pullulate, i.e. teem, swarm

español, no ha sido lo malo el elemento sociológico (que,
al contrario, es muy bueno) sino el procedimiento orgánico,[21] que no ha podido ser peor.

Presentar pareados[22] ese buen elemento sociológico y
ese pésimo procedimiento orgánico, es sin duda castigar
ante la Historia a la nación que no supo aprovecharse a
sí misma para, con sus elementos buenos, fabricar en el
Nuevo Mundo una nueva sociedad que realizara en él lo
que virtudes y vicios, cualidades y defectos, aptitudes y
deficiencias de la raza española han podido, debido y están
aún llamadas a producir.

Pero ya ve usted que hay que profundizar para encontrar esa moral justiciera, en las donairosas ligerezas de lenguaje, estilo y pensamiento que encantan en sus *Tradiciones.*

Yo quisiera que no me hiciera usted trabajar tanto
para descubrir en sus donaires ese jugoso pensamiento:[23]
quisiera que utilizara en beneficio de la verdad, de la equidad[24] y de la ciencia, el considerable caudal de datos que
ha hacinado,[25] y el aún más considerable contingente de
experiencias que podría traer.

La verdad, la equidad y la ciencia están interesadas en
la reconstrucción de ese pasado: la primera, para ofrecerlo
a la Historia tal cual fué, y dar a los estudios históricos, en
el Perú, la fuerza de cohesión que les ha dado, en Chile,
la escuela chilena; la equidad, para hacer justicia a la sociedad peruana, cuya vida sólo se apreciará con justiciera
imparcialidad, cuando se tenga la explicación positiva de su
pasado histórico; la ciencia, para dar a la sociología la cla-
ve[26] del desarrollo de la vida de esa sociedad.

Para prestar[27] ese eminente servicio a su patria no necesita usted hacer más que un esfuerzo: dar unidad a los

21. the organic process
22. To pair off
23. in your witticisms that pithy [lit. juicy] thought
24. equity
25. the wealth of data you have amassed
26. key
27. To do

511

materiales que le han servido para las cien construcciones pequeñas que ha levantado con ellos.

Notará usted que he subordinado los motivos de alta razón y de moral que hay para empeñarse[28] en la tarea, a un motivo de patriotismo: y es porque considero obra patriótica la que se encamine a reconstruir la existencia pasada del Perú. Falto del sentimiento de la patria nativa será el peruano, falto del sentimiento de la patria colectiva estará el latinoamericano que no vean en las dolorosas vicisitudes del Perú la necesidad de una reorganización reflexiva de su vida actual, y falto de vista quien no vea que la base de esta reorganización está en el cuadro de sus antecedentes. Ofrecer ese cuadro será, pues, un servicio práctico a la patria peruana, tanto como un servicio teórico a la historia, a la crítica y a la sociología. ¿Por qué no los ha de prestar usted?

¿Por la seriedad del propósito? ¿Y acaso no es serio el objetivo literario que usted ha tenido desde que empezó a ver en el fondo de la materia que manipuló con tanto arte?

¿Por falta de elemento estético en la obra que se le propone? Pero si la obra es la misma; lo único en que diferirá es en la concepción de su exacta trascendencia, y lejos de disminuir, aumentará con la trascendencia de la obra la cantidad del elemento estético.

Sin dejar de ser risueño puede usted ser eminentemente útil al bienestar futuro de su patria, que tanto ha menester un régimen más estable que el hasta ahora incierto, como una noción clara de sus antecedentes, para fundar en ellos ese régimen.

Por lejos que nos hayamos puesto de las *Tradiciones,* yo creo que estaremos más dentro de ellas que jamás lo estuvimos, si la obra por hacer corresponde a las aptitudes del autor de la ya hecha.

28. to get involved

NATANIEL AGUIRRE

b. Cochabamba, Bolivia, October 10, 1843
d. Montevideo, Uruguay, October 11, 1888

Nataniel Aguirre descended from illustrious parents.
His father, of Basque origin, was one of the founders of
Bolivia; his mother, a criolla born in Peru, belonged to the
family of Manuel González Prada, one of Spanish America's
significant writers. He attended school in his native city
and later in Sucre where he completed his law studies. At
the age of twenty-one he married the daughter of General
José M. de Achá, the President of the Republic, and soon
became involved in politics; his bitter attacks against the
tyrant Melgarejo eventually winning him a seat in Congress
(1871) and later in the Council of State which ruled Bolivia after President Morales' assassination. He then occupied lofty posts in various ministries, death coming to him
as he was about to begin his functions as Bolivian ambassador to Uruguay.

In addition to early Romantic verse and plays, Aguirre
wrote several historical works: a biography of Francis Burdett
O'Connor (1874), the Irish general who fought side
by side with Bolívar and Sucre; a treatise on Unitarianism
and Federalism (1877); a defense of Bolivia's position during
the War of the Pacific (1882); and a biography of Bolívar
(1883). However Aguirre's claim to immortality novelettes
La Quintañona and *La bellísima Floriana,* so reminiscent
of Ricardo Palma's "tradiciones." These were published
posthumously, in 1911.

EDITIONS: *Obras de Nataniel Aguirre,* Paris-Mexico,
Librería Bouret, 1911; *Juan de la Rosa,* La Paz, Editora

513

"Difusión," 1964 [4th ed.]; Buenos Aires, Editorial Universitaria de Buenos Aires, 1964 [5th ed.].

ABOUT AGUIRRE: Rafael Ballivián: *Comentarios marginales,* La Paz, 1929, pp. 131-140; Porfirio Díaz Machicao: *Nataniel Aguirre,* Buenos Aires, Lib. Perlado, 1945; Augusto Guzmán: *Historia de la novela boliviana,* La Paz, Revista "México," 1938, pp. 86-93; Carlos Medinaceli: "Nataniel Aguirre, cuentista, poeta y dramaturgo," *Kollasuyo* (La Paz), V (Oct.-Dec. 1943), 181-210; Roberto Prudencio: "Nataniel Aguirre," *Kollasuyo* (La Paz), V (Oct.-Dec. 1943), 222-225; Rodolfo Salamanca Lafuente: "Nataniel Aguirre en la transcripción de temas bolivianos," *Kollasuyo* (La Paz), V (Oct.-Dec. 1943), 211-214; Carlos Gregorio Taborga: "Su vida y la obra de Nataniel Aguirre," *Kollasuyo* (La Paz), No. 54 (May-June 1944), 195-211; Ismael Vásquez: "Nataniel Aguirre," in *Bolivia en el primer centenario de su independencia,* New York, The University Society, 1925.

LA BELLISIMA FLORIANA

I.

Donde el lector oirá de los labios de una doncella del siglo
xvi, un conocido verso de un famoso poeta de estos tiempos.

Don Alvaro Rosales Montero y doña Ana Quintanal,
extremeños nobles,[1] unidos entrambos en santo matrimonio,
viniéronse a estas Indias[2] a fines del siglo XVI, siguiendo
la corriente general, en busca de buena fortuna; y fijaron
su residencia en la Villa Imperial de Potosí, tan famosa
entonces en el mundo entero por las riquezas proverbiales
de su cerro.[3]

Corrido apenas un año desde su llegada, en día de
pascua de Navidad[4] y, por consiguiente en la estación de
las flores, concedióles el cielo una hija, a la que "por ser
ella misma una flor de rara hermosura y por el nombre
de su madre",[5] llamáronla Floriana.

La niña creció feliz y contenta bajo el amparo de sus
padres, en el santo temor de Dios y adornada cada día de
nuevas perfecciones, tanto en persona como por sus virtudes. Hermosa, recatada y amable como ninguna, habría
sido la más dichosa de las mujeres si la felicidad corriese
parejas en este valle de lágrimas con las prendas personales[6] y merecimientos de cada criatura. Pero, ya sea que por
inescrutables juicios de la Providencia "las cosas más bellas

1. aristocrats from Extremadura [an old province of Spain, now the
   provinces of Badajoz and Cáceres]
2. i.e. America
3. During the late sixteenth and throughout the seventeenth centuries
   Potosí in Alto Peru [now Bolivia] was a most important city. Its
   gold mines made it extremely wealthy and attracted a vast population: "cerro" refers to the "hill" or mountain from which gold
   was mined.
4. during the Christmas holidays (when it is summertime in South
   America)
5. words in quotes are attributed to an anonymous chronicler who is
   supposed to have written about "the very beautiful Floriana." Since
   her mother's name was Quintanal [lit. flower garden], it was logical
   to call her daughter "flowery", i.e. Floriana.
6. had happiness run parallel, in this vale of tears, to personal endow-
   ments

de este mundo tengan siempre el peor destino", o ya porque realmente anduviese entonces suelta y ciega la fortuna, cúpole la suerte más lastimosa[7] que ha hecho célebre su nombre por sus desdichas.

Trece años tendría la doncella, cuando comenzaron a disputarse la posesión de su mano los más nobles y ricos caballeros de la Villa y cuando a ésta venían o pasaban por ella con cualquier motivo. Solicitáronla muchos por varias veces de sus padres, sin obtener esperanza alguna; porque éstos "sabían que Floriana no pensaba en tomar estado,[8] ejercitada siempre en la virtud y recogimiento de su casa". Todos ellos rondaban incansables la calle,[9] sin conseguir que la doncella se asomase a las ventanas, y a ninguno le fué dado traspasar el dintel de la puerta[10] para hablarla. Los vecinos oían por las noches serenatas interrumpidas casi siempre a cuchilladas.[11] Frecuentemente la luz del día vino a mostrarles las sangrientas huellas de las contiendas encendidas por los celos.[12]

En la época a que se refiere el autor de los anales, distinguíanse entre la innumerable turba de pretendientes,[13] por su constancia y méritos personales, don Julio Sánchez Farfán, corregidor[14] de Porco, tan gallardo y apuesto joven como cumplido caballero;[15] el capitán don Rodrigo de Alburquerque, notable personaje que había venido a levantar gente[16] para el servicio del Rey en Chile; y el gobernador de Tucumán, don Pedro N., que al pasar por la Villa Imperial a la Ciudad de los Reyes, a verse con el virrey,[17] había admirado en una fiesta pública a tan sin par hermosura y

---

7. she underwent a most painful experience
8. in getting married
9. tirelessly strutted up and down her street
10. looked out of her window and no one was allowed to come into her house [lit. to cross her threshold]
11. by knifefights
12. quarrels provoked by jealousy
13. the huge crowd of suitors
14. magistrate
15. a gallant and handsome lad and a proven gentleman
16. to raise soldiery, to recruit
17. Don Pedro N, governor of Tucumán [an Argentine province] was passing through Potosí on his way to Lima (Ciudad de los Reyes) to see the Viceroy

sentídose encadenado al suelo en que moraba,[18] olvidando los graves asuntos del gobierno. Floriana en la plenitud de sus encantos, perfectísimo dechado de belleza[19] y de virtudes, seguía mostrándose sin embargo más insensible y desdeñosa que nunca a los halagos[20] del amor.

El amor desesperado debía buscar naturalmente alianzas en la inexpugnable fortaleza; y la consiguió un día por el medio que llamaba Felipo de Macedonia,[21] y que los amantes, muy doctos en todo como es sabido, suelen emplear constantemente, sin estudiar, muchas veces, las máximas de tan famoso guerrero. Una criada, mestiza, muy despierta, ganada por[22] el gobernador de Tucumán, trajo a Floriana cierta misiva amorosa, que ésta leyó y arrojó en seguida "al fuego de un brasero que cerca de allí le deparó su enojo".

Ignórase a punto fijo lo que tal misiva contenía, pero que ella no fué tan conmovedora y comedida[23] como era de esperar, siendo inspirada por tal belleza y dirigida a tan discreta y racatada[24] doncella, harto claro lo demuestra la noble respuesta que la cupo[25] y que ha logrado salvarse íntegra del olvido para perpetua lección de atrevidos galanes y provechosa enseñanza de inexpertas muchachas, que se hallan frecuentemente expuestas a semejantes peligros.

Floriana había escrito con mano trémula de indignación las siguientes palabras:

"Señor mío: Hanme dicho que el cielo os negó el nacer de nobles padres, y yo así lo creo, porque lo acredita la desatención de vuestro papel;[26] más, él tuvo su merecido,

---

18. such unrivaled beauty and he felt anchored to the place where she lived
19. a most perfect specimen of beauty
20. flatteries
21. in a sneaky way [lit. by means of the strategy which Philip called **Macedonian**]
22. a very capable mestizo maidservant won over by
23. polite
24. circumspect
25. is very evident considering the kind of lofty reply it inspired
26. it is corroborated by the disrespect [shown] by your paper (i.e. by your letter)

porque semejantes liviandades[27] no merecían otra cosa que el fuego". Don Pedro, que debió ser tan presuntuoso como descortés, ofendióse en extremo de esta contestación. Burlado en su amor, si aún merece este nombre el fuego impuro que abrasaba[28] su pecho, sólo dió oídos a su orgullo lastimado.[29] Se imaginó que don Alvaro hubiese dicho a su hija que no era digno de pretender su mano, por no ser de tan clara estirpe[30] como ella, y resolvió vengarse en él "sacándole al campo a reñir sobre el caso".[31] No tardó la ocasión en mostrarse propicia a su intento. Supo un día que don Alvaro debía ir a San Clemente, donde acostumbraba pasearse, y allí se dirigió ciego de furor, para esperarle y provocarle como tenía resuelto.

Ajeno de lo que pasaba llegó muy pronto al dicho paraje[32] el padre de Floriana, y fué grande su sorpresa al ver al gobernador trastornado por la ira,[33] que le salió al encuentro procurando manifestarle su resentimiento, pero sin acertar mas que a injuriarle con descomedidas razones.[34] Le oyó en silencio hasta que hubo concluído, costándole no poco trabajo enterarse de qué aquel se quejaba;[35] disculpóse[36] en seguida como leal caballero; acusó de todo el mal a la osadía[37] de don Pedro; y, como en aquellos tiempos a palabras tales sucedía siempre la razón del acero,[38] no paró en desnudar la espada y cruzarla al punto con la de su inesperado adversario.

Dios sabe cuál habría sido el fatal resultado del singular combate, si no se hallasen cerca de allí casuales testigos

27. such frivolities deserve only to be burned
28. burned
29. wounded pride
30. aristocratic lineage
31. challenging him to a duel
32. Not aware of what was transpiring, he soon arrived to the aforementioned place
33. raging mad
34. rude arguments
35. finding out with utmost difficulty the reason for his complaints
36. he apologized
37. boldness
38. such words invariably led to a duel

que, sin notarlo entreambos caballeros, los vieron acometerse.[39]

Era aquella la época en que los habitantes de la Villa Imperial solían concurrir a San Clemente en busca de solaz y distracciones,[40] costumbre que, según creemos, se conserva aún entre sus descendientes y que debe dejar en su ánimo fuertes impresiones para toda la vida. Se nos ha referido (y lo repetimos de paso por vía de ilustración) que un notable potosino suspiraba tristemente a las faldas del Vesubio,[41] ante el panorama más encantador del mundo, que preguntándole un amigo por la causa de aquel suspiro, contestó sin vacilar: —"Oh! si pudiese hallarme en San Clemente!..."

Dos señoras, que allí gozaban de ese felicidad, que harto comprendemos por el santo amor de la patria, acudieron presurosas a interponerse,[42] no sin peligro, entre los combatientes; y consiguieron separarlos por un momento. Mas, todos sus esfuerzos habrían sido inútiles —porque ambos porfiaban en volver a acometerse,[43] aunque no de gravedad—, si no acudiese más gente al lugar de la lucha, obligando a los adversarios a irse cada uno por su lado, pero no sin prometerse venganza para la primera ocasión.

Entre tanto, Floriana, recogida en su cuarto y entregada como de costumbre a esas labores de pasatiempo de las damas de su clase,[44] no sospechaba siquiera el peligro que corrían su buen padre y su propia fama. Quien sabe ni pensaba ya ni remotamente en el osado gobernador, que juzgaba curado de su indigna pasión por el merecido desdén, cuando vió llegar a don Alvaro descompuesto,[45] pálido y ensangrentado.

39. chance witnesses who, without their being noticed, saw both gentlemen as they started duelling
40. seeking relaxation and amusement
41. a distinguished personage from Potosí was sighing away sadly by the slopes of the Vesuvius [the volcano east of Naples, Italy]
42. rushed to intervene
43. insisted on going on with the duel
44. confined in her room and dedicated, like most ladies of her social class, to her fancywork
45. upset

Llena de sobresalto[46] quizo precipitarse al punto en sus brazos, inquiriendo por la causa de aquel trastorno.[47] —Padre y señor, ¿quién ha podido injuriaros de esa suerte?[48] —comenzó a decir la desgraciada; pero se detuvo y retrocedió asustada ante un ademán[49] imperativo del irritado caballero.

Expúsole éste[50] en breves palabras lo ocurrido en San Clemente, y pasó a "darle muchas y muy sentidas reprensiones",[51] echándole en cara su silencio y la reserva que había guardado con él y su buena madre en aquel delicado asunto. "Ardiendo en ira", por lo que sabía de la conducta indigna del gobernador, pero reportándose cuanto pudo, como hija sumisa y cariñosa,[52] le oyó Floriana hasta que hubo terminado, y se disculpó en seguida, diciendo que había querido evitarle el enojo de saber el caso, y que, por otra parte, no esperaba de ningún modo que don Pedro tomase tan insensato partido, cuanto era de suponer que sufriese más bien en secreto el castigo de su falta.

Un tanto calmado con esto el buen caballero se retiró luego del cuarto de su hija, dejando a ésta entregada a diversos sentimientos que alternativamente atormentaban su pecho. Unas veces el dolor la sumergía en un mar de lágrimas, y otras el deseo de venganza la envolvía en una hoguera que secaba el llanto de sus ojos.[53] Ya pensaba solamente en la aflicción de sus padres; ya daba oídos al grito de su honra ofendida, figurándose con razón que su nombre corría por la Villa, mancillada[54] por la calumnia, que encontraría una poderosa aliada en la envidia. Creemos (aunque se le olvidó consignar a nuestro cronista) que, acusando entonces de todo el mal a su funesta[55] belleza, se dijo

46. Violently startled
47. disturbance
48. who has hurt you like that?
49. gesture
50. The latter related
51. many deeply felt reproaches
52. but controlling herself, being [as she was] an obedient, affectionate daughter
53. enveloped her in a blaze which dried up her tears
54. blemished
55. ill-fated

con amargura, pues nadie pudo decirlo con más fundamento que ella:

Ay, infeliz de la que nace hermosa!

II.

La mansa cordera se torna leona[1]

No sabemos si después de los sucesos que llevamos referido, pensaba el gobernador desistir de sus criminales intentos, para seguir su camino a la Ciudad de los Reyes, dejándose ya de indignas liviandades.

Lo más probable sin embargo, es que el presuntuoso caballero conservase aún la esperanza de subyugar a la altiva doncella; porque en hombres de su carácter el necio amor propio no descubre las imperfecciones, ni la fealdad de las faltas cometidas, y más bien considera a estas últimas como nuevos merecimientos.[2] Don Pedro se halagaba,[3] acaso, con la idea de que Floriana no vería en su conducta más que la violencia de la pasión que le había inspirado, y que se ablandaría al cabo,[4] hasta el punto de reconocerse esclava de su voluntad.

Mas, sea de esto lo que fuere, no pasaron dos días desde su riña con don Alvaro sin que se hallase perdido de seso, más confiado y envanecido que nunca.[5] Y es el caso que aquella criada mestiza que antes había sobornado,[6] se presentó en el momento más inesperado en su casa, y le dió a solas cierto recado,[7] que pronto adivinarán nuestros lectores, mereciendo en cambio una abundante propina, y, cosa inaudita de parte de un hombre de tal suposición y tantas campanillas!, una cariñosa palmada en la mejilla.[8]

1. The gentle lamb turns into a lioness
2. deserts, merits
3. flattered himself
4. would soften after all
5. insane, more sure of himself and more vain than ever
6. had bribed
7. message
8. a generous tip, and — something unheard-of, coming from such a distinguished, famous man — an affectionate pat on her cheek.

No bien llegó la noche, salió nuestro gobernador de su casa embozado en luengo manto y calado el sombrero hasta los ojos, recatándose[9] cuanto podía para no ser detenido en la calle por gente importuna; y se fué en derechura a la de su ofendido contrario don Alvaro. Llegó pronto a una tienda que al lado del portal había: la abrió con una llave que llevaba en el bolsillo, y penetró en ella, cerrando tras si la puerta y dejándola solamente entornada.[10] Al mismo tiempo, como si quien le esperaba hubiese observado sin él notarlo su llegaba, se abrió también otra puerta fronteriza de la tienda que comunicaba a ésta con la casa, y dió paso a una mujer que, lejos de recatarse por su parte, se adelantó al encuentro del caballero con la cabeza erguida y dejando caer al suelo su mantilla.

Era la bellísima Floriana! Vestía sencillamente de blanco sin atavo ninguno;[11] su larga y abundante cabellera de un negro resplandeciente, flotaba a sus espaldas, retenida tan sólo por un lazo encarnado;[12] su rostro un tanto pálido, la mirada tranquila y profunda de sus grandes ojos, el porte[13] de toda su persona, comunicaban a su belleza la majestad de una diosa. Al verla el gobernador se sintió todo él turbado como un vasallo ante su soberana; y con el sombrero en la mano, inclinada la cabeza, apenas pudo saludarla, diciendo con voz trémula:

—"Señora, aquí tenéis a vuestro esclavo y fino amante",— palabras a las que nuestro sensato cronista quisiera que hubiese sustituído con más verdad en estas otras: "el indigno que dos veces os ha ofendido".

Y esto mismo debió pensar la doncella pues con mano convulsa de ira sacó, en efecto, una ancha y bien afilada navaja que en la manga llevaba,[14] y "como una leona arremetió a cortarle la cara al gobernador", gritando al mismo tiem-

---

9. wrapped in a long cloak, his hat pulled down over his eyes, hiding
10. ajar
11. without any finery
12. held together by only a red bow
13. carriage
14. she whipped out a broad, well-sharpened knife which she had concealed in her sleeve

522

po, sin cuidarse de que la pudiesen oír de la casa o de la calle:

—Mal caballero!, llevaréis en el rostro la marca de vuestra infamia.

El iluso[15] amante no esperaba tan extraño recibimiento; no era él, como hemos dicho, nada receloso ni desconfiado en tratándose de su persona y de una conquista de amor.[16] Pero por grande que fuese su sorpresa al ver sobre sí "aquel monstruo de belleza y de iras", cuando se imaginaba encontrar una rendida paloma,[17] no llegó hasta el punto de impedir que procurase su propia conservación. De este modo, con la misma presteza[18] que su hermosa enemiga trataba de ofenderle, rebatió por su parte el tajo[19] con una mano y procuró hacerse para atrás, impidiendo el ver desecho su rostro, mas no sin que la navaja penetrase en su palma hasta los huesos,[20] ni sin que, tropezando en un madero[21] que allí había, cayese él mismo pesadamente al suelo, donde al fin consiguiera Floriana su intento, si con un esfuerzo supremo no lograse levantarse en seguida, requiriendo la daga de su cinto, para ofender a su vez con más furor a su contraria.[22]

—"Traidora" —exclamó con voz sorda, avanzando hacia ella en ademán que no permitía esperanza alguna de piedad, ni aunque Floriana la hubiese demandado entonces de rodillas.

La lucha no podía ser dudosa entrambos: la fuerza, la destreza, el arma... todas las ventajas estaban de parte del caballero.

Pero nuestra heroína era al fin mujer como todas, y no hay quien sepa salir más airosamente que ellas de los

---

15. deluded
16. not at all suspicious or distrustful when it came to his own person and a love affair
17. submissive dove
18. quickness
19. parried the knife slash
20. cut deep into the palm of his hand, down to the bone
21. stumbling on a log
22. whipping out a dagger from his belt to attack his opponent in turn, with greater rage

trances apretados.[23] A falta de la fuerza podía valerse de la astucia, como hizo ciertamente, consiguiendo recobrar la ventaja en menos tiempo del que llevamos perdido.

Inspirada por el peligro se había apoderado, en efecto, de un lío de ropas[24] que descubrió allí por su buena suerte, y lo había arrojado con tal acierto sobre el caballero, que logró envolverlo en éstas, de modo que le embarazaron la vista y los brazos a un mismo tiempo;[25] y sin esperar a que pudiese librarse de aquel estorbo,[26] tomó en seguida con ambas manos el madero que en el suelo estaba, y descargó con él tan fuerte golpe en la frente y el pecho de don Pedro, que lo vió desplomarse de espaldas, sin habla y sin sentido.[27]

Acudieron en éso al ruido, por una parte las gentes de la casa y por la otra muchos vecinos y transeúntes[28] de la calle, y viendo al gobernador ensangrentado, sin señales de vida, juzgaron que acababa de pasar a otra mejor,[29] con indefinible angustia de Floriana.

—"Le habéis muerto, señora",[30] dijeron unos y otros a la doncella.

Y aterrada entonces por estas palabras, que confirmaban la idea terrible que ya había asaltado su mente,[31] sólo pensó en huir de aquel sitio fatal, llevándose consigo el torcedor remordimiento,[32] en vez de la satisfacción de la venganza que antes, al venir, se prometiera.

23. tight spots
24. a bundle of clothes
25. to hinder his eyesight and arms at the same time
26. obstruction
27. to collapse unconscious
28. passersby
29. he had just died
30. "Señora, you have killed him!"
31. had occurred to her
32. gnawing remorse

524

III.

De qué modo aconteció a nuestra heroína el mismo percanse que a la princesa Melisendra.[1]

Sus desolados padres no sólo deploraron tanto como ella la falta que había cometido, sino que midieron[2] también sus fatales consecuencias con ojos más acostumbrados a mirar las realidades de la vida. ¿Qué iba a ser de aquella hija? ¿la verían arrastrada brutalmente al encierro de los criminales por la mano de los alguaciles?[3] ¿Contemplarían empañado[4] en un momento el antiguo lustre del blasón de la familia?[5] ¿Oirían su nombre, respetable hasta entonces, pronunciado por todas partes con fingida lástima o no disimulado desprecio?

Su primer cuidado fué en consecuencia mandar que se incomunicase la casa, cerrando las puertas que daban a la calle y asegurándolas por dentro[6] lo mejor que pudiese, para ganar tiempo y ocultar a la doncella o procurar su evasión, sin ser observados por gente importuna o sospechados por la justicia. Mas, no tardaron en comprender cuán difícil les sería conseguir lo uno y lo otro; porque Floriana desvanecida[7] en brazos de su madre no podía darse cuenta del peligro, ni favorecer su propia salvación; y porque muy pronto oyeron gran tropel de gente[8] que se aproximaba a la casa, con gritos muchas veces repetidos y cada vez más distintos de "la justicia! el corregidor!".

---

1. In an anonymous medieval ballad [romance] the knight Don Gaiferos (a nephew of Roland) rescued his ladylove, Princess Melisendra, after she had been for some years a prisoner among the Moors. Her mishap [percance] while trying to escape repeats itself in Floriana's case. Don Quixote attended a puppet play dramatizing this situation and tried to rescue the Princess.
2. weighed
3. brutally dragged to jail by constables
4. tarnished
5. family escutcheon
6. locking them from within
7. in a swoon
8. the noise from a hurrying crowd

Especialmente esta última palabra *el corregidor*, ejerció al punto una influencia irresistible, verdaderamente mágica en el ánimo de cuantos la oyeron en la casa. Don Alvaro, que se esforzaba por conservar su entereza como varón animoso, se quedó helado de espanto;[9] su pobre esposa lanzó un grito de indefinible angustia, estrechando fuertemente a su hija contra su seno, cual si hubiese visto saltar ante ella a un león hambriento, para arrebatarle aquella presa;[10] los criados, temblorosos, rehusaron seguir cumpliendo las órdenes de sus amos; el mayordomo, anciano y fiel servidor, que acababa de dar vuelta a la gran llave de la puerta principal, huyó aterrado a ocultarse en lo más recóndito, sin atreverse a poner los pesados aldabones,[11] como si ya hubiese cometido un crimen horroroso, y como si ya le siguiese el verdugo con la cuerda en la mano para colgarle;[12] de todos los labios salieron, en fin, estas palabras:

—¡No hay esperanza!

Y era que por entonces regía interinamente la Villa Imperial el famoso Oidor[13] don Juan Díaz de Lupidana, inexorable y celosísimo magistrado, a quien tendremos ocasión de conocer con más espacio en lo sucesivo, bastando por ahora a la inteligencia de nuestro fiel relato, el apuntar ligeramente el terror que infundía su nombre.

Resonaron ya fuertes golpes en las puertas mal cerradas de la casa, cuando los padres de Floriana resolvieron hacer un supremo esfuerzo para salvarla, cada uno por su parte y según se lo inspiraba el conflicto del momento. El anciano don Alvaro se ciñó una larga tizona de Toledo y embrazó un antiguo escudo, que pendían de la pared[14] al lado del retrato de un su abuelo conquistador de Granada, proponiéndose defender hasta la muerte el único asilo posible de

9. who strove to maintain his wits, like any courageous gentlemen, froze up with terror
10. to snatch that prey from her
11. crossbars
12. as if the executioner were following him with a rope in his hand ready to hang him
13. ruled provisionally the famous judge
14. clutched a long sword and pulled down an old shield which were hanging from the wall

su hija; y la infeliz madre, puesto el corazón en Dios, intentó aún por última vez sacar a la doncella del letargo fatal que imposibilitaba su fuga. Postróse en consecuencia de rodillas ante el estrado[15] en que dejó a Floriana extendida; estrechó fuertemente una mano de ésta contra su corazón que parecía saltársele del pecho, y la llamó por varias veces con ese acento de madre desesperada que el hijo no puede, no, dejar de oír ni en el fondo del sepulcro, y que reanimó, al cabo, a la doncella.

Volvió ésta en efecto al uso de sus sentidos como de un sueño profundo, sin poder coordinar sus confusas ideas; razón por la cual doña Ana tuvo que recurrir todavía a ese poder inmenso del amor materno, para explicarle el peligro que la amenazaba. La desesperación de sus padres, de que ella era causa, la propia humillación, el oprobio[16] que la amenazaba, se presentaron entonces a la mente de Floriana que, por una nueva reacción, volvió a ser la altiva y animosa dama que vimos antes salir al encuentro del gobernador.

Con voz tranquila suplicó a sus padres que procuraran estorbar[17] todavía la entrada a los que en su demanda venían, y sin esperar la respuesta corrió a arrojarse de una ventana que caía a un oscuro callejón a espaldas de la casa,[18] mientras que don Alvaro, su esposa y los criados se apresuraban a cumplir la instrucción que les había dejado, sintiéndose ya reanimados por la esperanza de verla en salvo.

No era muy alta la ventana, y la infeliz fugitiva pudo haber llegado al suelo sin grave daño, si no le ocurriese —oh desventura!— el mismo accidente que cuenta el romance de la princesa Melisendra, cuando quiso descolgarse del balcón a la grupa[19] del caballo de su enamorado esposo don Gaiféros, pues se le asió ni más ni menos el faldellín de un madero saliente del marco de la ventana, y se quedó pen-

15. dais
16. disgrace
17. to hinder
18. dark alley behind the house
19. to slip down from the balcony to the croup

diente en el aire,[20] sin poder valerse ella misma, ni aún pedir socorro, más desgraciada en ésto que la hija putativa del gran emperador Carlo-Magno,[21] a la que pudo socorrer el menos en el instante su señor natural y valeroso caballero.

IV.

De quien tuvo entonces la gloria de don Gaiféros, y de cómo es imposible que dos rivales procedan de concierto en los trances más apretados.[1]

En este punto nuestro cronista pasa a darnos cuenta de lo que sucedió entre tanto en casa de don Alvaro, gravísima falta de atención para la dama que abandona en trance tan lastimoso, pero que merece entera disculpa, si se reflexiona que pudo apresurarse él mismo a descolgar a Floriana, después de más de un siglo en que pasaba aquello, y que, por consiguiente, se vió en la necesidad de seguir el hilo de los sucesos para llegar naturalmente al desenlace[2] de esta aventura. Y tanto es así, que por más esfuerzos que hemos hecho[3] por nuestra parte, para no incurrir en la nota de descorteses a los ojos de las hermosas lectoras de "La Revista", no hallamos más recurso que implorar su perdón y continuar trascribiendo la crónica en el orden que la compuso el autor.

El formidable don Juan Díaz de Lupidana había logrado por fin penetrar al patio de la casa, precedido de cuatro hombres que le alumbraban el paso,[4] y seguido de

20. she caught her underskirt, neither more nor less, on a piece of wood proyecting from the windowframe and remained hanging in midair
21. unable to free herself or even to ask for help — more unfortunate in this than the reputed daughter of the great Emperor Charlemagne [i.e. Melisendra]

1. behave in accord at extremely critical moments
2. denouement
3. however much we have tried
4. who showed him the way with a light

una multitud de alguaciles armados hasta los dientes y de gente curiosa o comedida, como siempre sucede en casos semejantes. Demudado por la cólera, con la vara en alto,[5] —aquella vara símbolo de la autoridad y la justicia—, el Oidor daba miedo a cuantos le veían, y aterró al infeliz don Alvaro que rindió[6] a sus pies tizona y escudo, prefiriendo detenerlo con ruegos y lamentos, lo que hizo también doña Ana, cayendo de hinojos y estrechando sus rodillas.[7]

Pero aunque los padres de Floriana no pudieron más que ganar el tiempo que fué preciso para que los rudos alguaciles los separasen a viva fuerza del paso del corregidor, a una orden terminante que éste les dió en seguida, ese tiempo precioso fué bien empleado por la mestiza que conocemos, pues que consiguió deslizar algunas palabras al oído de una persona amiga que entre la gente curiosa descubrió por fortuna.

Más listo que la justicia había velado el amor aquella noche,[8] como todas, con los ojos fijos en casa de la doncella; y de esta suerte no fueron de los últimos en acudir al ruido del suceso muchos caballeros que hacían la consabida ronda,[9] y entre ellos don Julio Sánchez Farfán y el capitán Alburquerque; los cuales caballeros, con el egoísmo propio de los enamorados, se felicitaban acaso de encontrar una ocasión vanamente deseada hasta entonces, de acreditar su pasión a los ojos de la ingrata señora de sus pensamientos.

La criada que los conocía a todos, no vaciló un momento en la elección, y acercándose a don Julio, le dijo que Floriana podía necesitar de auxilio, por lo que convenía buscarla en el callejón a donde la había visto arrojarse desde la ventana. ¿Por qué se apresuró a comunicárselo a él y no a otro alguno, al capitán Alburquerque, por ejemplo, que había seguido con ansiedad todos sus movimientos?, ¿sabía la mestiza que los servicios de don Julio serían más agradables a su señora? Estas y otras cuestiones que se nos ocu-

---

5. Raging with wrath, his staff [the Oidor's symbol of authority] aloft
6. surrendered
7. falling on her knees and hugging his legs
8. Wider awake than justice. love had kept watch that night
9. usual rounds

rren ahora de un modo al parecer inoportuno, son de la mayor gravedad para nosotros, como verán después nuestros lectores. Mas, ya que don Julio no espera a que se lo digan dos veces, ni se detiene un instante con inútiles preguntas, corramos tras de él y de su rival Alburquerque, quien debe haber sospechado la verdad con la perspicacia que el amor presta a los que bien lo sienten.

Cuando el favorecido caballero llegó al pie de la ventana, la cuitada[10] doncella respiraba ya apenas, ahogada por la sangre que afluía a su cerebro; visto lo cual por él, se apresuró a hacer lo mismo que don Gaiféros con Melisendra, tomándola de los brazos y trayéndola fuertemente,[11] para desgarrar el faldellín que estorbaba su descenso. Pero, como don Julio no cabalgaba un robusto corcel[12] que sostuviese su propio peso y el de la dama, sucedió que al desplomarse esta perdió el buen caballero el equilibrio, y rodó junto con ella por el suelo, al propio tiempo que llegaba a aquel sitio el capitán que le seguía las pisadas,[13] y que se apresuró a envolver en su capa a Floriana, procurando levantarla en sus brazos.

No bien logró ponerse en pie don Julio, advirtió aquello con enojo. En el momento en que se halagaba con la idea de ser el único salvador de la doncella y cuando esperaba ya encontrar por la gratitud un acceso a ese corazón cerrado a las protestas y ruegos del amor, veía presentarse a un rival odioso, para compartir[14] con él tan envidiable gloria y rarísima fortuna. Por su lado, el capitán no podía resignarse a abandonar la palma de la victoria, deseoso más bien de arrebatársela de entre las manos, como demostraba la prontitud que había puesto en seguirle, inspirado por los celos. En cualquier otra ocasión esos dos hombres fuertes y animosos podían felicitarse de propender al mismo fin, doblando los medios de alcanzarlo, (tratándose de una arries-

10. wretched
11. drawing her [to him] firmly
12. was not riding on a strong horse
13. who was hot on his trail
14. to share

gada empresa de guerra por ejemplo) ;[15] pero en aquel instante, sin desconocer los peligros que rodeaban a Floriana, la presencia de cada uno de ellos debía ser insoportable para el otro. Si por un milagro de prudencia entre rivales, hubiesen resuelto salvar juntos a la doncella, no habrían hecho, tampoco, más que dilatar el momento fatal de la ruptura; porque cada una de las miradas de aquella, la más leve atención de su parte con uno de ellos, habría sido un tormento peor que la muerte para el que se creyese desdeñado.

—Paréceme, caballero, que está de más uno de nosotros en este sitio, —dijo Julio de Alburquerque, desenvainando la espada.[16]

—Cabalmente pensaba en lo mismo,[17] y os lo dijera en las mismas palabras a las vuestras, si antes no fuera preciso auxiliar a esta señora—, contestó el capitán, poniéndose en guardia.

Y tuvo entonces lugar una espantosa lucha entre las sombras de la noche, en ese estrecho callejón que apenas ofrecía espacio a entrambos caballeros para moverse o parar los golpes[18] del adversario; lucha que Floriana no podía seguir con la vista en sus peripecias, pero que ella conocía que se verificaba, por el cliquetis de los aceros,[19] sin tener fuerzas para estorbarla, ni pedir auxilio, que ciertamente lo hiciera si le fuera posible moverse o dar voces, aun a riesgo de atraer sobre sí el mismo peligro de que antes huía.

—Muerto soy... confesión![20]

Sucedióse un momento de silencio pavoroso,[21] al cabo del cual distinguió el ruido de los pasos de un hombre que se le aproximaba. ¿Era don Julio?, ¿era el capitán Alburquerque?, ¿deseaba Floriana que fuese el primero o el se-

---

15. to follow the same end, doubling the means for attaining it (involving, for example, a risky war venture)
16. one of us is one too many here," said J. de A., unsheathing his sword
17. That's just what I was thinking
18. or ward off the blows
19. a struggle which Floriana was unable to see in all detail but of which she was fully aware from the clash of swords
20. i.e. I'm dying, quick call a priest to give me confession
21. frightful

531

gundo? ¿le era esto indiferente? Como ven nuestros lectores, no podemos prescindir[22] de formular preguntas de ese género, en cualquier ocasión que se nos ofrezca; pero sin llegar aún a ningún resultado, porque la crónica que seguimos guarda un silencio que nos desespera a este respecto. Sin embargo, aún después de dos siglos y medio que han pasado desde entonces, parécenos sorprender un suspiro que se escapó del pecho de la doncella, aliviándola de una extraña pesadumbre,[23] cuando reconoció al vencedor.

Era éste el de Sánchez Farfán, que se apresuró a ofrecerle la mano con respeto, rogándola al mismo tiempo que se alejase con él de aquel sitio, para salvarse de sus perseguidores. Pero ella lo rehusó, pidiéndole que la dejase abandonada a su destino, porque la nueva desgracia de que haba sido causa involuntaria, le indicaba claramente, a su parecer, que no debía sustraerse[24] a una justicia superior a todo poder humano.

Don Julio no lo consintió, como es fácil comprenderlo, ni lo consintiera en ningún caso, aun a riesgo de acarrearse el odio de Floriana[25] en lugar del afecto que esperaba; y como se oyese ya en aquel instante ruido de gente y de armas, no vaciló en arrastrar consigo a la doncella, huyendo por la parte opuesta, sin saber precisamente a dónde se encaminaba.

Llegaron así en breve espacio a un solar[26] encerrado entre las altas paredes de las casas vecinas y el profundo barranco del arroyo que separaba la ciudad propiamente dicha, de las cabañas habitadas por los indígenas trabajadores de las minas.[27] Al reconocerlo el caballero se sintió desconcertado por un instante porque estaba persuadido de que aquel lugar no tenía más entrada ni salida que la del oscuro y estrecho callejón, por donde sin duda venían el corregidor

22. to dispense with
23. relieving her of a strange weight
24. to evade
25. even at the risk of incurring Floriana's hatred
26. vacant lot
27. deep gully of the brook which separated the city proper from the huts occupied by the Indians working at the mines

y sus gentes, o al menos una parte de éstas, como pudo observarlo en seguida. ¿Vería burlados sus esfuerzos[28] por la extraña fatalidad que perseguía a la doncella?

—No, por mi alma! —exclamó el animoso don Julio, tomando resueltamente el único partido que a su entender le quedaba; y envolviéndose el brazo izquierdo con la capa, desenvainó otra vez la espada enrojecida por la sangre de su rival, mientras decía a Floriana:

—Mi deber es salvaros, señora, a pesar vuestro, del mundo entero y del destino. Ruegoos que procuréis ocultaros en lo más sombrío de este sitio,[29] mientras vuelvo a buscaros; pero si me lo impide un poder superior... la muerte, por ejemplo, recordad alguna vez que os he amado, de tal modo que sólo viví para consagraros mi alma por el placer de amaros, sin la esperanza de ser correspondido.

Floriana comprendió entonces la magnánima resolución del caballero; quiso impedirla, comenzó a decirle que no tentase a la Providencia, cuya mano veía ella distintamente, mas, nada pudo conseguir de él, porque ya se había apresurado a volver sobre sus pasos[30] y lo vió internarse otra vez en el callejón por donde había venido.

Llegado que hubo don Julio a la presencia de los alguaciles, detúvolos con un ademán imperioso, diciéndoles en seguida:

—¿Buscáis, por ventura, al matador del capitán don Rodrigo de Alburquerque? Pues entonces, tenéislo delante de vosotros, dispuesto a probaros con la espada en la mano, que lo mató como bueno, en leal combate.

Y sin esperar a que volviesen de la sorpresa que les había causado la aparición de aquel hombre y sus extrañas palabras, arremetió contra ellos con tal denuedo, que logró abrirse paso por entre sus filas,[31] y se alejó de prisa, esperando con razón que le siguiesen, lo que ciertamente hicieron avergonzados de que un solo caballero se burlase de tal

---

28. Was he to see his efforts thwarted?
29. to hide away in the most secluded spot around here
30. to retrace his steps
31. with such daring that he succeeded in making his way through their ranks

modo de más de diez agentes de la justicia, exponiéndolos al enojo del severo corregidor.

Nunca hubo caballero alguno con más placer ni satisfacción que don Julio aquella noche. A cada paso que avanzaba, a cada vuelta de esquina que hacía, corriendo siempre en dirección opuesta al sitio en que había dejado a Floriana, se felicitaba más de la ligereza de sus piernas; él, que hasta entonces sólo había creído que un hombre de su clase debía fiarse únicamente en su animoso corazón y la fuerza de su brazo.

Cuando al cabo de algún tiempo logró, por último, que los sabuesos de don Juan Díaz de Lupidana, perdiesen su pista y desistiesen de su persecución, mohidos y desconcertados,[32] determinó volver al solar, rodeando una gran parte de la ciudad, sumida ya en el silencio del reposo,[33] después de la agitación y el ruido de los pasados sucesos. Pero en vano buscó allí a Floriana que había desaparecido; en vano recorrió aquel sitio a la luz del alba que comenzaba a blanquear el horizonte;[34] en vano la llamó por repetidas veces, sin oír más que el bramido del torrentoso arroyo, acrecido por las lluvias, en su lecho profundo.[35]

V.

Cómo el niño Amor embazó bonitamente una flecha[1] en el corazón de un juez prudente y respetable, y le hizo cometer los desaciertos[2] que han comprometido su buen nombre ante la historia.

¿Qué había sido de la bellísima doncella? Ni las pesquisas[3] del amor, ni las de la justicia, de don Julio o del

---

32. that J.D. de L.'s bloodhounds [implying, his henchmen] would lose his tracks and, annoyed and embarraseed, give up the pursuit
33. given over now to the quiet of the night
34. in the light of dawn, which was beginning to whiten the horizon
35. hearing only the roaring of the torrential brook, swollen by recent rains, down in its deep bed

1. How Cupid [lit. the child Love] stealthily shot an arrow
2. blunders
3. investigations

formidable corregidor, tuvieron resultado alguno satisfactorio a ese respecto, por más de una semana. La explicación del enigma estaba reservado a otro poder que cuenta siempre con agentes más listos de su parte, como se comprobó entonces del modo que verán nuestros lectores.

Tenía el gobernador de Tucumán un sobrino azoguero,[4] notable y muy influyente por supuesto, que "formó querella contra Floriana, y apretaba[5] a que fuese buscada y puesta en prisión", mientras que el mal herido y peor burlado tío yacía en el lecho, devorado por la fiebre.[6] El tal sobrino prodigó a manos llenas el dinero,[7] con la confianza de que nunca le faltaría éste en sus arcas,[8] afluyendo a ellas de las prodigiosas entrañas del cerro proverbial; pagó espías, compró delatores,[9] y no tardó en ponerse al corriente de los pasos y el paradero de la que había osado insultar al que él apellidaba honra y prez de su familia.[10]

Don Juan Díaz de Lupidana había rezado el santo rosario con su servidumbre y tomado ya su jícara[11] de chocolate, pero aún no pensaba en buscar el descanso del lecho a las fatigas del gobierno. Sentados delante de uno de esos braseros, usados todavía hoy día en la Villa Imperial, a falta de estufas o chimeneas, meditaba sobre los deberes que le imponía su cargo, con el codo apoyado en el brazo de su sitial[12] y la frente en la palma de la mano. Al cabo, descompuesto por la ira, lanzó un juramento, se levantó del sitial y recorrió a grandes pasos la estancia, diciendo en alta voz estas y otras entrecortadas razones.

—Un alto funcionario de la corona puesto a dos dedos del sepulcro por una niña mimada y despreciable...! bur-

4. a nephew who owned quicksilver mines
5. made trouble for Floriana, and urged
6. while his badly wounded and outwitted uncle lay in his bed consumed by fever
7. handed out money abundantly
8. coffers
9. informers
10. keeping abreast of the comings and goings and the whereabouts of the woman who had dared insult the person he considered the honor and glory of his family
11. cup [made out of a gourd or calabash]
12. armchair

lado yo por primera vez...! yo, el oidor Lupidana! ¿Qué dirá la Audiencia? ¿Qué pensará el virrey?

—Diréisles que la culpable ha expiado su crimen. Os basta extender la mano para cogerla — contestó una voz desde la puerta.

El azoguero había llegado a ésta sin que lo sintiese el Oidor en su preocupación, y había percibido el monólogo, comprendiendo sin dificultad su sentido.

Un rayo de alegría iluminó el semblante del magistrado: las arrugas[13] que el tiempo y las arduas funciones de su cargo habían trazado en su frente, desaparecieron por un momento de ella; mientras que sus ojos dilatados y brillantes buscaban a su inesperado interlocutor.

Un cuarto de hora después, el corregidor en persona, sin cuidarse de la lluvia, corría en dirección al barrio habitado por los indios mitayos, siguiendo los pasos del espía que puso a su disposición el azoguero, y seguido él mismo por sus más fieles corchetes,[14] provistos de armas y linternas que ocultaban a precaución bajo sus capas españolas.

Floriana, forzosamente abandonada por don Julio, había visto de lejos abrirse paso a su salvador por entre los alguaciles, y más tranquila por lo que a él concernía, procuró darse cuenta de su propia situación, recorriendo el solar donde se hallaba. Por lo pronto no descubrió puerta alguna, ni entrada practicable de ninguna clase en las altas paredes que lo cerraban por tres de sus lados. Era preciso vadear[15] el arroyo; pero se hallaba crecido y por el barranco no había señal de senda[16] por donde pudiese bajar la doncella.

—Dios lo quiere —murmuró resignada de su suerte—, y sentóse en una piedra, determinando esperar a su salvador o a sus perseguidores.

Oyó en esto un ruido extraño por el lado del arroyo, y siguiendo aquella dirección con los ojos, distinguió una

13. wrinkles
14. arresting officers
15. to ford
16. there was no trace of any path

figura humana, suspensa al parecer en los aires, sobre las aguas turbias y espumosas.[17] ¿Era la sombra del gobernador que ella creía muerto? ¿Por qué le perseguía en el momento en que deploraba más su crimen? Ella no había querido matarle... se vió en la necesidad de proveer a su defensa[18]... daría su vida por reanimarle,[19] si antes no moría ella misma de dolor y remordimientos.

Un grito de terror se escapó de su pecho; se le erizaron los cabellos;[20] sintió frío en el corazón y cayó desvanecida.

Al volver en sí, se encontró acostada sobre una piel de llama, en una choza miserable. A su lado velaba una india anciana, cubierta de andrajos y excesivamente demacrada,[21] en la actitud de las momias de sus abuelas, pudiéndose tomar a ella misma por una momia recién exhumada de alguna *huaca*, a no ser el brillo de sus ojos clavados en la doncella.[22] El hijo de esta infeliz que se encaminaba a las minas, para llenar la faena de la noche,[23] la había encontrado desmayada en el solar y conducídola a su choza, donde la dejó confiada a los cuidados de su madre, volviendo en seguida al rudo trabajo que le llamaba. Floriana le había tomado por la sombra vengadora del que ella creía su víctima, en el momento en que cruzaba el arroyo por sobre una larga viga[24] atravesada en lo alto del barranco, especie de puente aéreo, del que sólo podía hacer uso un hombre descalzo y acostumbrado como él a ese ejercicio.

Guarecida[25] en la choza y fielmente servida por sus humildes huéspedes, tuvo la satisfacción de comunicarse con sus padres, y de saber por ellos que ni don Pedro ni el capitán don Rodrigo habían muerto de sus heridas, aunque

17. muddy, foamy water
18. she had only wanted to defend herself
19. to bring him back to life
20. her hair stood on end
21. By her side an old Indian woman in tatters and frightfully emaciated was watching over her
22. a mummy, just exhumed from some Indian burial place, were it not for her bright eyes staring at the young woman
23. for his night shift
24. plank or bean [used as a bridge]
25. sheltered

ambos yacían en el lecho, siendo en extremo grave el estado del segundo. Mas, como muy luego llegaron a su conocimiento las instancias del sañudo azoguero y las pesquisas del temible corregidor,[26] determinó buscar un asilo en casa de una dama principal de La Plata, relacionada con su familia. Aquella noche, precisamente a la hora en que el magistrado venía en su demanda, sin cuidarse de la lluvia, la doncella disfrazada[27] disponíase a subir en una mansa mula que tenía del diestro el tímido mayordomo[28] que conocemos, a pesar del terror que le inspiraba la horca[29] siempre lista en el gobierno interino del Oidor.

—Mañana tendré un asilo para llorar tranquila. ¡Benditas las sombras de la noche que protegen mi fuga! —pensaba la doncella.

Pero de entre esas mismas sombras protectoras brotaron a su vista los corchetes de don Juan Díaz de Lupidana; se vió rodeada por ellos sin esperanza alguna de burlarlos todavía, sola, abandonada por sus huéspedes y el mayordomo, que habían huído, cual si el terror les prestase alas en aquel instante; la luz inesperada de las linternas hirió sus ojos, deslumbrándolos súbitamente; se sintió, en fin, asida por una mano de hierro.[30]

Estaba perdida sin remedio, a su juicio, como una paloma en las garras del milano.[31] Era inútil implorar compasión o hacer un solo movimiento... ¿Qué rasgo de piedad podría esperar de parte de aquellos hombres? ¿Qué lucha desesperada no habría servido únicamente para encender su furor? No le quedaba, pues, más que dejarse conducir por ellos sin contrariarlos, resignándose a sufrir en silencio las invectivas y sangrientas burlas con que sin duda no tardarían en abrumarla.

---

26. but very soon aware of the pressure used by the enraged owner of the quicksilver mines and the investigations [carried out] by the dreadful magistrate
27. disguised
28. held by its bridle by the timid majordomo
29. gallows
30. held by an iron hand
31. like a pigeon in the talons of a hawk

538

Y sin embargo, la doncella que esto pensaba, padecía un error propio de su alma purísima, que no sospechaba siquiera el poder fascinador de la belleza; así que su asombro llegó a ser mayor que su miedo, cuando sintió que aquella mano que magullaba sus brazo, se debilitaba por grados, deslizándose temblorosa, hasta que se posó ligera en la suya,[32] mientras que una voz tímida y llena de cariñoso respeto murmuraba, o más bien balbucía, estas palabras:

—Perdonadme, señora... ¡Ah, perdonadme!

Era que el severo, el inexorable Oidor don Juan Díaz de Lupidana, el que hacía justicia[33] con la horca levantada a las puertas de su despacho, —había asido primero a la "niña mimada y despreciable"— con toda la fuerza de que era capaz su mano derecha, y la había visto después a la luz de la linterna que tenía en la izquierda, pudiéndose decir que llevaba en aquella la justicia y que un mal genio gobernó la otra, ganando la ventaja.

Decimos que el corregidor vió a la doncella, lo que es mucho; y réstanos añadir que la vió en traje de india acomodada lo que es demasiado.[34] No sólo la vió, en efecto, bellísima, como la había formado el Supremo artista en sus inescrutables designios, sino también —tengamos compasión de don Juan Díaz— en el traje más a propósito para realzar sus encantos:[35] con el acsu y lliclla de finísima lana de vicuña y alpaca,[36] reservada antes para el uso exclusivo de las hermanas y esposas del Inca; dispuesta su hermosa cabellera en delgadas e infinitas trenzas, flotantes a sus espaldas; calzados sus diminutos pies por las sandalias enchapadas de plata...[37] ¿Qué más se necesita, por ventura, para trastornar la cabeza de un hombre, aunque fuese la de un Oidor de aquellos tiempos?

---

32. which was bruising her arm; it weakened, until it came shakingly to rest lightly in hers
33. he who meted out justice
34. it should be added that he saw her dressed as a well-to-do Indian woman, which is saying a lot
35. to enhance her charms
36. with a skirt and a shawl made out of very fine vicuña and alpaca wool
37. her small feet shod in sandals decorated with silver

539

—"Perdonadme, señora... ¡Oh, perdonadme!" —balbuceó,[38] pues, don Juan Díaz de Lupidana; y con las razones más comedidas que le permitía su extraña turbación, rogó en seguida a la doncella que se dignase admitir su compañía. Cuatro hombres se pusieron delante para alumbrarles; los restantes les siguieron a respetuosa distancia, alineados marcialmente como escolta de honor. Diríase que una infanta de Castilla, recientemente arribada a Potosí, había tenido el capricho de recorrer a esa hora el barrio más pobre y miserable de los indios, revestida en el antiguo traje de las Coyas,[39] tan venerable para aquellos.

Y en verdad sólo esta explicación hubiese podido satisfacer, también, a muchos vecinos de la villa que, al ruido de los pasos de tan sorprendente comitiva, asomaron la cabeza por el postigo de sus puertas,[40] preguntándose inútilmente quién era aquella niña de extremada belleza, digna hija del sol, acompañada de tal suerte por el formidable don Juan Díaz.

Sólo uno entre todos adivinó, acaso, la explicación del enigma. Un rondador nocturno[41] que a esa hora caminaba inquieto por las calles, lanzó en efecto una exclamación de alegría, al descubrir de lejos a la doncella; pero temeroso, sin duda, de que le reconociesen los corchetes, apretó el paso,[42] perdiéndose entre las sombras.

¿Sería don Julio? ¿Sintió el Oidor estremecerse a la doncella cuando oyó aquella exclamación del rondador desconocido?

38. stuttered
39. Inca princesses
40. they poked their heads through the shutters
41. night wanderer
42. hurried away

VI.

"Caer en las brazas"[1]

Al día siguiente no hubo quien ignorase en la Villa Imperial la captura de Floriana y el lugar donde ésta se encontraba cautiva; porque tanto el sobrino de don Pedro que la denunció al corregidor, como los padres de la doncella, informados por el mayordomo, tenían interés en divulgar el suceso, aunque por diversos motivos. El primero quería que fuese conducida inmediatamente al más inmundo calabozo de la cárcel pública, sin miramiento alguno,[2] y los segundos imploraban la protección de sus amigos, a fin de que procurasen conseguir que volviese con fianza[3] a su casa; pero nadie logró ver, ni obtuvo siquiera una promesa de audiencia del severo magistrado.

Sin embargo, era tal el respeto y hasta el terror que éste había infundido a todos con su notoria justificación y comprobada entereza,[4] que nadie se atrevió a censurar su conducta, ni aún a concebir una sospecha del verdadero motivo por el que tenía presa a Floriana en su propia morada, contentándose cuando más con decir por lo bajo:

—Ya veremos lo que resuelve su señoría, con el tino y acierto[5] que le caracterizan en servicio del rey y gobierno de la villa.

¡Ay! si le hubiesen visto entonces, ¿qué habrían dicho de él los mismos que tan favorablemente le juzgaban? No sabemos si les hubiese causado disgusto, horror, desprecio o lástima; porque el venerado y temido Oidor que ellos acostumbraban contemplar bajo su gran peluca empolvada, revestido de la toga, con la vara en la mano, ceñudo, estirado y tieso, estaba a la sazón ridículo o espantoso,[6] llorando

---

1. To fall in the braces, i.e. to be trapped, to be caught with a lasso
2. in the filthiest dungeon of the public jail, without any consideration whatever
3. bail
4. remarkable sense of equity and proven integrity
5. circumspection and ability
6. under his grand powdered wig, clad in his toga, clutching his staff, grim, conceited and stiff, he appeared just then ridiculous or dreadful

a veces de rodillas como un niño, o amenazando otras como un furioso demente[7] a la doncella.

Pasó un día y otro, una semana, dos, sin que nadie supiese lo que había resuelto el inexplicable carcelero.[8] Al cabo de ese tiempo la misma Floriana ya no reía o miraba con lástima al magistrado; un solo sentimiento, uno solo se había apoderado por completo de ella: el miedo, el terror de aquel anciano groseramente horrible, en el que se figuraba ver un monstruo, un demonio. Con las manos juntas le pedía que la enviase al encierro de los criminales, al calabozo de un asesino que le causaría menos espanto; le proponía que la hiciese colgar de la horca por el verdugo; oraba con fervor, pidiendo al cielo la muerte que la salvase de la afrenta.

No le quedaba ya, sin embargo, ni el recurso de arrojarse del balcón para estrellarse en las baldosas[9] de la calle; su carcelero había hecho poner fuertes rejas[10] a la ventana de su cuarto; y cuando no le importunaba de cerca, velaba la puerta,[11] sin dejar por eso de rogar o amenazarla.

Una noche cayó a sus pies una piedra arrojada por la ventana; se inclinó vivamente, animada por una esperanza que la había abandonado acaso, y descubrió un papel que envuelto a la piedra venía. Era una carta sin firma, sin inicial alguna: carta de amante receloso, desdeñado, pero dispuesto al sacrificio. "Si vuestra voluntad no tiene parte en tan extraño cautiverio, llamadme, señora, y os salvaré a costa de mi vida que os pertenece" —decía aquel amante misterioso.

La doncella corrió al punto a la reja y, pegando el pálido y hermosísimo rostro a los hierros—

—Don Julio, ¿estáis ahí? —murmuró con acento de profunda emoción.

---

7. madman
8. jailer
9. to dash to pieces on the paving-stones
10. grating
11. when he did not harass her at close range, he would keep watch by her door

Un hombre embozado[12] salió al momento del portal fronterizo donde sin duda esperaba; vino a colocarse al pie de la ventana; y la cautiva y él cambiaron algunas palabras, en voz tan baja, que apenas parecía el susurro del viento[13] entre las rejas.

Cuando el espantoso don Juan Díaz entró poco después en el cuarto, cuya llave tenía siempre consigo, como hemos dicho, se creyó transportado repentinamente al séptimo cielo desde el más profundo círculo del infierno, tan dulce fué la sonrisa con que le recibió la doncella, extendiendo una mano, que el ridículo viejo se apresuró a besar, cayendo de rodillas.

—Pienso, don Juan, que al cabo venceréis —le dijo Floriana, aprendiendo a disimular en el conflicto—; "pero concededme todavía un plazo[14] hasta mañana, para recibir mi última palabra".

VII.

Donde se prueba que no es una hipérbole de los poetas exhalar el alma en un beso[1]

Era noche de un viernes de cuaresma.[2] Los criados del corregidor habían ido a oír ejemplos a la Compañía de Jesús,[3] y no quedaron por consiguiente en la casa más que don Juan y la bellísima cautiva. Aquél necesitaba, es cierto, más que otro alguno escuchar dichos ejemplos, para salvar su pobre alma de la perdición eterna; pero en nada pensaba menos que en esto, o más bien se encontraba en la absoluta imposibilidad de pensar en otra cosa que en Floriana.

12. with muffed face
13. the rustle of the wind
14. an extension of time

1. Wherein it is proven that poets do not exaggerate when they say that someone breathes his last in a kiss
2. Lent
3. to hear examples at the Jesuits [examples were cautionary tales serving as illustrations of sermons and often adapted to the stage]

En su impaciencia recorría a grandes pasos su estancia y hablaba en voz alta consigo mismo como un demente.

—¿Y por qué no? — ¿Qué importan mis canas? ¿Qué mis arrugas?[4] ¿No soy el hombre más poderoso de la villa? ¿No miro más alto, mucho más todavía? ¿Y quién podría, sobre todo, amarla como yo? ¿Sería ese un mancebo frívolo, inconstante y lleno de vida, por ventura?

Entretanto don Julio subía a la reja por medio de una cuerda nudosa asegurada fuertemente a los hierros y limaba dos barras[5] para dar salida a Floriana, mientras que ésta acechaba[6] a la puerta, temblando como la hoja en el árbol, pero resuelta a defender el paso con una daga que su salvador había puesto entre sus manos.

Terminado que hubo el caballero, llamó en voz baja a la doncella, y, pasando a su esbelto talle otra cuerda[7] que tenía preparada, bajó en seguida a la calle para ayudarla en su descenso y recibirla entre sus brazos.

Pero, no bien puso los pies en el suelo Floriana, cuando el caballero se disponía a desembarazarla[8] de la cuerda que rodeaba la cintura, se irguió ante él majestuosa, digna, admirable, deteniéndose con un ademán imperioso en tanto que le decía:

—Juradme que no ha de salir nunca de vuestros labios una palabra de amor, caballero...; ¡jurádmelo!, me entregaré a vos como a un hermano.

Don Julio inclinó la cabeza, cruzando los brazos sobre su pecho con un suspiro, mientras que Floriana hacía deslizarse la cuerda a sus pies.

—¡Sea! —murmuró en seguida, con tan triste acento, que parecía la palabra resignada de un hombre herido mortalmente en el corazón.

En ese momento una luz súbita iluminó la oscura calle en que se encontraban, y un grito salvaje de dolor y rabia,

---

4. What matters if I am gray-haired? What matter if I am wrinkled?
5. a knotted rope securely tied to the iron grille and was filing off two of the bars
6. watched
7. tying another rope round her delicate waist
8. to release her

544

que nada tenía de humano, resonó en medio del silencio de la noche. Un brazo descarnado y velludo,[9] provisto de una linterna, y una cabeza horrible bajo un gorro piramidal de blanco lino,[10] aparecían en la reja, por el mismo espacio por donde salió la doncella. Don Juan Díaz había percibido en medio de sus ensueños el ruido extraño que necesariamente causara aquella evasión, y corriendo al cuarto de Floriana se había sentido caer de su séptimo cielo en un abismo más hondo que el mismo infierno.

—Venid, *hermana mía,* —dijo don Julio a la dama, ofreciéndole el brazo para ayudarla—; pero ésta apenas podía dar un paso o sostenerse sobre sus piernas, tanta era su debilidad física a consecuencia del tormento moral que había sufrido en su encierro.

—Hermana, perdonadme, —volvió a decir entonces el caballero, levantándola en sus brazos—; y huyó con ella entre las sombras, mientras que don Juan seguía aullando[11] desde la ventana.

La doncella no había opuesto resistencia alguna a la acción de su salvador y, más bien rodeó su cuello con los brazos. Sentíase tranquila, dichosa tal vez, sobre aquel pecho valiente y leal que abrigaba[12] por ella un amor inmenso, todavía sin esperanza. Se dejó conducir en silencio, con los ojos cerrados. Pero al cabo de algún tiempo conoció que las fuerzas abandonaban a don Julio; los brazos de éste la estrechaban ya débilmente a su pecho; su respiración era más fuerte y anhelosa;[13] y se sintió, por último, depositada, con un supremo esfuerzo, sobre un poyo.[14]

Vió entonces que se encontraba en un sitio que no le era desconocido. Era ésta la plaza del Gato, que servía de mercado y que nadie podía visitar por la noche, no habiendo objeto de hacerlo. El caballero estaba de pie ante ella; la miraba en silencio con indefinible expresión de ternura,

9. an emaciated, hairy arm
10. a dreadful head wearing a conical hood made of white linen
11. howling
12. cherished
13. gasping
14. stone bench

de amor, de angustia; pues todo esto se leía en sus ojos a la luz de la luna que brillaba en ese instante, en la quiebra de dos nubes sombrías.[15] Repentinamente abrió don Julio los brazos, lanzando un gemido; vaciló un segundo, y se inclinó sobre el seno de Floriana, cual si quisiese estrecharla aún más contra su pecho, uniendo sus labios con los suyos.

La doncella sintió un ósculo helado en la mejilla,[16] y levantándose sorprendida más que indignada, dejó caer pesadamente la cabeza, que iba a reclinarse en su regazo.[17] El buen caballero acababa de darle, sin embargo, todo el alma en ese primero y último beso del más constante y desdeñado amor!

VIII.

De lo que siempre calló doña Floriana

Don Juan Díaz de Lupidana corrió inútilmente por las calles de la villa, seguido de algunos hombres que había logrado reunir precipitadamente, en busca, no de la justicia sino de la venganza. Era ya muy tarde de la noche, cuando al pasar por la plaza del Gato, sombrío, desconcertado, espantoso como nunca, "llamó la atención de sus agentes el ladrido lastimero de unos perrillos en la oscuridad".[1] Acercáronse dos hombres a aquel sitio y volvieron a comunicarle que había allí un cadáver.

—Veamos —dijo el magistrado, y se aproximó a su vez con la linterna que llevaba en la mano. Pero apenas se inclinó a reconocerlo, lanzó una horrorosa carcajada.[2]

15. between two black clouds
16. felt a cold kiss on her cheek
17. which was about to rest on her lap

1. the wailing of some dogs in the dark attracted the attention of the police officers
2. a frightful guffaw

—¡La traidora lo mató! —dijo en seguida, volviendo a reír como un insensato. Floriana era culpable de un nuevo crimen; su rival había sido burlado de un modo más bárbaro que él mismo por la traidora; él, don Juan podría perseguirla sin descanso a nombre de la justicia ...

Sin embargo, por más que hizo registrar[3] el cadáver de don Julio, no se encontró herida alguna, ni otro signo que revelase una muerte violenta, como esperaba el magistrado.

—¿Le daría un filtro envenenado?[4]

Esta idea volvió a iluminar el rostro de don Juan con un resplandor del infierno, y le acarició durante toda la noche, para disiparse también al día siguiente; porque reconocido nuevamente el cadáver por facultativos,[5] declararon éstos que no había huella de veneno,[6] ni de enfermedad, y que aquella muerte era un *misterio*.

Según las ideas de aquel tiempo esta palabra "misterio" significaba, no sólo algo inexplicable y desconocido, sino también una cosa sobrenatural en la que se descubría la acción de la Providencia o de Satanás en persona. Para los lectores de nuestro siglo la ciencia ofrecería, acaso, alguna explicación satisfactoria, con el temible "mal de las montañas", el *sorocche*,[7] por ejemplo; pero nosotros creemos, más bien, que el enamorado caballero recibió ya la herida mortal, en el momento en que Floriana le prohibió para siempre hablarle de su amor. Su vida consagrada a ese único sentimiento, no tenía desde entonces ningún vínculo[8] en la tierra.

Don Juan no pudo, pues, encontrar el pretexto de su venganza. Llamado poco después por la Real Audiencia, dejó tras sí recuerdos imperecederos[9] en la villa, pero unidos ya a un nombre desprestigiado.[10] Muy poco tiempo antes

3. to search
4. Could it be that she has given him a love potion?
5. physicians
6. there was no trace of poison
7. mountain sickness [induced by rarefication of the air at high altitudes]
8. tie, link
9. imperishable
10. having lost its prestige

le había precedido por el camino el gobernador de Tucumán don Pedro de N. para morir oscuramente en La Paz, víctima de un tabardillo.[11] — Del capitán don Rodrigo de Alburquerque, sabemos que murió también de la herida que le infirió[12] don Julio, en la célebre noche de la primera evasión de Floriana.

Cuando ésta volvió a la casa paterna se notó con asombro que, conservando aún su extremada belleza, inspiraba ya un sentimiento de respeto y hasta de miedo, a cuantos la veían. Su rostro estaba pálido como el mármol; sus ojos miraban sin ver cuanto la rodeaba, y sólo brillaba en ellos un rayo de esperanza, cuando los levantaba al cielo. ¿Buscaba allí la patria primitiva como ángel proscrito[13] en el valle de las lágrimas? ¿No descubría, también, una sombra pálida que la miraba con amor y angustia, semejante al buen caballero en aquella noche que no le era posible olvidar?

"Muy más dura que el mármol y la roca" habría sido si no le amase . . . le amase . . . Pero ved aquí precisamente lo que calló para siempre doña Floriana.

11. sunstroke
12. inflicted upon him by
13. exiled

MANUEL ACUÑA

b. Saltillo, Mexico, August 26, 1849
d. Mexico City, December 6, 1873

Born in Saltillo, Acuña moved to Mexico City before he was sixteen in order to study medicine. Under the spell of the Romantic poets popular at the time—Espronceda, Bécquer, Victor Hugo—he began composing verse while in secondary school.

Mexico City opened up to the highstrung, morbidly-inclined provincial boy two exciting worlds: the scientific and the erotic. When as a medical student Acuña stood before a corpse in the dissecting room, he burst forth into song and in a strangely anti-romantic Romantic poem, "Ante un cadáver," told the world that death is not the end at all—that the body is inmortal! Despite this paradoxical twist, so monistic, so hylozoistic, so frightfully heretical for an overwhelmingly Catholic country like Mexico, "Ante un cadáver" had tremendous appeal. Even Spain's XIXth century orthodox critic Marcelino Menéndez y Pelayo considered it "one of the most vigorous works of inspiration that has honored Spanish poetry in our time," adding that Acuña had succeeded in changing "the harshest and most desolating doctrine into a flood of immortal harmonies."

As for Acuña's "erotic" world, he fell madly and hopelessly in love with the most charming and seductive flirt of the day: Rosario Peña (1847-1924). Though gracious and charitable Rosarito never gave Manuel a tumble, busy as she was with a full bevy of better known bards: the oldish but vigorous Indian "Necromancer" Ignacio Ramírez, the lascivious Manuel María Flores, the dynamic Cuban José

Martí, and Juan Espinosa Gorostiza, who was killed in a duel probably on her account. However, a pretty myth germinated and persists to this day: that, turned down by Rosarito, Acuña went home, wrote the "Nocturno," and then blew out his brains. But the "Nocturno" was no swan song, for by the time the poet committed suicide, half of Mexico City knew the poem by heart, a fact which stimulated him to write more verse, such as the sonnet "A un arroyo." Of course it is much more exciting, more romantic to have a twenty-four year old Romantic poet, madly in love with the prettiest girl in Mexico City, kill himself immediately after writing the "loveliest love poem in the Spanish language," to paraphrase Don Marcelino. As a matter of fact, the "Nocturno" moves along rather smoothly—more *Clair de lune* really than nocturne—up to an embarrasing crescendo where the poet brings in his darling mother and sits her down between himself and his imaginary bride, unabashedly compounding it all into a blissful threesome. At this critical juncture, the U.S. reader trained to consider three a crowd may be tempted to follow on the foot-steps of the poet and blast a hole in his brain.

Though today's readers may find Acuña's verse empty and cloyingly sentimental, nonetheless, as Octavio Paz pointed out, one cannot fail to see in him that strange fusion of love and death which is the hallmark of all poetry. "Acuña is not a great poet, but his life typifies the poetic myth."

EDITIONS: *Poesías,* Buenos Aires, Sopena, 1941; *Obras,* edited by José Luis Martínez, Mexico, Porrúa, 1965 [second edition].

ABOUT ACUÑA: Francisco Castillo Nájera: *Manuel Acuña,* Mexico, Imprenta Universitaria, 1950; Benjamín Jarnés: *Manuel Acuña, poeta de su siglo,* Mexico, Xochitl, 1942; José Luis Martínez: "Prólogo to his edition of Acuña's *Obras* pp. VII-XXIV.

NOCTURNO

(A Rosario)

I

¡Pues bien! yo necesito
decirte que te adoro
decirte que te quiero
con todo el corazón;
que es mucho lo que sufro,
que es mucho lo que lloro,
que ya no puedo¹ tanto,
y al grito en que te imploro
te imploro y te hablo en nombre
de mi última ilusión.

II

Yo quiero que tú sepas
que ya hace muchos días
estoy enfermo y pálido
de tanto no dormir;
que ya se han muerto todas
las esperanzas mías
que están mis noches negras,
tan negras y sombrías,
que ya no sé ni dónde
se alzaba² el porvenir.

1. to endure
2. to loom

III

De noche, cuando pongo
mis sienes[3] en la almohada[4]
y hacia otro mundo quiero
mi espíritu volver,
camino mucho, mucho,
y al fin de la jornada
las formas de mi madre
se pierden en la nada
y tú de nuevo vuelves
en mi alma a aparecer.

IV

Comprendo que tus besos
jamás han de ser míos,
comprendo que en tus ojos
no me he de ver jamás,
y te amo, y en mis locos
y ardientes desvaríos[5]
bendigo tus desdenes,[6]
adoro tus desvíos,[7]
y en vez de amarte menos,
te quiero mucho más.

V

A veces pienso en darte
mi eterna despedida,
borrarte[8] en mis recuerdos
y hundirte[9] en mi pasión;

3. temples
4. pillow
5. delirium
6. scorn
7. flirtation
8. to obliterate
9. to drown, to immerse

mas si es en vano todo
y el alma no te olvida
¿qué quieres tú que yo haga,
pedazo de mi vida?
¿qué quieres tú que yo haga
con este corazón?

VI

Y luego que ya estaba
concluido tu santuario,
la lámpara encendida,
tu velo en el altar,
el sol de la mañana
detrás del campanario,[10]
chispeando las antorchas,[11]
humeando el incensario,[12]
y abierta allá a lo lejos
la puerta del hogar...

VII

¡Qué hermoso hubiera sido
vivir bajo aquel techo,
los dos unidos siempre
y amándonos los dos;
tú siempre enamorada,
yo siempre satisfecho,
los dos una sola alma,
los dos un solo pecho,
y en medio de nosotros
mi madre como un Dios!

10. belfry
11. the torches emitting sparks
12. censer

VIII

¡Figúrate qué hermosas
las horas de esa vida!
¡Qué dulce y bello el viaje
por una tierra así!
Y yo soñaba en eso,
mi santa prometida;
y al delirar[13] en ello,
con la alma estremecida,
pensaba yo en ser bueno
por ti, no más por ti.

IX

¡Bien sabe Dios que ése era
mi más hermoso sueño
mi afán y mi esperanza,
mi dicha y mi placer;
bien sabe Dios que en nada
cifraba[14] yo mi empeño,
sino en amarte mucho
bajo el hogar risueño[15]
que me envolvió en sus besos
cuando me vió nacer!

X

Esa era mi esperanza;
mas ya que a sus fulgores[16]
se opone el hondo abismo
que existe entre los dos,

---

13. to rave
14. to place one's hope
15. pleasant
16. radiance

¡adiós por la vez última,
amor de mis amores,
la luz de mis tinieblas,[17]
la esencia de mis flores,
mi lira de poeta,
mi juventud, adiós!

ANTE UN CADAVER

¡Y bien! aquí estás ya... sobre la plancha[1]
donde el gran horizonte de la ciencia
la extensión de sus límites ensancha.[2]

Aquí donde la rígida experiencia
viene a dictar las leyes superiores
a que está sometida la existencia.

Aquí donde derrama sus fulgores[3]
ese astro a cuya luz desaparece
la distinción de esclavos y señores.

Aquí donde la fábula enmudece[4]
y la voz de los hechos[5] se levanta
y la superstición se desvanece.[6]

Aquí donde la ciencia se adelanta
a leer la solución de ese problema
cuyo solo enunciado nos espanta.[7]

17. darkness

1. board or slab (in a dissecting room)
2. to broaden
3. to shed its lustre
4. to be silenced
5. facts, events
6. to vanish
7. mere mention overwhelms us

Ella, que tiene la razón por lema,[8]
y que en tus labios escuchar ansía[9]
la augusta voz de la verdad suprema.[10]

Aquí estás ya... tras de la lucha impía[11]
en que romper al cabo[12] conseguiste[13]
la cárcel[14] que al dolor te retenía.[15]

La luz de tus pupilas ya no existe,
tu máquina vital descansa inerte
y a cumplir con su objeto se resiste.

¡Miseria y nada más! dirán al verte
los que creen que el imperio de la vida
acaba donde empieza el de la muerte.

Y suponiendo tu misión cumplida
se acercarán a ti, y en su mirada
te mandarán la eterna despedida.

Pero, ¡no!... tu misión no está acabada,
que ni es la nada el punto en que nacemos
ni el punto en que morimos es la nada.[16]

Círculo es la existencia, mal hacemos
cuando al querer medirla[17] le asignamos
la cuna y el sepulcro por extremos.[18]

---

8. motto
9. to want
10. final truth
11. impious, cruel
12. at last
13. to succeed in
14. prison, bonds
15. to tie
16. for neither is nothingness the point at which we are born or naught
the point at which we die.
17. to measure
18. we do wrong in assigning to it the cradle and the sepulcher for
extremes.

La madre es sólo el molde[19] en que tomamos,
nuestra forma, la forma pasajera[20]
con que la ingrata[21] vida atravesamos.

Pero ni es esa forma la primera
que nuestro ser reviste,[22] ni tampoco
será su última forma cuando muera.

Tú sin aliento[23] ya, dentro de poco
volverás a la tierra y a su seno[24]
que es de la vida universal el foco.[25]

Y allí, a la vida en apariencia ajeno,[26]
el poder de la lluvia y del verano
fecundará de gérmenes[27] tu cieno.[28]

Y al ascender de la raíz al grano,
irás del vegetal a ser testigo[29]
en el laboratorio soberano,

tal vez para volver cambiado en trigo,
al triste hogar donde la triste esposa
sin encontrar un pan sueña contigo;

en tanto que las grietas[30] de tu fosa[31]
verán alzarse de su fondo abierto
la larva convertida en mariposa,[32]

19. mold, pattern
20. transitory
21. thankless
22. assume
23. lifeless
24. bosom
25. source
26. detached, remote
27. germ
28. slime
29. witness
30. fissures, cracks
31. grave
32. butterfly

que en los ensayos de su vuelo incierto
irá al lecho infeliz de tus amores
a llevarle tus ósculos[33] de muerto.

Y en medio de esos cambios interiores
tu cráneo[34] lleno de una nueva vida,
en vez de pensamientos dará flores,

en cuyo cáliz brillará escondida
la lágrima, tal vez, con que tu amada
acompañó el adiós de tu partida.[35]

La tumba es el final de la jornada,
porque en la tumba es donde queda muerta
la llama en nuestro espíritu encerrada.

Pero en esa mansión a cuya puerta
se extingue nuestro aliento, hay otro aliento
que de nuevo a la vida nos despierta.

Allí acaban la fuerza y el talento,
allí acaban los goces y los males,
allí acaban la fe y el sentimiento.

Allí acaban los lazos terrenales,
y mezclados el sabio y el idiota,
se hunden[36] en la región de los iguales.

Pero allí donde el ánimo se agota,[37]
y perece la máquina, allí mismo
el ser que muere es otro ser que brota.[38]

33. kiss
34. skull
35. departure
36. to sink
37. to be spent, to be exhausted
38. to spring forth

El poderoso y fecundante abismo,
del antiguo organismo se apodera[39]
y forma y hace de él otro organismo.

Abandona a la historia justiciera
un nombre, sin cuidarse,[40] indiferente,[41]
de que ese nombre se eternice o muera.

El recoge la masa únicamente,
y cambiando las formas y el objeto,
se encarga de que viva eternamente.

La tumba sólo guarda un esqueleto,
mas la vida en su bóveda[42] mortuoria
prosigue[43] alimentándose en secreto.

Que al fin de esta existencia transitoria,
a la que tanto nuestro afán se adhiere,[44]
la materia, inmortal como la gloria,
cambia de formas, pero nunca muere.

ADIOS

a...

Después de que el destino
me ha hundido en las congojas[1]
del árbol que se muere
crujiendo[2] de dolor,

39. to seize
40. carelessly
41. unconcerned
42. funeral vault
43. to proceed to
44. to which our anxiety so much adheres

1. has plunged me into the anguish
2. to crackle

tronchando[3] una por una
las flores y las hojas
que al beso de los cielos
brotaron de mi amor.

Después de que mis ramas
se han roto bajo el peso
de tanta y tanta nieve
cayendo sin cesar,
y que mi ardiente savia[4]
se ha helado con el beso
que el ángel del invierno
me dió al atravesar.

Después... es necesario
que tú también te alejes
en pos[5] de otras florestas[6]
y de otro cielo en pos;
que te alces de tu nido,
que te alces y me dejes
sin escuchar mis ruegos
y sin decirme adiós.

Yo estaba solo y triste
cuando la noche te hizo
plegar[7] las blancas alas
para acogerte[8] a mí,
y entonces mi ramaje[9]
doliente y enfermizo
brotó sus flores todas;
y todas para ti.

3. to tear, to break off
4. sap
5. in search of
6. grove, bower
7. to fold
8. to take refuge
9. foliage

En ellas te hice el nido
risueño en que dormías
de amor y de ventura
temblando en su vaivén,[10]
y en él te hallaban siempre
las noches y los días
feliz con mi cariño
y amándome también...

¡Ah! nunca en mis delirios
creí que fuera eterno
el sol de aquellas horas
de encanto y frenesí:
pero jamás tampoco
que el soplo del invierno
llegara entre tus cantos,
y hallándote tú aquí...

Es fuerza que te alejes...
rompiéndome en astillas[11]
ya siento entre mis ramas
crujir el huracán
y heladas y temblando
mis hojas amarillas
se arrancan y vacilan,
y vuelan y se van...

Adiós, paloma blanca,
que huyendo de la nieve
te vas a otras regiones
y dejas tu árbol fiel;
mañana que termine
mi vida oscura y breve,
ya sólo tus recuerdos
palpitarán sobre él.

10. sway
11. splinters

Es fuerza que te alejes...
del cántico y del nido
tú sabes bien la historia,
paloma que te vas...
El nido es el recuerdo
y el cántico el olvido;
el árbol es el *siempre,*
y el ave es el *jamás.*

Y ¡adiós! mientras que puedes
oír bajo este cielo
el último ¡ay! del himno
cantado por los dos...
Te vas y ya levantas
el ímpetu y el vuelo;
te vas y ya me dejas,
paloma, ¡adiós, adiós!

DANIEL RIQUELME

b. Santiago de Chile, 1857
d. Lausanne, Switzerland, August 9, 1912

For many years Daniel Riquelme's father served as stenographer in Congress while his mother directed a private school — so that Riquelme certainly typifies a writer mirroring the tastes and sentiments of the emergent middle class, not weighed down by rancid traditions or aristocratic prejudices. At the Instituto Nacional Daniel edited the school paper, *El Alba,* and in 1873, while attending law school, he started the literary journal *El Sud América.* Eventually he gave up his law studies and devoted himself to journalism. In the 80's he covered the War of the Pacific, contributing articles and sketches to *El Mercurio* and *La Libertad Electoral.*

In 1885 Riquelme compiled some of the latter in the volume *Chascarrillos militares* [Military Anecdotes], later re-titled *Bajo la tienda* [Under the Tent]. From this collection comes "El perro del regimiento" which splendidly illustrates his narrative gifts, and most especially his spontaneity, conciseness and pathos. Mariano Latorre has referred to Riquelme as the first important short story writer of Chile and often praised "El perro del regimiento": "el más completo de sus episodios de la guerra. Argumento, sobrios toques de ambiente, dramático desenlace. Estilo directo, desnudo," and then goes on to elucidate its symbolic, dramatic qualities: "El perro es casi un camarada de los soldados, se ha compenetrado con la vida del regimiento; es su alma, su mascota, porque cada roto [i.e. a Chilean common laborer or underpriviledged person] ve en él algo del quiltro [dog] que dejó en el rancho o en el conventillo [tenement house].

No es un perro cualquiera, desgraciado o feliz, sino un símbolo de raza. He aquí su acierto mayor [his most felicitous stroke], el soplo épico que los anima y lo engrandece. Todo esto, producto de la intuición del artista nato [born writer] que había en él, porque ni su conocimiento del roto ni su cultura podían ayudarlo a conseguir tal resultado. La orden de silencio ha sido impartida al Regimiento. Un ruido cualquiera puede malograr [to ruin] el éxito del combate. Entonces ladra el perro como en todas las batallas, dando el alerta de costumbre. Ha venteado [sniffed] al enemigo en la noche negra. Dos camaradas lo estrangulan a ciegas [strangle him thoughtlessly], desesperados porque no han conseguido acallar sus ladridos." Perhaps because Riquelme was so deeply involved in the war and perhaps also because of his blinding patriotic fervor, he seems little concerned with the social and philosophical aspects of the conflict — what he does, and does it with uncanny verve, is to tell stories, often with optics borrowed from Zola, whom he admired, and fatalistic resignation. A lung infection forced him to move to Switzerland, where he died at the age of fifty-five.

EDITION: *Cuentos de la guerra y otras páginas,* compiled by Mariano Latorre and Miguel Varas Velásquez, Santiago de Chile, Imprenta Universitaria, 1931 [Biblioteca de Escritores de Chile, Vol. 12].

ABOUT RIQUELME: Mariano Latorre: La chilenidad de Daniel Riquelme, prologue to the above, pp. 5-33; Domingo Melfi: *Estudios de literatura chilena,* Santiago de Chile, Nascimento, 1938, pp. 49-63.

EL PERRO DEL REGIMIENTO

Entre los actores de la batalla de Tacna y las víctimas lloradas de la de Chorrillos,[1] debe contarse, en justicia, al perro del Coquimbo,[2]—perro abandonado y callejero,[3] recogido un día a lo largo de una marcha por el piadoso embeleco[4] de un soldado, en recuerdo, tal vez, de algún otro que dejó en su hogar al partir a la guerra, que en cada rancho hay un perro y cada roto[5] cría el suyo entre sus hijos.

Imagen viva de tantos ausentes, muy pronto el aparecido se atrajo el cariño[6] de los soldados, y éstos, dándole el propio nombre de su Regimiento, lo llamaron "Coquimbo" para que de ese modo fuera algo de todos y de cada uno.[7]

Sin embargo, no pocas protestas levantaba al principio su presencia en el cuartel;[8] pues nadie se ahija en casa ajena sin trabajos,[9] causa era de grandes alborotos[10] y por ellos tratóse en una ocasión de lyncharlo,[11] después de juzgado y sentenciado en consejo general de ofendidos, pero "Coquimbo" no apareció. Se había hecho humo[12] como en todos los casos en que presentía tormentas sobre su lomo.[13] Porque siempre encontraba en los soldados el seguro

---

1. Tacna and Chorrillos refer to battles during the War of the Pacific, 1879-1883, caused by a dispute over the nitrate provinces around the Bolivian port of Antofagasta. Chile wanted these provinces; Peru and Bolivia stood together to keep them from her. The superior Chilean army occupied them. In the peace which followed Peru was obliged to cede her southern territories of Tacna, Arica, and Tarapacá, and Bolivia lost her seacoast.
2. Coquimbo, province in central Chile, refers here to the name of a Chilean regiment.
3. a stray dog
4. merciful caprice
5. Chilean common laborer
6. won the affection
7. would belong to each and every one
8. barracks
9. no one becomes a member of a strange family without some difficulties
10. a lot of trouble
11. to lynch him
12. made himself scarce
13. when he foreboded a shower of blows [lit. storms] on his back

amparo que el nieto busca entre las faldas de la abuela,[14] y sólo reaparecía humilde y corrido, cuando todo peligro había pasado.[15]

Se cuenta que "Coquimbo" tocó personalmente parte de la gloria que en el día memorable del Alto de la Alianza,[16] conquistó su Regimiento a las órdenes del Comandante Pinto Agüero, a quien pasó el mando, bajo las balas, en reemplazo de Gorastiaga...[17]

* * *

Al entrar en batalla, —madrugada del 26 de Mayo de 1880,— el Regimiento Coquimbo no sabía a qué atenerse respecto de su segundo jefe, el Comandante Pinto.

Porque en el campo de las Yaras,[18] días antes solamente de la marcha sobre Tacna, el Capitán don Marcial Pinto Agüero, del Cuartel General, había recibido su ascenso[19] de Mayor junto con los despachos de segundo[20] del Coquimbo y la sorpresa de todos los oficiales del cuerpo que iba a mandar.

Por noble compañerismo, deseaban éstos que semejante honor recayera[21] en algún Capitán de la propia casa, y con tales deseos esperaban, francamente, a otro.

Pero el Ministro de la Guerra en campaña, a la sazón[22] don Rafael Sotomayor, que se daba y lo tenían por perito[23] en el conocimiento de los hombres, dispuso lo que queda dicho el mismo día en que murió tan súbitamente, dejando a cargo del agraciado la deuda de justificar su preferencia.

---

14. the kind of protection granchildren find in their grandmothers' lap
15. humble and abashed after the storm had blown over
16. battle near Tacna, won by the Chileans (May 26, 1880); the "alto" refers to the Bolivian fortifications overlooking Tacna.
17. who, under fire, took over the command from Gorastiaga; neither these names nor those of Rafael Sotomayor and Patricio Lynch are fictitious.
18. near Tacna
19. promotion
20. second in command
21. would fall
22. at the time
23. as an expert

Por estos motivos, que a nadie ofendían, el Comandante Pinto Agüero no entró, pues, al Regimiento con el pie derecho.[24] Los oficiales lo recibieron con una reserva que parecía estudiada frialdad. Sencillamente, era un desconocido para todos ellos; acaso sería también un cobarde.

¿Quién sabía lo contrario?

¿Dónde se había probado?

Así las cosas y los ánimos, despuntó con el sol la hora de la batalla que iba a trocar bien luego, no sólo la ojeriza de los hombres, sino la suerte de tres naciones.[25]

Rotos los fuegos, a los diez minutos quedaba fuera de combate, gloriosa y mortalmente herido a la cabeza de su tropa, el que más tarde debía de ser el héroe feliz de Huamachuco,[26] — don Alejandro Gorostiaga.

En consecuencia, el mando correspondía—¡travesuras del destino![27]—al segundo jefe; por lo que el Regimiento, al saber la baja de su primero, se detuvo y dijo:

—¡Aquí talla Pinto![28]

La ocasión, instante, en verdad supremo, era, en efecto, diabólicamente propicia para dar a conocer la ley cabal[29] del corazón de un hombre.

Y todos esperaban, mas no ya con malicias, sino con angustias, transcurriera ese instante preñado de tantas dudas.

—¿Qué haría Pinto?

Pero todo eso, por fortuna, duró bien poco.

Luego se vió al joven Comandante salir al galope de su caballo de las filas postreras,[30] pasar por el flanco de las mitades que lo miraban ávidamente; llegar al sitio que le señalaba su puesto,—la cabeza del Regimiento,—y seguir más adelante todavía.

---

24. in the most favorable circumstances
25. to change not merely the men's ill will towards him but the future of three countries
26. famous battle near Peruvian town
27. tricks of fate!
28. upon learning of their Commander's death, stopped and said: "Here's where Pinto comes in!"
29. the true measure
30. rear ranks

Veinte pasos a vanguardia de la primera del primero, revolvió su corcel[31] y desde tal punto, ordenó el avance del Regimiento, sereno como en una parada de gala,[32] únicamente altivo y dichoso[33] por la honra de comandar a tantos bravos.

La tropa, aliviada[34] de enorme peso, y porque la audacia es aliento, y contagio,[35] lanzóse impávida[36] detrás de su jefe; pero en el fragor de la lucha, fué inútil todo empeño[37] de llegar a su lado.

El Capitán desconocido de la víspera,[38] el cobarde tal vez, no se dejó alcanzar por ninguno, aunque dos veces desmontado,[39] y concluída la batalla, oficiales y subalternos, rodeando su caballo herido, lo aclamaron en un grito de admiración.

"Coquimbo" por su parte,—que en la vida tanto suelen tocarse los extremos[40]—había atrapado del ancho pantalón de bayeta,[41] y así lo retuvo hasta que llegaron los nuestros,— a uno de los enemigos que huía al ver las bayonetas chilenas.

Y esta hazaña que "Coquimbo" realizó de su cuenta y riesgo,[42] acordándose de los tiempos en que probablemente fuera perro de hortelano,[43] concluyó de confirmarlo el niño mimado[44] del Regimiento.

Su humilde personalidad vino a ser, en cierto modo, el símbolo vivo y querido de la personalidad de todos; de

31. horse
32. as if in a dress parade
33. proud and happy
34. relieved
35. stimulus and contagion [i.e. courage is contagious]
36. fearlessly
37. effort
38. unknown the day before
39. didn't let any one get ahead of him, although he was thrown off his horse twice
40. so often extremes meet in real life
41. wide woolen trousers
42. risk
43. watchdog at a farm
44. the pet

algo material del Regimiento, así como la bandera lo es del ideal de honor y de deber.

El, de su lado, pagaba a cada uno su deuda de gratitud, con un amor sin preferencia, eternamente alegre y sumiso, como cariño de perro.

Comía en todos los platos; diferenciaba el uniforme — hasta sabía distinguir los grados[45]— y por un instinto de egoísmo, digno[46] de los humanos, no toleraba dentro del cuartel la presencia de ningún otro perro que pudiera, con el tiempo, arrebatarle el aprecio[47] que se había conquistado con una acción que acaso él mismo calificaba de distinguida.

Llegó por fin, el día de la marcha sobre las trincheras[48] que defendían a Lima.

"Coquimbo", naturalmente, era de la gran partida. Pero el perro,—cosa extraña para todos,—no dió al ver los aprestos[49] que tanto conocía, las muestras de contento que manifestaba cada vez que el Regimiento salía a campaña.

Antes por el contrario, triste y casi gruñón,[50] se echó desde temprano, a orillas del camino, frente a las "rucas"[51] del Regimiento, como para demostrar que no se quedaría atrás y asegurarse de que tampoco sería olvidado.

¡Pobre "Coquimbo"!

¡Quién puede decir si no olía en el aire la sangre de sus amigos, que en el curso de breves horas iba a correr a torrentes.

45. ranks
46. worthy
47. to snatch away from him the esteem
48. trenches
49. preparations
50. grumbling
51. camp huts

569

La noche cerró sobre Lurín,[52] rellena de una niebla que daba al cielo y a la tierra un tinte lívido.[53]

Casi confundido con la franja de argentada espuma[54] que formaban las olas fosforescentes al romperse sobre la playa, marchaba el Coquimbo.

El eco de las aguas apagaba[55] los rumores de esa marcha de gato que avanza sobre su presa.

Todos sabían que del silencio dependía el éxito afortunado del asalto que llevaban a las trincheras enemigas.

Y nadie hablaba y los soldados evitaban el choque de las armas.

Y ni una luz, ni un reflejo de luz.

A doscientos pasos no se habría visto esa sombra que, llevando en su seno todos los huracanes de la batalla, volaba sin embargo, siniestra y callada como la misma muerte.

En tales condiciones, cada paso adelante era un tanto más en la cuenta de las probabilidades favorables.

Y así habían caminado ya unas cuantas horas.

Las esperanzas crecían en proporción; pero de pronto, inesperadamente, resonó en la vasta llanura el ladrido de un perro, nota agudísima que, a semejanza de la voz del clarín, puede, en el silencio de la noche, oírse a grandes distancias, sobre todo en las alturas.

—¡"Coquimbo"—exclamaron los soldados.

Y suspiraron como si un hermano de armas hubiera incurrido en pena de la vida.[56]

De allí a poco, se destacó al frente de la columna la silueta de un jinete que llegaba a media rienda.

Reconocido con las precauciones de ordenanza, pasó a hablar con el Comandante Sóto, y tras de lacónica plática,[57] partió con igual prisa.

---

52. town, thirty miles south of Lima; the Chileans landed here in their final advance on the capital city
53. filled with a fog that gave the sky and earth a livid hue
54. border of silvery foam
55. deadened, muffled
56. committed an offense punishable by death
57. brief conversation

Era el jinete un ayudante de campo del jefe de la primera división, Coronel Lynch, el cual ordenaba redoblar "silencio y cuidado"[58] por haberse descubierto avanzadas[59] peruanas en la dirección que llevaba el Coquimbo.

A manera de palabra mágica, la nueva consigna[60] corrió de boca en oreja desde la cabeza hasta la última fila, y se continuó la marcha; pero esta vez parecía que los soldados se tragaban el aliento.[61]

Una cuncuna[62] no habría hecho más ruido al deslizarse[63] sobre el tronco de un árbol.

Sólo se oía el ir y venir de las olas del mar; aquí suave y manso, como haciéndose cómplice[64] del golpe; allá violento y sonoro, donde las rocas lo dejaban sin playa.

Entre tanto, comenzaba a divisarse en el horizonte de vanguardia una mancha renegrida[65] y profunda, que hubiera hecho creer en la boca de una cueva inmensa cavada en el cielo.

Eran el Morro y el Salto del Fraile,[66] lejanos todavía; pero ya visibles.

Hasta ahí la fortuna estaba por los nuestros, nada había que lamentar. El plan de ataque se cumplía al pie de la letra.[67] Los soldados se estrechaban las manos en silencio, saboreando[68] el triunfo; más el destino había escrito en la portada[69] de las grandes victorias, que les tenía deparadas,[70] el nombre de una víctima, cuya sangre, obscura y sin deudos,[71] pero muy amada, debía correr la primera sobre aquel campo, como ofrenda a los númenes[72] adversos.

58. to be extremely "silent and on the alert"
59. outposts
60. watchword
61. swallowed their breath
62. caterpillar
63. crawling, sliding
64. accomplice
65. very dark
66. hills near Lima used by Peruvians as observation posts
67. to the letter, i.e. exactly as planned
68. tasting
69. title page
70. reserved
71. relatives
72. deities

"Coquimbo" ladró de nuevo, con furia y seguidamente, en ademán de lanzarse hacia las sombras.

En vano los soldados trataban de aquietarlo[73] por todos los medios que les sugería su cariñosa angustia.

¡Todo inútil!

"Coquimbo" con su finísimo oído, sentía el paso o veía en las tinieblas[74] las avanzadas enemigas, que había denunciado el Coronel Lynch, y seguía ladrando. Pero lo hizo allí por útima vez para amigos y contrarios.

Un oficial se destacó[75] del grupo que rodeaba al Comandante Soto, separó dos so!dados y entre los tres, a tientas,[76] volviendo la cara, ejecutaron[77] a "Coquimbo" bajo las aguas que cubrieron su agonía.

En las filas se oyó un extraño sollozo[78]... y siguieron andando con una prisa rabiosa[79] que parecía buscar el desahogo[80] de una venganza implacable.

Y quien haya criado un perro y hecho de él un compañero y un amigo, comprenderá, sin duda, la lágrima que esta sencilla escena que yo cuento como puedo,—arrancó a los bravos del Coquimbo, a esos rotos de corazón tan ancho y duro, como la mole[81] de piedra y bronce que iban a asaltar; pero en cuyo fondo brilla una de las más dulces ternuras:

Su piadoso cariño a los animales.

73. to quiet him down
74. in the dark
75. stood out
76. gropingly
77. killed
78. sob
79. mad hurry
80. relief
81. fort [lit. mass]

SUPPLEMENTARY READINGS IN THE NOVEL

(arranged chronologically)

Cirilo Villaverde: **Cecilia Valdés** (1839, 1882)

Manuel Payno: **El fistol del diablo** (1845)

José Mármol: **Amalia** (1851, 1855)

Juan Díaz Covarrubias: **Gil Gómez el Insurgente** (1858), **La clase media** (1858)

Alberto Blest Gana: **Martín Rivas** (1862)

Eugenio Díaz: **Manuela** (1864)

Luis G. Inclán: **Astucia** (1865)

Jorge Isaacs: **María** (1867)

Vicente Riva Palacio: **Martín Garatuza** (1868)

Ignacio Manuel Altamirano: **Clemencia** (1869), **Navidad en las montañas** (1870)

Manuel de Jesús Galván: **Enriquillo** (1878, 1882)

Juan León Mera: **Cumandá** (1879)

Eugenio Cambaceres: **Pot-Pourri** (1881), **Música sentimental** (1884), **Sin rumbo** (1885)

Paul Groussac: **Fruto vedado** (1884)

Lucio V. López: **La gran aldea** (1884)

Nataniel Aguirre: **Juan de la Rosa** (1885)

INDEX OF AUTHORS AND WORKS